4373
Y0-BZZ-307

न बैरी न कोई बेगाना

न बैरी
न कोई
बेगाना

सुरेन्द्र
मोहन
पाठक

W

Westland Publications Private Limited

61, II Floor, Silverline Building, Alapakkam Main Road, Maduravoyal, Chennai 600095

93, I Floor, Sham Lal Road, Daryaganj, New Delhi 110002

First published in Hindi as *Na Bairi Na Koi Begana* in 2018 by Westland Publications Private Limited

Copyright © Surender Mohan Pathak 2018

All rights reserved

10 9 8 7 6 5 4 3 2 1

Surender Mohan Pathak asserts the moral right to be identified as the author of this work. The views and opinions expressed in this book are the author's own and the facts are as reported by him, and the publishers are not in any way liable for the same.

ISBN: 9789386850720

Typeset by Neo Software Consultants, Allahabad, Uttar Pradesh

Printed at Thomson Press (India) Ltd.

This book is sold subject to the condition that it shall not by way of trade or otherwise, be lent, resold, hired out, circulated, and no reproduction in any form, in whole or in part (except for brief quotations in critical articles or reviews) may be made without written permission of the publishers.

मेरी राय में आदम जात को अपनी आत्मकथा
तब तक नहीं लिखनी चाहिये जब तक कि वो
इस फानी दुनिया से रुखसत न पा जाये।
—सैमुअल गोल्डविन

विषय-सूची

लेखकीय

जब मेरे को आत्मकथा लेखन प्रस्तावित हुआ तो पहले तो मेरे को इसी बात की हैरानी हुई कि मुझे, मेरी गुजश्ता जिन्दगी को, इस काबिल समझा गया था कि मैं आत्मकथा लिखता। मेरी निगाह में आत्मकथा लेखन तो महामहिमामय मनुष्यों का मशगला था जो कि मैं नहीं था। दूसरे, मेरा खयाल था कि किसी की बायो उसके मरणोपरान्त किसी अन्य लेखक द्वारा लिखी जाती थी और अभी उस आखिरी अंजाम तक पहुंचने का तो मेरा कोई इरादा नहीं था। ऐसा नहीं है कि जीवित महानुभावों की बायो न छपीं हों लेकिन उन में ऐसा कोई इक्का दुक्का ही है जिसने उसे खुद लिखा हो। जो लेखक नहीं, उसमें कोई विस्तृत आख्यान लिखने का सब्र वैसे ही नहीं होता। वो अपने जीवन की कुछ हाईलाइट्स किसी दूसरे, स्थापित लेखक को सुनाते हैं जो अपनी आतिरिक्त रिसर्च करता है, दोनों तरह से उपलब्ध सामग्री को पुस्तक का रूप देता है और यूं ऐसे महानुभाव की बायो प्रकाश में आती है जिसने अपनी जिन्दगी में खुद कभी कोई चिट्ठी तक न लिखी हो। बायो के साथ बतौर सम्मानित लेखक उसका नाम छपता है, वो दायें बायें से लेखन के लिये बधाईयां बटोरता है और यूँ मूल लेखक नेपथ्य में धकेल दिया जाता है।

जमा, मेरा पुख्ता खयाल है कि आत्मकथा लिखना लोगों को दुश्मन बनाने का बेहतरीन तरीका है। मैं नहीं समझता कि ये खतरा मोल लिये बिना ईमानदाराना आत्मकथा लिखी जा सकती है। हालीवुड के मूवी मुगल सैमुअल गोल्डविन ने तो स्पष्ट शब्दों में कहा है कि—"I don't think anyone should write their autobiography until after they are dead."

इसी सन्दर्भ में लेखक सलमान रुश्दी का फरमान है—"What is freedom of expression? Without the freedom to offend, it ceases to exist."

जब मैंने अपने परिवार में इस बात का जिक्र किया कि मेरी एडीटर मीनाक्षी ठाकुर ने मुझे आत्मकथा लिखने को बोला था तो पहला सवाल यही हुआ—"हां तो नहीं बोल दी?" मैंने जब कहा कि मैंने ऐसा ही किया था तो सबसे पहले मेरी बीवी ने वार्निंग जारी की—"खबरदार, जो मेरे मायके वालों की बाबत कुछ लिखा।" फिर सुपुत्री ने फतवा जारी किया—"ताकीद है, फाइनल स्क्रिप्ट पहले मैं पढ़ूंगी।"

ये हाल तब था जब कि अभी मैं यही फैसला नहीं कर सका था कि आत्मकथा लिखने में मैं सक्षम भी था या नहीं ! मैंने अपनी गुजरी जिन्दगी को रिव्यू किया तो मुझे लगा कि लिखने को तो बहुत कुछ था, अब सवाल यही बाकी था कि मैं उसे दक्षता से कागज पर उकेर सकता था या नहीं !

कोशिश करके देखने में क्या हर्ज़ था?—मेरे दिल ने गवाही दी—नहीं चलेगी तो हाथ खड़े कर के दूंगा, मीनाक्षी को बोल दूंगा ये मेरे बस का—बल्कि मेरी किस्म का, एक रहस्यकथा लेखक की किस्म का—काम नहीं था। लिहाजा एक खुशनुमा सुबह मैं कागज कलम ले कर इस प्रत्यक्षतः दुरूह काम के हवाले हुआ। मैंने लिखना शुरू किया तो मुझे लगा कि लिखने लायक जो कुछ मेरे सामने था, उससे मैं मुश्किल से पचास कागज काले कर पाऊंगा।

इतने से तो पुस्तकाकार में छपने वाली आत्मकथा का कलेवर नहीं बनता था। प्रकाशक ने तो मुझे आत्मकथा में कम-से-कम 400 पृष्ठ छापने का संकेत दिया था।

यहां मुझे पंजाबी लेखिका अमृता प्रीतम की याद आती है जिनकी आत्मकथा का नाम 'रसीदी टिकट' था क्योंकि यही एक टिकट थी जो साइज में कभी छोटी बड़ी नहीं होती थी और बतौर लेखिका, उस के अतीत की बाबत कहने लायक बस इतना था जितना कि एक रसीदी टिकट की पुश्त पर आ जाता।

बहरहाल शुरुआत मैंने ये सोचकर की कि कोई आटा दलिया न कर पाया तो मैं जो लिखा था, उसे फाड़ के फेंक दूंगा और उस विषय का स्थायी रूप से पटाक्षेप कर दूंगा।

मैं क्या कर पाया? क्या लिखा मैंने?

सात महीने के निरन्तर लेखन से मैंने इतना लिखा जितने से 1200 मुद्रित पृष्ठ बन जाते और अभी और लिखने की हसरत बाकी थी। यूँ पहली बार मुझे अहसास हुआ कि मेरी निहायत मामूली गुजश्ता जिन्दगी भी बहुत इवेंटफुल थी।

जो मैंने लिखा, वो बाकायदा मेरी पत्नी और पुत्री के सेंसर से गुजरा और आखिर 'न बैरी न कोई बेगाना' वजूद में आयी जो अब आपके हाथों में है। आत्मकथा लेखन की अत्यन्त निष्ठापूर्ण और क्रोनोलॉजिकल कोशिश मैंने की है जिसके पास-फेल का नतीजा आपने निकालना है और जिसकी मुझे बहुत आतुरता से प्रतीक्षा रहेगी।

नववर्ष की शुभकामनाओं सहित

दिल्ली- 110951 — विनीत

04.01.2018 — **सुरेन्द्र मोहन पाठक**

बचपन

जिसमें बचपन का मेरा किस्सा है
उम्र का वो बेहतरीन हिस्सा है।

19 फरवरी, 1940 को जन्मा मैं अपने जीवन सफर में बस इतना पीछे जा सकता हूँ कि लाहौर की याद आती है जहां मेरे पिता की एक ब्रिटिश कम्पनी में स्टेनोग्राफर की नौकरी थी और जहां वो मेरी मां और मेरी दो छोटी बहनों के साथ रहते थे। मुल्क के बंटवारे के वक्त मैं साढ़े सात साल का था इसलिये जाहिर है कि जो भी याद जन्म से तब तक के वक्फे के साथ बावस्ता है, वो लाहौर की है। लाहौर का शाहआलमी गेट एक दिल्ली के दरीबा, किनारी बाजार जैसा घनी आबादी वाला इलाका था। राहगुजर गेट के भीतर से हो कर थी जिस के आगे दूर तक जाता घना बाजार था। उस बाजार में थोड़ा आगे बढ़ने पर दायीं ओर एक सड़क कटती थी और वो भी छोटा मोटा बाजार ही था। उस सड़क पर आगे बढ़ते ही दायीं ओर हरि गोकुल नाम की किरयाने की मशहूर दुकान थी जो मुझे अभी तक इसलिये याद है क्योंकि उसके बाहर काला नमक की एक-एक मन की शिलायें गायों के चाटने के लिये पड़ी रहती थीं जब कि आज की तारीख में अपने रोजमर्रा के भोजन के लिये कोई आम हैसियत का शख्स काला नमक अफोर्ड ही नहीं कर सकता।

मेरा देखा परोपकार का वो पहला कर्म था जो मेरे को आज तक न भूला।

उसी कदरन छोटे बाजार के सिरे पर बायीं ओर एक संकरा फाटक था जिसमें आगे वो गली थी जो सूदों की गली कहलाती थी और जिसके दायें विंग में 'एल' के आकार की एक संकरी गली थी जिसके माथे पर, यानी 'एल' के कोने में, हमारा मकान था जो साढ़े तीन मंजिल तक उठा हुआ था—मकान क्या था, बस एक दूसरे के ऊपर रखे तीन जूते के डिब्बे थे जिन के बाजू में एक और भी छोटी ड्योढ़ी थी जिससे ऊपर को जाती सीढ़ियां थीं। ड्योढ़ी में जहां से सीढ़ियां उठना शुरू होती थीं, वहां उन के नीचे छोटी सी, तंग सी स्टोरेज प्लेस थी जो पत्थर का कोयला स्टोर करने के काम आती थी और जो बुखारी कहलाती थी। पत्थर का कोयला ही तब रसोई का ईंधन होता था जिस की अंगीठी बड़ी मेहनत से, बड़ी मुश्किल से जलती थी—आधा-पौना घन्टा लग जाना आम बात थी—अंगीठी में पहले कुछ लकड़ियां सुलगानी पड़ती थीं, फिर उन पर कोयले रखे जाते थे जो कितनी ही देर फूंकें मारने पर, पंखी झलने पर आंच पकड़ते थे

और उनके दहक चुकने तक उन को निरन्तर हवा देते रहना अनिवार्य होता था। एक बार की सुलगी अंगीठी से ही रसोई का सारा काम होना होता था इसलिये जाहिर था कि खाना टाइम लिमिट के मद्देनजर बनाया जाता था। सीढ़ियों की दीवारें लगातार पड़ते हाथों से घिसती रहने की वजह से ऐसी शक्ल अख्तियार कर चुकी थीं कि उन पर सफेदी नहीं चढ़ती थी, चढ़ाओ तो झड़ जाती थी—वैसे मुझे याद नहीं कि उस मकान में मैंने कभी कोई रंग-रोगन होता देखा था—मैं सीढ़ियां चढ़ता था तो दीवार पर हर जगह मुझे अजीब अजीब साये अंकित जान पड़ते थे जिन पर निगाह डालते मुझे दहशत होती थी। दिन में तो मैं जैसे तैसे सीढ़ियां लांघ लेता था लेकिन अन्धेरा होने लगता था तो उन पर कदम रखते मेरा दिल दहलता था। ड्योढ़ी से गला फाड़ कर मैं मां को आवाज देता था कि वो मुझे नीचे आके ले के जाये। उसको घर का, मेरी दो छोटी बहनों का, शाम के खाने की तैयारी का इतना काम होता था कि वे नीचे नहीं आ पाती थी, विकल्प के तौर पर आफर करती थी कि वो मुझे आवाज लगाती थी और मैं आवाज सुनता, बिना आजू बाजू तवज्जो दिये लपका चला आ सकता था।

फिर बुलन्द आवाजों का सिलसिला शुरू होता था :

"सुरिन्दर!"

"हां, चाई!"

"सुरिन्दर!"

"हां, चाई।"

और मैं दूसरी मंजिल पर पहुंच कर सांस लेता था जहां के 'शू बाक्स' कमरे में हमारा रहन सहन था और जहां ड्योढ़ी के ऊपर ड्योढ़ी के साइज की रसोई थी। उसके ऊपर की मंजिल पर पिछले आधे हिस्से में एक बरसाती थी और फ्रंट में 'ड्राई' लैट्रिन थी। बरसाती की एक अलमारी में पड़े तीन ग्रामोफोन रिकार्ड मुझे आज तक याद हैं जबकि हमारे घर में ग्रामोफोन नहीं था। वहीं मैं एक वैसा खाकी टोप पड़ा देखा करता था जैसा काटन के सफेद सूट के साथ हमारे तब के गोरे साहब पहनते थे लेकिन उस को इस्तेमाल में आता कभी नहीं देखा था। मेरा पिता निहायत खूबसूरत नयननक्श वाला गोरा चिट्टा पंजाबी था जो काटन के सफेद कोट पतलून के साथ वो हैट पहनता होगा तो यकीनन गोरों में गोरा ही लगता होगा।

बरसाती के ऊपर छत थी गर्मियों के मौसम में जहां सारा परिवार सोता था। नीचे घर की रखवाली का कोई जरिया नहीं था—सिवाय इसके कि नीचे गली का दरवाजा भीतर से बन्द होता था और खिड़कियां बन्द होती थीं। वो दो दरवाजे और चार खिड़कियां रोजाना रात को बन्द करने की ड्रिल होती थी जिस में कोताही हो ही जाती थी—मेरी मां से रसोई की खिड़की अक्सर खुली

रह जाती थी। यूं एक बार घर में चोरी भी हुई थी—चोर परनाले का पाइप पकड़ कर दो मंजिल ऊपर रसोई की खिड़की तक चढ़ आया था—लेकिन गनीमत थी कि कोई बड़ा नुकसान नहीं हुआ था। होता भी कैसे? बड़ा नुकसान होने लायक तो हमारी हैसियत ही नहीं थी। लेकिन बेहैसियत का छोटा नुकसान भी बड़ा होता है।

गली के फाटक और हमारे घर के बीच में एक लम्बा संकरा चबूतरा था जिसके कोने में एक कुआं था जो कि संकरी गली में था इसलिये चौड़ा तो हो नहीं सकता था—पूरा एक गज भी उसके दहाने का व्यास नहीं था—लेकिन गहरा इतना था कि झांकने पर तला नहीं दिखाई देता था। हमारे से अगला एक बड़ा मकान था जिस में प्रकाश देव मल्होत्रा नामक एक मेरे पिता के हमउम्र व्यक्ति रहते थे जो कि रिजर्व बैंक में मुलाजिम थे। ऊपर से सम्पन्न परिवार से थे इसलिये हर कोई उन का आदर करता था। जब बड़े आदर करते थे तो बच्चों को यही सूझता था कि वो उन से न्यारे न्यारे ही रहें। फिर भी कोई नसीबमारा अपनी किसी—उन की निगाह में—बेजा हरकत के लिये उन के काबू मे आ जाता था तो वो उसे पकड़ कर, उलटा कर, टखनों से पकड़ते थे और कुयें में लटका देते थे। बच्चे की दहशतभरी, दिल हिला देने वाली चीखें सारी गली में गूंजती थीं, बच्चे की मां चीखें सुन कर सहम जाती थी लेकिन दखलअन्दाज होने की मजाल उसकी नहीं होती थी। वो फरयाद करती निगाह से बाप की तरफ देखती थी तो बाप बड़े सब्र के साथ मुस्कराकर दिखाता था, निगाह से ही उसको—शायद खुद को भी—आश्वासन देता था कि सब ठीक था। मल्होत्रा साहब तब बच्चे के कुयें में उलटे लटके जिस्म को झिंझोड़ते कहरभरी आवाज में सवाल करते थे—"फिर करेगा?"

"नहीं ! नहीं ! नहीं !"—बच्चा बिलखता सा बोलता था।

जबकि उसे पता ही नहीं होता था कि उसने क्या किया था और क्या उसने फिर नहीं करना था।

ये उस वक्त के लोगों की सहनशीलता की एक मिसाल है। आज के जमाने में कोई किसी के बच्चे के साथ ऐसे पेश हो कर अव्वल तो दिखायेगा ही नहीं, दिखायेगा तो फौजदारी हो के रहेगी, पड़ोसी के साथ ताल्लुकात ऐसे बिगड़ेंगे कि ताजिन्दगी नहीं सुधर सकेंगे।

मेरी मां को घर में इतना काम होता था कि सुबह से लेकर देर रात तक बेचारी पिसती ही रहती थी। घर का, बाहर का हर काम उसने अकेली ने करना होता था। रोज सारे घर का झाड़ा पोछा करना, रोज कपड़े धोना, दो टाइम बर्तन मांजना, खाना पकाना तो काम थे ही, अभी तीन बच्चों की तरफ भी तवज्जो देनी होती थी जो वो नहीं दे पाती थी। उस दौर में आज की तरह प्री-केजी, के

नर्सरी वगैरह जैसे नखरे नहीं होते थे, बच्चा छः साल की उम्र में सीधा पहली जमात में भरती होता था। इसलिए छः साल तक हर घड़ी उसका मां के गले पड़े रहना अनिवार्य था। बाप से उसका ऐसा रिश्ता कभी नहीं बन पाता था क्योंकि नौकरीपेशा बाप की शक्ल तरीके से उसे इतवार को ही दिखाई देती थी। वैसे भी पिता का वाहिद काम 'खबरदार!', 'चुपकर!', 'परे हो के बैठ!' जैसे हुक्म दनदनाना ही होता था।

मैं तब के वक्त को याद करना चाहता हूँ जब मेरी मां के मैं और मेरी छोटी बहन बस दो ही बच्चे थे। छोटी बहन आठ या नौ महीने की और मैं शायद साढ़े तीन या चार साल का था। एक दोपहरबाद मेरी मां रसोई में बैठी जूठे बर्तनों का ढेरा मांज रही थी, मैं उस के पीछे कमरे में बैठा याद नहीं क्या कर रहा था कि पलंग पर पड़ी मेरी दुधमुंही बहन ने करवट बदली और धड़ाम पलंग से नीचे जा कर गिरी।

वो पलंग ऐसा था कि उसके पायों के नीचे दो दो ईंटों की सपोर्ट थी ताकि पलंग फर्श से कदरन ऊंचा हो जाये और नीचे की जगह को स्टोरेज के लिये इस्तेमाल किया जा सके।

यानी बहन न सिर्फ गिरी, कदरन ज्यादा ऊंचाई से गिरी।

"चाई!"—मैंने शोर मचाया—"मुन्नी डिग पयी! मुन्नी डिग पयी!"

'चाई' ने क्या किया?

बर्तन मांजने बन्द कर दिये? हाहाकार करती मुन्नी को उठाने दौड़ी?

नहीं।

उसने मुड़कर भी न देखा, वो निर्विकार, बदस्तूर बर्तन मांजती रही और तब तक न उठी जब तक कि उसका वो काम खत्म न हो गया।

मुन्नी की बद्किस्मती देखिये कि वो जहां गिरी, वहां उस की कांच की दूध की बोतल पड़ी थी, उसका सिर बोतल से टकराया, बोतल फूट गयी और कांच उसे सिर में धंस गया।

मुन्नी बोतल पर गिरी थी, शीशा उसके सिर में धंस गया था, जख्म से खून बह रहा था, ये बातें नीमअन्धेरे में फौरन मेरी तवज्जो में नहीं आयी थीं वर्ना मैं उस बाबत भी कोई होहल्ला मचाता तो मां शायद उतनी निर्विकार, निर्लिप्त न रह पाती।

आखिर जब मैं मुन्नी के करीब गया तो वो बात उजागर हुई।

...नी के सिर से खून बह रहा था, मैं कभी उसको कभी मां की पीठ को ...पां अपना काम कर रही थी जो सबसे जरूरी था, जो बीच में नहीं ...था।

...ी,

आखिर उस का काम खत्म हुआ तो उसने उठ कर जमीन पर पड़ी रोते रोते ही सो गयी हुई मुन्नी की सुध ली। सुध क्या ली, फर्श से उठाया, सिर का खून पोंछा और वापिस पलंग पर लिटा दिया, अलबत्ता इस बार ये एहतियात बरती कि पहलू के साथ एक तकिये की रोक लगा दी ताकि दोबारा न गिर जाये।

बच्चों की चोटों का उस दौर में यही आलम होता था। पांव का अंगूठा, घुटना, कोहनी, ठोड़ी, माथा फूटे ही रहते थे। पता नहीं तब लोगबाग टिटनस के इंजेक्शन के बारे में जानते नहीं थे या उस की जरूरत नहीं समझी जाती थी।

शाम को जब अन्धेरा होने को होता था तो गली की माताओं की एक चिल्ला पों मुझे खासतौर से याद आती है। गृहिणियों को तभी अपने सुपुत्रों की याद आती थी जो सारा दिन पता नहीं कहां कहां आवारागर्दी करते फिरते थे! खुद मेरी आवारागर्दी का ये आलम था कि सोडा वाटर की बोतलों के ढक्कन और सिग्रेट के खाली पैकेट सड़क पर से बटोरने की नीयत से अपने एक अपने जैसे ही जोड़ीदार के साथ गली से निकलता था, बाजार में पहुंचता था और आगे दिल्ली के चान्दनी चौक जैसे प्रसिद्ध लाहौर के अनारकली बाजार के दहाने तक पहुंच जाता था और घर में काम करती मेरी मां समझती थी कि मैं मकान से बाहर गली में ही कहीं खेल रहा था।

बेटियां इन मामलों में कदरन छोटी जिम्मेदारी थीं जो कि अपने या पड़ोस के घर में ही गुड्डियां-पटोले खेलती थीं, कीकली करती थीं, लुकाछिपी खेलती थीं। रात ढलने को आती थी तो मातायें घर की दूसरी, तीसरी मंजिल की खिड़की से आधी बाहर लटक कर गला फाड़ कर चिल्लाती थीं :

"वे रविन्दरा! रुड़जानया, घर आ!"

"वे सुरिन्दरा! खसमाखानया, घर आ!"

"वे रमेश, तेरा कक्ख न रहे, घर आ!"

"वे नन्द! गोलीवज्जनया, घर आ!"

"वे कमल! रण्डीछड्डनया, घर आ!"

जवाब में सारी गली के हर कोने खुदरे से वैसी ही गलाफाड़ आवाजें आती थीं :

"आया, चाई!"

"आया, बीबी!"

"आया, चाची!"

तब कई बच्चे मां को 'चाची' और ब।प को 'चाचा' क्यों कहते थे, आज तक मेरी समझ में नहीं आया।

बच्चों को गालियों, कोसनों से नवाजना तब का खुल्ला रिवाज था। मांओं की मान्यता थी कि बच्चों से—खास तौर से मेल चाइल्ड से—यूं पेश

आने से उन्हें नजर नहीं लगती थी। कई बड़े, बाहैसियत परिवार तो बच्चे की खैर के मद्देनजर उसका नाम भी जानबूझ कर ऐसा रखते थे जैसे उसकी न कोई औकात थी, न आइन्दा कभी बनने वाली थी। मसलन मंगूराम। या मंगूसिंह। मंशा ये जाहिर करने की होती थी कि ये तो हमने मांग के लिया था। मसलन रूड़ीहूंजा। जैसे घूरे पर परित्यक्त पड़ा उठाया हो। इसी वजह से बहुत बड़े, रसूख और हैसियत वाले लोगों के नाम तख्तमल, खेतमल, पहाड़सिंह, तोतासिंह, डोगरमल वगैरह आम सुनने को मिल जाते हैं। जज, डिप्टी, कप्तान भी बच्चों के नाम तब आम होते थे जो जरूर इस खुशफहमी के साथ रखे जाते थे कि चिरंजीव बड़ा होगा तो यकीनन जज बनेगा, डिप्टी बनेगा, कप्तान बनेगा जब कि कमेटी के दफ्तर में क्लर्क, दफ्तरी लग जाता तो गनीमत होती।

हिन्दू मुसलमान में फर्क मैं तब नहीं समझता था लेकिन इतना सुनी सुनाई के तौर पर जानता था कि जिस इलाके में हमारी गली थी वो हिन्दू बाहुल्य वाला इलाका था। गली के 'एल' जैसे मोड़ की हमारे घर वाली मकानों की कतार उस इलाके की आखिरी थी जिसके पीछे मुसलमानों का मोहल्ला था लेकिन सामने से पीछे जाने का कोई रास्ता उपलब्ध नहीं था। पीछे पहुंचना हो तो सामने से कोई आधा मील का घेरा काटना पड़ता था लेकिन आपसी लोकाचार और भाईचारे में वो कोई बहुत बड़ी बाधा नहीं था। उधर के जिस मकान की हमारे मकान के साथ पीठ लगती थी, उस में बसे मुस्लिम परिवार के मुखिया से मेरे पिता की इतनी गहरी दोस्ती थी कि ईद पर जब वो लोग घर पर बकरा कटवाते थे और बिरादरी में, रिश्तेदारी में दीवाली की मिठाई की तरह बोटियां बांटते थे तो एक प्रिविलेज्ड रेसीपैंट मेरा पिता भी होता था जब कि हम सारस्वत ब्राह्मण थे और सारा कुटुम्ब शुद्ध शाकाहारी था। लेकिन मुसलमान दोस्तों की वजह से और फिरंगी की नौकरी की वजह से मेरा पिता शाकाहारी नहीं बना रह पाया था और बकरा बहुत चाव से खाता था। उस जमाने में, मुर्गा खाना अभी फैशनेबल नहीं बना था। लोग बाग आज की तरह ऐसे हैल्थ कांशस तो कतई नहीं थे कि कोलेस्ट्रोल, कैलोरीज वगैरह का खयाल रख के अपनी पसन्दीदा खुराक चुनते। लाहौर-अमृतसर में तब लोग आम कहते सुन जा सकते थे कि 'पेट नहीं बान्धा जा सकता, कोई खाते पीते मरता है तो मर जाये'।

ईद के दिन पड़ोसी की खास तवज्जो का हकदार मेरा पिता हमारे मकान की छत से एक टोकरी उन की नीची छत की तरफ लटकाता था जिसमें मुसलमान दोस्त गोश्त की बोटियां रख देता था और मेरा पिता टोकरी वापिस खींच लेता था।

मेरी मां धार्मिक खयालात की बहुत शुद्ध पवित्र ब्राह्मणी थी जिसे अपने पति का वो ढब सख्त नापसन्द था, क्यों कि वो वाहिद ईद का भी सिलसिला

नहीं था, लेकिन उस सिलसिले में पति के आगे उसकी पेश नहीं चलती थी। फिर भी इतना वो जरूर करती थी कि गोश्त की हांडी को वो खुद नहीं छूती थी और बच्चों को नहीं खाने देती थी—ये बात दीगर थी कि बच्चे बाद में खाने लग गये थे, मेरी एक बहन तो छुट्टी वाले दिन पिता से बाकायदा फरमायश करने लग गयी थी—"गुठली वाली सब्जी बनाओ।" पिता खुद देसी घी में भून कर सौगात में मिली बोटियां पकाता था और खाता था। बाद में मेरी मां उस पतीले को गर्म कोयलों की आग से साफ करती थी, साफ क्या करती थी, पवित्र करती थी।

यहां ये बात भी काबिलेजिक्र है कि जब मेरी दादी को पता चला था कि उसका सब से छोटा बेटा—चार पुत्रों में—मीट खाता था तो उसने पन्ने को—मेरे पिता पन्नालाल को—हजार गालियां दी थीं और अपना प्रबल विरोध जताने की कोशिश में तदोपरान्त सालोसाल उसने हमारे घर में कदम नहीं रखा था।

लेकिन किया क्या जाता ! उन दिनों हर 'खाते पीते' लाहौरिये-अम्बरसरिये नौजवान का, ऊपर वाले के करम से जिसको रोजगार का अच्छा जरिया हासिल था, यही स्टाइल आफ फंक्शनिंग था। गोल्डफ्लेक सिग्रेट, पीली पत्ती किमाम वाला मघई पान मेरे पिता का रोज का शगल था और बोटी-बाटली का भी छुट्टी के रोज का फिक्स्ड शिड्यूल था। घर से बाहर क्या खाते पीते थे, इस की मुझे खबर नहीं।

मेरे पिता की स्टेनोग्राफर की नौकरी कैलंडर केबल कम्पनी आफ इण्डिया की थी जो कि ब्रिटिश कम्पनी थी जिस का उम्दा विलायती दफ्तर रावी रोड पर था और जिसमें अंग्रेज मुलाजिम भी थे। मेरे पिता दो तीन बार मुझे आफिस ले कर गये थे इसलिये मुझे मालूम था कि वहां रिसैप्शनिस्ट-कम-टेलीफोन आपरेटर एक अंग्रेज युवती थी, मेरे पिता का इमीजियेट बॉस ग्रैगरी नाम का एक अंग्रेज था और और भी एक दो लाल भभूका चेहरे मुझे वहां दिखाई दिये थे। बहरहाल मेरे पिता की बहुत खटके-दबके वाली नौकरी थी जहां वो बहुत सज के, औकात बना के जाते थे—सारी उम्र, सर्दियों के दो ढाई महीने छोड़ कर, जब कि गैबरडीन का सूट पहनते थे, सफेद कमीज पतलून के अलावा कोई पोशाक न पहनी और कपड़ा मैला हो न हो, रोज बदलना लाजमी—क्यों कि ब्रिटिश कम्पनी की उन की नौकरी में उन की तनखाह ऐसी थी कि लोग बाग रश्क करते थे।

कितनी?

पूरे चालीस रुपये।

बटाला में उन के तीन बड़े भाई सारे कस्बे में शान से बताते थे कि 'पन्ने की लाहौर में चालीस रुपये तनखाह थी और उसने वहां अपना मकान भी खरीद लिया था'।

वैसे मैट्रिक पास करने के बाद मेरे पिता की पहली नौकरी अमृतसर में बतौर काउन्टर सेल्समैन महाराजा लाल एण्ड संस में लगी थी जहां उन की तनखाह बारह रुपया माहवार मुकर्रर हुई थी जिस के दौरान वो अमृतसर में किसी रिश्तेदार के पास रहते थे। हर पहली को मेरा सबसे बड़ा ताया हीरालाल बटाला से आता था और तनखाह के बारह रुपयों में से दस रुपये बतौर जायन्ट फैमिली के खर्चे में कन्ट्रीब्यूशन ले जाता था। उसकी निगाह में अमृतसर में पन्ने का खाने रहने का कोई खर्चा नहीं था इसलिये बाकी बचे दो रुपये महीना गुजारने के लिये काफी थे।

टाइप, शार्टहैण्ड मेरे पिता ने नौकरी के दौरान सीखी या बाद में, मुझे खबर नहीं।

वो सस्ता जमाना था, तब दिखावे पर पैसा खर्चने का रिवाज नहीं था। घर के लिये खरीद में उसी आइटम को तरजीह दी जाती थी जिसके बिना घर में गुजर न होती हो। मुझे अच्छी तरह याद है लाहौर में मेरी मां दो रुपये में एक एक किलो सारी दालें लाती थी और उन्हीं दो रुपये में से हातो का किराया भी अदा करती थी।

हातो कश्मीरी बोझा उठाने वाले को कहते थे जो लाहौर में बहुताहत में पाये जाते थे।

छः-सात साल की उम्र में मेरे पास दो उम्दा शेरवानियां—एक काली, एक महरून—थीं जिन्हें मेरी मां सफेद चूड़ीदार पाजामे के साथ और पेशावरी चप्पल के साथ मुझे तब पहनाती थी जब पिता ने हमें कभी बाहर ले जाना होता था। ये एक बड़ी लग्जरी थी जो उस अल्पायु में मुझे हासिल थी और जो मुझे आज तक नहीं भूली। मैं वो पोशाक पहनता था तो मुझे पूरा पूरा अहसास होता था कि आज मेरे साथ कुछ जुदा हो रहा था और मैं शान से, अकड़ कर चलता था, कोई वाकिफ दिखाई दे जाये तो उसे आवाज दे कर बुलाता था ताकि उसकी तवज्जो मेरी उस खास सजधज की तरफ जाने से न रह जाये। राह में फैमिली डाक्टर मिल जाता था तो मां के हुक्म पर मैं उसे नमस्ते तो करता ही था, साथ में लम्बी निकाल कर जुबान भी दिखा देता था क्योंकि उस वक्त के डाक्टर लोग मर्ज कुछ भी हो, जुबान जरूर देखते थे। बाद में मेरी मां डांट के समझाती थी कि डाक्टर को जुबान उसके क्लीनिक पर दिखानी होती थी। वो हिदायत मुझे कभी याद नहीं रहती थी, डाक्टर मुझे कभी भी, कहीं भी दिखाई देता था, मैं उसे जुबान दिखा देता था।

मेन बाजार में एक पकौड़ों की दुकान थी जहां सुबह से शाम तक बस पकौड़े बनते थे और वो इलाके में बहुत मशहूर थी। एक बहुत बड़ी तेल की कढ़ाई हर वक्त भट्टी पर चढ़ी रहती थी जिसमें एक वक्त में इतने पकौड़े तले जाते थे कि कढ़ाई के साइज से मैच करती छलनी से कारीगर कढ़ाई में से छलनी भर कर दोनों हाथों से पकौड़े उठाता था तो वजन सम्भालने की कोशिश में उसके हाथ कांप रहे होते थे। इतने ढेर पकौड़े पलक झपकते ग्राहकों में बंट जाते थे और कईयों को अगला लॉट—जिसको 'घान' कहते थे—तैयार होने का इन्तजार करना पड़ता था। जब मनों में पकौड़े बनते थे जो जाहिर है कि अलग गिरने वाला बेसन का चूरा भी सेरों में तो होगा ही ! वो चूरा—चूर-पूर कहलाता था—दुकानदार बच्चों को बाकायदा दोना भर कर फ्री में देता था। इसलिये 'भाई, चूर-पूर दे दे' चिल्लाते बच्चों का तान्ता वहां लगा ही रहता था और दुकानदार में इतना सब्र था कि वो ग्राहकों से पहले—यानी कैश कस्टमर्स से पहले—हर बच्चे को 'चूर-पूर' से भरा दोना थमाता था।

आजकल ऐसा हो तो पहले तो बच्चे को मंगते की उपाधि मिले और फिर दुत्कार कर भगाया जाये।

(फिर दोने की कीमत का सवाल था—पत्तों के बने, तीलियों से कसे कटोरानुमा दोने फ्री तो तब भी न आते होंगे !)

उन दिनों मकान कैसा भी हो, उसके सामने एक चबूतरा जरूर होता था जिस को थड़ा कहते थे। गली की औरतें दिन के काम से फारिग हो कर सुस्ताने के लिये थड़ों पर बैठती थीं और जनाना किस्म की गपशप करती थीं। उस महफिलबाजी के दौरान पकौड़े खाने का प्रस्ताव पास होता था तो ऊपर वर्णित मशहूर दुकान से पकौड़े लाने का काम मुझे सौंपा जाता था।

क्यों?

सब का खयाल था कि किसी और की जगह मैं जाता था तो पकौड़े ज्यादा लेकर आता था। कोई दूसरा पकौड़े लेने जाता था तो अखबार का बना बड़ा लिफाफा पकौड़ों को ढ़कने के लिये ऊपर से मुड़ा होता था लेकिन मैं पकौड़े लाता था तो लिफाफा लबालब, इतना भरा होता था कि लिफाफे को ऊपर से घुमा कर मोड़ने के लिये उस का रिम दिखाई ही नहीं दे रहा होता था।

राज क्या था?

कोई जानने का तमन्नाई नहीं था। अहम बात ये थी कि पकौड़े लेने 'पप' को—पप मेरा बचपन का, लाड का नाम था—भेजा जाता था तो वो नार्मल से सवाये पकौड़े ले कर आता था।

क्यों भला?

क्यों कि नार्मल से सवाये पैसे दे कर लाता था।

जब भी मुझे दुअन्नी के पकौड़े लाने के अभियान पर रवाना किया जाता था, मैं पहले घर के भीतर जाता था, मां का एक टका—अधन्ना—चुराता था और असल में दुअन्नी के नहीं, ढ़ाई आने के पकौड़े ले कर आता था।

ऐसा चार पांच मर्तबा ही हुआ था कि आखिर मेरी चोरी पकड़ी गयी। मेरी मां ने मेरी अच्छी ठुकाई की लेकिन फिर भी मेरा लिहाज किया कि केस आगे मेरे पिता तक न पहुंचाया वर्ना वो कहीं ज्यादा ठोकता।

बहरहाल मेरा वो 'आफिसर ऑन स्पैशल ड्यूटी' वाला रोल ज्यादा न चल सका, मैं ज्यादा देर तक थड़े पर बैठने वाली 'चाचियों' की तारीफी निगाहों का हकदार बना न रह सका।

जैसा कि मैंने पहले अर्ज किया, छः साल की उम्र में बच्चा स्कूल में पहली जमात में भरती होता था। वो वक्त आया तो मुझे भी स्कूल भेजा गया। मेरा प्रायमरी स्कूल मेन बाजार में शाहआलमी गेट से विपरीत दिशा में जाकर ठाकुरद्वारे के करीब कहीं था जिसका कोई अक्स मैं अपने जेहन में ताजा कर पाने के नाकाबिल हूं। बस इतना याद है कि कच्चे फर्श के यार्ड वाला स्कूल था जिसके पिछवाड़े में बरामदे वाले तीन या चार कमरे थे। हिन्दी का नामलेवा उन दिनों कोई नहीं होता था, शिक्षा का माध्यम उर्दू था और सारे सरकारी काम उर्दू में ही होते थे। कोर्ट कचहरी की भाषा उर्दू होती थी, थाने में रोजनामचा,

एफआईआर सब उर्दू में दर्ज की जाती थी। ये सिलसिला आजादी के बाद भी काफी अरसा यथापूर्व चला था।

मुझे बहुत बाद में—जब हम दिल्ली में सैटल हो चुके थे—मालूम पड़ा था कि जिस शाहआलमी बाजार में हम रहते थे, जिस में मेरा वहां का प्रायमरी स्कूल था, उसी में लाहौर का रैडलाइट एरिया था जो हीरामंडी कहलाता था और जो कलकत्ता के सोनागाछी, मुम्बई के कमाठीपुरा और दिल्ली के जीबी रोड की तरह ही मशहूर था। इन्टरनेट से जान पड़ता है कि लाहौर की हीरामंडी की आन-बान-शान में अंग्रेज के टाइम के मुकाबले में आज भी कोई फर्क नहीं आया है, बल्कि इजाफा ही हुआ है।

यहां मैं उस दौर के पंजाब—अविभाजित पंजाब—के बारे में एक खास बात का खास जिक्र करना चाहता हूं। पंजाबी जो जुबान बोलते थे, उसे लिख नहीं सकते थे और जो लिखते थे उसे बोल नहीं सकते थे। पंजाबी बोलते थे लेकिन पंजाबी से, गुरमुखी से, नावाकिफ थे। अपना तहरीरी इजहार वो उर्दू में ही कर पाते थे और क्या खूब उर्दू लिखते थे। उर्दू में पोस्ट कार्ड लिखते बैठते थे तो असल बात तक पहुंचने से पहले ही आधे से ज्यादा कार्ड तकल्लुफाना इजहार से भर चुके होते थे :

> जनाब भाई साहब,
>
> मैं यहां खैरियत से हूं और आप की खैरियत परम पिता परमात्मा (या खुदावन्द करीम) से नेक चाहता हूं। आगे सूरतअहवाल ये है कि ...

लेकिन यही अलफाज़ कहीं बोलने पड़ जायें तो नहीं बोल पाते थे। पंजाबी ही जुबान से निकलती थी।

बहरहाल लाहौर में दो जमात पढ़ी उर्दू आज भी मेरे काम आ रही है। मैं बड़े फख्र के साथ ये तसलीम करता हूँ कि आज जो भी मेरी जात औकात बतौर मिस्ट्री राइटर है, वो उर्दू से बनी है, उर्दू ने बनाई है।

तब के स्कूलगोई के दौर का एक लफ्ज़, एक खास लफ्ज़—जिसका मतलब न मैं तब जानता था न आज जानता हूं—मुझे आजतक नहीं भूला। वो लफ्ज़ था—आत्तमियारिये। स्कूल के मेरे साथ के बच्चे स्कूल से लौटने पर रोज मेरी मां से मेरी शिकायत करते थे कि इसे मास्टर से रोज डांट पड़ती है क्योंकि ये 'आत्तमियारिये' नहीं कहता। क्यों नहीं कहता था? शायद दुरूह शब्द था, मेरे से कहा नहीं जाता था। इस लफ्ज़ के मतलब का मेरा एक ही अंदाजा है कि ये हाजिरी के वक्त 'हाजिर जनाब', 'प्रेजेंट सर' की तरह कहा जाने वाला कोई लफ्ज़ या फ्रेज़ था लेकिन असल मतलब का कोई दूरदराज का अन्दाजा भी मुझे आज तक नहीं हो सका।

बहुत बाद में—नौजवानी में पहुंचने पर—मैंने ऐसा ही कुछ मशहूर अफसानानिगार कृश्न चन्दर के एक लघु उपन्यास में पढ़ा था जिस में एक किरदार मजमे की तरह जमा पब्लिक के हुजूम में बार बार दोहराता था :

"हां तो साहबान, कद्रदान, मेहरबान, अर्ज है कि हंडलियेबजार ने सरसाम मुझे उठा दिया, सोया हुआ था चैन से किसने मुझे जगा दिया..."

उपरोक्त की पहली लाइन का मतलब समझना किसी पाठक के लिये मुमकिन नहीं था जिस का कि रचना के आइन्दा पन्नों में लेखक ने खुद खुलासा किया कि असल में पहली लाइन थी—अन्दीलेबेजार ने सरेशाम मुझे उठा दिया—जिसे कि मजमेबाज किरदार अपनी समझ के मुताबिक दोहराता था क्योंकि उसके उस्ताद ने उसे यही सिखाया था कि शेर कहने से तहरीर में वज़न आता था, श्रोता अभिभूत होते थे।

उन दिनों स्कूल में जो सुबह की प्रार्थना होती थी, वो अल्लामा इकबाल की बाकमाल शायरी का बाकमाल नमूना थी :

लब पै आती है दुआ बन के तमन्ना मेरी,
जिन्दगी शम्हा की सूरत हो खुदाया मेरी।
दूर दुनिया का मिरे दम से अन्धेरा हो जाये,
हर जगह मेरे चमकने से उजाला हो जाये।
हो मिरे दम से यूं ही मेरे वतन की जीनत,
जिस तरह फूल से होती है चमन की जीनत।
जिन्दगी हो मेरी परवाने की सूरत या रब,
इल्म की शम्ह से हो मुझ को मुहब्बत या रब।
हो मिरा काम गरीबों की हिमायत करना।
दर्दमन्दों से जईफों (बुजुर्गों) से मुहब्बत करना।
मेरे अल्लाह बुराई से बचाना मुझ को,
नेक जो राह हो, उस राह पै चलाना मुझ को।

बतौर इबादत मुमकिन है कि ये तमाम की तमाम नज़्म तब न दोहराई जाती हो क्योंकि मेरे को स्कूल में दोहराई जाती इसकी पहली दो लाइनें ही आइन्दा याद रही थीं।

मेरी दूसरी जमात की उर्दू की किताब के पहले सफे पर ही इकबाल की नज़्म थी :

टनाटन जो मन्दिर का घन्टा बजा है,
सुना जिसने पूजा को मन्दिर चला है।

कौमी तराना उनवान से अल्लामा ने शानदार नज़्म लिखी जिसके आखिर की चन्द सतरें समात फरमाइये :

आ गैरियत के पर्दे इक बार फिर उठा दें,
बिछड़ों को फिर मिला दें, नक्शेदुई मिटा दें।
सोई पड़ी हुई है मुद्दत से दिल की बस्ती,
आ इक नया शिवाला इस देश में बना दें।
दुनिया के तीरथों से ऊंचा हो अपना तीरथ,
दामानेआस्माँ से उसका कलस मिला दें।
हर सुबह उठ के गायें मन्तर वो मीठे मीठे,
सारे पुजारियों को मय प्रीत की पिला दें।
शक्ति भी, शान्ति भी, भक्ति के गीत में है,
धरती के वासियों की मुक्ति प्रीत में है।

तपस्वी राजा राम के लिये 'राम' उनवान से प्रशस्ति लिखी :

लबरेज़ है शराबेहकीकत से जामे-हिन्द,
सब फ़लसफ़ी हैं खित्त-ए-मगरिब के रामे-हिन्द।
ये हिन्दियों की फिके-फलक-रस का है असर,
रिफअत में आसमां से भी ऊंचा है बामे-हिन्द।
इस देश में हुए हैं हज़ारो मलक-सरिश्त,
मशहूर जिस के नाम से है हुनिया में नामे-हिन्द।
है राम के वजूद पर हिन्दोस्तां को नाज़,
अहलेनज़र समझते हैं उन को इमामे-हिन्द
एजाज इस चिरागे-हिदायत का है यही,
रौशन-तर-अज़-सहर है जमाने से शामे-हिन्द।
तलवार का धनी था, शुजाअत में फर्द था,
पाकीजगी में जोशे-मुहब्बत में फर्द था।

हिमालय की शान में 'हिमाला' उनवान से नज़्म लिखी जिस के शुरुआती शेर की बानगी देखिये :

ऐ हिमाला, ऐ फसील-ए-किश्वर-ए-हिन्दोस्तां
चूमता है तेरी पेशानी को झुककर आसमां।

हिन्दोस्तान की शान में अल्लामा ने तराना-ए-हिन्दी लिखा जो जब लिखा था—शायद पिछली सदी के शुरू में—तो तब भी कौमी तराने से किसी कदर कम न था :

सारे जहां से अच्छा हिदोस्तां हमारा,
हम बुलबुलें हैं इसकी, ये गुलसितां हमारा।
ऐ आब-ए-रुदे गंगा, वो दिन है याद तुझ को,
उतरा तिरे किनारे जब कारवां हमारा।

मजहब नहीं सिखाता आपस में बैर करना,
हिन्दी हैं हम वतन है हिन्दोस्तां हमारा।
यूनान-ओ-मिस्र-ओ-रूमा सब मिट गये जहां से,
अब तक मगर है बाकी नामोनिशां हमारा।
कुछ बात है कि हस्ती मिटती नहीं हमारी,
सदियों रहा है दुश्मन, दौर-ए-जमां हमारा।

मैं बड़ा हुआ, बड़ी बातें समझने के काबिल हुआ, तो ये जान कर मुझे बड़ी हैरानी हुई कि तकसीम से पहले ऐसी उम्दा, मीठी, मजहब की हदूद से बाहर की बातें लिखने वाले अजीम शायर का तकसीम के बाद मुक्कमल रुझान फिरकापरस्ती की तरफ हो गया था, 'मजहब नहीं सिखाता आपस में बैर करना' जैसी बात लिखने वाला शायर पक्का मजहबी बन गया था। अब वो नहीं याद करना चाहता था कि कभी मन्दिर का घन्टा बजता था तो लोग पूजा को जाते थे। अब वो अपने दम से दुनिया का अन्धेरा दूर करने का तमन्नाई नहीं था, सिर्फ पाकिस्तान का अन्धेरा दूर करने का—या होता देखने का—तमन्नाई था।

अपनी एक नज़्म के जरिये कभी उन्होंने सवाल किया था :

फिरकाबन्दी है कहीं, और कहीं जातें हैं
क्या जमाने में पनपने की यही बातें हैं?

कैसी विडम्बना है कि बाद में जब उन के खयालात ने पलटी खायी और उन्होंने अविभाजित हिन्दोस्तान में गुजरे जीवनकाल से पल्ला झाड़ लिया तो खुद ही उपरोक्त का जवाब दे लिया—हां, यही बातें हैं।

हद तो तब कर दी जब तराना-ए-हिन्दी का नया वर्शन तैयार कर लिया जिसमें कि उस हिन्दोस्तान के जिक्र की, जिस के कभी गुण गाते थे, परछाई न छोड़ी। लिखा :

सारे जहां से अच्छा पाकिस्तां हमारा,
हम बुलबुलें हैं इसकी ये गुलसितां हमारा।

यानी जिस मुल्क की कभी मैं उन के साथ बुलबुल था, वो काफिरस्तान बन गया।

जैसे आज रईस की पहचान उसकी हाई-एण्ड कार होती है, वैसे तब लाहौर में रईस, शौकीन लोगों की पसन्दीदा शान की सवारी टमटम या तांगा थी। कार को सरकारी अमले का वाहन समझा जाता था और मोटरसाइकल—हारले डेविडसन—की हैसियत वो होती थी जो आज कल मिड सैक्शन की कार की होती है। गर्मियों के मौसम में रईस लोग शाम को घर से निकलते थे और जिधर

से गुजरते थे, लगता था रईसी का साइन बोर्ड जा रहा था जिसे लोग बाग रश्क भरी निगाहों से देखते थे। पोशाक होती थी झक सफेद कुर्ता, पाजामा या धोती, सिर पर कलफ से अकड़ाई हुई तुर्रेदार पगड़ी, आंखों में सुरमा, होंठों पर तृप्ति की मुसकान। साईस को पीछे बिठाते थे और आगे बैठ कर, हाथ में चाबुक ले कर खुद टमटम हांकते थे। साईस को—जिसका कि वो काम था, जिसके लिये उसकी मुलाजमत थी—पीछे बैठा कर खुद टमटम हांकने में क्या बड़ियाई थी, ये उस उम्र में मेरी समझ से बाहर था लेकिन यूं निकली लाला जी की सवारी का नतीजा मुझे अभी तक याद है कि छोटे मोटे लोग टमटम आती देखकर चलना बन्द कर देते थे और आदर से रास्ता छोड़ कर खड़े हो जाते थे और तभी फिर से कदम उठाते थे जब कि टमटम गुजर चुकी होती थी। ये हाल तब था जब कि अमूमन वो जानते भी नहीं होते थे कि टमटम खुद हांकते बांके सजीले लाला जी असल में कौन थे !

तब शहर में आमदरफ्त का जरिया तांगे थे जो हर वक्त, हर जगह जाने के लिये उपलब्ध होते थे। मंजिल के लिये चार सवारी बिठाते थे और जब तक कोरम काल न हो जाये, मुतवातर हांक लगाते रहते थे—'चल, एक सवारी अनारकली, चल एक सवारी रावी रोड' वगैरह। किसी की मंजिल खोटी हो रही हो या वो आदतन बेसब्रा हो तो वो सालम तांगा करता था, यानी चार सवारियों का भाड़ा वो अकेला भरता था और तांगे में शान से पीछे बैठ कर अपनी मंजिल तक अकेला जाता था। अलबत्ता सालम तांगा करने वाले पैसेंजर कम ही होते थे, वो या मुसाफिर होते थे जो रेलवे स्टेशन पर मिलते थे जिन्होंने कि ऐसे रूट पर जाना होता था जिस की सवारियां कम मिलती थीं या नहीं मिलती थीं या फिर सालम तांगा करने वाले वो लोग होते थे जिन्होंने सच में ही कहीं पहुंचने की जल्दी होती थी। सालम तांगा करने वाली एक तीसरी किस्म वो होती थी जिन की नाक का रुख आसमान की तरफ होता था और जिन को किसी ऐरे गैरे बेहैसियत शख्स का अपने पहलू में बैठना गंवारा नहीं होता था।

साइकल का इस्तेमाल भी तब खूब प्रचलित था। सूट बूट हैट वाले साहब लोग साइकल चलाते आम देखे जाते थे। खुद मेरा पिता दफ्तर आना जाना साइकल से करता था लेकिन तब लोग बाग किफायत से रहने के आदी होते थे; उन्हें साइकल पर खर्चा करना या पसन्द नहीं होता था या वो खर्चा वो उठा ही नहीं सकते थे। ऐसे लोग तांगा भी नहीं करते थे और काफी दूर दूर तक के लिये पैदल निकल लेते थे। यानी उस जमाने में उद्यम की, मशक्कत की बहुत महिमा थी।

लोहड़ी एक ऐसा त्योहार था जो कि सिर्फ और सिर्फ पंजाब में होता था, यानी होली, दशहरा, दीवाली की तरह वो व्यापक त्योहार नहीं था, कदरन लोकेलाइज्ड त्योहार था जिस में ट्रेडीशनल तौर पर रात को अलाव जलाया जाता था जिसके गिर्द बैठ कर लोग आग तापते थे, मुंगफली, रेवड़ी, गजक का आनन्द उठाते थे और गाते बजाते थे। किसी नवविवाहित जोड़े की या किसी नवजात शिशु की पहली लोहड़ी हो, परिवार सम्पन्न हो तो उसकी वजह से बाकायदा जशन और दावत का न्योता सारे रिश्तेदारों को और पड़ोसियों को अरसाल किया जाता था लेकिन वयस्कों के लिये वो महज एक शाम का आयोजन होता था, बच्चों के लिये लोहड़ी की मौज हफ्ता-दस दिन पहले शुरू हो जाती थी। वो सूरज डूबते ही माताओं की बाकायदा इजाजत के जेरेसाया घरों से निकलते थे और घर घर जा कर लोहड़ी मांगते थे। लेकिन मांग सीधे ही नहीं खड़ी कर देते थे, पहले रिमाइन्डर जारी करते थे कि लोहड़ी करीब थी। एक बच्चा ओज़पूर्ण आवाज में लोहड़ी का लोक गीत लाइन लाइन उचरता था और बाकी बच्चे कोरस में 'हो !' बोलते थे :

सुन्दर मुन्दरिये	हो !
तेरा कौन वचारा	हो !
दुल्ला भट्टी वाला	हो !
दुल्ले धी व्याई	हो !
सेर शक्कर पाई	हो !
कुड़ी दा लाल पटाका	हो !
कुड़ी दा शालू पाटा	हो !
शालू कौन समेटे	हो !
चाचे चूरी कुट्टी	हो !
जमींदारां लुट्टी	हो !
जमींदार सुधाये	हो !
वड्डे भोल्ले आये	हो !
इक भोल्ला रह गया	

सिपाई फड़ के लै गया
सिपाई मारी इट्ट
भावें रो ते भावें पिट्ट
सानूं दे दे लोहड़ी
ते जीवे तेरी जोड़ी !

तदोपरान्त टका, इकन्नी या बड़ी हद दुअन्नी बतौर लोहड़ी हासिल होती थी और यूं जमा हुई सारी रकम बच्चे आपस में बांटते थे। मोटे तौर पर भीख मांगने जैसा ही कारोबार था लेकिन त्योहार की बात थी, न लेने वालों को बुरा लगता था और न देने वालों को।

सारे ही घरों का उदारता पर दावा नहीं होता था, कई बच्चों की नजर कुछ करने की जगह उन्हें डांट कर भगा देते थे। तब बच्चे ये कह कर अपना आक्रोश दर्ज करा कर जाते थे :

"हुक्का भई हुक्का ! ऐ घर भुक्खा !"

या :

"उडदा उडदा मोर आया, माई दे घर चोर आया !"

लेकिन अगर मनमाफिक खिदमत हो जाये तो आशीश देकर जाते थे :

"उडदा उडदा तोता आया, माई दे घर पोता आया !"

तब लाहौर में प्रभात फेरी का रिवाज बहुत होता था। सिख समुदाय तो अक्सर सुबह मुंह अन्धेरे इलाके में प्रभात फेरी पर निकलता था। मेरी तब ये सोचने की उम्र नहीं थी कि प्रभातफेरी में धार्मिकता प्रधान होती थी या दिखावा। बहरहाल भजन कीर्तन पौ फटे भक्ति का अच्छा समां बांधता था।

सिखों की प्रभात फेरी के एक भजन की एक लाइन मैंने भी घोटी हुई थी जो मैं घर में, गली में अक्सर तरन्नुम में दोहराता रहता था :

"गुरु गोविन्द सिंह, गुरु गोविन्द सिंह, लट्ठा ते मलमल गा गये।"

गुरु महाराज लट्ठा मलमल क्यों गा गये, मुझे इससे कोई सरोकार नहीं था।

एक बार गली में एक उम्रदराज सिख ने मुझे वो लाइन बोलते सुना तो वो सख्ती से बोला—ओये की नां ए तेरा, ऐदर आ।"

मैं उसके करीब पहुंचा।

"अभी क्या गा रहा था?"

मैंने समझा शाबाशी मिलने वाली थी, जोश से दोहरा दिया।

"फिर बोल।"

मैने फिर बोला।

एकाएक उसने हाथ बढ़ा कर मेरा कान पकड़ा और जोर से उमेठा।

मैं पीड़ा से बिलबिला उठा।

"ओये भूतनया, गुरां दे शबद तोड़ मरोड़ के नहीं बोली दे। सही शब्द हैं—गुरु गोविन्द सिंह, गुरु गोविन्द सिंह, फटां से मलम लगा गये।"

जख्मों पर मलहम लगा गये।

उसने चार बार मेरे से दुरुस्त लाइन दोहरवाई और तब कान छोड़ा।

उन दिनों सरकारी हाकिम की जो शान होती थी वो आज कतई मुमकिन नहीं। हाकिम का स्वभावगत अदब होता था, वो उसे वसूल नहीं करना पड़ता था, रुतबे का रौब देकर हासिल नहीं करना पड़ता था। सरकारी अफसर को सब पहचानते थे, वो रास्ते से गुजर रहा होता था तो लोग बाग ठहर कर अदब से उसका अभिवादन करते थे जिसको एक्नालेज करना या न करना अफसर की मर्जी और मूड पर मुनहसर था। अंग्रेज के टाइम की उपाधि 'रायसाहब' या 'रायबहादुर' प्राप्त कोई सज्जन सुबह किसी काम से या तफरीहन घर से निकलते थे तो एक नौकर हुक्का ले कर साथ चलता था।

अम्बाले जैसी छोटी जगह पर तो मैंने आजादी के पन्द्रह साल बाद भी ऐसा माहौल देखा था। वहां हमारा एक रिश्तेदार—शायद पिता का कजन, या शायद कजन का बेटा—बाटा में डिपो मैनेजर था। वो परिवार के साथ ईवनिंग शो में लोकल सिनेमा में फिल्म देखने का प्रोग्राम बनाता था तो मैनेजर को फोन करता था—"शुक्ला जी, पांच जने आ रहे हैं।"

"जी आयां नू, शर्मा जी।"—जवाब मिलता था।

सिनेमा के शो का एक मुकर्रर वक्त होता है, शर्मा जी को कोई परवाह नहीं।

पांच पांच मिनट बाद सिनेमा मैनेजर का उतावला फोन आता था—"शर्मा जी, शो का टाइम हो गया है, पब्लिक बेचैन हो रही है। अब आ जाइये न !"

"आते हैं, भई, आते हैं।"

या फिर :

"शर्मा जी, पब्लिक शोर मचाने लगी है, आप अब चल पड़िये न !"

"चल रहे है, भई, चल रहे हैं।"

बहरहाल फिल्म की स्क्रीनिंग तभी शुरू होती थी जब बाटा के डिपो मैनेजर शर्मा साहब सपरिवार सिनेमा में पहुंच जाते थे।

आखिर।

तब अम्बाला जैसी छोटी जगहों पर आटोमैटिक टेलीफोन एक्सचेंज नहीं होते थे, 'नम्बर प्लीज' वाले टेलीफोन आपरेटर्स द्वारा संचालित एक्सचेंज होते थे जो कि सैंट्रल बैट्री (सीबी) एक्सचेंज कहलाते थे। उस सिस्टम के तहत

महकमा घर घर जो टेलीफोन लगाता था, उन में डायल नहीं होता था, उसकी जगह एक डमी प्लेट लगी होती थी। रिसीवर उठा कर कान से लगाने पर दूसरी तरफ से आपरेटर बोलती थी—"नम्बर प्लीज" जवाब में फोनकर्ता जो नम्बर बताता था, आपरेटर उसे उससे कनैक्ट कर देती थी। तब तक फोनकर्ता ने रिसीवर वापिस रख दिया हो तो उसे मैन्युअली घंटी दे कर चेताती थी कि उसकी काल लग गयी थी।

इलाके के गिने-चुने रसूख वाले लोग नम्बर से कनैक्शन कभी नहीं मांगते थे, वो रिसीवर उठाते थे और आपरेटर को नाम या रुतबे के हवाले से हुक्म देते थे :

"सेठी साहब को लगा।"

"एसडीएम साहब को लगा।"

"डिप्टी साहब को लगा।"

"थाने लगा।"

लिहाजा रसूख वाले आदमी का न किसी का नम्बर नोट करके रखना जरूरी था, न याद रखना जरूरी था।

आजकल सरकारी अमले का ऐसा रसूख सपना है। जब ईएमआई पर कार मिलना अभी आम नहीं हुआ था, तब लोअर कोर्ट के मैजिस्ट्रेट साहबान बसों पर सफर करते आम देखे जाते थे। तब कोई बड़ी बात नहीं होती थी कि दोपहर को जिस आरोपी को मैजिस्ट्रेट साहब ने जमानत दी हो, शाम को वो उन के रूट की बस मैं उन के पहलू में बैठा हो।

उपरोक्त के विपरीत अंग्रेज के राज में छोटे से छोटे गजेटिड आफिसर की भी शान होती थी जिस को बना कर रखने का जिम्मा हाकिम से ज्यादा हकूमत का होता था। हर गजेटिड अफसर को बंगला अलॉट होता था जिसमें सिर्फ उसकी खिदमत के लिये सात कर्मचारियों का स्टाफ होता था :

खानसामा, मसालची, जनरल हैण्डीमैन (नौकर), माली, चौकीदार, ड्राइवर, आया।

आज इतना वैभव सीनियर ब्यूरोक्रैट्स को उपलब्ध नहीं।

और न ऐसा सम्मान।

अंग्रेज के राज में रुतबे और रसूख वाले लोग आनरेरी मैजिस्ट्रेट आम बनाये जाते थे जो कि बाकायदा मुकद्दमों की सुनवाई करते थे और फैसले सुनाते थे, भले ही आठ जमाते पास भी न हों। यूं नेपोलियन की ये उक्ति चरितार्थ होती थी कि कई बार अकेडेमिक क्वालीफिकेशन से नेचुरल एबिलिटी ज्यादा कारगर साबित होती थी।

हमारी गली का दूसरी ओर का विंग कदरन खुला था, वहां के मकान भी ज्यादा बड़े और ज्यादा हवादार थे और वहां के निवासी भी हमारी ओर के हिस्से में बसे लोगों के मुकाबले में सम्पन्न थे। दूसरे विंग में एक विशाल इमारत थी जो कि कलकत्ते वालों की हवेली कहलाती थी। मालिक एक रईस सेठ थे जो नौकरों चाकरों के बड़े अमले के साथ पूरी शानोशौकत के साथ वहां रहते थे। उन का कारोबार क्या था, मुझे नहीं मालूम था लेकिन ये मालूम था कि हैसियत में गली के बाकी बाशिन्दों से वो बहुत जुदा थे। पूरे प्रेम भाव से गली वालों से मिलते थे फिर भी कुछ लोग आदतन उन से कुढ़ते थे। ऐसे एक शख्स ने एक इतवार को गली के कई लोगों की मौजूदगी में उन पर तंज कसा—"लाला जी, होंगे आप साहिबेजायदाद, खानदानी रईस, दौलत से मालामाल लेकिन सोने का निवाला तो न खाते होंगे, खाना बस दो टाइम ही खाते होंगे, कपड़े एक जोड़ी ही पहनते होंगे..."

"क्या कहना चाहते हो?"—लाला जी ने बड़े सब्र से सवाल किया।

"कोई ऐसा काम कर के दिखाइये जो कोई दूसरा न कर सकता हो, जो सिर्फ आप ही कर सकते हों, जिस से नगाड़े की चोट की तरह मालूम पड़े कि आप रईस हैं, आप की सलाहियात बेपनाह हैं, आप आप हैं।"

लाला जी ने बात को मजाक का दर्जा दे कर हवा में न उड़ाया बल्कि पूरी संजीदगी से वो चैलेंज कबूल किया, उन्होंने सब के सामने बेमिसाल ऐलान किया—"मैं ताजिन्दगी धुला हुआ कपड़ा नहीं पहनूँगा।"

पहले तो लोगों की समझ में ही न आया कि लाला जी क्या संकल्प धारण कर रहे थे, समझ में आया तो सब सन्नाटे में आ गये। फिर तत्काल अविश्वासभरी आवाजों उठने लगी :

"ऐसा कैसे हो सकता है?"

"नहीं हो सकता।"

"बेपर की उड़ा रहे हैं।"

"कहना आसान है, कर गुजरना मुश्किल है, बल्कि नामुमकिन है।"

"वो भी ताजिन्दगी! खुदा खैर करे, लाला जी सौ साल जियें तो...तो..."

लाला जी की वो प्रतिज्ञा फिर सारी गली में गूंजी :

"मैं ताजिन्दगी धुला हुआ कपड़ा नहीं पहनूँगा।"

और उन्होंने अपनी बात पर खरा उतर कर दिखाया।

रोज धोती कुर्ते का नया जोड़ा पहना और अगले रोज उतार फेंका और फिर नया जोड़ा पहना। गर्मियों में तो फिर खैरियत थी लेकिन सर्दियों में तो पशमीने की शाल ओढ़ते थे, आयातित ट्विड का बन्द गले का कोट पहनते थे।

वो कीमती कपड़े भी उन्होंने कभी ड्राइक्लीनिंग के लिये न भेजे, जब ऐसी जरूरत दिखाई दी तो उन्हें त्याग दिया और उन की जगह वैसे नये कपड़ों ने ले ली।

लोग बाग अश अश कर उठे। वो अनोखी बात गली से निकल कर सारे लाहौर में फैल गयी और हर किसी की चर्चा का विषय बन गयी। किम्वदन्ति की तरह वो संकल्प मशहूर हो गया जिस पर किसी को ऐतबार आता था, किसी को नहीं आता था।

लेकिन बात सच थी और सच का जादू सिर पर चढ़ कर बोलता है।

अब सवाल था कि तिरस्कृत कपड़ों का क्या होता था।

क्या होता था?

जो कोई मर्जी ले जाये।

और ऐसा ही होता था। खुला दरबार था, जो कोई मर्जी ले जाता था। धोती कुर्ते की तो खैर थी लेकिन ट्विड का कोट! पशमीने का शाल!

उन कपड़ों के लिये फरियाद दर्ज होती थी :

"लाला जी, बरायमेहरबानी इस बार शाल मुझे देना।"

"रब्ब दा वास्ता जे, इस बार कोट मुझे देना!"

वगैरह!

लाला जी की गोल टोपी, मफलर और गर्म जुर्राबों की भी ऐसी ही डिमांग उठती थीं।

कजंस के साथ (लेखक सामने बीच में)

बंटवारे के बाद सुनने में आया था कि बंटवारे ने लाला जी को बर्बाद कर दिया था, खड़े पैर वो अर्श से फर्श पर आ गये थे। लाहौर में भड़के मजहबी दंगों ने ऐसा रौद्र रूप अख्तियार किया था कि उन्हें खड़े पैर, अपना सर्वस्व पीछे छोड़ कर शहर से पलायन करना पड़ा था।

बाद में उन की बाबत खबरें आती थीं कि दिल्ली में थे, आढ़त के काम में थे, खुद तराजू तोलते थे लेकिन उस बुरे हाल में भी अपनी भीष्म प्रतिज्ञा पर कायम थे। अलबत्ता अब रोज कपड़े नहीं बदल पाते थे, एक जोड़ा तब तक पहनते थे जब तक कि बहुत ही मैला नहीं हो जाता था और फिर उसे त्याग कर नया जोड़ा पहन लेते थे। पता नहीं यूं एक जोड़ा वो कितने दिन निरन्तर पहनते थे लेकिन जब बदलते थे तो नवें नकोर जोड़े से ही बदलते थे।

पड़ोस में एक नौजवान औरत थी जो सर्दियों में नहाने से बहुत कतराती थी। उसकी सास बहुत धर्म कर्म वाली थी जो नहाये बिना बहू को रसोई मैं कदम नहीं रखने देती थी।

तो नहाती थी ठण्डे पानी से?

गर्म पानी से नहाने का रिवाज तब नहीं था, कितनी भी ठण्ड हो, हर कोई ठण्डे पानी से ही नहाता था। क्योंकि हैण्ड पम्प से पानी कदरन गर्म निकलता था।

एक रोज मैंने उस औरत को थड़े पर बैठ कर अपनी मां से बतियाते सुना तो उसके नहाने का राज उजागर हुआ।

"मैं गुसलखाने में नलका चलाने की आवाज करती हूं।"—वो बड़े राजदाराना अन्दाज से मेरी मां को बता रही थी—"बाल्टी के पानी में लोटे से छप छप करती हूं, 'हरे राम, हरे कृष्ण' उचरती लोटे भर भर के फर्श पर उँढ़ेलती हूं, अपने हाथ मुंह, सामने के गाल गीले करती हूं और ठिठुरने का बहाना करती बाहर निकल आती हूँ। बेबे खुश ! मैं भी खुश !"

"हौ हाय, कमलवतिये"—मेरी मां हैरानी से कहती—"तो तूं नहाती ही नहीं कभी?"

"नहाती हूं न ! शाम को बेबे मंदिर जाती है तो चुपके से पानी का पतीला गर्म करती हूं और तब नहाती हूं।"

"रोज?"

"एक दिन छोड़ के।"

"तेरी पोल नहीं खुलती।"

"अभी तक तो नहीं खुली।"

फिर पोल खुली।

साबुन ने खोली।

उस के गुसलखाने से निकलने के फौरन बाद ऐसा इत्तफाक हुआ कि सास किसी काम से वहां गयी तो उसकी निगाह में आया कि साबुनदानी में पड़ा साबुन तो बिल्कुल सूखा था। वो बहू पर बिगड़ी। बहू बड़ी मासूमियत से बोली कि खाली उस रोज वो साबुन मलना भूल गयी थी। सास आश्वस्त तो न हुई लेकिन मुंह से भी कुछ न बोली।

बहू का वो प्रपंच—बकौल खुद उसके—फिर भी जारी रहा—खाली अब उसने साबुन को भी भिगोना शुरू कर दिया।

थड़े की गप्पबाज एक दूसरी औरत अक्सर—मजाक में ही शायद—कहा करती थी—"सासों की तो आदत है बहुओं पर बेजा रौब गांठने की वर्ना नहाना कोई इतना जरूरी नहीं। शुरू में एक बार दाई ने नहला दिया न, आखिर में शमशान घाट पर चारज नहला देगा, बस।"

मेरी नानी खेमकरण में रहती थी। खेमकरण रेल के एक जुदा रूट से अमृतसर और लाहौर के बीच में एक खामोश सा स्टेशन था जो कि अब भारत का पाकिस्तान की ओर का आखिरी गांव है, उसके आगे से पाकिस्तान शुरू हो जाता है। रेलवे की वो एक ब्रांच लाइन थी जिस पर बहुत कम गाड़ियां थीं, और बहुत कम ट्रैफिक था। मेरी नानी वहां अकेली रहती थी। मेरी मां के अलावा उसके मेरी मां से बड़े दो बेटे थे जिस में से एक का— सबसे बड़े का—न मुझे कभी नाम मालूम हुआ, न मैंने कभी उसकी सूरत देखी और न कभी ये मालूम हुआ कि वो नहीं था तो क्यों नहीं था। उसकी मृत्यु की बाबत मैंने कभी किसी को कुछ कहते नहीं सुना था, कुछ सुना था तो ये कि घर से चला गया था। कहां चला गया था, क्यों चला गया था, इस का कोई जिक्र नहीं करता था। नाना कब इन्तकाल फरमा गये, जिन्दा थे तो क्या करते थे, मुझे खबर नहीं। मेरी मां मायके अक्सर भेजी जाती थी—नोट करें, मैंने 'जाती थी' नहीं कहा, 'भेजी जाती थी' कहा। इस बात का खुलासा मैं आगे कहीं करूंगा—लिहाजा मुझे भी कई बार ननिहाल जाना नसीब हुआ। लेकिन ऐसा जब भी हुआ मां के सदके ही हुआ, अपने पिता को मैंने कभी खेमकरण में न देखा। अलबत्ता नानी अक्सर हमारे पास लाहौर आती थी।

उसकी लाहौर आमद का एक बार का वाकया मुझे याद है।

खेमकरण से लाहौर वो ट्रेन से आती थी और स्टेशन से तांगे पर सवार होकर शाहआलमी गेट पहुंचती थी जहां से आगे सूदों की गली तक का फासला

वो सामान खुद उठाकर पैदल तय करती है। एक बार वो लाहौर आयी तो हमारे पड़ोसी प्रकाश देव मल्होत्रा ने नानी को शाहआलमी गेट के ढंके हुए दालान जैसे हिस्से में सड़क किनारे दीवार से लगी खड़ी देखा। मल्होत्रा साहब नानी को पड़ोसी पन्नालाल पाठक की सास के तौर पर पहचानते थे इसलिये उन्होंने हैरान होते पूछा कि वो वहां क्यों खड़ी थी।

"अभी बहुत भीड़ है।"—जवाब मिला—"जरा भीड़ गुजर जाये तो चलूँगी।"

उस शख्स ने नानी को नहीं बोला कि वो घने बाजार की भीड़ थी, देर रात तक खत्म नहीं होने वाली थी बल्कि घर आ के मेरे पिता को बताया—"ओये, तेरी सास शाहआलमी गेट पर खड़ी है और भीड़ गुजर जाने का इन्तजार कर रही है।"

तब मेरे पिता लपकते हुए वहां पहुंचे और नानी को घर ले कर आये।

मेरी मां के जब दूसरा बच्चा—मेरे से छोटी बहन—हुआ तो तब भी नानी लाहौर में हमारे घर पर थी ताकि जच्चा-बच्चा की देख भाल कर पाती। बच्चा सरकारी जनाना हस्पताल में हुआ था जो कि खूब बड़ा था और जहां रोजाना कई बच्चे इस दुनिया में कदम रखते थे। हस्पताल का एक बड़ा कमरा बच्चों का क्रेच था जहां कई कतारों में कई पालने थे जिन में नवजात शिशु रखे जाते थे और मांओं के पास तभी ले जाये जाते थे जब कि उन्हें ब्रैस्ट फ्रीडिंग की जरूरत होती थी। मेरी नानी को ये इन्तजाम नागवार गुजरता था, नयी दोहती का चाव इतना था कि वो उसे मां के पहलू में ही देखना चाहती थी। नतीजन वो जाती थी और पालने में से बच्ची को उठा लाती थी। कई बार उस हरकत के लिये उसे नर्सों से डांट पड़ी और बच्ची को वापिस क्रेच में पहुंचाने का हुक्म हुआ। नानी हुक्म की तामील तो मजबूरन करती थी लेकिन जब तक मेरी मां हस्पताल में रही, उसने वो हरकत कई बार दोहराई। नानी अनपढ़ औरत थी, हर पालने के साथ लटकी आइडेंटिटी स्लिप तो वो पढ़ नहीं सकती थी, अन्दाजन अपनी दोहती का पालना सिंगल आउट करती थी और बच्ची को फिर, फिर और फिर उठा लाती थी।

मेरी मां को हमेशा शक रहा कि नानी की उन हरकतों ने बच्ची बदल दी थी और जो बच्ची बतौर उस की जाई उसके घर पल रही थी, वो उसकी बेटी नहीं थी।

तब लाहौर स्टेशन पर सक्रिय हाकरों की एक खास—नालायक, नामाकूल—हरकत का जिक्र मैं यहां करना चाहता हूं। हरकत का मरकज तब के वो हाकर थे जो रेहड़ी पर पूरी, लुच्ची बेचते थे। लुच्ची पूरी की ही एक किस्म थी जो मैदे से बनती थी, जिस की परतों में घी बहुत लगता था जिसकी वजह

से उसमें लचक होती थी, वो पूरी की तरह करारी नहीं हो पाती थी। ऐसे हाकर प्लेटफार्म से लगी खड़ी ट्रेन की किसी खिड़की में किसी खूबसूरत औरत को बैठी देखते थे तो रेहड़ी खिड़की के करीब ला कर जानबूझ कर उससे परे देखते थे और बुलन्द आवाज में हांक लगाने लगते थे, जैसे कि अपने बिक्री के सामान की तरफ तवज्जो दिला रहे हों—"माई पूरी लुच्ची! माई लुच्ची पूरी!"

ये द्विअर्थी हांक वो खिड़की पर बैठी औरत को सुना कर बार बार दोहराते थे।

गैरपंजाबियों के लिये अर्ज है हांक में 'माई' सम्बोधन के बाद शामिल दोनों लफ्जों के दो मतलब हैं। 'पूरी' का मतलब खाने की पूरी के अलावा मुकम्मल, कम्पलीट भी होता है और 'लुच्ची' का मतलब चरित्र की खराब, बदमाश औरत भी होता है। यानी कहने को वो अपना सामान बेच रहे होते थे लेकिन साथ में खिड़की में बैठी औरत को 'पूरी लुच्ची'—कम्पलीट, हारलोट (COMPLETE HARLOT) कह कर टुचकरबाजी भी कर रहे होते थे। 'पूरी' 'लुच्ची' से पहले जोड़ते या बाद में, मतलब एक ही निकलता था। कोई फिर भी टोके तो ढिठाईभरा जवाब तैयार—"भई पूरी बेच रहा हूं! लुच्ची बेच रहा हूं! आवाज न लगाऊं?" वर्ना औरत को 'लुच्ची' बता कर अपनी सप्रैस्ड सैक्सुअल इमोशंस को हवा देता फाश सुख पाता था।

खेमकरण एक खामोश ऊंघता सा स्टेशन था सारे दिन में जिस पर से दो गाड़ियां अमृतसर की तरफ से आती थीं और दो उस तरफ जाती थीं। स्टेशन के स्टाफ में एक स्टेशन मास्टर था जो टिकट घर में बैठकर टिकटें भी बेचता था और बतौर टिकट कलैक्टर गेट पर भी खड़ा होता था। एक खलासी था जो झण्डी दिखाने के अलावा और भी जो स्टेशन का या स्टेशन मास्टर का काम हो, करता था। गाड़ी लाहौर वाली हो या अमृतसर वाली, मुश्किल से तीन चार यात्री खेमकरण स्टेशन पर उतरते थे। लिहाजा कभी कभार गेट पर टिकट कलैक्ट करने के लिये स्टेशन मास्टर नहीं होता था क्योंकि उसे स्टेशन मास्टरी से ताल्लुक रखते और भी काम करने होते थे।

मेरी मां तीन बच्चों के साथ और सामान के साथ स्टेशन पर उतरती थी तो आगे घर तक बमय सामान पैदल ही पहुंचना होता था। निकासी का गेट खाली पड़ा पाती थी तो टिकटों समेत—एक पूरी, तीन आधी—घर पहुंच जाती थी।

वहां भी सखियों में 'पूरी लुच्ची' जैसी एक टुचकर चलती थी।

"आ भैन, किवें आयीं एं?"

"यारां दी गड्डी"—बहन मासूम जवाब देती थी।

सखियां खीं खीं करके हँसती थीं।

बहन से पूछा गया था कि वो कैसे आयी थी, बहन जवाब देती थी कि ग्यारह बजे की गाड़ी से आयी थी। लेकिन पंजाबी में 'यारां दी गड्डी' का मतलब आशिकों का, कद्रदानों का वाहन भी होता था।

लिहाजा एक मासूम से जवाब को ट्विस्ट कर दिया जाता था कि ग्यारह बजे की ट्रेन से नहीं आयी भी, यारों की गाड़ी पर सवार हो कर आयी थी।

ऐसी टुचकरबाज सखी ज्यादा उतावली हो तो मुसाफिर बहन का जवाब भी खुद ही दे लेती थी :

"आ भैन किवें आयीं एं? यारां दी गड्डी?"

बहन 'हां' कहे तो भी फंसे, 'न' कहे तो भी फंसे।

एक बार का ऐसा वाकया मुझे अच्छी तरह से याद है। तीन बच्चों और सामान के साथ हलकान परेशान मेरी मां स्टेशन से बाहर निकली तो आगे के रास्ते के दहाने पर गांव का डाकिया मिल गया जो मेरी मां को पहचानता था कि वो शीला थी, खेमकौर की बेटी थी।

"अरी, शीला"—वो कहता—"लाहौरों आई एं?"

"आहो, जी।"

"बच्चयां नाल ! समान नाल ! चल तेनूं घर छड के आवां।"

और डाकिया मेरी मां का सामान खुद उठाता था और उसे घर पहुंचा के आता था।

ऐसा ही आपसी भाईचारा स्थापित था उस जमाने में।

डाकियां चिट्ठी लाता था तो चिट्ठी अनपढ़ प्राप्तकर्ता को बांच कर, सुना कर भी जाता था। सुनाता ही नहीं था, दोहरा के सुनाता था ताकि गारन्टी हो कि बात सुनने वाले की समझ में आ गयी थी। फिर सुनने वाले का—जैसे कि मेरी नानी का—जवाब भी लिख देता था और उसे खुद आगे अरसाल किये जाने के लिये डाकखाने जमा कराता था। कहना न होगा कि इस सोशल सर्विस के लिये वो कोरे खत अपने डाक के झोले में रखता था, किसी के लिये खत लिखता था तो अधन्ना चार्ज कर लेता था जो कि उन दिनों पोस्ट कार्ड की कीमत होता था।

सूरज डूबने के बाद नानी पूरी शिद्दत के साथ स्टेशन मास्टर के घर जाती थी जो कि गांव के हर खासोआम को जानता पहचानता था क्योंकि हर किसी के कदम कभी न कभी स्टेशन पर पड़ने ही होते थे। लिहाजा मेरी नानी को भी जानता पहचानता था।

"आ बीबी"—वो कहता—"किद्दां आयी?"

"कुड़ी लाहौरों आई सी।"—नानी बताती—"तुसी स्टेशन ते नहीं सी हैगे। मैं ऐ टिकटां देन आयी सी।"

"बीबी, ऐ तू बड़ा चंगा कीत्ता ए। सरकारी कागज कोल नहीं रखना चाही दा।"

ऐसा अनुशासन था अंग्रेज के राज में। स्टेशन मास्टर को पता भी नहीं कि स्टेशन पर कोई मुसाफिर उतरा था लेकिन पब्लिक को फिक्र है कि टिकट जमा न हुई, स्टेशन मास्टर की ताकीद है कि सरकारी डाकूमेंट—रेल टिकट, जिसे कि उसने ले कर, दो टुकड़े कर के डस्टबिन में डाल देना है—पब्लिक को अपने पास नहीं रखना चाहिये।

नानी के गांव में न बिजली थी, न पानी था, तकरीबन मकान कच्चे थे जिन में रात को लालटेन या मिट्टी के तेल का दीया—जिसे कुप्पी कहते थे— जलता था। वहां मुझे और कोई कमी तो नहीं सताती थी लेकिन अन्धेरा मुझे बहुत कलपाता था और मैं इस बाबत बाकायदा चीख चिल्लाकर, शोर मचा कर अपना ऐतराज और असंतोष दर्ज कराता था। तब नानी ढेर सारी लकड़ियां इकट्ठी करती थी, उन को अलाव की तरह जलाती थी और मुझे तसल्ली देती थी—"देख, कितनी रौशनी हो गयी !"

मायके में मेरी नानी का मेरी मां के साथ डायलॉग हमेशा यूं शुरू होता था :

"शीला !"

"हां, चाची !"

"मैं की आनी आं ! (मैं क्या कह रही हूं?)"

"दस्स, चाची। (बता, चाची।)"

"शीला, मैं की आनी आं !"

"कह, चाची।"

उपरोक्त को पांच छः बार दोहराने से पहले नानी असल बात पर नहीं आती थी। शीला साफ खीज जाती थी, नानी को कोई परवाह नहीं होती थी। आखिर जो बात वो कहती थी, उस का कोई सिर पैर नहीं होता था, या वो मेरी मां को कहने लायक होती ही नहीं थी। मेरी मां और खीज जाती थी।

हर घड़ी मुझे नानी के घर में 'शीला, मैं की आनी आं' सुनायी देता था।

नानी के घर खाना लकड़ी के चूल्हे पर बनता था जो वो दिन में ही दो टाइम का बना के रख लेती थी ताकि रात को फिर चूल्हा न जलाना पड़े। अकेली जान थी इसलिये ऐसा करती थी लेकिन बेटी बच्चों के साथ आती थी तो रात को भी चूल्हा जलता था, खाना पकाना हो जाने के बाद जिस की आंच को राख के नीचे यूं ढंका जाता था कि वो अगली सुबह तक राख के नीचे सुलगती रहती थी और उससे फिर चूल्हा जलाना आसान होता था वर्ना पड़ोस में जा कर आंच मांग के लानी पड़ती थी।

मैं बहुत बड़ा हो गया था तो मुझे इस कहावत का मतलब समझ में आया था—'घर आग लेने आयी, घर की मालकिन बन बैठी'।

यानी तब माचिस का भी टोटा था, वो बड़ी लग्जरी थी।

सरसों का साग, मक्की की रोटी तब पंजाबी किचन की बड़ी डेलीकेसी होती थी। सरसों का साग लोग आज भी खाते हैं लेकिन नहीं जानते कि उसे तरीके से बनाया जाये तो कितनी मेहनत लगती है। आज कल इलाके में सब्जी की रेहडी के साथ आने वाला ही सरसों का साग काट कर दे जाता है जिसे आधुनिक गृहिणियां कुकर में उबालती हैं, मिक्सी में पीसती हैं और यूं बनी 'मेहन्दी' को तड़का लगाती हैं और परोस देती हैं।

उपरोक्त के विपरीत मेरी नानी के घर में सरसों का साग जिस तवज्जो के साथ बनाया जाता था, उसकी आज लोग कल्पना भी नहीं कर सकते। साग की पहले बाकायदा स्क्रीनिंग होती थी, उसमें से अवांछित पत्ते और पकी हुई गन्दलें छांट कर अलग की जाती थीं और बाकी को दरांती से चीरा जाता था। एक किलो सरसों के साग में कम से कम तीन सौ ग्राम बथुआ या चौलाई डाली जाती थी जो कि सरसों के साग की बादी तासीर की काट होती थी। उसमें ढेर अदरक और हींग डाल कर मिट्टी की हांडी में लकड़ी की आंच पर उसे पकाया जाता था और फिर कोई एक घन्टा घोटा जाता था। उस प्रक्रिया में बांहें टूट जाती थीं लेकिन वो जरूरी होता था। आखिर में उसे देसी घी में लाल मिर्च का तड़का लगाया जाता था और सर्व करते वक्त ऊपर घर में निकाले गये ताजा मक्खन की डली रखी जाती थी।

सरसों का साग जानबूझ के जरूरत से ज्यादा बनाया जाता था ताकि वो और दो या तीन मर्तबा खाने के काम आ सके क्योंकि दूसरी या तीसरी बार खाते वो पहली बार से ज्यादा स्वाद लगता था। तड़का भी फिर लग जाये तो बात ही क्या!

सरसों का साग मक्की की रोटी को सबसे मुश्किल से हज्म होने वाला खाना बताया गया है। उसकी इस तासीर की काट बथुआ और चौलाई में है, हमारा आधुनिक समाज जिन के नाम से भी वाकिफ नहीं। न ही ये साग बड़े शहरों में आम मिलते हैं।

पंजाब के तन्दूर की अपनी महिमा है जो कि घर घर होता था। कोई दूसरे प्रान्त का व्यक्ति किसी पंजाबी घर में तन्दूर देखता था तो कहता था पंजाबी घर में रोटियों का कारखाना लगा लेते हैं। तन्दूर एक बार तप जाये तो बहुत देर तक तपा रहता है। घर वाले अपनी जरूरत की रोटियां तन्दूर पर लगा चुकते हैं तो भी तन्दूर और चार पांच राउन्ड रोटियां लगाने लायक गर्म होता है। ये तब के लोगों के बड़प्पन, भाईचारे और उदारता की मिसाल है कि तब सारे आस

पड़ोस में सन्देशा जारी कराया जाता था कि किसी ने रोटियां लगानी हों तो आ कर लगा ले।

नानी के घर की पहली मंजिल पर एक कदरन बड़ा कमरा था जिसके एक कोने में एक के ऊपर एक कर से सिर से ऊंचा जाने वाली कांसे की गागरें रखी होती थीं जो कि अनाज और नगदी स्टोर करने के काम आती थी।

नगदी !

मैंने कई गागरों को एक रुपये के सिक्कों से लबालब भरी देखा था।

नानी पढ़ी लिखी नहीं थी, गिनती भी सिर्फ बीस तक गिन सकती थी, इसलिये उसने किसी को सौ रुपये देने हों तो वो बीस बीस सिक्कों के पांच पिरामिड खड़े करती थी और यूं भुगतान के लिये सौ रुपये की रकम तैयार होती थी। वो एक पिरामिड खड़ा करके दूसरे की तरफ तवज्जो देती थी तो मैं पहले में एक सिक्का खिसका लेता था और नानी को खबर करता था कि वहां एक रुपया कम था। नानी स्कूल गोईंग दोहते का विश्वास करती थी और एक सिक्का और रख देती थी। यूं जब तक उसकी गिनती पूरी होती थी, मैं तीन चार सिक्के चुरा चुका होता था।

लेकिन उस उम्र में अपनी उस उपलब्धि का मैं करता क्या! बड़े गर्व से वो सिक्के मां की नजर करता था, वो हैरान हो कर पूछती थी कहां से आये तो जवाब सुनते ही ऐसा झन्नाटेदार थप्पड़ रसीद करती थी कि मैं चार हाथ दूर जा के गिरता था।

लिहाजा नटवरलाल-इन-मेकिंग का अकाल पटाक्षेप हो जाता था।

तब ये अंग्रेज के राज का ही जहूरा था कि चोरी चकारी का कोई खतरा नहीं होता था। नानी का घर खुला दरबार था। सब जानते थे कि अकेली रहती थी, रुपये पैसे के मामले में किसी की मोहताज नहीं थी—उसकी आय का साधन क्या था, मैं कभी न जान सका—कहीं जाती थी तो बस इतना करती थी कि मुख्य द्वार की बाहर से कुंडी चढ़ा जाती थी।

आज का टाइम होता तो उसकी खाली गागरें बिखरी पड़ी होतीं और उनके बीच गला कटी नानी मरी पड़ी होती।

नानी चाय की बहुत शौकीन थी जब कि चालीस के उस दशक में देहात में तो चाय कोई भी नहीं पीता था। इसी वजह से वो सारे खेमकरण गांव में मशहूर थी। लोग बाग उसका जिक्र यूं करते थे :

"खेम कौर ! वो जो चा पीती है?"

यानी तब चाय पीना पान सिग्रेट शराब जैसा ही ऐब था।

चाय पीने का भी नानी का अपना स्टाइल था। अकेले अपने लिये इतनी चाय बनाती थी कि उससे एक लुटिया भर जाती थी। पीतल की लुटिया के ऊपर

पीतल की कटोरी होती थी जिसमें चाय डाल डाल कर वो कोई आधा घन्टा वो चाय पीती थी।

घघरी तब पंजाबी औरतों का बड़ा ठस्सेदार लिबास होता था लेकिन हर कोई घघरी अफोर्ड नहीं कर सकता था क्योंकि एक घघरी चालीस गज कपड़े से बनती थी और उम्दा कपड़ा दरकार होता था। नानी के पास दो थीं—एक काली और एक महरून। घघरी वो बड़ी शान से खास मौकों पर पहनती थी लिहाजा सारे गांव को उसकी उस मिल्कियत की खबर थी और सारे गांव की वाकिफ औरतें उससे घघरी उधार मांग के ले जाती थीं, जिन्हें कि नानी कभी निराश भी नहीं करती थी।

मेरी मां बच्चों के साथ मायके एकाध दिन के लिये नहीं, मेरे पिता की जिद के तहत लम्बा रहने के लिये आती थी और हर फेरे में एक दुधमुंआ बच्चा गोद में होता था। छोटे बच्चे की सौ प्राब्लम होती हैं जिनकी वजह से वो रोता ही है, नानी से उसका रोना बर्दाश्त नहीं होता था, वो बच्चे को खुद सम्भालती थी, खुद उसे फीडर बॉटल से दूध पिलाती थी और बच्चे का न सिर्फ रोना बन्द हो जाता था, वो सात आठ घन्टे सोया रहता था।

मेरी मां चमत्कृत होती थी, अपनी मां के जहूरे को सलाम करती थी।

आखिर उस 'जहूरे' का राज खुला।

नानी बच्चे के दूध में अफीम घोल कर उसे दूध पिलाती थी।

मेरी मां को खबर लगी तो वो बहुत खफा हुई लेकिन नानी ने उसके खफा होने की रत्ती भर परवाह न की। उलटे समझाया कि गांवों में नये जन्मे बच्चों को ऐसा ट्रीटमेंट आम बात थी। ऐसे बच्चों को 'गुड़ती' दी ही जाती थी।

नानी की गली में शाम को फेरी वाले आते थे जिन का हर बच्चे को इन्तजार होता था। कुल्फी और दाल मुरमुरा बेचने वालों की बच्चों में ज्यादा पूछ थी। कुल्फी वाले की आवाज आती थी तो मैं नानी को कहता था मुझे कुल्फी ले के दे। वो मुझे एक छोटी टोकरी में, जिसे छिक्कू कहते थे, अनाज—गेहूं, मकई, बाजरा—भर के देती थी और कहती थी 'जा ले ले'। मैं छिक्कू को बाहर जा के नाली में पलट देता था और चिल्लाने लगता था कि मैं पैसा मांगता हूं, ये मुझे कनक देती है, मकई देती है।

नानी कलप कर कहती थी—"वे रूड़जानया, इसी की कुल्फी मिलनी थी।"

मुझे यकीन नहीं आता था।

गेहूं के बदले में भला कुल्फी कैसे मिल सकती थी।

वो अनाज से छिक्कू दोबारा भरने लगती थी तो ऐतराज दर्ज कराता मैं पहले ही कलपने लगता था। नतीजतन वो मुझे पैसा थमाती थी।

ताम्बे का बीच में छेद वाला पैसा।

जिसकी एवज में ये... बड़ी कुल्फी मिलती थी।

मैंने धेला भी खर्चा हुआ है जिसका छोटा लिफाफा भर के दाल मुरमुरा मिलता था।

पाई खर्ची तो नहीं थी लेकिन देखी बराबर थी।

तब पैसा बड़ी आइटम थी, आजकल मंगते को पांच रुपये दो तो वो नाक चढ़ाता है।

माता सुशीला देवी

तब फिल्मों में भी पैसे की महिमा और महत्व का बखान होता था। तब
की एक फिल्म का गाना मुझे आज तक याद है जो कोई मदारी फिल्म में गाता
था, जिसे मुहम्मद रफी ने गाया था और जिसके बोल थे :

छड्ड बुरे दी यारी नूं, पैसा दे मदारी नूं।
जे न देवें मैनूं पैसा, हो जावे गा तैनू हैजा।
ला मगरों एस बिमारी नूं, पैसा दे मदारी नूं।

गौर फरमाइये, जिस दाता को कोई हैजा तजवीज करेगा, वो उसे पैसा
देगा !

फिल्म देखने का इत्तफाक होता तो पता लगता कि लोग मदारी को पैसा
देते थे या नहीं।

ऐसा ही एक तब का गाना—ओझपूर्ण गाना—और मुझे याद आता है जो
बहुत जोशीला था और नौजवानों को ललकारता था, बल्कि शर्मिन्दा करता
था :

जिन्ना मुच्छां ते निम्बू ठहरदे, कैसा अजब जमाना,
अजकल ठहर न सकदा यारो इक सरसों दा दाना,
मर्द बन गये जनानी,
मुच्छां से फिर गया पानी
भारत मां दे बांके लाल हो,
जमाना तेरी कैसी बदल गयी चाल हो।

यानी कभी मर्द की मूंछ पर निम्बू ठहर सकता था, आज ये हाल है कि
सरसों का दाना नहीं ठहरता। मर्द औरत बन गये है, मूछों पर पानी फिर गया है,
ऐसे हैं अब भारत मां के बांके लाल जमाने की चाल बदल जाने के बाद।

तब शराब आज की तरह कोई बड़ा और व्यापक ऐब नहीं था। गांव में
कोई शराब की लत के हवाले था तो उसकी सबको खबर होती थी। कभी किसी
की दाढ़ दुखती थी तो तपाक से उसको सलाह मिलती थी—"जा, टहल सिंह
शराबी से तूम्बा ले के आ।"

टहल सिंह शराबी !

जैसे वकील का, स्कूल टीचर का, डाक्टर का जिक्र हो।

टहल सिंह याचक के साथ कैसे पेश आता था?

पूरे प्रेम भाव से।

वो रुई का फाहा विस्की में डुबोकर उसे देता था जिसे याचक अपनी दाढ़
में दबाता था तो आराम पाता था।

मई जून के महीने में बला की गर्मी पड़ती थी और तभी अमूमन वहां
हमारा लम्बा मुकाम होता था। नानी के घर में ग्राउन्ड फ्लोर पर एक भीतरी

कमरा था जिसमें दाखिले के लिये दरवाजे के अलावा कोई खिड़की, रोशनदान, झरोखा नहीं था। दरवाजा बन्द होते ही कमरा घुप्प अन्धेरा हो जाता था। वो कमरा 'मुघद्वाला' कहलाता था। इस शब्द का क्या मतलब होता था, मुझे नहीं मालूम। दोपहरबाद वहां बच्चों को बन्द कर दिया जाता था और सोयें या न सोयें, शाम पांच बजे उन्हें वहां से निकाला जाता था और सबको चौड़े कटोरे में—जिस को छन्ना कहते थे—सत्तू और गुड़ घोल कर पीने को दिया जाता था और तब कहीं जा कर बाहर निकलने की और गली में खेलने जाने की इजाजत होती थी।

घर में कोई रिश्तेदार मेहमान बन कर आये तो उसकी दिखावे के लिये नहीं, दिल से आवभगत होती थी। जाती बार मेहमान अपनी दयानतदारी और बड़प्पन का इजहार यूं करता था कि मुझे—मेरी बहनों को नहीं, इस गौरव प्राप्ति के काबिल लड़कों को ही माना जाता था—एक रुपया देता था और फिर विदा नहीं होता था, बैठा रहता था। कुछ अरसा एक बोझिल सन्नाटे के तहत वो अपनी उस उदारता की किसी वांछित प्रतिक्रिया का इन्तजार करता था और आखिर मेरे से मुखातिब होता था—ओये काका, जा, मां नू पुच्छ रखना ए के मोड़ना ए!"

क्या समझे !

यानी कि वो रुपया इस पक्की उम्मीद के साथ दिया जाता था कि कबूल नहीं होगा, लौटा दिया जायेगा। जब ऐसा नहीं होता था तो बाकायदा उस बाबत याद दिलायी जाती थी।

मेरी मां को वो बात भीतर बिना मेरे दोहराये ही सुनाई देती थी। वो तत्काल चौखट पर प्रकट होती थी और फुसफुसाती आवाज में—तब औरतें मर्दों के सामने ऊंची आवाज में नहीं बोलती थीं—घूंघट की ओट से कहती थी—"नहीं, नहीं! असी नहीं रखना।"

तब मेहमान रिश्तेदार यूं रुपया वापिस काबू में करता था जैसे उसे ऐसा करने के लिये मजबूर किया जा रहा हो—ये ड्रामा तब मैंने कई बार देखा—रुपये की एवज में मुझे एक दुअन्नी थमाता था और रुपया सहेजता उठ कर चल देता था।

लिहाजा दयानतदारी भी हो गयी, दुनियादारी भी हो गयी और पल्ले से खास कुछ न गया।

समाजी ताल्लुकात में ऐसे ही चतुर सुजान होते थे तब लोग।

ऐसी एक और मिसाल—लाहौर की—मुझे याद आती है।

पान सिग्रेट का शौकीन कोई नौजवान शाम को खाना खा कर घर से निकलता था, टहलता हुआ बाजार में पनवाड़ी की दुकान पर पहुंच कर उसे एक रुपया थमाता था और आर्डर करता था—"इक पान, इक सिगट।"

तक एक आने का पान और अधन्ने का सिग्रेट आता था।

तभी एक दोस्त आ जाता था।

"ओये"—नौजवान पनवाड़ी को दिया आर्डर अमेण्ड करता था—"दो पान, दो सिगट।"

एक और दोस्त आ जाता था।

"रुपया वापिस कर ओये।"

□

बटाला वो दूसरी जगह थी जहां लम्बी छुट्टियों में मेरा पिता बीवी बच्चों को लाहौर से जैसे जलावतन करता था। बटाला में मेरे पिता का पुश्तैनी मकान था और मेरी मां का ससुराल था। वो अमृतसर से कोई बीस बाइस मील दूर पठानकोट-जम्मू के रूट पर एक छोटी सी तहसील था जिसका जिला गुरदासपुर था जहां से कि अभिनेता विनोद खन्ना बीजेपी के टिकट पर दो बार एमपी का इलैक्शन जीता था और जहां की देवानन्द पैदायश था।

बटाला का रहन सहन तब भी खेमकरण से कई दर्जे बेहतर था। कस्बे में बिजली घर घर थी और तकरीबन मकान पक्के थे।

सिवाय मेरी दादी के मकान के।

जो कि छोटी ईंटों का बना कच्चा पक्का मकान था जब कि मौहल्ले के—नाम बेड़ियां मौहल्ला—सारे मकान पक्के थे। घरों के सामने के चौक के पार ही बेदियों की हवेली थी जो एक विशाल, बुलन्द इमारत थी जिस के सामने इतना बड़ा परकोटे वाला खुला अहाता था कि वहां बाकायदा पार्टी हो सकती थी। मैंने अक्सर उस अहाते में शदियां, मातमी सभायें वगैरह होती देखी थीं। मालिकान इतने दरियादिल थे कि अपनी हवेली के इस्तेमाल के सिलसिले में कभी किसी को नाउम्मीद नहीं करते थे। मेरी जानकारी में सारे बटाला में अकेले वही लोग मोटर कार के मालिक थे। वो इतना छोटा कस्बा था कि किसी भी दिशा में आधा-पौना मील चलों तो खेत आ जाते थे। लिहाजा वहां कार की सवारी गैरजरूरी होती थी लेकिन कार से—काले रंग की फियेट—एक शान भी तो बनती थी—जैसे कि दरवाजे पर हाथी झूम रहा हो।

ऐसे मौहल्ले में सिर्फ एक मेरी दादी के घर में बिजली नहीं थी और पहली मंजिल पर फ्रंट के एक कमरे को छोड़ कर—जिसका फर्श ईंटों का था—सारे फर्शों को, सीढ़ियों को, कुछ जगहों पर चार फुट ऊंचाई तक दीवारों को, गोबर से लीपना पड़ता था और ये काम सुबह चार बजे होना लाजमी था ताकि घर में जाग होने से पहले लिपाई मुकम्मल नहीं तो औनी पौनी तो सूख जाती। हर

हफ्ते ये काम किया जाना जरूरी था जिसमें कि चार औरतें लगती थीं ताकि वो रफ्तार से हो, जल्दी खत्म हो।

मेरी दादी के चार बेटे थे जिन में से सबसे छोटा—मेरा पिता, पन्नालाल—लाहौर में रहता था, बाकी तीन सपरिवार उस कच्चे पक्के मकान में रहते थे जिस में घर घर बिजली होने के बावजूद रात को दीया जलता था, लालटैन जलती थी। मेरा सबसे बड़ा ताया हीरालाल जीटी रोड पर बर्तनों की एक बड़ी दुकान में बतौर मुनीम काम करता था और उस के चार बेटे और एक बेटी थी। उससे छोटा ताया मदन लाल मुझे नहीं मालूम क्या करता था क्योंकि मैंने कभी उस की सूरत नहीं देखी थी। मेरी मां बताती थी कि जवानी में ही तपेदिक से—उस जमाने में लाइलाज बीमारी थी—मर गया था। विधवा ताई अपने एक बेटे और दो बेटियों के साथ उस जायन्ट फैमिली का हिस्सा थी। तीसरा ताया रोशन लाल था जो कि मेरे पिता की तरह मैट्रिक पास था और तहसील की कचहरी में अर्जीनवीस था। उन दिनों अर्जीनवीस—पेटीशन राइटर—वो काम भी करते थे जो कि आजकल क्वालीफाइड वकील करते हैं। यानी क्लायंट की तरफ से वकील की तरह लोकल कचहरी में या जिले के कोर्ट में पेश होने के अख्तियारात भी अर्जीनवीस को हासिल होते थे। रोशनलाल अर्जीनवीस का जमीन-जायदाद का पर्चा लिखने में इतना नाम था कि दूर दूर के गांवों से अनपढ़ किसान, काश्तकार, जमींदार 'रोशनलाल अर्जीनवीस' को पूछते आते थे और कचहरी पहुंचकर बाकायदा जिद करते थे कि पर्चा लिखवायेंगे तो उससे लिखवायेंगे। अपनी इस पूछ को, रिप्यूट को ताया रोशनलाल खूब कैश करता था, पर्चा लिखने की मनमानी फीस वसूल करता था जो कि मुवक्किल खुशी खुशी अदा करते थे। उस उम्र में तो इस बात से मेरा कोई सरोकार नहीं था लेकिन बाद में मेरे को अहसास हुआ था कि जायन्ट फैमिली का तकरीबन खर्चा वो ही उठाता था।

और उठाता भी कौन?

बतौर मुनीम बड़े ताया की मामूली आमदनी थी, दूसरी तायी विधवा थी, और छोटा भाई लाहौर रहता था।

उसके सात बच्चे—चार लड़के, तीन लड़कियां—थे।

लिहाजा गर्मियों की छुट्टियों में जब मेरी मां भी बच्चों के साथ उस घर में आ विराजती थी तो मेरी दादी के अट्ठारह पोते पोतियां एक छत के नीचे रहते थे। यानी एक टाइम में पच्चीस मुंहों को रोटी का निवाला दरकार होता था।

इतने बच्चे! इतनी इंसानी पैदावार! वो भी एक छत के नीचे!

यानी कि दादी की कोई न कोई बहू तो जच्चगी के इन्तजार में चारपायी पर पड़ी ही रहती थी और उसे कोई ऐतराज भी नहीं होता था क्योंकि वो तो एक तरह से रोजमर्रा की हाड़तोड़ मेहनत से उस की सालाना वैकेशन थी।

मेरी मां मुझे बताती थी कि मैं—अपने मां बाप की पहली संतान, छोटे ताया की लड़की—उस की तीन भाइयों के बाद हुई चौथी संतान और मेरे उससे बड़े ताये की लड़की—उसकी तीसरी और आखिरी संतान—पांच महीने के वक्फे में पैदा हुए थे।

ये बात सबसे ज्यादा मेरे छोटे ताया के सबसे बड़े, निहायत संजीदा सूरत, लड़के सतपाल को कुछ ज्यादा ही आन्दोलित करती थी। वो अक्सर भुनभुनाता हुआ कहता सुना जाता था—"इस घर से तो सूतक कभी निकल ही नहीं सकता।"

कहना न होगा कि बटाला में हर डिलीवरी घर में ही मेरी दादी और लोकल दाई की देखरेख में होती थी, नवजात शिशु को पोलियो, डिप्थीरिया जैसे शॉटस देने का कोई चलन नहीं था, केवल एक चेचक का टीका लगता था, वो भी तब जब कि बच्चा एक साल का होने को आता था। घर में लड़की हो तो सब गुमसुम हो जाते थे, लड़का हो तो थाली खड़काई जाती थी जिसकी आवाज सारे मौहल्ले में गूँजती थी। पहली औलाद लड़की होने पर मां भी मायूस हो जाती थी लेकिन कुनबा अगर कुलीन हो, संस्कारी हो तो उसे तिरस्कार, उपेक्षा की निगाह से देखे जाने की जगह ये कह कर उसका हौसला बढ़ाया जाता था :

"ओही नार सुलक्खनी, जिस पहले जाई लछमी।"

लिहाजा कहने को, दिखाने को लड़का लड़की में कोई भेद नहीं किया जाता था लेकिन भेद तो जाने अनजाने होता ही था।

एक मिसाल मुलाहजा फरमाइये :

हर शाम पांच बजे के करीब जब कि आग उगलते सूरज की तुर्शी कदरन घट जाती थी तो दादी पोतों को—रिपीट, पोतों को, पोतियों को नहीं—ठण्डा दूध पिलाती थी, मिकदार बढ़ाने के लिये जिसमें आधा पानी होता था। दादी एक एक पोते को गिलास थमाती थी और जिद करती थी कि वो, उसके सामने दूध पिये। वो कर्टसी पोतियों को हरगिज हरगिज हासिल नहीं थी। एक बार दूध का गिलास मुझे मिला तो वो मेरे हाथ से छूट गया और दूध कमरे के फर्श पर बिखर गया। दादी की सूरत पर ऐसे भाव आये जैसे कोई ऐसा नुकसान हो गया था जिसकी भरपाई भी नहीं हो सकती थी।

क्या किया उसने?

मेरे को गर्दन से पकड़ा और मेरा सिर फर्श की तरफ इतना झुकाया कि मेरी नाक बिखरे दूध को लगभग छूने लग गयी, और मुझे हुक्म दिया—"ऊपर ऊपर से चाट ले।"

लिहाजा दादी की निगाह में वो मामूली नुकसान भी बड़ा वाकया था।

वो वाकया क्या, सारा घर ही ऐसी किफायत से चलता था। रसोई का कारोबार चलाने के लिये जो अंगीठी जलाई जाती थी, वो तो बहुत ही अनोखी थी। मौहल्ले के बाहर खजूरी गेट के करीब एक आरा मशीन थी जिसमें सारा दिन बिजली से चलने वाले आरे से लकड़ी चिरती थी। यूं शाम तक ढेर लकड़ी का बुरादा फर्श पर इकट्ठा हो जाता था जिसे मशीन के मालिकान किसी को भी वहां से फ्री उठा ले जाने देते थे। वो बुरादा बोरा भर के हमारे घर भी लाया जाता था। घर में एक खास तरह की लोहे की गोल अंगीठी होती थी जिस के ऐन बीच में एक कोई एक इंच व्यास का पाइप सीधा अंगीठी के रिम से बाहर तक खड़ा होता था। उस पाइप के गिर्द वो बुरादा अंगीठी में भरा जाता था और लोहे के एक डण्डे से उसको ठोक ठोक के दबाया जाता था ताकि बुरादा ठूंस ठूस कर भरा जा पाता। जब वो ऊपर तक बिल्कुल टाइट हो जाता था तो उसे सुलगाया जाता था और फिर वो अंगीठी छः सात घन्टे जलती रहती थी। यानी मुफ्त का हासिल वो बुरादा किचन का ईंधन था।

काले मंहा का एक बड़ा पतीला, जो कि छोटी मोटी देग ही होता था, तकरीबन रोज उबाला जाता था। और किचन का मेजर फूड वो ही होता था। एक छोटी पतीली किसी खास सब्जी की बनाई जाती थी और वो सब्जी सिर्फ ताया रोशन लाल को परोसी जाती थी। कुछ बच जाये तो ताया के किसी फेवरेट सुपुत्र को भी उस में से हिस्सा मिल जाता था।

दिन में रोटियां जानबूझ कर उस वक्त के भोजन की जरूरत से ज्यादा बनाई जाती थीं क्योंकि शाम को कोई बच्चा भूख की शिकायत करता था तो उन्हीं में से एक रोटी ऊपर आम या नीम्बू के अचार का टुकड़ा रख कर उसे थमा दी जाती थी। बावजूद इसके काफी रोटियां बच जाती थीं जिन को खत्म करने की खातिर रात के खाने के वक्त बच्चों के आगे शर्त रखी जाती थी कि वो एक रोटी बासी खायेंगे तो तभी ताजी रोटी मिलेगी, खाना खाने के लिये बच्चे दीवार के साथ पीठ सटाकर रसोई के फर्श पर बैठते थे। रसोई में एक दीया जलता था जो अपने आसपास का अन्धेरा दूर करने में ही सक्षम नहीं होता था। परली दीवार तक, जिसके साथ लग कर बच्चे बैठते थे, तो उसका उजाला पहुच ही नहीं पाता था। उस नीमअन्धेरे का फायदा उठा कर मैं बासी रोटी के टुकड़े अपनी पीठ पीछे फेंक देता था, ताई समझती थी कि मैंने रोटी खा ली थी तो वो मुझे ताजी पकी रोटी देने लग जाती थी। बाद में, जब बच्चे खाने से फारिग हो कर उठ कर चले जाते थे तो क्या पता लगता था कि इतने बच्चों में से कौन से बच्चे ने वो हरकत की थी।

बच्चों के खाना खा चुकने के बाद, खाना दोमंजिले की छत पर, जहां कि चारपाईयां डाल के सब जने सोते थे, ले जाकर छत की मुंडेर के साथ बने एक

प्रोजेक्शन पर—जिसे कि रौंस कहते थे—रख दिया जाता था। एक एक, दो दो कर के बालिग लोग घर पर आते थे और वहीं चारपाई पर बैठकर खाना खाते थे। आमद का ये सिलसिला आधी रात तक तो यकीनी तौर पर चलता था और उस दौरान नीचे की ड्योढ़ी का गली में खुलने वाला दरवाजा खुला ही रहता था। घर के आखिरी प्राणी की आमद के बाद ही उस दरवाजे की सांकल अन्दर से चढ़ाई जाती थी।

नहाना, कोई भी मौसम हो, ठण्डे पानी से पड़ता था। नीचे के प्रवेश द्वार की ड्योढ़ी से आगे एक नीमअन्धेरा बिना दरवाजे का एनक्लोजर सा था जिसमें हैण्ड पम्प लगा था और उसके नीचे लोटा बाल्टी पड़े होते थे। यानी नलका चलाओ, बाल्टी भरो और नहाओ। घर की लड़कियां बाल्टी भरने की जगह निर्वसन नलके के नीचे बैठ जाती थीं और जो भी कजन करीब दिखाई दे उसको आवाज दे कर कहती थीं—"वीरा, जरा नलका गेड़ जा।"

वीर निर्विकार भाव से नलका चलाता था और वो धार के नीचे बैठी नहाती थी।

वो नजारा आम था जिस पर मैंने कभी कोई ऐतराज होता नहीं देखा था जब कि दादी इन मामलों में बहुत सख्त थी। पोतियों को हमेशा नसीहत देती रहती थी कि भले ही भाई थे, उन से न्यारा न्यारा रहना जरूरी था।

ताया हीरालाल और पिता पन्नालाल
(दोनों की इकलौती उपलब्ध तसवीर)

वो नसीहत कच्ची उम्र की पोतियों की उत्सुकता बढ़ाती थी।

क्यों जरूरी था?

फिर जवाब की तलाश में लुका छिपी में ऐसा कुछ होता था जो मंटो या इस्मत चुगताई के संज्ञान में आता तो जरूर 'लिहाफ' जैसा एक और अफसाना बनता जिस पर फाश होने का समाजी और कानूनी इलजाम आयद होता।

मुहल्ले में बसे मुस्लिम परिवारों की मुझे खबर नहीं लेकिन हिन्दू परिवारों को धर्म कर्म तब बहुत था। सवेरे चौखट पर रम्भाती गाय आ खड़ी हो तो कितनी भी कमजोर हैसियत के परिवार की गृहिणी हो, उसे ताजे गूंधे आटे का पेड़ा जरूर खिलाती थी। गली में आया मंगता भी कभी किसी घर से नाउम्मीद नहीं जाता था। ऐसा एक उम्रदराज मंगता लंगड़ा था, लाठी के सहारे चलता था और हमारे चौक में आकर यूं अपनी हाजिरी दर्ज कराता था :

"हरल गे मंतारगश्ता बोल हरकीमालने।"

एक ही लाइन वो निरन्तर दोहराता रहता था जिस का मतलब मेरी समझ में नहीं आता था। उत्सुकतावश मैं अपने से बड़े कजंस से, ताइयों से, दादी से सवाल करता था कि गोसाईं जी क्या कहते थे—उस मंगते को सब इसी नाम से पुकारते थे—तो एक ही जवाब हर जगह से मिलता था—"पता नहीं।"

मैं मां से जिद करके मतलब पूछता था तो वो भी यही कहती थी लेकिन फुंदने लगा कर—"पता नहीं। चल दफा हो। कन्न न खा!"

मैं दफा हो जाता था, कान नहीं खाता था लेकिन वो लाइन मुतवातर मेरे जेहन में बजती रहती थी :

"हरल गे मंतारगश्ता बोल हरकीमालने!"

फिर आखिर एक रोज खुद ही मेरे जेहन में बिजली सी कौंधी और मुझे जैसे गूढ़ ज्ञान मिला कि गोसाईं जी असल में कहता था :

"हरि लगे मन तार गश्ता, बोल हरि की मालिने।"

यानी हरि की मालिन, ऐसी ख्वाहिश मन में पैदा कर कि मन का तार हरि से जा जुड़े।

मन तो आखिर समझ में आया लेकिन उरा में 'गश्ता' का क्या मतलब था वो फिर भी समझ में न आया।

मौहल्ले में गोसाईं नाम से पुकारे जाने वाले उस मंगते की इतनी मान्यता थी कि दो दिन सवेरे वो गली में दिखाई न दे तो किसी बच्चे को उस के घर दौड़ाया जाता था ये पता करके आने के लिये कि उसे कुछ हो तो नहीं गया था। हरकारा खबर लाता था कि गोसाईं जी सही सलामत थे, खाली ठण्ड ने जकड़ लिया था, खांसी जुकाम से निढ़ाल थे, परसों से आना शुरू करेंगे। तब जाके कहीं हरि की मालिनों का मन चैन पाता था।

धर्म कर्म की एक दूसरी मिसाल ये भी थी कि सम्पन्न घर विपन्न ब्राह्मणी को खाना देना बड़े पुन्य का काम मानते थे। ऐसे दान को 'हन्दा' कहते थे और ब्राह्मणी को ही उसका हकदार माना जाता था।

हमारे घर में ही ऐसा एक हकदार मेरी विधवा ताई थी जो कि दोपहर से थोड़ा पहले एक थाली और कई कटोरियों के साथ घर से निकलती थी और कोई घन्टे-सवा घन्टे में कई सब्जियोंभरी कई कटोरियों और कई रोटियों के साथ लौटती थी। बच्चों को यूं घर में आयी रोटियों से कोई सरोकार नहीं था लेकिन ये देखने के लिये, कि उस रोज सब्जियां कौन कौन सी कलैक्ट हुई थीं, वो थाली पर जरूर झपटते थे।

उस उम्र में भी मुझे ताई का यूं सवेरे हन्दा लेने निकलता नहीं भाता था, वो काम कितना भी धर्म कर्म के मुलम्मे के जेरसाया होता था, आखिर था तो मांगने का ही। मेरे तायों को उस बात पर ऐतराज होना चाहिए था, मेरी दादी को उसे गैरजरूरी, विधवा बहू की गरिमा और मान के विपरीत करार देना चाहिये था लेकिन कोई कुछ नहीं बोलता था, जैसा चला आ रहा था, चलता रहता था।

मैं तब मन ही मन संकल्प लिया करता था कि बड़ा हो जाने पर मैं...मैं उस रिवाज को बन्द कराऊंगा।

लेकिन कुछ कर पाने से पहले वो सिलसिला अपने आप ही बन्द हो गया। याचक से पहले आखिर दाता ही उस जिम्मेदारी से कन्नी जो कतराने लग गये थे। जब मैंने देखा कि विधवा ताई अब 'हन्दा' कलैक्ट करने नहीं जाती थी तो मेरे मन ने बहुत चैन पाया।

इतने बड़े परिवार के कपड़े धोना पारिवारिक कृत्यों के बीच एक बड़ा आयोजन था। मैले कपड़े इतने ढेर हो जाते थे कि हफ्ते में दो बार—बावक्तेजरूरत तीन बार भी लेकिन दो बार तो यकीनन—उन्हें सुबह नौ दस बजे के करीब घर से, आबादी से बाहर के एक तालाब पर ले जाया जाता था जो कि सारे बटाला में बड़े तालाब के नाम से जाना जाता था। कस्बे में जरूर कोई छोटे तालाब भी होंगे जिन की वजह से उसका दर्जा 'बड़े तालाब' का था। वो तालाब इतना बड़ा था कि स्विमिंग पूल के तौर पर भी इस्तेमाल होता था। उसके बीचोंबीच पानी में से सिर उठाये खड़ी एक गुमटी थी, तैराक छोकरे जिस के ऊपर तक चढ़ जाते थे और ऐसा कर सके होने में शान महसूस करते थे। वो भुतहा सी चारों तरफ झरोखों, खिड़कियों वाली गुमटी थी जिस पर हर कोई चढ़ भी सकता हो तो नहीं चढ़ता था। यानी जो चढ़े वो दिलेर।

मेरा भी दिल दिलेर बनने को करता था लेकिन मैं वो दिलजोई नहीं कर सकता था क्योंकि मुझे तैरना नहीं आता था। मैं किनारे से अपने से बड़े लड़कों

को—जिन में मेरे कज़न भी शामिल होते थे—देखता था और बस कल्पना करता था कि उन में मैं भी शामिल था।

मेरी मां और तायी दो ढ़ाई घन्टे के अनथक परिश्रम के बाद कपड़े धो कर खत्म करती थीं और—गर्मियां हों तो पीपल के पेड़ के नीचे, सर्दियों हों तो धूप में—सुस्ताने बैठ जाती थीं।

"अरे, घर चलो न!"—मैं कहता था।

"चुप कर!"—जवाब मिलता था—"जा, खेल जा के। कपड़े सूखेंगे तो चलेंगे।"

मैं कलपता था कि कपड़े घर पर भी तो सुखाये जा सकते थे! उनके सूखने के इंतजार में वहीं बैठे रहना क्यों जरूरी था!

क्यों जरूरी था?

आखिर वो भेद मेरी समझ में आया।

आती बार जितना वजन मैले कपड़ों का होता था लौटती बार अगर उन्हें धुलते ही घर ले जाया जाता तो वजन, गीले कपड़ों का, दोगुणा से ज्यादा होता जिस को वापिस ढ़ो पाना भी पता नहीं मुमकिन होता या न होता। इसलिए घर वापिसी से पहले कपड़ों का सूखना जरूरी होता था।

जिन कपड़ों को प्रैस की जरूरत होती थी, वो अमूमन मर्दाना कपड़े ही होते थे जिन्हें कि मौहल्ले में बसे मुसलमान धोबियों को भेजा जाता था या वो खुद ऐसे कपड़े कलैक्ट करने आते थे। धोबी कपड़ों को कोयलों से तपने वाली इस्त्री से प्रैस करते थे। मेरा बड़ा ताया बताता था पहले जब उन के पास वो भी नहीं होती थी तो कपड़ों को एक एक करके मेज पर बिछाया जाता था उन्हें मुनासिब फार्मेशन में तह किया जाता था और तीन तीन चार चार को एक दूसरे के ऊपर रख कर, मोटे कपड़े से ढंक कर एक चौड़ी, भारी थापी से—जो कि चौड़ाई में क्रिकेट के बैट से मिलती जुलती होती थी—ठोका जाता था। इस प्रक्रिया को 'ठप्पना' बोलते थे।

जो सम्पन्न लोग कपड़ों को धोने के लिये भी धोबी को देते थे, वो उन की बाबत बाद में सवाल करते थे तो अक्सर धोबी का जवाब होता था—"धुल ते गये ने, शाहजी, पर हाल्ले ठप्पे नईं जे।"

बहरहाल हमारे घर में इतना काम रोज नहीं होता था, खासतौर से गर्मियों के दिनों में तब मेरी दादी अपनी चारों बहुओं के साथ दोपहरबाद ड्योढ़ी में फसकड़ा मार कर बैठती थी और आग उगलता सारा दिन वहीं गुजारती थी जहां कि कदरन ठंडक होती थी। कभी कभार उस महफिल में आस पड़ोस की औरतें भी शामिल हो जाती थीं। स्कूल से बच्चे लौट आते थे, तब भी औरतें

नहीं उठती थीं, जहां बैठी होती थीं, वही से फरमान जारी कर देती थीं—"छिक्कू में रोटियां, पतीली में सब्जी पड़ी है, जा के खा लो।"

ड्योढ़ी में सिर्फ गप्पबाजी ही नहीं चलती थी, ढेर काम भी होता था मसलन :

चर्खा काता जाता था।

खरबूजे के सुखाये हुए बीज चिमटी ले कर खोले जाते थे।

कढ़ाई की जाती थी जो कि एक तरह का जॉब वर्क होता था जो घर बैठे मिलता था और उजरत हासिल होती थी।

फुलकारी काढ़ी जाती थी।

घड़ी शायद ही किसी घर में होती थी।

वक्त का अन्दाजा लगाने के कुछ टैलटेल साइन थे।

जैसे बच्चे स्कूल से लौट आये थे तो दो बज गये थे।

चौना आ गया था तो पांच बज गये थे।

चौना !

तब घर में गाय भैंस रखने का काफी रिवाज था। जैसा कि मैंने पीछे कहीं दर्ज किया, हमारे घर में भी दो गाय थीं जिनका दूध निकालना किसी को नहीं आता था। माहाना उजरत की एवज में बाहर से दो टाइम एक आदमी आता था जो दूध निकाल के दे के जाता था। उसकी शिनाख्त ये होती थी कि वो कन्धे पर एक मोटी रस्सी टांगे रहता था जो कि दूध निकालने से पहले गाय की पिछली टांगें बान्धने के काम आती थी। वो ट्रीटमेंट गाय के लिये जरूरी होता था जब कि भैंस शान्ति से दूध निकाल लेने देती थी।

ऐसे मवेशी सारा दिन घर नहीं बन्धे रहते थे। सुबह नौ और दस बजे के बीच दूध निकालने आने वाले कामगर जैसे ही कुछ लोग घर घर से मवेशी कलैक्ट करने आते थे जिन्हें वो एक बड़े झुंड के तौर पर बड़े तालाब ले जाते थे। शाम को मवेशियों का वो झुण्ड लौटता था और उन्हें घर घर वापिस छोड़ा जाता था। मवेशियों का वो झुंड 'चौना' कहलाता था।

शाम को जब चौक से मवेशियों के रम्भाने की और खुरों की आवाजें गूंजती थीं तो ड्योढ़ी में बैठती औरतें सचेत होती थीं।

"उठो, भई"—कहती थीं—"रोटी लग्गिये। चौना आ गया।"

यानी पांच बज गये थे। शाम के रोटी-पानी की सुध लेने का टाइम हो गया था।

तब दादी की सदारत में चलती ड्योढ़ी की वो महफिल बर्खास्त होती थी।

दादी की एक और मामले में भी मौहल्ले में बड़ी पूछ थी। चर्खे का तकला टेढ़ा हो जाये तो उसको सीधा कराने के लिये मौहल्ले की क्या, मौहल्ले के

बाहर की औरतें भी चर्खा उठा कर दादी के पास आती थीं। तकला टेढ़ा हो तो डगमगाता जान पड़ता था और सूत ठीक नहीं कातता था। आसान तरीका ये था कि तकला—मामूली कीमत की आइटम थी—बदला जाता लेकिन मामूली ही क्यों न हो, नाहक खर्चा कोई नहीं करना चाहता था इसलिये चर्खा उठा कर दादी के पास लाया जाता था जो दो पत्थरों की मदद से उसे ठोक ठाक के सीधा कर ही देती थी।

सारे मौहल्ले में एक या दो घर थे जिन के यहां अखबार आता था। छः या आठ पेज का उर्दू का अखबार दो आने का आता था लेकिन क्या फायदा था दो आने खर्चने का! अखबार तो जैसे तैसे हासिल हो ही जाता था। जिन्हें अखबार पढ़ना सच में पसन्द था, वो उसे यूं पढ़ते थे कि मजाल थी कि कोई विज्ञापन तक पढ़े बिना रह जाये। अखबार की प्रिंट लाइन तक पढ़ते थे जो कि कभी तब्दील नहीं होनी होती थी। जो अखबार के संजीदा पाठक नहीं होते थे, वे भी दिखावे के लिये अखबार को थोड़ी देर के लिये बस मुंह के आगे करते थे, बड़ी हद उस में छपी इक्की दुक्की तसवीर देखते थे और लौटा देते थे।

"पढ़ लिया?"—अखबार का मालिक सवाल करता था—"इतनी जल्दी?"

"आहो जी!"—इत्मीनानभरा जवाब मिलता था।

"क्या पढ़ा?"

"अज्ज खास खबर कोई नहीं छपी।"

आप बस में हों, ट्रेन में हों, कहीं चौपले पर बैठे हों, अखबार खोलेंगे तो यकीनी तौर पर कोई न कोई आप को अप्रोच करेगा और बोलेगा—"भ्राजी, वरका देना।"

'भ्राजी वरका देना' के सदके उन दिनों एक जोक बहुत मशहूर था :

आप किसी उजाड़ बियाबान, घने जंगल में गुम हो जायें तो वहां से निकासी का रास्ता तलाश करना कोई मुश्किल काम नहीं था बशर्ते कि आपके पास अखबार हो। रास्ता ढूंढ़े न मिले तो एक जगह बैठ जाइये और अखबार खोल लीजिये। फौरन आप के कन्धे पर दस्तक पड़ेगी और फरमायश होगी—"भ्राजी, वरका देना।"

आप उससे पता पूछिये और जंगल से निकल आइये।

तब एक खास तरह का बुखार बच्चों को होता था जिसकी खासियत ये बताई जाती थी कि वो एक दिन चढ़ता था, अगले दिन उतर जाता था; फिर चढ़ता था, उससे अगले दिन उतर जाता था। बच्चा उस बुखार की गिरफ्त से तब निजात पाता था जबकि उसे एक खास कहानी—रिपीट, कहानी—सुनाई जाती थी। उसके लिये उसे एक बुजुर्ग सरदार जी के घर भेजा जाता था जो बच्चे

को उस बुखार का इलाज खास कहानी सुनाते थे और फिर बुखार चढ़ने-उतरने की साइकल बन्द हो जाती थी और बच्चा तन्दुरुस्त हो जाता था।

कहानी सुन कर। डाक्टरी इलाज गया तेल लेने।

वो कहानी क्या थी, मैं कभी न जान सका।

ऐसे और भी टोटके बुज़ुर्ग लोग आजमाते थे।

मसलन गला खराब हो तो कोहनी पर देसी घी मलने से ठीक हो जाता था। दूध में जलेबी डाल के खाने से ठीक हो जाता था।

ताजे भुने काले चने सूंघने से—सूंघने से, खाने से नहीं—जुकाम ठीक हो जाता था।

मकड़ी का जाला गुनगुने पानी में घोल कर बच्चे को पिलाने से टाइफायड—या शायद निमोनिया—ठीक हो जाता था।

बहुत छोटा बच्चा बेवजह रोता हो तो उसे नीम की पत्तियां, अजवायन, पोदीना सौंफ के पानी में उबाल कर पिलाया जाना मुफीद साबित होता था।

जीरा, हरड़ और लौंग को पीस कर अर्क गावजबान के साथ पिलाये जाने से टौंसिल्स ठीक हो जाते थे, कटवाने हरगिज नहीं पड़ते थे।

वगैरह।

तब की एक बात का बालिग हो जाने के बाद तक मुझे बड़ी शिद्दत से अहसास होता रहा।

लोगों में तब संतोष का माद्दा बहुत था, आज की तरह कैसे भी हालात हों उन को कोसते नहीं रहते थे। हासिल में मौज करने का उन्हें अभ्यास था। लगता था सब को ये सबक था कि 'जो चाहा वो नहीं मिला तो जो मिला, उसको चाहना सीखना चाहिये'। आज की तरह दूसरे का मुंह लाल देख कर अपना थप्पड़ मार के लाल कर लेने का रिवाज नहीं था।

इसके विपरीत आज का मध्यवर्गीय रहन सहन ऐसा बन गया है कि जो चीज पड़ोसी के पास है, वो हमें हर हाल में चाहिये। पड़ोसी 56" का टीवी लाया, हमारे को भी होने का। पड़ोसी के पास कार, मेरे का अभीच मांगता है। पड़ोसी ये लाया, लाने का। पड़ोसी वो लाया, अभी का कभी लाने का।

ये हाल तब है जब कि अधिकतर लोग कोई भी कीमती चीज कैश डाउन पर खरीदना अफोर्ड नहीं कर सकते। आज कार किस्तों पर मिलनी बन्द हो जाये तो सेल एक तिहाई भी हो जाये तो गनीमत हो। फ्लैट, टीवी, फ्रिज, फर्नीचर, ट्रैवल हर चीज पर यही इक्वेशन लागू है। कभी बाप बेटे को अपनी उपलब्धियां दिखा कर गर्व से कहता था—"बेटा, एक दिन ऐसा आयेगा कि ये सब तेरा होगा।"

इंस्टालमेंट्स के भंवर जाल में फंसा आज का बाप कहता है—"बेटा, एक दिन ऐसा आयेगा कि ये सब मेरा होगा।"

वो दिन कब आयेगा?

जब तमाम किस्तें चुक चुकी होंगी।

आजादी से पहले किसने सोचा था कि आगे एक वक्त ऐसा आयेगा जब कि जिन्दगी का चर्खा चप्पा चप्पा चलने की जगह किस्त किस्त चलेगा।

बहरहाल वो भी एक दौर था, ये भी एक दौर है।

बटाला में गली में दो फेरी वाले ऐसे आते थे जिन का कारोबार मुझे बहुत हैरान करता था।

एक कुल्फी वाला और एक छोले वाला।

कुल्फी वाला लकड़ी की एक आयताकार सन्दूकची से अपना कारोबार चलाता था जिस में तीन तरह की कुल्फी—सादी, रबड़ी, आम—रख कर सुबह वो घर से निकलता था और शाम तक वो कुल्फी बेचता था। जो बात काबिलेगौर है, काबिलेजिक्र है वो से है कि मई जून की चिलचिलाती धूप में वो गली गली घूमता था और शाम तक भी वो कुल्फी पिघलती नहीं थी—पिघलती तो क्या नर्म भी नहीं पड़ी होती थी, जबकि आजकल तो ऐसा रेफ्रीजरेशन के टाइम पर भी नहीं हो पाता। तब मेरी अक्ल ये गवाही देती थी कि कोई भेद कुल्फी के सिलेंडर-से को लपेटने में होता था जो कि किसी खास ही कपड़े की लम्बी स्ट्रिप्स में कस के लपेटा जाता था। ज्यों ज्यों कुल्फी का लैवल नीचे आता जाता था, फेरीवाला उन स्ट्रिप्स को, उन पट्टियों को—जो पट्टू जैसे किसी सलेटी रंग के गर्म कपड़े की जान पड़ती थीं—घटते लैवल के हिसाब से उधेड़ता जाता था। बहरहाल दिन का कोई वक्त हो, जब वो ग्राहक को कुल्फी देने के लिये सन्दूकची का ढक्कन उठाता था, छुरी से कुल्फी का टुकड़ा काटकर पत्ते पर रखता था तो वो बर्फ की तरह जमा ही ग्राहक के हवाले होता था।

यही करतब पीपे वाले अमृतसरी छोलों के साथ होता था।

उन छोलों का कन्टेनर सोलह किलो का वनस्पति घी का खाली कनस्तर होता था जिसे कपड़े में गांठ की तरह बान्ध कर, कमर पर लाद कर छोले कुलचे वाला सुबह फेरी पर निकलता था और शाम तक ढक्कन खोल कर जब भी लकड़ी का बना लम्बा चम्मच छोलों में मारता था, छोलों में से भाप उठती थी।

मैं हैरान होता था कि कैसे छोले सारा दिन गर्म रह पाते थे।

सन्दूकची वाली कुल्फी तो कब की विलुप्त हो चुकी है—उसकी जगह कब की क्वालिटी, वडीलाल जैसी ब्रांड नेम वाली आइसक्रीम कब्जा चुकी हैं जो कि स्वाद में सन्दूकची वाली कुल्फी की परछाईं को भी नहीं छू पातीं—लेकिन

पीपे वाले छोले वाला अब भी कभी कभार दिल्ली में चावड़ी, हौजकाजी के इलाकों में कहीं दिखाई दे जाता है।

जब मेरा मामा अमृतसर मे रहता था, खेमकरण से कोई रिश्तेदारी की नौजवान लड़कियां अमृतसर आयीं तो मामा उन्हें आइसक्रीम खिलाने के लिए अपने घर से कोई छ: किलोमीटर दूर खास तौर से कम्पनी बाग ले कर गया जो कि इकलौती जगह थी जहां गर्मियों में आइसक्रीम मिलती थी और जिसे खाने के लिए लोग बाग शाम को दूर दूर से कम्पनी बाग आते थे। ऐसी ही नावल्टी आइटम तब आइसक्रीम मानी जाती थी जो शहर में ही कीसी दूसरी जगह नहीं मिलती थी, देहात में कहां से मिलती।

लड़कियों ने आइसक्रीम खायी जो कि उनके लिए नयी, नायाब आइटम थी।

बाद में मामा ने बड़े आशापूर्ण ढंग से उन से पूछा—"कैसी लगी?"

"वीरा"—लड़कियों का जवाब था, "इस से तो तू हमें दुहाना ले देता।"

दुहाना यानी तरबूज।

जो कि गर्मी के मौसम में घर घर, गली गली मिलता था।

ये कद्र की खेमकरण से आयी लड़कियों ने फैंसी आइसक्रीम की।

बटाला में ही एक बार मुझे 'सयापा' देखने का मौका मिला।

मेरी कम उम्र में मेरे लिये तो वो एक तमाशा था जो बेशुमार औरतें करती थीं लेकिन असल में वो मातम का मुसलसल सिलसिला था। घर में कोई जवान मौत हो जाये तो वो और भी दारुण रूप अख्तियार कर लेता था और और लम्बा चलता था। जो सयापा मुझे याद आता है, मेरे खयाल से वो तब वाकया हुआ था जब कि ताया मदनलाल तपेदिक से मरा था। उसके अन्तिम संस्कार के बाद अगले रोज गली में दरियां बिछाई जाती थीं और सफेद परिधान पहने, मातम में डूबी घर की औरतें सुबह से ही वहां आ बैठती थीं। ज्यों ज्यों दिन आगे बढ़ता था, वो हजूम बड़ा होता जाता था क्योंकि रिश्तेदार पहुंचते थे, अड़ोस पड़ोस की औरतें जमा होती थीं।

औरतें खामोश बैठी खुसर पुसर कर रही होती थीं, ज्यों ही कोई रिश्तेदारी की नयी आमद होती थी, सब एकाएक हरकत में आ जाती थीं; कोरस में 'हाय हाय शेर जवान! हाय हाय शेर जवान!' उचरती छाती पीटने लगती थीं, जांघें कूटने लगती थीं। पांच सात मिनट वो सिलसिला चलता था, तब तक नवागन्तुक सैटल हो जाता था तो सब शान्त हो जाता था और आपसी, शार्ट-सर्कटिड खुसर पुसर फिर शुरू हो जाती थी।

उन दिनों सयापा दिवंगत आत्मा को यूं ही महिमामंडित करता था। कितना ही निकम्मा, नाकारा, नाकाबिलेजिक्र मर्द हो, मर जाता था तो 'शेर जवान' कहलाता था। तब उसकी ग्लोरीफिकेशन के लिये इतना ही काफी होता था कि वो मर्द था। जवान औरत मर जाये तो वो ऐसी अटेंशन की हकदार नहीं मानी जाती था।

'हाय हाय शेर जवान' वाला वो सिलसिला दिन में पन्द्रह बीस बार दोहराया जाता था। औरतें दो दो तीन तीन के ग्रुपों में बंटी दाल रोटी की, बाल बच्चों की, सुख दुख की बातें कर रही होती थीं कि फिर कोई नयी औरत—या औरतें—पहुंचती थीं और तत्काल यूं 'हाय हाय शेर जवान' का कोरस शुरू होता था जैसे कोई ट्रीगर आन किया गया हो।

सूरज डूबने को होता था तो उस रोज के सयापे का समापन होता था।

तब तक अधिकतर औरतों ने पीट पीट कर छाती लाल कर ली होती थीं, जांघें बैंगनी कर ली होती थीं।

बाद में औरतें इस मामले मैं सयानी हो गयी थीं, तब वो छाती पीटने का एक्शन ही करती थीं, पीटती नहीं थीं, रफ्तार से दोहत्थड़ की शक्ल में हाथों को छाती के करीब तक ले जाती थीं और रफ्तार जीरो कर देती थीं। हाथ छाती से एक इंच पहले ही रुक जाते थे या उंगलियों के पोर महज छाती को छूते थे। जांघ कूटने की कोशिश ही नहीं होती थी।

बाद में वो नुमायशी रिवाज़ पूरी तरह से विलुप्त हो गया था।

बटाला की गर्मिंयों में आम का मौसम आता था तो बच्चों की आम खाने की डिमांड होती थी। तब ताया रोशनलाल झिड़क कर बात को टालता रहता था और उस बाबत आइन्दा किसी दिन का आश्वासन देता रहता था। वस्तुतः आइन्दा दिन, जिस का उसको इन्तजार होता था, वो वो होता था जब कि जोर की आन्धी चलती थी जो कि उस मौसम में आम बात थी। आंधी चलती थी तो अमराई में बेतहाशा आम टूट कर गिरते थे और इस वजह से मण्डी में आम सस्ता हो जाता था। तब ताया रोशनलाल मण्डी से आमों की एक बड़ी बोरी मंगवाता था। घर में दो गाय थीं जिन का चारा एक बहुत बड़ी टीन की नांद में भर कर उनके सामने रखा जाता था। उस नान्द को गली में से उठवा कर घर के अन्दर रखा जाता था, उसे आधी पानी से भर कर उसमें आमों की बोरी पलट दी जाती थी और सारे बच्चे नान्द के गिर्द बैठ कर पानी में हाथ मार मार कर आम काबू में करते थे और जल्द-अज-जल्द चूस के फेंकते थे ताकि नया आम काबू में किया जा सके। दो तिहाई आम खत्म हो जाने तक पानी मटमैला हो जाता था

और आम दिखने बन्द हो जाते थे। तब आम की तलाश में बेतहाशा हाथ पानी में मारे जाते थे तो आखिर एक और आम काबू में आ ही जाता था।

यूं आधे घन्टे में बीस बाईस किलो आम खत्म हो जाते थे।

ये था तरीका बच्चों की आम खाने की इच्छा की पूर्ति का।

ताया रोशनलाल बहुत अच्छे पैसे कमाता था लेकिन नहीं जानता था कि शाहखर्ची किस चिड़िया का नाम था। खद्दर का कुर्ता पायजामा और वास्कट बारह महीने पहनता था और सिर पर पगड़ी बान्धता था। सर्दियों में पोशाक में बस इतना इजाफा होता था कि वास्कट के ऊपर पट्टू का बन्द गले का कोट पहन लेता था। मिजाज ऐसा पाया था कि हमेशा मुस्कराता दिखाई देता था। शाम को घर में घुसता था तो पहले मुख्यद्वार की चौखट पर से हुंकार लगाता था—"सत का पिता आ गया।"

सतपाल उसके सबसे बड़े लड़के का नाम था।

उसकी वो हुँकार कालबैल बजाने का दर्जा रखती थी। औरतें ऊंची आवाज में बोलना बन्द कर देती थीं और घूंघट निकाल लेती थीं, बच्चे खिलंदड़ेपन से बाज आते थे और भरपूर कोशिश ताये की निगाह में न आने की करते थे।

कचहरी में उसकी व्यस्तता डेढ़ दो बजे तक की होती थी। उसके बाद वो उसी तख्तपोश पर लेट जाता था जिस पर से उसका अर्जीनवीसी का कारोबार चलता था। कभी उंघ जाता था, कभी झपकी मार लेता था, कभी लेटा लेटा सिग्रेट पी लेता था लेकिन उठ कर सीधा चार साढ़े चार बजे ही होता था। फिर वो अपना बस्ता समेटता था। बस्ता एक छोटे मेजपोश के साइज का सफेद कपड़ा था जिसमें उसके कारोबार से ताल्लुक रखते रजिस्टर, काली स्याही की दवात, दो तीन निब वाले होल्डर, दो तीन मोहरें और स्टैम्प पैड होता था। उस सामान को गठरी की तरह बान्ध कर अपने व्यक्तित्व का अभिन्न अंग वो बस्ता तैयार करता था और उसको कमर के खम पर टिका कर कचहरी से बाहर निकलता था। सड़क पर आ कर रिक्शा वाले से वो बेड़िया मोहल्ले चलने को बोलता था, वो आठ आने मांगता था जो कि ताये को कबूल नहीं होते थे, ताया छः आने की जिद करता था जो रिक्शा वाले को नाकबूल होते थे और ताया आगे बढ़ जाता था। रास्ते में मिलने वाले रिक्शा वालों से भी वो भाव ताव करता चलता था। जब तक कोई रिक्शा छः आने कबूल करता था तो उसे अहसास होता था कि एक तिहाई से ज्यादा रास्ता तो वो चल चुका था, लिहाजा वो चार आने की पेशकश करता था जो नाकबूल होने पर फिर आगे बढ़ जाता था।

यूं हफ्ते में चार दिन ताया रोशनलाल पैदल की घर पहुंच जाता था लेकिन रिक्शा करने की कोशिश बराबर करता था, जरूर करता था।

घर आ कर वो पगड़ी जूती उतारता था और सबसे पहले हुक्का पीता था। उस दौरान किसी बच्चे को बाजार भगाया जाता था जो चाय की वैसी एक पुड़िया ले कर आता था जैसी को आजकल 'साशे' (SACHET) कहते हैं और जिसके हार-से पंसारी की दुकानों पर टंगे पाये जाते थे। फिर सिर्फ एक गिलास चाय बनती थी जो ताया एक कांसे की बाटी में डाल कर सुड़क सुड़क कर पीता था। आखिर में बाटी में जो थोड़ी सी चाय बच जाती थी, उसके लिये किसी वर्दी कैन्डीडेट की तलाश में आसपास निगाह दौड़ाता था, एक बच्चे को छांटता था और बाटी उसको थमाता, अपार उदारता का प्रदर्शन करता कहता था—"ये ले प्यार का घूंट !"

बच्चा धन्य धन्य हो जाता था। आखिर उस ऑनर के लिये इतने जनों में से सिर्फ उसे चुना गया था।

ऐसा 'प्यार का घूंट' एक बार मुझे भी नसीब हुआ। तब मुझे पता लगा कि तब तक चाय बर्फ हो चुकी होती थी और ताये के भी पीने के काबिल नहीं बची होती थी।

शायद वो प्यार ही उसको पीने के काबिल बनाता था जिस को ताया उसमें इतनी उदारता से घोलता था।

एक बार मेरी मेरे से छोटी बहन के साथ बटाला के उस कच्चे-पक्के घर में एक बड़ा हादसा हुआ। एक सुबह दस बजे के करीब मां ने हमें ठण्डे पानी में गोता देकर नहलाया और छत पर धूप सेंकने के लिये भेज दिया। वहां मैं और मेरी बहन मुंडेर के प्रोजेक्शन पर—जिसे मैंने रौंस कहा—बैठ गये और धूप सेंकने लगे। बहन मुंडेर पर से सिर निकाल कर नीचे गली में झांकने लगी। यूँ एक बार इतना ज्यादा सिर निकाल लिया कि उलट गयी। आतंकित मैं उसको सम्भालने को झपटा तो उसकी एक बांह मेरे हाथ में आ गयी लेकिन मैं दुबला पतला था वो खासी तन्दुरुस्त थी, मेरे से उस का वजन न सम्भाला गया, मैंने उसकी बांह छोड़ दी—न छोड़ता तो मैं भी उसके साथ नीचे गिरता—और 'मुन्नी गिर गयी, मुन्नी गिर गयी' चिल्लाता नीचे को दौड़ा। सुन कर मेरी मां और ताइयों की शक्ल पर हाहाकारी भाव आये, सब लोग गली में गिरते पड़ते झपटते पहुंचे तो वहां दोमंजिले से गिरी मुन्नी अपने पैरों पर खड़ी थी; बद्हवास तो थी लेकिन इतनी ऊंचाई से गिरी होने के बावजूद चोट के नाम पर उसे एक खरोंच भी नहीं आयी थी।

ये चमत्कार क्योंकर हुआ ?

नीचे एक भैंस बन्धी हुई थी जिसकी पीठ पर जाकर मुन्नी गिरी थी। यानी ड्रॉप का सारा इम्पैक्ट भैंस ने झेल लिया था। सीधी गली की पक्की जमीन पर जाकर गिरी होती तो अंजाम गम्भीर होता। वो तो एक तरह से उतनी ऊंचाई से जमीन पर गिरी जितनी ऊंचाई खड़ी भैंस की थी और गिरते ही खुद ही उठ कर खड़ी हो गयी।

इसी को कहते हैं जिस को रब्ब रक्खे, उसको कौन चक्खे।

अलबत्ता उस फाल के बाद से एक प्राब्लम उसके साथ आइन्दा कई साल चली।

उसकी पीठ पर मामूली सी भी धौल मारो तो वो बेहोश हो जाती थी।

ऐसा क्यों होता था, कभी मालूम न पड़ा। जरूर कोई अन्दरूनी चोट उसे लगी थी जिस को इनवैस्टिगेट कराने की न मेरे पिता की तब कोई सलाहियात थीं, न ऐसी उसकी कोई मंशा थी।

तब तक हीरालाल ग्राउन्ड फ्लोर के कोने के एक कमरे में, जिसका दरवाजा बाहर गली में भी था और भीतर वहां भी था जहां कि हैण्ड पम्प था, अलग रहने लगा था। उसने भीतर का दरवाजा स्थायी रूप से बन्द कर दिया और उस कमरे में ही बड़ी तायी अमरकौर अपना अलग चूल्हा चौका भी करने लगी। अलबत्ता बच्चों का —कजंस का—सांझा दरबार फिर भी जारी रहा। उस अलहदा रहन सहन ने बाद में ऐसा रंग बदला था कि दोनों भाइयों में दुआ सलाम पहले बस औपचारिक हुई और फिर वो भी खत्म हो गयी। ताया रोशनलाल ने उसी मौहल्ले में कोई बीस गज दूर अपना पक्का दोमंजिला मकान खड़ा कर लिया लेकिन रहता फिर भी पुराने, कच्चे-पक्के, मकान में ही रहा, क्योंकि उसे अन्देशा था कि अगर उसने नये मकान में शिफ्ट किया तो पुराना मकान समूचा ही बड़ा भाई कब्जा लेगा। बाद में उस मकान का ये हाल हो गया कि हर बरसात में लगता था कि इस बार ढह जायेगा जो कि कोई बड़ी बात न होती क्योंकि उसका पिछवाड़े का एक हिस्सा तो पहले से ढहा हुआ था जिधर कि कोई नहीं जाता था और जहां से कभी कभार सांप भी निकल आता था। मेरे कजन्स उस को मारने की कोशिश करते थे तो दादी चिल्लाने लगती थी—" नाग देवता है, मारना नहीं। पकड़ कर जंगल में छोड़ आओ।" ऊपरली मंजिल की छत ऐसी खस्ताहाल थी कि उसमें से लाल चींटियां गिरती थीं लेकिन ताये ने वहां रहना न छोड़ा। आखिर कब्जा बना के रखना था। ये हाल तब था जब कि बड़े ताये ने कभी ऐसी कोई मंशा जाहिर नहीं की थी, वो उस एक बड़े कमरे के पोजेशन से राजी था जिसमें कि वो अपने जीवन की आखिरी घड़ी तक रहता रहा।

बड़े ताये के साधन बहुत सीमित थे लेकिन वो संतोषी जीव था, अपनी हैसियत के मुताबिक खामोशी से सब मौजमेला कर लेता था। शायद इसी वजह

से चार भाइयों में से उसने सबसे लम्बी जिन्दगी पायी। ताया मदनलाल तपेदिक से जवानी में मर गया, मेरे पिता को छप्पन साल की उम्र में भीषण—तीसरा—हार्ट अटैक हुआ जिसने उनकी जान ले ली। ताया रोशनलाल अपनी मौत से पहले शायद साठ तक पहुंचा था। ऐसा प्रसन्नचित्त, सदा मुस्कराता दिखाई देने वाला शख्स ब्रेन हैमरेज से मरा जबकि ताया हीरालाल अस्सी से ऊपर का हो कर ओल्ड एज की वजह से मरा। कोई प्रत्यक्ष लाइफ थ्रैटनिंग बीमारी उसे तब भी नहीं थी।

पुराने मकान में रहते ताया रौशनलाल ने परिवार की एक जिद के आगे आखिर हथियार डाले और घर में बिजली का कनैक्शन ले लिया। तब तक कनैक्शन न लेने की वजह उसने ये बताई कि प्रताप सिंह कैरों के राज में पंजाब में बिजली बहुत महंगी थी। वो महंगाई तब भी उसकी सोच पर हावी थी इसलिये घर में बिजली आ जाने के बाद एक बल्ब नीचे लगाया गया और दो ऊपर लगाये गये। बस। रात को घर आता था, सब लोग ऊपर होते थे और नीचे का बल्ब जल रहा होता था तो कलपने लगता था कि जब सब जने ऊपर हो तो नीचे का बल्ब क्यों जल रहा है? सब लोग दोमंजिले की छत पर होते थे तो शिकायत करता था कि कोई भी बल्ब क्यों जल रहा है?

बिजली आने पर घर में एक टेबल फैन आया जिसको चालू करने की इजाजत तभी होती थी जबकि ताया घर में हो।

अब आप खुद सोचिये, बिजली के कनैक्शन की मुतवातर जिद करने वाले परिवार के सदस्यों ने बिजली आ जाने पर क्या पाया!

सम्पन्न ताये के मिजाज की एक और बानगी मुलाहजा फरमाइये :

एक बार दादी गम्भीर रूप से बीमार पड़ी; इतनी कि सब को लगा कि बचने की कोई उम्मीद नहीं थी। तब सतर्क जागरूक, चतुर सुजान ताया रोशनलाल ने मां के ट्रंक का ताला तोड़ा और ट्रंक में से उसके सोने के सारे जेवर निकाल लिये। लेकिन संयोग ऐसा हुआ कि दादी मरी नहीं, वो तो तन्दुरुस्त हो के, उठके बैठ गयी और तदोपरान्त सत्तरह साल और जीवित रही। उसने अपने ट्रंक का ताला टूटा देखा, भीतर से जेवर गायब पाये तो उसने अपना कलेजा थाम लिया। यही गनीमत हुई कि पहले न मरी दादी तब हार्ट अटैक से न मर गयी। उसने बेटे पर उस नापाक, नागवार हरकत का इलजाम लगाया तो पहले तो ताया रोशनलाल साफ मुकर गया, आखिर मान तो गया कि वो कारनामा उस का था लेकिन जेवर लौटाने को तैयार न हुआ। अपने आखिरी दम तक मां बेटे

को कोसती रही, शर्मिंदा करती रही, जलील करती रही; बेटे से सब सुन लिया जेवर न लौटाये।

मेरा पिता अपनी मां को दिल्ली से कुछ रुपये हर महीने भेजता था ताकि उसे अपने चाय पानी की मोहताजी न हो। तब डाकखाना मुस्तैदी से काम करता था इसलिये एकाध दिन ही आगे पीछे होता था कि दादी का मनीआर्डर पहुंच जाता था। ऐसा होने की देर होती थी कि ताया रोशनलाल के बच्चों की फरियादें शुरू हो जाती थीं :

"बीबी, चप्पल नहीं है, दो रुपये दे न !"

"बीबी स्कूल की फीस भरनी है, दो रुपये दे न !"

"बीबी फ्रॉक फट गयी है, चार रुपये दे न !"

"बीबी, ये लेना है। बीबी वो लेना है !"

वगैरह।

और दादी कलपने लगती थी :

"वे रुड़जानयो ! तुम्हें सूंघ लग जाती है कि मेरा मनीआर्डर आ गया है?"

हर महीने मनीआर्डर आने पर वो ड्रामा होता था।

मैं वो सब सुनता था तो उस कच्ची उम्र के भी मुझे हैरानी इस बात की नहीं होती थी कि बच्चे दादी को यूं ठगने की कोशिश करते थे, मुझे हैरानी इस बात पर होती थी कि उन के मां बाप उन्हें उस बात से रोकते-टोकते नहीं थे।

मेरे पिता ने मेरे मुंडन कराने थे और तब दोस्तों सम्बन्धियों को बढ़िया पार्टी देनी थी। इस काम के लिये उन्होंने अपने भाई रोशनलाल की मार्फत एक बड़ी रकम की बटाला में एक कमेटी डाली हुई थी जिसकी माहाना किस्त वो लाहौर से भेजते थे। वो कमेटी वो आखिर में लेना चाहते थे ताकि तभी हाथ के हाथ वो मुंडन के फंक्शन में काम आती।

उसी बीच मुल्क का बंटवारा हो गया।

बाद में मेरे पिता ने मेरे ताये से कमेटी की बाबत दरयाफ्त किया तो जवाब मिला कि वो तो डूब गयी। कमेटी के तीन चौथाई मेम्बर मुसलमान थे जो कि बंटवारे के बाद पाकिस्तान चले गये और यूं जैसे कमेटी का वजूद ही खत्म कर गये।

वो बड़ा नुकसान था जो मेरे पिता ने चुपचाप झेला लेकिन मेरी मां थी जो अपने इस खयाल को अक्सर हवा देती रहती थी कि वैसा कुछ नहीं हुआ था। असल में ताया ही उस बहाने कमेटी की रकम हज्म कर गया था।

ताया तो उसकी आयी तो चल दिया लेकिन औलाद की बचपन से स्थापित आदतें कभी न बदलीं।

एक मिसाल :

जब मैं डीएवी कालेज जालंधर में पढ़ता था तो इतवार के साथ कोई और छुट्टी आ जाती थी तो बटाला दादी के घर या अमृतसर मामा के पास चला जाता था। ऐसे एक बार बटाला गया जब मैं लौट रहा था तो अपने घर के चौक से ही बस अड्डे के लिये रिक्शा पर बैठा तो मेरा एक कजन रिक्शा पर मेरे साथ बैठ गया।

मैंने असमंजस में उसकी तरफ देखा।

"चल, तुझे छोड़ के आता हूं।"—वो बड़ी आत्मीयता से बोला।

"अरे, भई, कहां छोड़ के आता है? बस अड्डे ही तो जाना है जहां मैं कोई पहली बार तो नहीं जा रहा !"

"अरे, चल न ! छोड़ के आता हूं।"

उस आत्मीयता के प्रदर्शन से गद्गद् मैं खामोश हो गया।

बस अड्डे पर मैं बस मैं बैठ गया तब भी वो खिड़की से बाहर खड़ा मेरे से बतियाता रहा।

बस चलने को हुई तो एकाएक बोला—"अब मुझे रिक्शा के लिये दो रुपये तो दे, मैंने वापिस भी तो जाना है !"

सब आत्मीयता हवा हो गयी। मैंने वो दण्ड भरा।

मेरा पिता मुझे दिल्ली से जालंधर कुल जमा सौ रुपया माहाना भेजता था जिसमें से खामखाह के, बल्कि गले पड़े मुलाहजे में हाथ से दो रुपये निकल जाना मुझे बेहद अखरा लेकिन मैं लाचार था, बेशर्मी दिखा के नहीं कह सकता था कि मेरे पास नहीं थे।

उन दिनों शादी का एक खास नखरा होता था जो कि काबिलेजिक्र है।

तब शादियां आज की तरह आनन फानन नहीं होती थीं। तब लोगों की सलाहियात कम थीं लेकिन हौसले और ख्वाहिशात ज्यादा थीं। लड़के की शादी हो तो बारात दो तीन दिन पहले जाती थी और शादी हो चुकने के दो तीन दिन बाद लौटती थी। खूब खिदमत होती थी इसलिये लोग बाग बाराती बनने के लिये आतुर होते थे क्योंकि शादी उनके लिये एक प्रोलांग्ड पिकनिक होती थी। तब शादी के निमन्त्रण पत्र में कार्ड में सबसे नीचे एक खास नोट जरूर छपा होता था जो कहता था :

बरायमेहरबानी अपना बिस्तर साथ ले के आयें

ऐसे एक इनवाइटी मौहल्ले की एक शादी में शामिल होने के लिये घर में सज धज कर तैयार होकर बैठ जाते थे, बिस्तर भी ऐन तैयार ड्योढ़ी में बन्धा पड़ा

होता था लेकिन घर से हिलते नहीं थे, चौक में नहीं पहुंचते थे जहां कि बारातियों को ढोने के लिये बस आयी खड़ी होती थी।

जब तैयार थे, यकीनन जाना था तो क्यों नहीं जाते थे?

वजह आगे आयेगी।

यूं बैठे एक अरसा गुजर जाता था तो मौहल्ले का कोई नौजवान लड़का उन के पास पहुंचता था और उतावले स्वर में कहता था—"चाचा जी, चल्लो न ! बस तैयार खड़ी ए !"

"हला, हला !"—चाचा जी निर्विकार भाव से फरमाते थे—"आते हैं।"

लड़का वो आश्वासन पा कर वापिस चला जाता था, वो नहीं जाते थे।

फिर थोड़ी देर बाद दुल्हे का छोटा भाई, दौड़ता आता था और खबर करता था—"चाचा जी, चल्लो न ! सारी सवारियां बस में बैठ गयी हैं, एक तुसी ही बाकी हो।"

"हला, हला ! आते हैं।"

बुजुर्गवार फिर भी नहीं हिलते थे, अलबत्ता बिस्तर लड़के को सौंप देते थे।

फिर भुनभुनाता हुआ दुल्हे का बाप आता था और कहता था—"ओये, जगन्नाथा ! टुरदा क्यों नई? बस सिर्फ एक तेरी खातिर बस रुकी हुई है।"

जगन्नाथ फिर हिलता था और जा कर बस में सवार होता था।

वो बाराती था आखिर, मुअज्जिज़ मेहमान था, बारात की शान था। कैसे वो मुंडों-खुंडों के कहने से जा कर बस में सवार हो सकता था ! लड़के का बाप खुद लेने आया तो हिला।

ये दीगर बात है कि बस अगर उसे छोड़ कर चल देती तो वो सदमे से अधमरा हो जाता।

हो जाता तो हो जाता। मिजाज तो कायम रखना हुआ न ! वैसे मौहल्ले में कोई टके को न पूछे लेकिन अब लड़के का बाप फंसा हुआ था, बारातियों बिना बारात नहीं चढ़ सकती थी। वो खुद आ के चलने को कहेगा तो चलेंगे।

जहां बारात जा कर मुकाम पाती थी, वहां डेरे पर क्या होता था ! बाराती पांच से सात दिन तक खातिर तवज्जो का सुख पाते पड़े रहते थे। कोई जूता पालिश कर जाता था, कोई सिर में तेल की मालिश कर जाता था, कोई शेव कर जाता था, कोई चाय थमा जाता था, कोई पकौड़े खिला जाता था, कोई भोजन के पंडाल में चलने का इसरार कर जाता था। रात को सुलफे का सूटा या अफीम का अंटा। तब ऐसे नशे करने वाले ज्यादा होते थे, गनीमत थी कि शराब पीने वाले कम होते थे। यूं ही सोते जागते, खाते पीते सब प्रोलांग्ड पिकनिक करते थे और आखिर घर आ कर लगते थे।

शादी में आये बारातियों को अमूमन कोई गिफ्ट भी बतौर ममेंटो हासिल होता था जो कि अक्सर कोई चान्दी का बर्तन—जैसे कि गिलास, कटोरा—होता था, या कम्बल होता था। बारातियों को उस तोहफे का भी बराबर, बाकायदा लालच होता था।

तब अमूमन लोग सर्दी का मुकाबला करने के लिये पट्टू का बन्द गले कोट पहनते थे, और ज्यादा ठण्ड पड़े तो कन्धों के गिर्द लोई लपेट लेते थे। आधुनिक विलायती स्टाइल का फ्रंट ओपन, कालरवाला, ट्विड या गैबरडीन का कोट कोई इक्का दुक्का ही होता था जो सिलवाने की हिम्मत करता था और फिर उसे पहन कर शान से, जैसे दर्शकों का मुंह चिढ़ा रहा हो, बेवजह सारे कस्बे का चक्कर लगा के आता था। जैसे मैंने पीछे खेमकरण के जिक्र में लिखा कि औरतें मेरी नानी से घघरी मांग के ले जाती थीं, वैसे वो कोट भी खास मौकों पर फूं फां दिखाने की खातिर चार दोस्तों, मोहल्लेदारों द्वारा अक्सर मांगा जाता था और मालिक किसी को मना भी नहीं करता था।

वो एक कोट बीस साल साथ देता था। मालिक उस बीच मोटा हो जाये तो उसे खुलवा लेता था। दस बारह साल बाद कपड़ा बदरंग होता लगे तो दर्जी को इस हुक्म के साथ सौंपता था कि उसे उलट दे। दर्जी सारा कोट उधेड़ता था और अन्दर की साइड को बाहर करके रीअसैम्बल कर देता था। यूँ कोट फिर नया लगने लगता था।

कहने का मतलब ये है कि तब लोग अव्वल तो ऐसा खर्चा करते नहीं थे, करते थे तो यूं काबू में आई आइटम का पूरा अर्क निकालते थे।

ताया रोशनलाल के एक लड़के की—नम्बर दो की—शादी में शामिल होने का मौका मुझे भी मिला था। मेरे माता पिता उसमें शामिल थे इसलिये मेरी और मेरी दो छोटी बहनों की उसमें शिरकत लाजमी थी। बारात तरनतारन जानी थी जहां बारात ले जाने के लिये ताये ने बस का कोई इन्तजाम नहीं किया था। सारे बारातियों को, दुल्हे को बमय सामान तांगों पर, रिक्शाओं पर रेलवे स्टेशन पहुंचाया गया जहां से ट्रेन में सवार हो कर बारात अमृतसर पहुंची। वहां से सारा सामान उस ब्रांच लाइन के स्टेशन पर ढोया गया जहां से डेढ़ घन्टे बाद तरनतारन की पैसेंजर ट्रेन मिलनी थी।

सामान क्या कुलियों ने ढोया?

हरगिज नहीं। बारात में शामिल दुल्हे के दोस्त, उस के हमउम्र लड़कों ने ढोया जिन का ताया रोशनलाल ने कोई अहसान भी न माना। उलटे बार बार डांट फटकार कर अपना असंतोष जाहिर किया कि कम्बख्त मुस्तैदी से काम नहीं करते थे। एकाध लड़के को मैंने बुड़ बुड़ करते सुना, 'ओये, हम बारात में शामिल होने आये हैं कि सामान ढोने आये हैं' लेकिन यूँ उसने अपने मन

का गुबार ही उगला, सामान उठाने में कोताही न की। तब नौजवान, किशोर उम्रदराज लोगों का ऐसे ही अदब करते थे।

तरनतारन पहुंचने के बाद सामान को डेरे पहुंचाने की जिम्मेदारी लड़की वालों की थी।

शादी के बाद यही सब कुछ रिवर्स में हुआ तो उम्रदराज बाराती, नौजवान कुली-कम-बाराती और दुल्हा-दुल्हन घर आकर लगे।

प्रायमरी स्कूल में दाखिला उन दिनों कोई बड़ा मसला नहीं था, जबकि तब सर्व शिक्षा अभियान जैसा कोई सरकारी आयोजन भी वजूद में नहीं था। मां बाप बच्चे को स्कूल ले कर जाते थे और जमात में बिठा कर ही लौटते थे।

जमात !

कुछ अरसा मुझे भी बटाला के एक प्रायमरी स्कूल में भेजा गया था। स्कूल क्या था, एक ऐसी इमारत का बड़ा, लम्बा हाल था जो कि ग्राउन्ड फ्लोर की दुकानों के ऊपर पहली मंजिल पर बना हुआ था और स्कूल की चारों जमातें जिस के एक ही हाल में बैठती थीं। हाल की लम्बाई में चार कतारों में चार लम्बे टाट बिछे होते थे जिन्हें कि पंजाबी में 'तप्पड़' कहा जाता था और उन पर चार कतारों में चार जमात के बच्चे एक दूसरे के पीछे चौकड़ी लगा कर बैठते थे। आजकल एक क्लास को चार टीचर पढ़ाते हैं, तब उन चार जमातों को एक टीचर पढ़ाता था जो कि 'पान्दा' कहलाता था।

'पान्दा' 'उपाध्याय' का अपभ्रंश था।

हाल में जमातों के माथे पर एक टूटी चरमराती मेज कुर्सी होती थी जिस पर शायद ही कभी टीचर बैठता था। चार जमातों को अकेले कन्डक्ट करने का उस का सारा कारोबार अमूमन खड़े खड़े ही चलता था।

बानगी देखिये :

"पहली जमात के बच्चे पहाड़े याद करें..."

तब न सिर्फ बीस तक के पहाड़े याद करने पड़ते थे, सवाया, ड्योढ़ा, और ढ़ाये (सवा, डेढ़, ढ़ाई) के पहाड़े भी रटने पड़ते थे। आजकल विद्यार्थियों को मल्टीपिकेशन टेबल्स उपलब्ध होती हैं, कैलकुलेटर उपलब्ध होते हैं, यानी पहाड़े ज़ुबानी याद करने का कारोबार बहुत ही लो रंग पर पहुंच गया है।

चौथी जमात के कुछ अतिउत्साहित, महाश्याने बच्चे, बिना टीचर के हुक्म के इक्कीस का पहाड़ा भी बोलते थे लेकिन क्यों बोलते थे, कैसे बोलते थे, मुलाहजा फरमाइये :

इक्की एकम इक्की, पान्दे दी मर गयी निक्की।

इक्की दून बताली, पान्दे दी मर गयी साली।

इक्की तिया त्रेठ, पान्दे दा मर गया जेठ।

इक्की चौक चौरासी, पान्दे दी मर गयी मासी।

इक्की पंजा इक सौ पंज, पान्दे दी मर गयी सारी जंज।

जंज यानी बारात, निक्की यानी छोटी बेटी। उन कम्बख्त तालिबइल्मों का इस बात से कोई सरोकार नहीं था कि 'जेठ'—खाविन्द का बड़ा भाई—औरत का होता था, मर्द का नहीं होता था।

चार जमातों को अकेले पढ़ाने वाले निष्ठावान टीचर का उसकी पीठ पीछे स्टूडेंट ये हाल करते थे।

"दूसरी जमात के बच्चे खुशखत लिखें....."

खुशखत, यानी कि सुलेख। ये एक्सरसाइज हैण्डराइटिंग सुधारने के काम आती थी जो कि इस वजह से उन दिनों हर किसी का उम्दा होता था। आजकल केजी में दाखिल होता बच्चा अपना पहला अक्षर ही पैंसिल से या बालपैन से उकेरता है, नतीजतन उसके—सबके—हैण्डराइटिंग का मुहावरे की ज़ुबान में 'लिखे मूसा, पढ़े खुदा' वाला आलम होता है। तब बच्चा सुलेख का अभ्यास सरकंडे की कलम को घर में घोली काली स्याही में डुबोकर गाचनी से पोची हुई तख्ती की एक साइड पर लिखकर करता था—दूसरी साइड 'इमला' लिखने के काम आती थी। उर्दू लिखने के लिये घड़ी हुई कलम को एक खास तरह का तिरछा कट लगाया जाता था जो कि हर स्टूडेंट को टीचर खुद लगा के देता था। इस काम के लिये वो अपनी जेब में हमेशा एक चाकू रखता था और बड़े सब्र के साथ हर बच्चे की कलम को कट—कहते टक थे—लगाकर देता था। नतीजतन बच्चा ऐसा खुशखत उर्दू लिखता था जैसे कातिब ने किताबत की हो।

"तीसरी जमात के बच्चे हिसाब का सवाल दर्ज करें और हल करें।"

बच्चे सवाल नोट करते थे, बाद में जिन का हल चैक करने के लिये टीचर बारी बारी हर बच्चे के पास जाता था—वो जाता था, अपनी मेज के पीछे बैठ कर बच्चों को तलब नहीं करता था।

"चौथी जमात के बच्चे इमला लिखें।"

इमला यानी डिक्टेशन। मास्टर जी कोई तहरीर उचरेंगे और तालिबइल्म उसे पट्टी पर खुशख़त लिखेंगे। बाद में मास्टर जी हर पट्टी को स्पैलिंग की गलतियों के लिये चैक करेंगे और नतीजे के मुताबिक शाबाशियां और सजायें तकसीम करेंगे।

चार क्लासें ! एक टीचर !

आज कोई इस बात की कल्पना नहीं कर सकता।

□

सन् 1947 की स्कूल की गर्मियों की छुट्टियों के बाद लाहौर लौटते ही वहां आने वाले बँटवारे की सुगबुगाहट शुरू हो गयी थी और अनायास ही फिजा भारी लगने लगी थी जब कि प्रत्यक्षतः अभी ऐसा कुछ नहीं हुआ था जो कि दहशत का या असुरक्षा का माहौल पैदा करता। बाजरिया रेडियो, अखबार बँटवारे की बाबत नेताओं के बयान आते थे और उन में सबसे ज्यादा जोर—खास तौर से गान्धी जी का—इस बात पर होता था कि वो एक कागजी, भौगोलिक बँटवारा था जिस का आवाम पर कोई असर नहीं पड़ने वाला था। यानी हिन्दू हो या मुसलमान, प्रस्तावित सीमारेखा के इस पार हो या उस पार, जो जहां था, पूर्ववत् वहां रहता रहेगा।

हकीकतन तो ऐसा न हुआ! हकीकतन तो तबाही, बरबादी, और विस्थापन का ऐसा हाहाकार खड़ा हुआ जिस की दूसरी मिसाल आज भी दुनिया में नहीं है।

फिर भी लाहौर में हिन्दू नेताओं के भाषणों से आश्वस्त होते थे और अपने आप को तसल्ली देते थे कि सच में ही कोई अनहोनी नहीं होने वाली थी।

कैसे हो सकती थी? हिन्दू मुसलमानों में बेमिसाल भाईचारा था, रोटी बोटी का रिश्ता था, कैसे कोई अनहोनी हो सकती थी?

मेरी मां जब घर के रोजमर्रा के कामों में गर्क होती थी तो मेरी मेरे से छोटी बहन गली में खेलने चली जाती थी और अक्सर वो अपनी हमउम्र लड़कियों के साथ वहां से भटकती पिछवाड़े के मुसलिम मौहल्ले में चली जाती थी। लौटती थी तो घर आ कर बड़े उत्साह से 'गानी तूआ हाय हाय' दोहराने लगती थी जो कि वो मुस्लिम मौहल्ले से सुन कर आई होती थी। मेरी मां उसे एक झन्नाटेदार थप्पड़ रसीद करती थी और कहरबरपा आवाज में कहती थी—"रुड़जानिये, 'गान्धी चूहा हाय हाय' हमने नहीं कहना।"

बहन को तो पता ही नहीं होता था कि वो क्या कह रही थी, वो तो जो पिछवाड़े से बार बार कहा जाता सुन कर आती थी, वो दोहराने लगती थी। मार खा कर सहमी बहन को मां का हुक्म होता था कि आइन्दा कभी उसने भूल कर भी पिछवाड़े के मुसलिम मौहल्ले में नहीं जाना था।

लेकिन गान्धी जी को मुसलमानों के वो खुल्ले कोसने मेरे माता-पिता को बहुत डिस्टर्ब करते थे, उन्हें ये अहसास हुए बिना नहीं रहता था कि सब कुछ ठीक ठाक नहीं चल रहा था, नेताओं के आश्वासनों के बावजूद सब कुछ ठीक ठाक चलता नहीं रहने वाला था।

फिर इक्का दुक्का छुरेबाजी के और आगजनी के वाकये सामने आने लगे जिन के भुक्तभोगी हिन्दू और मुसलमान दोनों थे लेकिन हमारी गली में

आम कहा जाता था कि उन वारदातों के शिकार मुसलमानों की बनिस्बत हिन्दू ज्यादा थे। नतीजतन गली में संजीदा मीटिंगें होने लगती थीं जिन में लाहौर में हिन्दुओं के साथ होते मुसलमानों के जोरोजुल्म का खाका खींचा जाता था और ऐसा क्योंकि संजीदासूरत, हालात की हवा से सहमे श्रोताओं के सामने होता था इसलिये जाहिर है कि खूब नमक मिर्च लगा कर होता था ताकि हिन्दू श्रोताओं का पौरुष जागता, उन की गैरत में उबाल आता। आखिर जो नतीजा सामने आता था वो ये होता था कि जो लोग गली में किराये के मकानों में रहते थे, वो अपना फैसला सुना देते थे कि नेताओं के आश्वासनों के बावजूद अब उन का गली में, लाहौर में बने रहना मुमकिन नहीं था।

गली के मकान मालिक, बमय मेरा पिता, इस सिलसिले में मजबूर थे— वो पलायन का फैसला करते तो सामान के साथ मकान तो नहीं ढो सकते थे न ! उन हालात में प्रॉपर्टी का कोई ग्राहक नहीं था, हिन्दू खरीद कर फंसता क्यों और मूसलमान मूँछ पर हाथ फेर कर कहते थे कि आइन्दा दिनों में जो शै वैसे ही हमारी हो जाने वाली है, उसे खरीदने का क्या मतलब ! बहरहाल मकान मालिक लोग उम्मीद के खिलाफ उम्मीद कर रहे थे कि जो छोटी मोटी वारदात वाकया हो रही थीं, वो वक्ती थीं, आइन्दा सब ठीक हो जाने वाला था।

कैसी खामखयाली थी !

असलियत ये थी कि हालात खामोशी से चूल्हे पर चढ़ी हांडी की तरह सुगबुगा रहे थे, बद् से बद्तर होते जा रहे थे और हांडी किसी भी वक्त भीषण उबाल के साथ फट पड़ सकती थी। दिन में कदरन अमन का माहौल दिखाई देता था लेकिन रात की स्याही फैलते ही माहौल कोई दूसरा ही रंग अख्तियार कर लेता था। रह रह कर धमनियों में खून जमा देने वाली 'अल्लाह हो अकबर' और 'हर हर महादेव' की चिंघाड़ें सुनाई देने लगती थीं, गोलीबारी और आगजनी जिन की दहशत में इजाफा करती थीं। कोई रात को चैन से सो नहीं पाता था। रात भर 'उधर गोली चली', 'उधर आग लगी' होता रहता था। कई बार तो इतनी जगह इकट्ठे आग भड़क उठती थी कि आधी रात को अंधियारा आकाश लाल दिखाई देने लगता था। यूं आखिर हमारी गली में जो दहशत बरपी, उस का नतीजा ये हुआ कि मकानमालिकान भी लाहौर से कूच कर जाने की तैयारी करने लगे और आइन्दा दिनों में दो दो, चार चार के यूं छोड़ जाने से गली खाली होने लगी। जल्दी ही तीन चौथाई गली वीरान हो गयी। मेरा पिता उन बचे हुए एकचौथाई लोगों में था जो हिम्मत कर के आखिरी क्षण तक वहां टिके रहे। मेरे पिता ने अनहोनी के खिलाफ कोई एहतियात बरती तो वो ये थी कि घर का सारा कीमती सामान रावी रोड स्थित अपने आफिस में शिफ्ट कर दिया। उन्हें यकीन था कि आइन्दा हालात कोई भी खतरनाक कहरबरपा करवट बदलते, अंग्रेज

साहिबान और उन की प्रॉपर्टी को कोई नुकसान पहुंचाने की किसी की हिम्मत नहीं हो सकती थी। आखिर वो अभी भी हमारे आका थे, आखिरी ब्रिटिश वायसराय लार्ड माउन्टबेटन ही दोनों विभाजित हिस्सों का गवर्नर जनरल था, किस की मजाल हो सकती थी किसी ब्रिटिश एस्टैब्लिशमेंट की ओर निगाह भी उठा कर देखने की !

लिहाजा मेरे पिता का अन्दाजा दुरुस्त था कि कैलेंडर केबल कम्पनी के आफिस में घर का कीमती सामान महफूज था।

पिता की वो वक्ती सूझबूझ बाद में किसी हद तक हमारे काम आयी। तब तक अराजकता और व्यापक हो उठी थी और गोलीबारी और आगजनी रोजमर्रा का वाकया बन गया था। दो दिन बाद एक सुबह सवेरे स्टैबिंग के जख्मों से पिरोई एक लाश गली में एक जगह लुढ़की पड़ी पायी गयी। मालूम पड़ा कि लाश हिन्दू की थी, मारा उसे कहीं और गया था लेकिन लाश गली में बसे हिन्दुओं में दहशत फैलाने के लिये इरादतन वहां ला कर फेंकी गयी थी।

दहशत बराबर फैली। यूं उछाली गयी वार्निंग ने बराबर काम किया, गली के उन साहबान ने भी पलायन का फैसला कर लिया जो कि गान्धी जी के आश्वासन को पत्थर की लकीर की तरह स्वीकार किये बैठे थे कि किसी को घर से बेघर नहीं होना पड़ेगा, क्या हिन्दू क्या मुसलमान, तकसीम के बाद भी जो जहां रह रहा था, वहीं रहेगा।

उसी रोज मेरे पिता ने सपरिवार लाहौर को अलविदा बोल दिया। कूच का क्या जरिया हमने अख्तियार किया, मुझे याद नहीं। लाहौर से निकल कर हम जालंधर पहुंचे लेकिन मुझे नहीं मालूम कि वो अस्सी-पिच्चासी मील का सफर हमने बस से किया या ट्रेन से किया या यातायात के किसी और साधन से किया। बस, इतना याद है कि लाहौर से निकले हम जालंधर पहुंचे थे।

एक बात मुझे आज तक हैरान करती है।

लाहौर से हमेशा के लिये जलावतन हो कर मेरा पिता बटाला क्यों न पहुंचा, जहां उस का पुश्तैनी घर था, जहां उसके तीन बड़े भाई रहते थे, जहां उसकी मां रहती थी !

बहरहाल आइन्दा मुकाम हमने जालंधर में मेरे पिता के एक जिगरी दोस्त के घर में पाया जो कि मेरे पिता की तरह नौकरी पेशा था और जो दो साल के लिये सपरिवार मुम्बई शिफ्ट कर रहा था। उसका वहां अपना रिहायशी मकान था जिस के सैकंड फ्लोर पर उस का कब्जा था, फर्स्ट फ्लोर पर उसके माता पिता का उससे सर्वदा अलग रहन सहन था और अंधियारा सा ग्राउन्ड फ्लोर खाली

था। सैकंड फ्लोर पर अपना सारा सामान उसने वहां के एक कमरे में धकेल कर उसे ताला लगा दिया और बाकी का फ्लोर जब तक वो चाहता रहने के लिये मेरे पिता के हवाले कर दिया।

पिता के साथ या पिता के बिना—तकरीबन वक्फा पिता के बिना—आठ नौ महीने हम उस घर में रहे।

दोस्त का पिता एक साठ साल का लाल भभूका चेहरे वाला सिर से बिल्कुल गंजा कुछ जरूरत से ज्यादा ही रौब वाला पंजाबी था जो अपनी फूं फां में इतना मुब्तला रहता था कि कभी भी उसने हम लोगों के साथ भीगने की कोशिश नहीं की थी। दोमंजिले की सीढ़ियों चढ़ते उतरते सीढ़ियों में कभी वो मुझे दिखाई देता था तो उसके जलाल से खौफजदा मैं उसके पहलू से गुजरने की जगह जिधर से आया होता था, उधर उलटे पांव वापिस लौट जाता था और तभी वापिस सीढ़ियों पर कदम रखता था जब कि मुझे गारन्टी होती थी कि वो फिर मुझे सीढ़ियों में नहीं मिल जाने वाला था। मैं तो तब खैर आठ साल का था, उसकी हमउम्र बीवी भी उसकी ऐसी ही दहशत खाती थी, सामने अदब करती थी लेकिन पीठ पीछे टुचकरें करती थी। उन के यहां एक औरत दो टाइम बर्तन मांजने आती थी। जब पतीले की बारी आती थी, वो औरत पतीले के कालख लगे पेंदे को रगड़ रही होती थी तो बीवी जरूर उसे हिदायत जारी करती थी—"चमका दे भाईये दी टिंड वरगा।"

यानी पतीले का पेंदा ऐसा चमकना चाहिये था जैसे उसके खाविन्द की गंजी टांड चमकती थी।

जैसे टांड जीरो नम्बर का रेगमार मार कर मैंशन पालिश से चमकाई गयी थी।

यूं ही अक्सर वो अपने खाविन्द की गैरहाजिरी में उसके खिलाफ अपने मन की भड़ास निकालती थी।

बुजुर्गवार की एक और खास हरकत इत्तफाकन मेरी निगाह में आयी थी।

चीनी और चावल दो आइटम थीं जो रसोई की रसद की दूसरी आइटमों की तरह बीवी के हवाले नहीं होती थीं। उन को वो अपने बैडरूम की एक अलमारी में उसको ताला लगा कर रखते थे। फिर जैसी जरूरत पेश आती थी उसके मुताबित कटोरी में या कटोरे में वो आइटमें बीवी को इस नापजोख के साथ इशु करते थे कि फौरी इस्तेमाल के बाद पीछे बाकी कुछ न बचता।

क्यों?

चीनी चावल भी बीवी के हवाले होते तो क्या वो चोरी से खीर बना कर खा जाती?

क्या पता !

या जरूर ऐसा ही कोई अन्देशा सच में ही बुजुर्गबार को सताता था।

या फिर औरत पर मर्दाना रुआब और ताकत बताने का ये भी एक तरीका था।

बाजार में एक पंसारी की दुकान इतनी बिजी होती थी कि वो अकेला शख्स शाम के वक्त टूट कर पड़े ग्राहकों को अटैंड करता पागल हो जाता था। 'पहले मैं, पहले मैं' के मिजाज के साथ ग्राहक एक दूसरे को धकियाते थे और पहले सर्विस हासिल करने की कोशिश करते थे। मैं वो नजारा रोज देखता था इसलिये कई बार नोट करता था कि कई मर्तबा पंसारी को ये भी याद नहीं रहता था कि उसने किस से पैसा लिया था और सामान अभी देना था, या किस को सामान दे दिया था पर पैसा अभी लेना था।

उस कनफ्यूजन का मैंने कई बार फायदा उठाया। मैं भीड़ में शामिल हो जाता था और जोर जोर कहने लगता था—"आने दी इमली, आना वापिस। आने दी इमली आना वापिस!"

वो बात पंसारी को इतनी बार सुनाई देती थी कि वो बौखलाया हुआ समझ लेता था कि काके ने उसे दुअन्नी दे दी थी लेकिन उसे सामान मिलना अभी बाकी था। वो मुझे इमली और इकन्नी थमा देता था। मैं इमली को परे जा कर नाली में फेंकता था और हलवाई से इकन्नी की गर्मागर्म जलेबी ले कर खाता था जो उस जमाने में इकन्नी की बड़े वाला दोना भर के आती थीं।

घर के सामने एक चौक था जिस के आगे एक घुमावदार संकरी गली थी जो आगे भीड़भरे भैरों बाजार में जा कर मिलती थी। उस गली में एक मंदिर था जिसकी बाहरी ऊंची दीवार नंगी ईंटों की थी, यानी जब से उसारी गयी थी, सीमेंट का पलस्तर देखना उसे नसीब नहीं हुआ था।

एक बार बरसात की ऐसी झड़ी लगी कि डेढ़ दिन तक बन्द न हुई। उस माहौल में घर से निकलने का तो हाल ही नहीं था, मुझे अपनी रोजमर्रा की आवारागर्दी के लिये तरसता तड़पता मजबूरन घर बैठना पड़ता था। आखिर बारिश बन्द हुई तो मैं घर से खिसक लिया, पतली गली में पहुंच कर मंदिर की दीवार के आगे से गुजरा तो मेरी पीठ पीछे एक भीषण आवाज हुई—यूं जैसे बादल फटे हों—मैंने घबरा कर पीछे देखा तो मेरे होश उड़ गये।

मन्दिर की पूरी दीवार पलक झपकते गली में ढेर हो गयी थी और गली उसके मलबे से इतनी ऊंचाई तक भर गयी थी कि मुझे एक दूसरे रास्ते से, लम्बा घेरा काट कर परली गली से घर लौटना पड़ा था। लेकिन दीवार के ढहने में और मेरे उस के सामने से गुजरने में एक सैकंड के सौवें भाग का ही अन्तर था जो न होता तो मैं मलबे के ढेर के नीचे दफ्न होता और तब गली सुनसान पड़ी होने की वजह से किसी को खबर भी न लगती कि मैं वहां दबा पड़ा था।

वो पहला जीवनदान था जो मेरे बनाने वाले ने मुझे दिया था।

वो खुदाई तोहफा मुझे आगे और भी कई मर्तबा मिला लेकिन उसका जिक्र अभी आगे आयेगा।

हमारी वक्ती रिहायश वो मकान इतना ऊंचा था कि उसकी छत पर से भैरों बाजार और उससे आगे का एक पूरा इलाका दिखाई देता था जिस का नाम किला था

और जहां फिल्दी रिच मुसलमानों की रिहायश थी। बंटवारे के बाद जैसे हमें—हिन्दुओं को—लाहौर से दरबदर होना पड़ा था, वैसे उन साहूकार मुसलमानों को अपनी तमाम सलाहियात और शानोशौकत पीछे छोड़कर जालंधर से दरबदर होना पड़ा था। सारा शहर उन मुसलमान साहूकारों के फिल्दी रिच स्टेटस से बाखबर था इसलिये वहां शरेआम, दिन दहाड़े ऐसी लूट मार मची कि तीन दिन जारी रही। कोई कायदा कानून लागू नहीं था, कोई लुटेरों को, दंगईयों को रोकने वाला नहीं था, कुछ था तो 'फ्री फॉर आल' था। तीन दिन मैंने घर की छत से उस लूट के तमाशे का नजारा यूं किया जैसे मैं किसी बड़े त्योहार की रौनक देख रहा था। एक एक घर से इतना कीमती सामान निकला कि तीन दिन वो लूट जारी रही। आलम ये था कि कोई लुटेरा मसलन एक बड़े सन्दूक को उठा कर वहां से कूच करता था, भीड़ से आगे निकल कर सन्दूक को खोलता था और पाता था कि उसमें कोई खास कीमती सामान बन्द नहीं था तो संदूक को वहीं फेंक कर वापिस लपकता था और फिर लूट में शामिल हो जाता था।

ऐसा एक लुटेरा सिर पर एक ट्रंक उठाये भागा जा रहा था। ट्रंक पर बोस्की नामक कपड़े की तीन चार कीमती चादरें पड़ी थीं जिन को एक कम्बख्त नौजवान ने उचक कर काबू में किया और दांत निकालता वहां से खिसकने लगा। उसकी उस हरकत से खफा लुटेरे ने ट्रंक एक ओर रखा, नौजवान के पीछे दौड़ा और उसको दबोच कर उससे चादरें वापिस छीन कर ही माना।

उसकी पीठ फिरते ही वैसे और छोकरों ने ट्रंक खोल लिया तो वो पूरे का पूरा चान्दी के बेशकीमती बर्तनों से भरा निकला। जब तक वो आदमी बोस्की की चादरों के साथ वापिस लौटा, भां भां करता खाली ट्रंक उस का इन्तजार कर रहा था।

ऐसा एक लुटेरा—जाहिर है कि अपनी लूट से नाखुश—बेशकीमती जनाना सैंडलों का एक हार हमारी गली में फेंक गया और बेहतर आइटम हाथ लगने की उम्मीद में वापिस जा कर लूट में शामिल हो गया।

सैंडलों का वो हार मैं उठा कर घर ले आया।

मेरी मां बहुत खुश हुई।

लेकिन उसकी खुशी थोड़ी देर ही टिकी।

सारी सैंडलें दायें पांव की थीं।

जरूर उसी वजह से उस लुटेरे ने भी उन से किनारा किया था।

यहां मैं इस बात का खास जिक्र करना चाहता हूं कि बंटवारे के नतीजे के तौर पर वाकया हुए दुनिया के सब से बड़े विस्थापन और खुल्ले कत्लेआम के बावजूद लाहौर जाने पर कोई पाबन्दी नहीं थी। उधर से सिखों की लाशों से भरी ट्रेन अमृतसर पहुंचती थी, इधर से मुसलमानों की लाशों से भरी वैसी ही ट्रेन

लाहौर जाती थी फिर भी नये बने मुल्क पाकिस्तान और बाकी के हिन्दोस्तान के बीच का बार्डर ब्लॉक्ड नहीं था, दोनों मुल्कों में पासपोर्ट-वीसा वगैरह लागू किये जाने में बहुत वक्त लगा था, उस दौरान कोई हिम्मत करता तो लाहौर जा सकता था।

मेरे पिता ने हिम्मत की।

तकसीम के वजूद में आ जाने के बाद तीन बार मेरा पिता जालंधर से लाहौर गया। मंशा किसी प्रकार उस घरेलू सामान का उद्धार करने की थी जो कि उन्हें पूरा यकीन था कि कैलेंडर केबल कम्पनी के आफिस में महफूज पड़ा था। पर उन की पहली दो कोशिशें कामयाब न हो सकीं, बावजूद इसके कि लाहौर के पिता के मुस्लिम दोस्तों ने पिता का पूरा पूरा साथ दिया। लिहाजा उन्होंने फिर हिम्मत की और तीसरी बार लाहौर का रुख किया। लेकिन अधिक साहस विडम्बना बन गया। तीसरी बार वो लाहौर में फंस गये और नौ दिन गुजर गये, वापिस न लौटे। हम तीन भाई बहन तो बहुत छोटे थे, इस बात की दहशत को नहीं समझते थे, लेकिन इन्तजार करती, दिन रात पलकों में गुजारती मेरी मां का कलेजा मुंह को आता था। सारा दिन गुमसुम रहती थी, मशीन की तरह बच्चों का, घर का जरूरी काम करती थी, फिर सारी रात रोती थी, विलाप करती थी, अपनी खोटी तकदीर को कोसती थी, और कभी सोती थी तो थक कर, हार कर पौ फटने से पहले थोड़ी देर को सोती थी।

इन्तजार का अगला दिन फिर पहाड़ की तरह खड़ा होता था।

कोई दुख बंटाने वाला नहीं; नये, अजनबी शहर में कोई दिलासा देने वाला नहीं, ऊपर से पैसे का तोड़ा, भविष्य में अन्धेरा ही अन्धेरा दिखाई देता था। बच्चों को लेकर बटाला ससुराल नहीं जा सकती थी, मायके खेमकरण नहीं जा सकती थी, अमृतसर अपने भाई के पास नहीं जा सकती थी, कुछ कर सकती थी तो रोती बिलखती इन्तजार कर सकती थी—ऐसा इन्तजार जिसके अंजाम से वो बेखबर थी।

दो दिन और गुजरे।

बारहवें दिन पिता लौट आया। बिल्कुल सुरक्षित एकाएक हमारे सामने आ खड़ा हुआ।

ईश्वर जैसे मेरी मां के रुदन से पिघल गया, उसने उसकी सुन ली और उसके सिर का साईं जीता जागता, सही सलामत, चुस्त दुरुस्त चौकस वापिस लौट आया। न सिर्फ लौट आया, कम्पनी के दफ्तर से सारा तो नहीं लेकिन कुछ सामान निकाल लाने में भी कामयाब हो गया। जो सामान पिता वापिस ला सका, वो था शीशम की लकड़ी का एक साढ़े छः गुणा चार फुट का निवाड़ी पलंग जो कि यूं बना होता था कि डिसमैंटल करके रीअसैम्बल किया जा सकता

था वर्ना उसको लाना मुमकिन न हो पाया होता, और एक शीशम की ड्रैसिंग टेबल। दोनों आइटमों पर कराची के एक फर्नीचर डीलर का पीतल का बिल्ला लगा हुआ था और वो मूलतः मेरे मां के दहेज की थीं। तकसीम के पचास साल बाद तक भी वो दोनों आइटम हमारे घर की रौनक बनी रहीं जब कि उस किस्म के फर्नीचर का रिवाज कब का खत्म हो चुका था। मेरे माता पिता दोनों इन्तकाल फरमा गये, वो पलंग और ड्रैसिंग टेबल घर में बरकरार रही। कोई मेहमान आता था, उन पर निगाह डालता था तो बाकायदा मेरे को काम्पलीमेंट पेश करता था कि मैं घर में एन्टीक फर्नीचर रखना अफोर्ड कर सकता था।

तीसरी आइटम जो पिता लाहौर से लाने में कामयाब हुआ था वो एक गर्म कपड़ों से भरा ट्रंक था। तदोपरान्त जल्दी ही सर्दियां शुरू हो गयी थीं और हमारे पास पंजाब के उस रिजन की बला की सर्दी का मुकाबला करने का कोई साधन—रजाईयां, कम्बल, वगैरह—नहीं था। सर्दियों में रात को हम बच्चों को कोट से, पुलोवर से, पतलून से ढंका जाता था। खुद मां बाप इस सिलसिले में अपने लिये क्या करते थे, मुझे खबर नहीं।

फिर पिता हमें बदस्तूर जालंधर छोड़ कर अपने लिये नौकरी का जुगाड़ करने के लिये दिल्ली चला गया जहां उसकी किस्मत ने फिर साथ दिया कि उसको लाहौर वाली नौकरी जैसी स्टोनोग्राफर की नौकरी वैसी ही ब्रिटिश कम्पनी, इंगलिश इलैक्ट्रिक कम्पनी आफ इन्डिया में मिल गयी। यूं पुनर्वास होने पर उन्होंने शाहदरा में एक दो कमरों के घर का इन्तजाम किया और सन् 1948 के मिडल तक हमें भी दिल्ली ले गये और यूं हम दिल्ली वासी बन गये जो कि सन् 1948 से सन् दो हजार बारह तक हम बने रहे। आप के खादिम की तब की आठ साला जिन्दगी में 'सुन्दर मुन्दरिये, तेरा कौन वचारा, दुल्ला भट्टी वाला' की जगह 'मेरा टेसू यहीं अड़ा, खाने को मांगे दही बड़ा' ने ले ली जिस का जिक्र अभी आगे.....

दिल्ली वासी बनने से पहले हमारा एक फेरा तब बटाला का लगा था जब कि पिता अपनी नयी नौकरी में मसरूफ दिल्ली में था और हमें दिल्ली साथ रखने का इन्तजाम अभी उसने करना था। जनवरी के आख़िरी दिनों में मेरी मां हम तीन भाई बहनों के साथ बटाला में थी जब कि एक शाम को एकाएक खबर आयी की गान्धी जी का इन्तकाल हो गया था। लोग बाग इस बात को अभी हज़्म ही कर रहे थे कि खबर आयी कि वो स्वाभाविक मौत नहीं मरे थे, किसी ने उन की गोली मार कर हत्या कर दी थी। तत्काल सारे कसबे में मातमी माहौल बन गया, एकाएक हर तरफ ऐसी खामोशी व्याप्त हुई जैसे अनहोनी हो न चुकी हो,

अभी होनी हो। सबने सहज ही सोच लिया कि गान्धी जी को किसी मुस्लिम अलगाववादी ने मारा था।

तब कांग्रेस की लोकल नेता एक महिला थीं जिन का नाम शायद सुभद्रा जी था। उन के आदेश पर बाजारों में दुकानें धड़ाधड़ बन्द होने लगीं और उनके आवाहन पर एक मातमी जुलूस का आयोजन किया जाने लगा।

फिर उन्होंने ही जुलूस को सम्बोधित कर के बताया कि गान्धी जी को किसी मुस्लिम ने नहीं, हिन्दू ने मारा था, एक मराठे ने मारा था जिस का नाम नाथूराम गोडसे था जिस ने गान्धी जी की बिड़ला हाउस की रोजाना शाम की प्रार्थना सभा में उन को तीन बार शूट किया था और तदोपरान्त मौकायवारदात से भाग निकलने की कोई कोशिश नहीं की थी।

वो आजाद भारत का पहला सबसे बड़ा दारुण वाकया था जिस की गम्भीरता को मैं अपनी उस अल्पायु में नहीं समझ सकता था। बस इतना समझ सकता था कि वो खबर आने पर सारे बाजार बन्द हो गये थे और सारे कस्बे में मातमी माहौल बन गया था।

आज मैं उस वाकये की याद करता हूँ तो हैरान होता हूँ कि राष्ट्रपिता की हत्या के बाद मराठों का वैसे कत्लेआम नहीं शुरू हो गया था जैसे कि सन् चौरासी में तद्कालीन प्रधान मन्त्री की उन के सिख गार्ड्स द्वारा हत्या के बाद सिखों का कत्ले आम शुरू हो गया था।

□

बँटवारे के बाद दिल्ली में शर्णार्थियों का इनफ्लक्स इतना वसीह था जैसे कि खलकत को कोई सैलाब उमड़ आया था। तकरीबन शर्णार्थी ऐसे थे जो कि पीछे सब कुछ गंवा कर आये थे, जिन का दिल्ली में कोई ठिकाना नहीं था और न ही—अस्थायी या स्थायी—ठिकाना बना पाने की हैसियत थी। ऐसे हुजूम के हुजूम परिवारों की पनाहगाह तब या पुराना किला थी या किंगवे कैम्प थी जहां शर्णार्थियों के लिये विशेषरूप से बेशुमार तम्बू खड़े किये गये थे। सरकार की तरफ से शर्णार्थियों को और सुविधायें क्या थीं, तब की कमउम्री की वजह से मुझे उन की खबर नहीं लेकिन तब सरकार के वारफुटिंग पर मास स्केल पर किये गये कुछ कामों की तब मुझे खबर थी। सरकार में बाकायदा एक पुनर्वास मन्त्रालय का गठन हुआ जिस का प्रमुख काम शर्णार्थियों का पुनर्वास ही था, आनन फानन हजारों की तादाद में छोटे-छोटे मकान खड़े किये गये जो रिफ्यूजियों को पांच और आठ हजार रुपये कीमत में अलाट हुए और वो रकमें भी छोटी छोटी किस्तों में चुकाई जानी थीं। आज के राजेन्द्र नगर, पटेल नगर, लाजपत नगर,

सेवा नगर वगैरह में खपरैल की ढलुवा छत वाले, एकमंजिले मकान बने जिन में आजूबाजू दो कमरे थे और फ्रंट यार्ड में एक छोटा सा स्टोर, किचन और गुसलखाना था। आठ हजार कीमत के अस्सी गज के तब के मकानों को बहुत बाद में बिल्डरों ने तोड़कर उन पर आलीशान, चारमंजिला इमारतें खड़ी कर लीं आज की तारीख में जिन की कीमत करोड़ों रुपयों में हैं।

जो बिल्कुल ही लुट पिट कर नहीं आये थे, या जो मेरे पिता की तरह कदरन किस्मत वाले थे कि फौरन नया रोजगार पा गये थे, उन्होंने शाहदरा जैसी जगहों पर किराये के मकान लिये और इस सिलसिले में पहले से लुटे लोगों को स्थानीय मकान मालिकों ने खूब लूटा। जिस पोर्शन का पांच रुपया माहाना किराया मुश्किल से मिलता था, उन्हें रिफ्यूज़ियों को पचास रुपये माहाना किराये पर उठाया। खुद मेरे पिता ने शाहदरा के भोलानाथ नगर में सात गुणा नौ फुट के जिन दो कमरों का पोर्शन किराये पर हासिल किया था, उस का किराया पैंतालीस रुपय पैंतालीस आना था। किराया यूं क्यों मुकर्रर किया जाता था, मुझे नहीं मालूम लेकिन दस्तूर यही था कि जितने रुपये किराया मुकर्रर हो, उतने आने भी किरायेदार को अदा करने पड़ते थे।

इस खुल्ली लूट के बावजूद वो लोग शर्णार्थियों को हकारत की निगाह से देखते थे, उन की औरतें रिफ्युजियों की औरतों को उन के बच्चों को देखकर नाक चढ़ाती थीं लेकिन असल में कुढ़ती थीं कि इतने बरबाद हो कर हलकान, परेशान, पशेमान पंजाबी इतने उजले, इतने मनमोहक, इतने तरोताजा क्यों लगते थे। आपस में 'मरे पंजाबी आ गये, मरे पंजाबी आ गये' यूँ भजती थीं जैसे रिफ्यूजी न आये हों, चंगेजी फौज आ गयी हो।

जिस इमारत में हमारा पोर्शन था, वो एक काफी बड़ी, चालनुमा दोमंजिला इमारत थी जिस के चार भाई मालिक थे जो पहली मंजिल पर रहते थे। उन की खुद की रिहायश के अलावा इमारत में आठ पोर्शन थे जो उन्होंने रिफ्यूजियों को किराये पर चढ़ाये थे। वो लोग पंजाबियों के रहन सहन के तौर तरीकों को देखते थे, पंजाबियों की औरतों के जी तोड़ मेहनती मिजाज पर गौर करते थे तो हैरान होते थे। कैसे वो, उन के बच्चे, उजले दिखाई देते थे ! पंजाबी रिफ्यूजी का दो दिन पहन के उतारा हुआ कपड़ा उनके नये धुले प्रैस हो कर आये कपड़े से ज्यादा उजला होता था। तन्दूर देख कर तो बिल्कुल ही अचम्बे में पड़ जाते थे कि कैसे पंजाबी घर में रोटियों का कारखाना खड़ा कर लेते थे। घर बार के लिये जैसी मेहनत एक पंजाबी गृहिणी करती थी, वैसी उन की सारी औरतें सामूहिक रूप से मिल कर नहीं कर पाती थीं। उन के यहां के धुले कपड़े धूप में अलगनी पर सूख रहे होते थे तो लगता था जैसे मैले कपड़े बरसात में भीग गये हों और

उन्हें निचोड़ कर सुखाया जा रहा था। उसी अंदाज में सूखते पंजाबी परिवार के कपड़े ऐसे लगते थे जैसे कोरे हों, नये नकोर हों।

लोकल्स ने पंजाबियों से कुछ सीखने की कोशिश कभी न की, कुछ सीखा तो बस उन से रश्क करना सीखा।

रिफ्यूजियों के पांव कुछ मजबूत हुए तो सबसे पहले उन्होंने, किराये की लूट पर अंसतोष जाहिर करना शुरू किया। उस की बावत कोई मकान मालिक से दबी, शिकायती बात करता था तो मकान मालिक कड़क कर कहता था— "मकान खाली कर दो।"

प्रार्थी सहम कर चुप हो जाता था।

कैसे कर देता? इतनी मुश्किल से तो सिर पर छत की छांव पायी थी ! कैसे कर देता !

लेकिन वो असंतोष आखिर सरकार के घर तक भी पहुंचा, सरकार चेती और फिर रैंट कन्ट्रोल का महकमा बना। बाजरिया रैंट कन्ट्रोलर्स आफिस तमाम किरायों को रीव्यू किया गया और डंडे से किराये लगभग आधे करवाये गये। रुपये के साथ आनों की अदायगी की प्रथा को तो ऐन सिरे से खारिज किया गया। यूं हमारा तकरीबन अड़तालीस रुपये किराया पच्चीस रुपये हो गया। मकान मालिकान बहुत भुनभुनाये लेकिन अन्दर से तो फिर भी राजी थे कि अभी भी किराया बँटवारे के पहले के किरायों से पांच गुणा ज्यादा था।

लिहाजा ये नहीं कहा जा सकता कि रिफ्यूजियों के लिये सरकार ने कुछ न किया।

इस सन्दर्भ में एक किस्सा मैं अभी यहीं दर्ज करना चाहता हूं :

चान्दनी चौक में तब रिफ्यूजी हाकरों की जैसे बाढ़ आ गयी थी। कोई चीज नहीं थी जो तब पटड़ी पर बाजरिया पंजाबी हाकर्स नहीं मिलती थी। उन की ये भी सिफ्त थी कि ग्राहक एक बार किसी आइटम की कीमत पूछ ले सही, दस में से नौ मर्तबा वो आइटम को उसे ठोक कर ही भेजते थे। उन के धन्धे के इस स्टाइल से चान्दनी चौक के पक्के दुकानदार परेशान हो उठे। पंजाबी हाकर्स ग्राहक को दुकान की सीढ़ी ही नहीं चढ़ने देते थे, बाहर ही उसकी जरूरत की आपूर्ति हो के रहती थी। तब आजिज आ कर पक्के दुकानदारों ने शिकायत की।

किस से?

गान्धी जी से।

गान्धी जी का तब बिड़ला हाउस में हर शाम रोजाना दरबार लगता था जिस में वो लोगों से उन का सुख दुख बांटते थे। चान्दनी चौक के दुकानदारों का एक समूह गान्धी जी के दरबार में पेश हुआ और उन्होंने अपनी व्यथाकथा गान्धी जी के सम्मुख रखी।

गान्धी जी से उन्हें इंकलाबी राय हासिल हुई :

"भई, जब तुम मानते हो कि पटड़ी पर कारोबार ज्यादा है तो ऐसा करो, अपनी दुकानें रिफ्यूजियों को दे दो और खुद पटड़ी वाला धन्धा कब्जा लो।"

शाहदरा की रिहायश में एक गम्भीर प्राब्लम थी कि वहां का पानी खारा था जो कि पिया तो जा ही नहीं सकता था, कपड़े धोने में भी दुश्वारी खड़ी करता था। चाय वगैरह बनाने के लिये, रसोई के बाकी कामकाज के लिये और पीने के लिये पानी खरीदना पड़ता था। जीटी रोड पर एक कुआं था, जिस का नाम शायद लाल कुआं था, सारे शाहदरा में बस उसी कुयें का पानी मीठा था यानी पीने के काबिल था। उस पानी का एक घड़ा तीन रुपये माहाना फीस पर घर बैठे मिलता था। बेचने वाले तारकोल वाले बड़े ड्रम उस कुयें से भर कर झोटा गाड़ी पर लाद कर लाते थे और घड़ा घड़ा करके घर घर बांटते थे।

एक बार वो पानी दो दिन उपलब्ध न हुआ तो घर में हाहाकार मच गया। उस दुश्वारी का अड़ोस पड़ोस में चर्चा हुआ तो मालूम पड़ा कि वहां से एक मील दूर गांधीनगर के रास्ते में एक कुआं था जिस का पानी गुजारे लायक मीठा था। मेरी मां खाली घड़ा ले कर सारा फासला चल कर उस कुयें तक गयी और पानी का घड़ा सिर पर उठा कर लौटी। मैंने उसे सिर पर घड़ा उठाये दूर से आते देखा था, उसको मरे आज पच्चीस साल होने के आ रहे हैं लेकिन उसकी धूप से, घड़े के बोझ से तमतमाई, छलकते पानी से भीगी सूरत मुझे आज भी नहीं भूलती।

यहां ये हाजिरी लगाना जरूरी है कि मेरी जानकारी में मेरे पिता ने कभी घर का कोई काम न किया। उन को इस बात से कोई सरोकार नहीं था कि घर का कौन सा काम कैसे होता था या कौन सा काम था जो औरत के करने के काबिल नहीं था, मर्द को करना चाहिये था। एक फिक्सड रकम वो हर पहली को मां की हथेली पर रख देते थे जिस से उसने पूरे महीने का हर तरह का खर्चा चलाना होता था और गृहस्थी के लिये अपने हर फर्ज की इति श्री मान लेते थे।

घर में पिता की हाजिरी ऐसी थी जैसे घर न हो, लाजिंग फार दि नाइट हो। नौ से पांच बजे का उन का दफ्तर था जो कि कनाट प्लेस में प्लाजा सिनेमा के पास था और जहां पहुंचने के लिये वो सुबह साढ़े सात बजे घर से निकलते थे और अमूमन शाम सात साढ़े सात बजे तक घर आ जाते थे। आकर कपड़े बदल कर हुक्का पीते थे, खाना खाते थे और पान खाने के लिये निकल पड़ते थे। लौट कर आते थे तो सोने का टाइम हुआ होता था।

कभी लेट आते थे तो उन के आने से पहले मां रसोई का सब काम खत्म कर चुकती थी, खाली रोटी पकाना रह जाता था जो वो पिता के आये ही पकाती

थी ताकि पहले की पकी रोटी पिता को न खानी पड़े। पिता कई बार कहीं पार्टीबाजी में मशगूल हो जाता था और लौटने में और भी ज्यादा देर कर देता था जिस की सजा हमें भी मिलती थी कि उनकी आमद तक भूखे रहना पड़ता था। कई बार मुझे इतनी भूख लग आती थी कि मैं जिद करने लगता था कि मां मुझे रोटी पका कर दे ताकि मैं तो खाऊं! लेकिन मां ऐसा करने को तैयार नहीं होती थी, क्योंकि यूँ उसे दो बार अंगीठी जलानी पड़ती—एर बार मेरी फरियाद पर मेरे लिये, दूसरी बार जब पिता आता, तब। यानी मेरे को रात का खाना नसीब होना था तो पिता की घर में आमद हो चुकी होना जरूरी था।

एक बार तो यूँ इन्तजार करते करते मुझे इतनी जोर की भूख लगी कि बर्दाशत से बाहर हो गयी। नतीजतन मैं चुपचाप उठ कर रसोई में गया, अखबार से लकड़ियां सुलगाने की कोशिश में धुंये में आंखें फोड़ते मैंने किसी तरह से अंगीठी जलाई, तवा गर्म किया और आड़ी-तिरछी, अठकोनी-दस कोनी, मोटी-पतली जैसी भी रोटी मेरे से बेली गयी मैंने बेल कर तवे पर डाल दी। यूँ कच्ची पक्की तीन रोटियां मैंने बनायीं, खायीं और पीछे अंगीठी बुझा कर, बाकी सब समेट कर चुपचाप जा कर पिछले कमरे में चारपायी पर पड़ गया। अगले, गली की ओर के, कमरे में मौजूद मेरी मां को खबर ही न लगी कि उसकी पीठ पीछे मैंने क्या किया था।

मुझे अगले रोज मालूम हुआ कि उस रात पिता आधी रात के करीब घर लौटा था और आते ही पहली घोषणा उसने ये की थी कि वो खाना खा के आया था। मुझे पता न चला कि मेरी मां ने, मेरी दो छोटी बहनों ने आखिर उस रात खाना खाया या न खाया।

और ऐसा कोई पहली बार भी नहीं हुआ था, अक्सर होता था।

उसी उम्र में एक बार मेरे को हैजा हुआ। इतनी तेजी से हैजे ने मुझे अपनी जकड़ में लिया कि गली की औरतों ने भी मेरी मां को यकीन दिला दिया कि लड़का नहीं बचने वाला था। पिता आफिस में था, मां के पास उससे सम्पर्क करने का कोई जरिया नहीं था, दिन के वक्त कोई डाक्टर कहीं उपलब्ध नहीं होता था, शाम को जब तक उपलब्ध होता, तब तक मेरी चल चल हो चुकी होना निश्चित दिखाई देता था। वो मिल भी जाता तो वो नाम का डाक्टर था पार्टीशन से पहले किसी डाक्टर का कम्पाउन्डर था, बाद में शाहदरा आ कर डाक्टर बन बैठा था—उसने मेरा कोई इलाज करने की जगह यकीनन यही कहना था कि बड़े हस्पताल ले जाओ जो कि दरिया पार दिल्ली गेट के करीब इर्विन हस्पताल था।

मुझे वो नजारा अभी तक याद है कि मैं पलंग पर पड़ा था, मेरी मां गली की हमदर्द औरतों के साथ मेरे सामने फर्श पर बैठी थी और खामोशी से, बेबसी से जार जार रो रही थी।

"क्यो रोती है?"—मैं सवाल करता था तो कोई जवाब नहीं देती थी।

तब न मुझे हैजे की समझ थी, न मौत की समझ थी।

फिर न जाने क्या हुआ कि मेरी हालत सुधरने लग गयी। मौत जैसे मुझे छू कर गुजर गयी।

वो दूसरा जीवनदान था जो दो जहां के मालिक से मुझे हासिल हुआ था।

☐

हमारे चालनुमा मकान का हमारी ओर का रुख एक संकरी गली में था, जिस में कि कतार में चारपाईयां डाल कर गर्मियों में लोग सोते थे क्यों कि किरायेदारों को मकान की छत पर जाने की इजाजत नहीं थी। मकान के दूसरी तरफ भी गली थी लेकिन उसके आगे सड़क तक खुला मैदान था और उसमें भी किरायेदार परिवार चारपाईयां डाल कर सोते थे। एक कदरन चौड़ी गली मकान के एक पहलू में भी थी लेकिन वो आगे पठानपुरे की ओर जाने की राहगुजर थी इसलिये उधर रात को चारपाईयां कोई नहीं बिछाता था। धूप निकल आने पर—जो कि गर्मियों में जल्दी ही निकलती थी—गली में सोया पड़ा शख्स—खासतौर से कोई नौजवान लड़की—अजीब लगती थी। दूसरे, राहगुजर जल्दी शुरू हो जाती थी इसलिये मजबूरन जल्दी जाग हो जाती थी। बहरहाल साढ़े पांच छः तक फिर भी सोया जा सकता था लेकिन मेरा पिता मुझे झिंझोड़ कर चार सवा चार बजे जगा देता था।

किसलिये?

अगली गली की नुक्कड़ पर एक कमेटी का नलका था जिस की पानी की सप्लाई हैण्ड पम्प के पानी से कहीं बेहतर थी इसलिये उस नलके से सुबह सवेरे भीड़ होने लगने से पहले घर में इतना पानी लाना पड़ता था जो कि अगली सुबह तक काम आता। नहाना धोना, कपड़े धोना उसी पानी से चलता था। घर में एक काफी बड़ा पीतल का ड्रम था जो नल से कई बार बल्टियां भर कर लाने पर पूरा भरता था और इस काम को अंजाम देने के लिये पिता मुझे जबरन झिंझोड़ कर उठाता था।

आधा सोया-जागा कुल जहान को कोसता मैं उस काम को अंजाम देता था। मन में बड़ा गिला ये उमड़ता था कि जब पिता खुद जाग ही गया हुआ था तो मुझे जगाने की जगह खुद वो काम वो क्यों नहीं करता था ! आखिर तब वो

नौजवान था, सिर्फ तेतीस साल का था। लेकिन किस की मजाल थी जो उस बाबत उस से सवाल करता !

उस काम से मैं फारिग होता था तो गली से चारपाईयां उठ चुकी होती थीं, भीतर पिछले कमरे में एक चारपाई स्थायी तौर पर बिछी होती थी जो मेरी दो बहनों ने और मां ने कब्जा ली हुई होती थी। सामने कमरे में पिता होता था—और एक मेहमान होता था—इसलिये उसमें पनाह पाने का तो सवाल ही नहीं उठता था। नतीजतन मैं पिछले कमरे की चारपाई के नीचे घुस कर फर्श पर सो जाता था। आंगन की ओर का दरवाजा तब खुला होता था तो कई बार ऐसा होता था कि जब मैं उठता था तो अपने पहलू में गली का खुजलीमारा कुत्ता सोया पाता था।

यहां मैं उस मेहमान का जिक्र करना चाहता हूँ जिसका संकेत मैंने ऊपर दिया। उसका नाम मुझे याद नहीं लेकिन इतना बाखूबी याद है कि वो एक उम्रदराज डबल बैरल आदमी था जिसकी सूरत पर अप्रसन्नता और असंतोष के स्थायी भाव सदा विद्यमान रहते थे। मैंने उसे कभी हँसते—यहां तक कि मुस्कराते भी—नहीं देखा था। वो पिता का कोई रिश्तेदार था जो कि दिल्ली में कहीं पोस्ट मास्टर की नौकरी करता था। एक साल के करीब वो हमारे घर में रहा था और उस दौरान छोटे बड़े सब से ऐसे पेश आता था जैसे वो हाकिम था और हम उसके खिदमतगार थे, स्टाफ थे। घर में सबसे पहले हर खिदमत उस की होती थी। गली की ओर वाले कमरे में मेरी मां के दहेज की निशानी वो

एतिहासिक पलंग एक कोने में बिछा होता था जिसे मेरा पिता जान पर खेल कर पोस्ट-पार्टिशन लाहौर से निकाल कर लाया था और अमूमन वो मेहमान ही उस को कब्जाये रहता था। मेरे पिता से कहीं ज्यादा उसकी तनख्वाह थी लेकिन उसने न कभी बतौर घर के खर्चे में कन्ट्रीब्यूशन एक काला पैसा आफर किया था और न कभी घर के लिये कोई छोटी मोटी चीज खरीद कर लाया था। गर्मियों में, सर्दियां आने तक, उसकी चारपायी भी गली में बिछती थी। बरसात के मौसम में रात को एकाएक बरसात आ जाती थी तो हर कोई अपना बिस्तर लपेट कर अन्दर पहुंचाता था और चारपायी को भी यूँ ही किसी ठिकाने लगाता था। हमारा मेहमान ऐसा नहीं करता था, वो उठता था और बिस्तर चारपायी पीछे भीगती छोड़कर लपक कर इकलौते पलंग पर काबिज हो जाता था ताकि कोई दूसरा वो काम न कर सके। मेरे पिता को वो सुविधा हासिल होती तो तब मां भी उसी पलंग पर पैताने की तरफ सो सकती थी क्योंकि पलंग लम्बाई चौड़ाई दोनों में असाधारण आकार का था। लेकिन उस फायरी मेहमान के करीब भी फटकने की कल्पना कौन कर सकता था।

डाकखाने में उन दिनों ग्राहकों के इस्तेमाल के लिये एक स्याही की दवात और एक होल्डर रखा जाता था जिस में जो निब लगती थी, वो जैड (Z) की निब कहलाती थी। पोस्ट आफिस की ऐसी आइटमों का इंचार्ज क्यों कि पोस्ट मास्टर

सुशील के साथ

होता था इस लिये स्टेशनरी में गिनी जाने वाली ऐसी तमाम चीज़ें उसके कब्जे में होती थीं। एक बार जैड की निबों की एक भरी हुई डिबिया वो घर ले आया। वो डिबिया पलंग के करीब की खिड़की के आगे के छोटे से प्रोजेक्शन पर पड़ी रहती थी जिसे एक बार उत्सुकतावश मैंने खोल लिया तो पाया कि वो निबों से लबालब भरी हुई थी। उस पर लगे लेबल के मुताबिक उसमें सौ निबें थीं जो कि कोई बड़ी बात नहीं थी कि तमाम की तमाम ही अभी डिबिया में मौजूद थीं।

पता नहीं तब मेरे मन में क्या आया कि मैंने एक निब—रिपीट, एक निब—उस डिबिया में से निकाल ली और डिबिया को बन्द करके वापिस यथा स्थान रख दिया।

डिबिया की पड़ताल से मेरी उस हरकत की खबर मेहमान को नहीं लगने वाली थी लेकिन मेरी नासमझी या बद्किस्मती कि खबर उसको लगी। मेरे पास एक जी की निब वाला होल्डर था जिससे मैं कायदे में से नकल करके कभी कभार ए बी सी लिखने की कोशिश—नाकाम कोशिश, क्योंकि इंगलिंग उन दिनों पांचवी जमात में पहुंचने पर पढ़ाई जानी शुरू होती थी—किया करता था। मैंने होल्डर में से जी की निब निकाल कर उस की जगह जैड की निब लगा ली और उससे उर्दू खुशख़त लिखने की मश्क करने लगा।

मेहमान ने मुझे देख लिया और ये भी जान लिया कि होल्डर में जैड की निब थी।

"डब्बी चों कड्डी ऊ?"—वो कड़क कर बोला।

मैंने भयभीत भाव से हामी भरी।

उसने मुझे धुन दिया।

आखिर मैंने चोरी की थी और चोरी गम्भीर अपराध था।

मेरी मां कलेजा मुंह को लिये मुझे मार खाता देखती रही, दखलअन्दाजी की उसकी मजाल न होनी थी, न हुई।

लेकिन इतने से भी मेहमान को सब्र न हुआ।

शाम को पिता घर आया तो एक की चार लगाते उसने मेरी गुस्ताख हरकत का बयान उसके सामने किया। नतीजतन शिकायतकर्ता मेहमान का मान रखने के लिये दो थप्पड़ पिता ने भी मुझे इस हिदायत के साथ रसीद कर दिये कि आइन्दा कभी मैं ऐसी हिम्मत न करूं।

गौरतलब बात ये है कि मैंने उस शै की एक फ्रैक्शन की चोरी की एवज में दोहरी मार खायी जिसे समूची खुद मेहमान अपने डाकखाने से चुरा कर लाया था।

तब एक मसल मशहूर थी—मैंने अक्सर बड़ों के मुंह से सुनी थी—कि औलाद को सोने का निवाला दो और शेर की निगाह से देखो।

सोने का निवाला तो कभी नसीब न हुआ, अलबत्ता शेर की निगाह से पिता ने अक्सर देखा।

एक साल बाद मेहमान रिटायर हुआ, उसने हमारे घर से रुखसत पायी तो मेरे पिता समेत हम सबको चैन की सांस आयी।

और सौ बातों की एक बात—शादी के पलंग पर माता पिता का कब्जा बरकरार हुआ।

तब के शाहदरा की एक और खूबी— या खामी—काबिलेजिक्र है कि घर घर बिजली थी लेकिन स्ट्रीट लाइट्स नहीं थीं। देख कर हैरानी होती थी कि गलियों में तब भी जो रोशनी के लिये खम्बे खड़े थे, उन पर टंगे ग्लास एनक्लोजर में मिट्टी के तेल का चिराग जलता था। रोज शाम को अन्धेरा होने से पहले कमेटी का एक मुलाजिम एक लम्बे बांस पर टंगी तेल की कुप्पी से चिराग में इतना ही तेल डालता था कि वो सवेरा होने तक चल सके। दूसरे बांस पर टंगी लौ से उस चिराग को रौशन करता था और चल देता था। सीमित मात्रा में तेल डालने का मकसद ये होता था कि चिराग को सुबह बुझाने न आना पड़े, तेल खत्म हो जाने की वजह से वो अपने आप ही बुझ जाये।

मुझे याद नहीं वो सिलसिला कितने साल चला और आखिर कब खत्म हुआ।

कहने को शाहदरा दिल्ली का हिस्सा था लेकिन उसका तब अपना ही वजूद होता था, अपना ही किरदार होता था। यहां तक कि दिल्ली कैंट की तरह उस की म्यूनीसिपैलिटी भी अलग थी। बाशिन्दे भी ऐसा ही जाहिर करते थे जैसे वो दिल्ली से बाहर कहीं रहते हों। कोई पूछता था भैय्या, चाचा, मामा, फूफा कहाँ था तो जवाब ये नहीं मिलता था कि चान्दनी चौक गया था, सदर गया था, दरियागंज गया था, कनाट प्लेस गया था, जवाब मिलता था दिल्ली गया था। तब दिल्ली में दिल्ली और नयी दिल्ली सिर्फ दो ही रेलवे स्टेशन थे जिन तक यूपी पंजाब की तरफ से पहुंचने वाली हर गाड़ी का शाहदरा से गुजरना लाजमी था। यही नहीं, उसका वहां रुकना भी लाजमी था क्योंकि शाहदरा जंक्शन था। वहां से सहारनपुर तक एक छोटी लाइन भी बिछी थी जिसके सिंगल ट्रैक पर मार्टिन बर्न की हर स्टेशन पर ठहरने वाली खिलौना गाड़ी चलती थी। उस की रफ्तार इतनी धीमी होती थी कि पैसेंजर चाहते तो उतर कर खेतों में से गन्ने तोड़ सकते थे और वापस आकर गाड़ी में सवार हो सकते थे। बहरहाल वो छोटी लाइन जैसी भी थी, शाहदरा वालों के लिये—खासतौर से रिफ्यूजी खलकत के लिये—मुफीद थी क्योंकि उस की वजह से शाहदरा जंक्शन था। नई दिल्ली तक

ढ़ाई रुपये में महाना पास बनता था और कोई किसी भी टाइम स्टेशन पर पहुंचे, कोई न कोई गाड़ी उसे आगे दिल्ली ले जाने के लिये आने वाली होती थी। इस वजह से तब यातायात का अहम और पसन्दीदा जरिया ट्रेन ही था जब कि करीब जीटी रोड से बस भी मिलती थी और चार आना फी सवारी चार्ज करने वाली फटफटिया भी मिलती थी जो कि चार सवारियां बिठाती थी।

तब यमुना पर सिर्फ एक ही दोमंजिला बना पुल था जिस के ऊपर रेलवे ट्रैक था और नीचे सड़क थी। रोज का यात्री कई बार आधा-आधा घन्टा लोहे का दोमंजिला पुल ही नहीं पार कर पाता था इसलिये चान्दनी चौक, सदरबाजार के तमाम व्यापारी, नयी दिल्ली में नौकरियां करने वाले सारे बाबू रेल से ही अप एण्ड डाउन करते थे। बाबू लोगों की सुविधा के लिये दो शटल गाड़ियां चलती थीं जो कि एक गजियाबाद से नयी दिल्ली तक की थी और दूसरी मेरठ से दिल्ली तक की थी। तब वो सरकारी बाबुओं की गाड़ियां कहलाती थीं और उन्हीं से सुबह शाम खचाखच भरी हुई चलती थीं। नई दिल्ली उतर कर तकरीबन लोग कनाट प्लेस तक पैदल जाते थे जब कि स्टेशन के बाहर से तांगा भी दो आना सवारी में उपलब्ध होता था। तब पुरुषार्थ की बड़ी महिमा थी। रिफ्यूजियों में से किसी को भी लम्बा फासला पैदल तय करने में कोई गुरेज नहीं होता था। खुद मेरा पिता कनाट प्लेस से—जहां कि उसका दफ्तर था—पुरानी दिल्ली रेलवे स्टेशन तक एक बार मुझे पैदल चलाता ले आया था।

तब मिंटो रोड के पुल के नीचे से अजमेरी गेट के लिये तांगे मिलते थे। इत्तफाक से उस रोज कोई तांगा न मिला। नतीजतन अजमेरी गेट और आगे भीतर कुण्डेवालान तक पैदल मार्च किया जहां कि पिता ने अपने लाहौर के एक दोस्त से मिलना था। वहां से निकलने पर रिक्शा वाले से भाव न बना तो हौजकाजी चौक, चावड़ी, नयी सड़क के रास्ते पिता पुत्र दिल्ली रेलवे स्टेशन ही पहुंच गये जहां से आगे शाहदरा की गाड़ी तो मिल ही जानी थी लेकिन अभी शाहदरा स्टेशन से भोलानाथ नगर घर तक फिर पैदल चलना था।

ये कोई बड़ी बात नहीं थी, तब का आम वाकया था—काहिल, आरामतलब लोकल्स के लिये नहीं था लेकिन रिफ्यूजियों के लिये आम वाकया था। हायर सैकेंडरी पास करने के बाद खुद मैं एक साल तक चावड़ी बाजार स्थित एक प्राइवेट ट्यूरोटियल कॉलेज की ईवनिंग क्लासेज अटैण्ड करने के लिये दिल्ली रेलवे स्टेशन से चावड़ी तक पैदल आता जाता रहा था। मेरे बाद मेरी मेरे से छोटी बहन ऐसे ही उसी कालेज में एक साल पढ़ने जाती रही थी।

लेकिन वो किस्सा अभी आगे। अभी पहले शाहदरा और वहां गुजरा बचपन...

□

स्कूल में दाखिला तब रिफ्यूजियों के बच्चों के लिये एक बड़ी समस्या था। करीब बाबू राम गौरमेंट हायर सैकेंड्री स्कूल था जो पांचवीं जमात से शुरू होता था, उस में बड़े बच्चों की ढेरों में भरती की गुंजायश नहीं थी। उससे कोई सौ गज दूर एक किराये की एकमंजिला इमारत में एक प्रायमरी स्कूल था जो मुझे याद नहीं कि बँटवारे को बाद वजूद में आया था या पहले से चलता था। काफी धक्के खाने के बाद वहां तीसरी जमात में मेरा दाखिला हुआ जहां शिक्षा का माध्यम उर्दू नहीं, हिन्दी था; अलबत्ता सरकारी ज़ुबान के तौर पर आजाद हिन्दोस्तान में भी उर्दू सालों साल चलती रही थी, यानी कोर्ट कचहरी का काम काज तब भी उर्दू में होता था, थानों में एफआईआर उर्दू में दर्ज की जाती थी।

वैसा ही प्रायमरी स्कूल कहीं लड़कियों के लिये था जिस में मेरी छोटी बहन जाने लगी थी, उससे छोटी अभी छोटी थी इसलिये स्कूल अभी नहीं जाती थी। फिर भी मां के लिये ये बड़ी राहत थी कि तीन में से दो बच्चे कुछ घन्टे घर से दफा रहते थे।

उन दिनों पहले से लुटे पिटे रिफ्यूजियों को भी ठगने का जुगाड़ कई चतुर सुजान लोग कर लेते थे। दोपहर में कोई फटेहाल औरत एक अपाहिज मर्द के साथ गली में फिरने लगती थी और दुहाई देने लगती थी कि मुसलमानों ने उसके पति की बांह काट दी थी, उसे खाने कमाने के काबिल नहीं छोड़ा था और उन्हें रोटी के भी लाले थे। लोग बाग उस की फरियाद से पिघलते थे, हमदर्दी दिखाते थे और अपनी अपनी क्षमता के मुताबिक 'बेचारी' औरत की झोली भरते थे।

बाद में राज खुला कि औरत लोकल होती थी और हाथ कटा मर्द भिखारी था जो उसके ठेकेदार से दिहाड़ी के किराये पर मिलता था।

फिर भी मिलते जुलते तरीकों से रिफ्यूजी गृहिणियों का वो इमोशनल ब्लैकमेल काफी अरसा चला। ये बात भी गौरतलब है कि वैसे ब्लैकमेलर कभी ऐसे वक्त में गली में कदम नहीं रखते थे जबकि मर्द—घर का कर्त्ता—घर पर हो।

परली गली में जहां कमेटी का नलका था, वहां से और आगे और बायें दो जुदा गलियां फूटती थीं जो क्रमशः पठानपुरा और बड़ा बाजार तक जाती थीं। पठानपुरे जाती गली के दहाने पर दायीं ओर एक मकान था जिस के ग्राउन्ड फ्लोर के एक कमरे का दरवाजा बाहर गली में खुलता था और गली से गुजरता शख्स भीतर कमरे में झाँक सकता था। मेरा जब भी उस खुले दरवाजे से भीतर झांकने का इत्तफाक होता था, मैं एक नौजवान लड़की को एक पलंग पर लेटी पड़ी पाता था। मैं हैरान होता था कि कैसी लड़की थी कि हमेशा लेटी ही रहती थी, और हमउम्र लड़कियों की तरह कभी उठ कर खेलती, कूदती-फाँदती नहीं थी, बस जब देखो लेटी ही रहती थी।

मैंने उस बाबत अपनी मां से सवाल किया तो उसने मुझे डांट कर चुप करा दिया। मेरी उत्सुकता लेकिन बरकरार रही। आइन्दा दिनों में मैंने फिर फिर और फिर सवाल किया तो आखिर मेरी मां को जवाब देना पड़ा।

लड़की को तपेदिक थी और वो खुद और उसके बेबस घर वाले बस उसके मरने का इन्तजार कर रहे थे।

मेरा मन हाहाकार कर उठा।

मौत के आगे इतना भी कोई बेबस होता था कि बाकायदा उसका इन्तजार करता था! सयाने मौत की बाबत कहते थे—सामान सौ बरस का, पल की खबर नहीं! लेकिन उस बेचारी को तो करीब, करीबतर आती मौत की पल पल की खबर थी!

ऐसी ही लाइलाज बीमारी तब तपेदिक होती थी जब कि आज इलाके का आम डाक्टर तपेदिक का इलाज करने में सक्षम है। रईसों के लिये तब भी सानाटोरियम होते थे तपेदिक के इलाज के लिये—जैसा कि एक कसौली में था—लेकिन आम आदमी का प्रारब्ध तब यही था कि तपेदिक डायगनोज हो तो बेबसी में, खामोशी से मौत का इन्तजार करे।

मिलिट्री के हस्पतालों में तब तपेदिक का इलाज पैंसिलीन उपलब्ध होती थी लेकिन वो सिर्फ और सिर्फ फौजियों के लिये थी।

बगल के मकान में एक हमारे जैसा ही विस्थापित परिवार रहता था जिस में सुबह सवेरे ही सास—जो कि जल्दी जाग जाती थी—बहू को आवाजें लगाने लगती थी—"निर्मला जागी एं! निर्मला जाग!... निर्मला जागी एं! निर्मला जाग..."

ये सिलसिला लम्बा—कभी-कभी तो घण्टा भर—चलता था। जवाब में कभी निर्मला की आवाज नहीं आती थी। निर्मला अपने टाइम पर ही उठती थी। सास की मनुहार से नहीं उठ पाती थी।

वो ड्रामा हर रोज सवेरे होता था।

हमारे अपने चालनुमा मकान में पड़ोस में एक परिवार था जिस में रहती औरत ने एक बार रोटी पकाना शुरू करने से पहले अपनी मेरी उम्र की बेटी से पूछा—"कितनी रोटी बनाऊं तेरे लिये? कितनी रोटी खायेगी।"

"थ्री!"—लड़की ने जवाब दिया।

तब के बाद रोटी का वक्त होता था तो मां पुकार लगाती थी—"आ नी, दीपा, थ्री खा ले।"

सामने एक रिफ्यूजी सिंधी परिवार था जिसमें घर के सिन्धी कर्त्ता का एक नौजवान बेटा था। उन दोनों मर्दों की खूबी थी कि वो शेव तो घर पर करते थे लेकिन सेफ्टी रेजर से नहीं करते थे, नाइयों वाले उस्तुरे से करते थे। बाप कुर्सी

पर बैठता था, अपने मुंह पर ब्रश से साबुन की झाग खुद बनाता था, फिर बेटा उस्तुरा सम्भालता था और पिता की शेव कर देता था।

ये रेसीप्रोकल कर्टसी उसे पिता से हासिल नहीं होती थी। अपनी शेव वो खुद ही बनाता था और उतनी ही दक्षता से अपने चेहरे पर उस्तुरा चलाने में सक्षम था जितनी से कि पिता के चेहरे पर चला के हटा होता था।

पिता की दूसरी खूबी ये थी कि शाहदरा का पानी—लाल कुयें का भी—नहीं पीता था। सुबह जब अपने रोजगार के लिये घर से निकलता था तो ढक्कन वाला एक कमंडल साथ ले कर जाता था जिसे वो शाम को दिल्ली के पानी से भर का लाता था। एक बार इतवार की छुट्टी के दिन उसका पानी शाम को ही खत्म हो गया तो उसका बेटा खास पिता के लिये पानी लाने के काम के लिये कमंडल ले कर ट्रेन से दिल्ली गया और स्टेशन के नलके से ही कमंडल भर के उलटे पांव वापिस लौटा।

गली में मेरी उम्र की—यानी कोई दस साल की—एक लड़की थी जिसकी मां के फिर बच्चा होने वाला था। प्रेग्नेंसी एडवांस स्टेज में पहुंची तो स्वाभाविक था कि मां का गली में दिखना बन्द हो गया। तब गली की औरतें उत्सुकतावश गाहेबगाहे उसी से पूछती थीं—"अरी, सरला, तेरी मां के बच्चा हो गया?"

"लो!"—सरला का जवाब होता था—"अभी कहां से हो गया! अभी तो दर्दां भी शुरू नहीं हुईं!"

यानी दस साल की लड़की प्रीडिलीवरी की सारी प्रक्रिया से वाकिफ थी।

गली का ये हाल था कि बंटवारे में पहले हमारे वाले चालनुमा मकान में चार लोकल बनिया परिवार रहते थे, अब रिफ्यूजी इनफ्लक्स की वजह से बारह रहते थे। यूं ही गली के बाकी मकान लोगों से ठुंसे हुए थे इसलिये गली में मंगते और फेरीवाले बहुत आने लगे थे। अमूमन फेरी वाले अपने सामान की हांक तरन्नुम में लगाते थे।

मसलन :

- "जलजीरे की आ गयी बहार, हमारा जल निराला, रंगीला पानी वाला!"
- "भई काले काले रंगीले फालसे शर्बत को! पपीता डाल का!"
- "चना तो क्या खायेगा बनिया जिसकी टूटी पड़ी दुकनिया जिस पर नून मिरच न धनिया, चनाजोर गरम बाबू मैं लाया मजेदार चना जोर गरम!"
- "ले लो चूड़ियां मैं लाया रंगीली रंगदार ले लो चूड़ियां।"

बरसात के मौसम सांग की किताब बेचने आते थे जो कि तीन चार के ग्रुप में होते थे और पुस्तिका में छपे सांग (SONG नहीं) समूहगान के तौर पर गा कर सुनाते थे :

"ऐजी कोई सुनियो, हम्बे कोई सुनियो री, आज ओ री, मईया मोरी सावन आओ, मईया मोरी सावन आओ।"

इसी ट्रेडीशन में चान्दनी चौक में कुमार सिनेमा के सामने (अब वो सिनेमा नहीं, मैक्डोनाल्ड का रेस्टोरेंट है) ठण्डाई बिकती थी जो कि घुंघरू लगे डंडे से घोटी जाती थी और साथ में एक सिंगर, तीन ग्रुप सिंगर्स का कोरस चलता था :

पियो पियो	एक आना
बदाम वाली	एक आना
ये किशमिश वाली	एक आना
ये काजू वाली	एक आना
ये लाची वाली	एक आना
ओ पियो पियो	एक आना

कठपुतली का तमाशा दिखाने वालों की आमद भी गली में आम थी। कुछ रकम, कुछ अनाज की एवज में दिन में भाव ताव होता था, सौदा पट जाता था तो बतौर एडवांस बुकिंग एक कठपुतली पीछे छोड़ दी जाती थी। शाम ढ़ले वो प्रोग्राम होना होता था, तब तक कठपुतली को घर के बाहर किसी ऐसी ऊंची जगह पर टांग दिया जाता था जहां से कि वो हर आते जाते को दिखाई देती। ये इस बात का इश्तिहार होता था कि उस घर में कठपुतली के तमाशे का आयोजन था। जमा, सारी गली में मौखिक संदेशा घुमा दिया जाता था कि फलां घर के दालान में शाम को कठपुतली का तमाशा था जिसे देखने को इतनी भीड़ जमा हो जाती थी कि ड्योढ़ी में, सीढ़ियों में, झरोखों में भी जगह नहीं बचती थी। भीड़ ज्यादा हो तो कठपुतली वाला खुश होता या क्योंकि करार पाई उजरत तो मिलनी ही होती थी, दर्शक भी पैसे फेंकते थे। भीड़ की वजह यही थी कि मनोरंजन का तब कोई और साधन ही नहीं था। टीवी का जमाना नहीं आया था, रेडियो किसी किसी घर में होता था और शाहदरा में या आसपास कोई सिनेमा हाल नहीं था। सबसे नजदीकी सिनेमा दिल्ली में चान्दनी चौक में मैजेस्टिक सिनेमा था (जो अब सिनेमा नहीं, गुरुद्वारा शीशगंज का संगत दरबार है) जिस तक बच्चों को बड़े ही ले जायें तो ले जायें, वो खुद नहीं जा सकते थे। लिहाजा कठपुतली का तमाशा हमेशा गली मौहल्लों की स्टार अट्रैक्शन बन जाता था।

तब लड़का लड़की में कोई गम्भीर फर्क नहीं किया जाता था और उन के आपस में खेलने पर कोई बड़ी पाबन्दियां लागू नहीं थीं जबकि गली के लड़के लड़कियों को ले कर आपस में टुचकरें करने से तब भी बाज नहीं आते थे।

मसलन गली में एक लड़की थी जिसका नाम गोगो था लेकिन गली के लड़के उसे 'जाओ जाओ' कहते थे। वो कभी सुन लेती थी तो बहुत नाराज होती थी और कई बार तो मारने दौड़ती थी। लेकिन जितना वो चिढ़ कर दिखाती थी उतना ही उस का 'जाओ जाओ' नाम ज्यादा मजबूती पकड़ता चला जाता था।

एक और लड़की को गाने का बहुत शौक था। उसे जरा सा प्राम्प्ट किया जाता था तो वो बड़े उत्साह के साथ फौरन कोई फिल्मी गाना सुनाने को तैयार हो जाती थी। इस सिलसिले में उसका खुद का पसन्दीदा गाना 'तूफान और दिया' का 'मेरी आन भगवान, कण कण से लड़ी है तो तुझ से भी आज लड़ेगी, मेरी लाज तुझे रखनी पड़ेगी' था जिसे वो बड़े उत्साह से सुनाती थी। गाते वक्त वो 'कण कण से लड़ेगी' पर अतिरिक्त जोर देती थी जिस की वजह से उस का नाम ही 'कण कण से लड़ेगी' पड़ गया था। आती दिखाई देती थी तो लड़के उसकी तरफ से मुंह फेर कर कोरस में बोलने लगते थे 'कण कण से लड़ेगी, कण कण से लड़ेगी'।

एक लड़की हम लोगों से उम्र में कदरन बड़ी थी और वो गर्मियों की दोपहरी में गली में हम लोगों के शोर शराबे से आजिज थी। बहुत आजिज आ जाती थी तो भड़ाक से घर की गली में पड़ने वाली खिड़की खोलती थी और हमें डांटने लगती थी—"घड़ी घड़ी आ जाते हैं, कम्बख्त, घड़ी घड़ी आ जाते हैं।"

गली में उस का नाम 'घड़ी घड़ी' मशहूर था।

एक लड़की का नाम रक्षा था और वो नाम ही उसकी फजीहत का बायस था। वो आती दिखाई देती थी तो गली में मौजूद लड़कों में से कोई उसे सुना कर कहने लगता था—"मैं चलता हूं, यार, मेरी रिक्शा आ गयी। संवारी गांठता हूं।"

उस की मां को इस बात की खबर लगी तो उसने उस का नाम बदल कर 'सुरक्षा' कर दिया लेकिन गली के कम्बख्त लड़के 'मेरी रिक्शा आ गयी' वाली फिकरेबाजी से बाज न आये।

हमारे मकानमालिकान में से एक के एक लड़के का नाम माईधन था। मैं उस असाधारण नाम की बाबत अटकलें लगाता रहता था कि माई का धन था इसलिये उसका नाम माईधन था या आधा नाम अंग्रेजी में था, 'माई' का मतलब माता नहीं मेरा था।

यानी मेरा धन।

खुलासा कभी न हुआ।

गली के हमारे एक हमउम्र लड़के का नाम सत्य प्रकाश था। हर कोई उसे 'सत्ते' पुकारता था। उसका एक बड़ा भाई श्याम प्रकाश था लेकिन उसे कोई 'शामे' नहीं कहता था, हर कोई 'अट्ठे' कहता था।"

माईधन के बड़े भाई का नाम दया किशन था। गली में एक लड़की भी थी जिस का नाम दया था। एक बार मैंने अपनी छोटी बहन को कहा कि वो दया को उस के घर से बुलाकर लाये।

वो लड़की दया के साथ लौटी।

मैंने लड़की को वापिस भेजा और डांट कर बहन को कहा कि लड़के को बुलाना था।

हैरानी तब मुझे ये हुई थी कि बहन ने जाकर लड़की दया को कहा कि भाई बुलाता था और वो चली आयी।

रक्षा की मां बाद में गली के सिरे के एक मकान की पहली मंजिल पर शिफ्ट कर गयी थी लेकिन पहले वो हमारे वाले चालनुमा मकान में ही किरायेदार थी। उसके तीन बच्चे थे जिन में रक्षा बड़ी थी और मेरी हमउम्र थी। उसके पिता लालकिले में मिलिट्री की कैंटीन में हलवाई थे, सुबह सवेरे घर से जाते थे और देर रात गये लौटते थे इसलिये घर मां को ही चलाना पड़ता था जो कि एक भारी भरकम औरत थी। मंडी से साग सब्जी और चक्की से आटा पिसवा कर लाने के काम भी उसी को करने पड़ते थे। मैं उसे पिसे हुए आटे का कनस्तर कन्धे पर उठाये लौटते देखता था तो दौड़ कर रास्ते में कनस्तर थाम लेता था और खुद उठा कर उसके घर पहुंचाता था। वो बहुत मशकूर होती थी और आंगन में इस बाबत बाकायदा मेरी तारीफ करती थी।

लेकिन वजह नहीं जानती थी—न उस तरफ उसकी तवज्जो जाती थी— कि मैं ऐसा क्यों करता था?

क्यों करता था?

क्यों कि मैंने रक्षा को ताड़ा हुआ था और इस बहाने मुझे उसके घर में घुसपैठ करने का, रक्षा को टटोलने का, मौका मिलता था।

मेरे उस गेम को कभी कोई न समझ सका।

वैसे वो औरत औलाद पर इतनी सख्त निगाह रखती थी कि हर बात का नोटिस लेती थी। एक बार उसने रक्षा को नया सूट सिलवा कर दिया जिस के जम्फर का गिरहबान उसे लगा कि कदरन गहरा कट गया था। उसने जा कर दर्जी से शिकायत न की, खुद ही गिरहबान का निचला भाग इकट्ठा करके आपस में मिलाया और उसमें चार टांके भर दिये। यूँ गिरहबान की 'वी' पहले जैसी डीप न रही, फूहड़ता से भरे गये टांकों ने जम्फर की जड़ जरूर मार दी लेकिन मां को कोई परवाह नहीं थी। जमाने की निगाह तब भी खराब थी। वैसा किया जाना जरूरी था।

पड़ोस में एक रिफ्यूजी परिवार था जिनकी चार—एक से एक बढ़ कर सुन्दर—बेटियां थीं। सबसे बड़ी ग्यारह साल की थी और मेरे से एक साल

बड़ी थी। मेरी मां की उसकी मां से बहुत बनती थी। दोपहरबाद दोनों जब घर के कामकाज से फारिग होती थीं तो गप्पे मारने के लिये बैठ जाती थीं। ऐसा अमूमन हमारे घर के आंगन की ओर वाले कमरे में होता था जहां दरवाजे के करीब के कोने में एक चारपायी स्थायी रूप से बिछी रहती थी। वो दोनों चारपाई पर फसकड़ा मार कर बैठती थीं और मैं और वो लड़की चारपाई के नीचे घुस कर खेलते थे।

खेलते थे?

शैतानी हरकतें करते थे—जिनमें अग्रैसर वो लड़की होती थी।

एक बार उस खिलवाड़ के दौरान उसने मुझे ऐसा हुक्म सुनाया कि मेरे छक्के छूट गये। फौरन मैंने मजबूती से इंकार में सिर हिलाना शुरू कर दिया। उसने पहले से ज्यादा डपट कर हुक्म दोहराया लेकिन मेरे मजबूत इंकार में कोई फर्क नहीं आया। वो इतनी खफा हुई कि उसने मुझे धक्का देकर चारपाई के नीचे से बाहर धकेला और खुद भी भुनभुनाती, फर्श रौंदती अपने पोर्शन में चली गयी।

आइन्दा हमेशा के लिये उसकी निगाह में मेरी हैसियत अछूत जैसी हो गयी।

तब शाहदरा में दशहरे से पहले टेसू का एक लोकल त्योहार होता था जो कि मोटे तौर पर 'लोहड़ी' जैसा था और जो बच्चों को बहुत उत्साहित करता था। बच्चे ग्रुप बनाकर लोहड़ी की तरह 'टेसू' मांगने निकले थे और 'सुन्दर मुन्दरिये' की जगह 'मेरा टेसू यहीं अड़ा' के उद्घोष से गलियां गुंजाते थे।

टेसू एक मिट्टी का खिलौना होता था जिस में ऊपर एक मुकुटधारी राजसी मूरत होती थी जिस की छाती पर एक दीया बना होता था, टेसू मांगने निकलने से पहले जिस को बाकायदा तेल डाल के जलाया जाता था, और आगे नीचे जमीन पर जा टिकने वाली सरकण्डों की बनी तीन टांगें होती थीं जिनके सहारे टेसू द्वारे द्वारे रखा जाता था और सम्वेत् स्वर में टेसू गाया जाता था :

मेरा टेसू यहीं अड़ा
खाने को मांगे दही बड़ा
दही बडे में मिर्चें बहुत
आगे देखो चान्दनी चौक...

मेरे टेसू ग्रुप में सिर्फ मैं ही पंजाबी लड़का था, बाकी सारे लोकल्स थे। लोकल गृहिणियां मुझे टेसू गाता देख कर हैरान होती थीं और कहती थीं—"अरे, ये पंजाबियों का छोरा कैसे टेसू गावे है ! कैसे सीख गया !"

मैं उस हैरानी को तारीफ समझता था और और बुलन्द आवाज में टेसू गाता था :

"भई, घन्टाघर की चार घड़ी, चारों में जंजीर पड़ी।
भई, जब वो घन्टा बजता था, खड़ा मुसाफिर हँसता था।
भई, हँसता खुसता बेधड़क, आगे देखो नयी सड़क।
भई, नयी सड़क से उड़ा चिड़ा, आगे देखो लाल किला......."

न जाने कितनी बार मैंने वो टेसू गाया लेकिन ये बात मेरे जेहन में कभी न बजी कि जब घन्टा बजता था तो मुसाफिर हँसता क्यों था? घन्टा बजने में हँसने वाली कौन सी बात थी? फिर भी हँसता था तो क्या वो कोई गुनाह था जो बेधड़क—बेखौफ—हँसता था!

उस फैंसी अभियान से फारिग हो कर जब मैं पहली बार घर लौटा तो दस बजने को थे। मेरी मां ने मुझे बहुत डांटा। गनीमत थी कि तब तक पिता घर नहीं लौटा था वर्ना लताड़ मार में तब्दील हो गयी होती।

"कहां से आया है!"—मां ने डपट कर पूछा।

जवाब में मैं केवल एक लफ्ज बोला—"टेसू"।

"वो क्या होता है?"

मैंने जवाब न दिया।

"इतनी देर क्यों लगी?"

मैंने मुट्ठी बना दायां हाथ मां के सामने किया और मुट्ठी खोल दी।

मां को ढेर खरीज के दर्शन हुए।

वो बहुत हैरान हुई।

"कितने?"—फिर पूछा।

मैंने दूसरे हाथ की चार उंगली खड़ी कर दीं।

"पूरे!"

"तीन आने कम।"

"हूं। खबरदार जो फिर कभी टेसू मांगने गया!"

मैंने जोर से सहमति में सिर हिला के तसदीक की कि मैं खबरदार हो गया था।

लेकिन असल में इतना ही खबरदार हुआ कि दोबारा लौटने में दस न बजाये, आठ, साढ़े आठ तक लौट आता रहा।

चान्दनी चौक में तब टाउन हाल के सामने, उसके और नयी सड़क के दहाने के बीच में एक खूबसूरत घन्टा घर होता था जिस की घड़ियां लाल किला फतहपुरी और नयी सड़क के भीतर तक दिखाई देती थीं। सन् 1952 में सन् 1870 में वजूद में आये उस घन्टाघर की एक बुर्जी गिर गयी थी और यूं ध्वस्त हुई पुरानी तामीर की चपेट में आकर कई लोग घायल हुए थे और कई मरे थे। तब सरकारी हुक्म के तहत बाकी बचे घंटाघर को इस आश्वासन के साथ डिमालिश किया गया था कि जल्द ही वहां नया, ज्यादा भव्य घंटाघर खड़ा किया जायेगा लेकिन ऐसा कभी न हुआ।

घंटाघर की बुर्जी गिरने से ताल्लुक रखती एक घटना का वर्णन मैं यहां करना चाहता हूं :

मेरे पिता का लाहौर से एक दोस्त था जिसको तपेदिक थी (फिर! पता नहीं क्यों तब टीबी इतनी व्यापक थी) एक साल वो चारपायी पर पड़ा रहा था लेकिन मौत के आगोश में पहुंचने से बच गया था क्योंकि उसका कोई रिश्तेदार मिलिट्री में था जो कि मिलिट्री हस्पताल से पैंसिलिन चुरा लाने की सलाहियात रखता था। चोरी की पैंसिलिन के सदके वो दोस्त उठ कर पैरों पर खड़ा हुआ था और पूरे एक साल बाद उसने अपने पैरों पर घर से बाहर कदम रखा था। टहलता हुआ वो घन्टाघर चौक पहुंचा कि घन्टाघर की बुर्जी ध्वस्त हुई और वो उसके ऊपर आकर गिरी।

ठौर मारा गया।

यानी तपेदिक से शफा पायी एक फ्रीक एक्सीडेंट की चपेट में आकर मरने की खातिर!

साल चारपायी से न उठा, उठा तो सिर्फ इसलिये कि चल कर घन्टाघर जाये और ध्वस्त बुर्जी के नीचे आकर मरे।

इसीलिये कहा गया है : ट्रुथ इज़ स्ट्रेंजर दैन फिक्शन।

एक खास टेसू गान का जिक्र मैं यहां एक खास वजह से करना चाहता हूँ। कोरस गान है :

लाल लाल डंडे	ओ, लाल लाल डंडे
बंगाल देश भागे	बंगाल देश भागे
बंगाले पीछा किये	बंगाले पीछा किये
जंजीर रोक लिये	जंजीर रोक लिये
जंजीर गिरने वाली	जंजीर गिरने वाली
उस्ताद ने सम्भाली	उस्ताद ने सम्भाली
उस्ताद बड़ा सिपैया	उस्ताद बड़ा सिपैया
दो लक्कड़े मंगाये	दो लक्कड़े मंगाये
दो छक्कड़े मंगाये	दो छक्कड़े मंगाये
दरियाय में डलाये	दरियाय में डलाये
दरियाय नदी नाला	दरिया नदी नाला
ओ लाल लाल डंडे	ओ लाल लाल डंडे

सन् 1996 में अमिताभ बच्चन के खुद के गाये एक रैप सांग की बहुत बड़ी हाइप बनी थी। सांग के बोल थे 'ईर बीर फट्टे', उसका लेखक डाक्टर हरिवंश राय बच्चन को बताया जाता था और धुन तब के प्रसिद्ध पॉप गायक बल्ली सग्गू ने बनाई थी। क्लिप अमिताभ बच्चन की तब की मशहूरी और उसमें शामिल अधनंगी विलायती डांसरों की वजह से खूब चली थी और किसी न किसी बहाने—या बिना बहाने—अक्सर टीवी पर दिखाई जाती थी। मेरे को तब भी लगता था और आज भी लगता है कि 'ईर बीर फट्टे' की धुन टेसू गान 'लाल लाल डंडे' की नकल थी।

स्कूल में आखिर दाखिला पाने से पहले मेरा सारा दिन आवारागर्दी में गुजरता था। मां को इतना काम होता था कि उसे मेरी खबर रखने की सुध नहीं होती थी लेकिन खुद मैं ही इतना डरपोक था कि घर से ज्यादा दूर कहीं निकल जाने की हिम्मत मेरी नहीं होती थी। उन दिनों शतरंज का बहुत रिवाज था, छोटे बड़े सब शतरंज खेलते दिखाई देते थे। लोग बाग कहीं भी, कभी भी बिसात बिछा कर बैठ जाते थे और शतरंज की बाजी लगा लेते थे। बच्चा लोग दर्शक होते थे। देखते देखते खुद भी सीख जाते थे और फिर आपस में खेलने लगते थे। वो कोई

ताश का खेल तो था नहीं जो कि ऐब माना जाता इसलिये कोई शतरंज खेलने से रोकता भी नहीं था। हमारी गली के करीब ही एक अहाता था जिस में गाय भैंसे बन्धती थीं और जहां से सुबह शाम गाय भैंस का दूध बेचा जाता था। दिन में उन लोगों का मेरे से कोई दो साल बड़ा एक लड़का मवेशियों को भोलानाथ नगर से बाहर स्थित एक जोहड़ पर ले कर जाता था और सारा दिन वहां गुजार कर शाम को उन्हें वहां से लौटा के लाता था। एक दिन वो मुझे अपने साथ जोहड़ पर ले गया। मैं ये सोच कर चल दिया कि वो दो एक घन्टे का प्रोजेक्ट था, तब लौट आते। दो घन्टे मैं जोहड़ किनारे उसके साथ शतरंज खेलता रहा, फिर मैंने वापिसी की बात की तो पता चला कि वो तो शाम को होनी थी। मेरे छक्के छूट गये। इतना अरसा घर से गैरहाजिर रहने की मेरी कभी मजाल नहीं हुई थी। मैंने उससे जल्दी चलने की फरियाद की तो वो कबूल न हुई क्योंकि मवेशियों को जल्दी लौटा के नहीं ले जाया जा सकता था। अकेला मैं लौट नहीं सकता था क्योंकि आती बार मैंने ध्यान ही नहीं दिया था कि हम कौन सा रास्ता अख्तियार करके वहां पहुंचे थे, बस मवेशियों के पीछे लग लिया था। जिधर मवेशी उधर मैं। मवेशियों का रोज का रास्ता था इसलिये वो बिना हांक के भी जोहड़ पर पहुंच जाते थे।

ज्यों ज्यों दिन गुजरता गया, मेरा कलेजा मुंह को आता गया। खौफ ने, उस गुस्ताखी के अंजाम के तसव्वुर ने मेरी हालत बद् कर दी हुई थी। मेरी फरियाद-दर-फरियाद पर आखिर वो लड़का कदरन जल्दी वापिसी पर राजी हुआ और मैं आखिर शाम चार बजे घर आ कर लगा।

तब लड़के के साथ हो गयी किसी अनहोनी से त्रस्त मेरी मां के होश उड़े हुए थे। उसने मेरे को अपने सामने पाया तो फौरन उसकी दहशत हवा हो गयी और उस की जगह क्रोध ने क्या, कहर ने ले ली। उस दिन उसमें मेरी ऐसी धुनाई की कि हमदर्दी में बहनें भी मुझे छुड़ाने की कोशिश करने लगीं।

अभी गनीमत हुई कि शाम को जब मेरा पिता घर लौटा तो मेरी करतूत का खुलासा पिता के सामने न किया गया।

उस दिन के बाद फिर कभी मेरी हिम्मत घर से लम्बी गैरहाजिरी की न हुई।

हमारे पूरे है :

हमारे चालनुमा मकान के हमारी ओर वाले विंग का परली गली की ओर वाला भाग तिमंजिला था—यानी उसके ग्राउन्ड फ्लोर के अलावा फर्स्ट फ्लोर के एक पोर्शन में भी किरायेदार था। उसके ऊपर दूसरी मंजिल पर मकान मालिक रहता था जिस के आठ बच्चे थे।

सर्दियों के दिनों में बीच का पोर्शन एक बार कदरन जल्दी खाली हो गया और काफी अरसा खाली पड़ा रहा, खुल्ला दरबार बना रहा जिस में दिन भर बच्चे खेलते थे, चिल्ल पौ मचाते थे।

एक बार आधी रात को, जब पूरी इमारत में सन्नाटा था, उस पोर्शन में से एक बच्चे के रोने की आवाज़ें आने लगीं जो कि मकान में तो किसी को सुनाई न दीं, संकरी गली से पार के एकमंजिला मकान में रहते नत्थूराम मलिक नाम के एक शख्स को सुनाई दी। उसने घर के बरामदे में निकल कर मकान मालिक जगदीश गुप्ता को उस रुदन की तरफ तवज्जो दिलाने के लिये आवाजें लगाईं तो मर्द तो न जागा, उस की औरत ने खिड़की खोल कर, बाहर झांक कर सवाल किया—क्या है?"

"भई, तुम्हारे बीच के पोर्शन से बच्चे के रोने की आवाजें आ रही हैं।"—मलिक साहब ने कहा—"जा कर देखो किस का बच्चा है!"

"हमें नहीं पता। हमारे पूरे हैं।"

और उस औरत ने भड़ाक से खिड़की बन्द कर दी।

बच्चा बदस्तूर रोता रहा।

मलिक साहब ने फिर आवाजें लगाईं, फिर खिड़की खुली, फिर सवाल हुआ—"अब क्या है?"

"भई, बोला न, तुम्हारे नीचे के पोर्शन में बच्चा रो रहा है..."

"मैंने भी तो बोला न, कि हमारे पूरे हैं।"

"ओफ्फोह! तुम्हारे पूरे भी हैं तो जा कर देखो तो सही कि कौन सा बच्चा है, किस का बच्चा है। आखिर तुम्हारे घर में रो रहा है।"

"हम क्या करें! जिसका है, वो सम्भालेगा न! हमारे तो पूरे हैं...ये रहा दया किसन, ये माईधन, ये किरपा, ये बड़ी मुन्नी ये...हाय राम! जय किसन कहां है! अरे, जय किसन कहां है!"

तब वो दौड़ कर बीच की मंजिल पर पहुंची और उसने वहां से रो रो कर बेहाल हुए अपने जय किसन को बरामद किया।

दया किशन उम्र में मेरे से दो साल बड़ा था लेकिन मेरे साथ खेलना पसन्द करता था। एक बार हम दोनों गली में गुल्ली डण्डा खेल रहे थे कि डण्डा मेरे हाथ से निकल गया और भड़ाक से जा कर दया किशन के माथे से टकराया। वो वहीं माथा पकड़ कर बैठ गया। मैं ऐसा भयभीत हुआ कि जा कर उस की चोट की तरफ तवज्जो देने की जगह दौड़ कर घर आ गया। आखिर वो भी घर गया, उसकी मां को पता लगा कि क्या हुआ था कि उसने तो जैसे चण्डिका का रूप

अख्तियार कर लिया, धड़ाधड़ सीढ़ियां उतरती, फर्श को रौंदती वो हमारे घर में घुस आयी और लगी चिंघाड़ चिंघाड़ कर मेरी मां को बताने, मुझे कोसनों से नवाजने कि मैंने—जैसे किसी दानव का जिक्र हो—उसके दया किसन का सिर फाड़ दिया था। घट्टा खोल दिया था। घबराई बौखलाई मेरी मां अभी बात को समझने की ही कोशिश कर रही थी कि दया की मां को आफत का मारा एक कोने में सिर घुटनों में दिये, गुनाह की प्रतिमूर्ति बना उकड़ू बैठा मैं दिखाई दिया।

'ये तो रहा नासपीटा!"

और वो एक पटड़ा उठा कर मुझे मारने को दौड़ी।

मुश्किल से उसको मेरी मां ने रोका, मेरी तरफ से माफियां मांगीं फरियाद की—"बहन जी, बच्चों की बात हैं, खेल में..."

"ये बच्चा है?"—वो कड़क कर पड़ी—"ये तो राक्षस है !"

उसके अपने सुपुत्र के मुकाबले में मेरी चूहे जैसी औकात थी लेकिन तब पूरी हिकारत के साथ उसने मुझे राक्षस करार दिया।

बहुत मुश्किल से उसने मेरा पीछा छोड़ा।

बाद में मुझे मालूम हुआ कि डण्डे की चपेट में आये दया किशन के माथे पर एक इतनी हलकी सी खरोंच आयी थी जैसे कि वहां मच्छर ने काटा हो और उसने उस जगह को नाखून से खुजला दिया हो।

जब कि मां का दावा था सिर फाड़ दिया, घट्टा खोल दिया।

दो घन्टे बाद हँसता मुस्कराता दया किशन मुझे गली में मिला और फिर गुल्ली डण्डा खेलने की फरमायश करने लगा।

उस उम्र में खेल खेल में दो बार मैंने भी गम्भीर चोटें खायीं।

मकान में दो विंग थे लेकिन ऊपर जाती सीढ़ियां दोनों में कामन थीं। दोनों तरफ से वो ऊपर उठती थीं और बीच की एक चौड़ी सीढ़ी पर आ कर मिलती थीं जिससे आगे सीढ़ियां एक हो जाती थीं, सामने उठ कर यू टर्न लेती थीं और पहली मंजिल पर पहुंचती थीं। उन सीढ़ियों पर बच्चे सारा दिन हुड़दंग मचाते थे, छलांगें मारते थे, एक दूसरे को ज्यादा से ज्यादा सीढ़ियां फलांग कर दिखाने के लिये ललकारते थे।

एक बार जोश में आकर चबूतरे जैसी बड़ी सीढ़ी से मैंने ड्योढ़ी तक पहुंचती आखिरी सीढ़ी के आगे तक एक ही छलांग लगा दी।

छलांग फेल हो गयी। मैं सिर के बल जा कर ड्योढ़ी में गिरा, मेरा सिर ड्योढ़ी और आखिरी सीढ़ी के बीच स्थित नाली की नुक्कड़ से इतनी जोर से टकराया कि वो नुक्कड़ पेशानी के रास्ते मेरी खोपड़ी में धंस गयी। खून का

फव्वारा छूटा। मेरे पर बेहोशी तारी होने लगी। बच्चे सहम गये और घर घर भाग गये। फिर भी किसी एक बच्चे ने मेरी मां को हादसे की खबर की, वो दौड़ी आयी, मेरी हालत देख कर उसके होश उड़ गये। मुझे उठा कर अन्दर घर में लायी। तौलियों को माथे से दबा कर खून रोकने की कोशिश की लेकिन वो बहता ही जा रहा था। पता नहीं कैसे, किस हासिल मदद के आसरे उसने मुझे बाजार में स्थित एक डाक्टर की दुकान पर पहुंचाया जो कि बस नाम का ही डाक्टर था लेकिन उसने मुझे सम्भाला। मुझे बिना कोई सिडेटिव दिये चार टांके भर कर जख्म को सिया और ऊपर से पट्टी बान्ध कर घर भेजा।

दस दिन मैं चारपायी पर पड़ा रहा।

मेरा पिता दफ्तर से आकर रोज मुझे अपनी पीठ पर उठाता था और ड्रेसिंग बदलवाने के लिये डाक्टर की दुकान पर ले कर जाता था।

घर में मां मुझे दिन में चार पांच बार दूध पिलाती थी और मेरे लिये खास तौर से मंगवाये बादाम मुझे खिलाती थी। लिहाजा हादसे की दहशत तो ओवरनाइट ठहरी लेकिन वो मौज लम्बी चली। बादाम खाता मैं विजेता की तरह अपनी बहनों को देखता था कि वो लग्जरी मुझे हासिल थी, उन को हासिल नहीं थी। आखिर सिर मेरा फूटा था, प्रिविलेज्ड पर्सन मैं था। वो क्यों कर मेरी बराबरी कर सकती थीं? नामाकूल समझती नहीं थीं ऐसी बादशाही तवज्जो पाने के लिये माथा फोड़ना पड़ता था।

दूसरी बड़ी चोट गली में लांग जम्प में सूरमाई दिखाने की कोशिश में लगी। गली में बड़े लड़के अगल बगल चारपाईयां बिछा कर उस पर से छलांग लगाते थे। दो चारपाईयों जितना फासला क्लियर कर लेते थे तो दोनों चारपाईयों में तीन-तीन इंच कर के फासला बढ़ाते चले जाते थे। यूं धीरे धीरे एथलीट्स-इन-मेकिंग रिजेक्ट होते चले आते थे और आखिर एक ही लड़का बचता था जो कि दोनों चारपाईयां के बीच में बनाये अधिकतम फासले को क्लियर कर पाता था।

एक बार मैं भी उस कम्पीटीशन में शामिल हो गया।

दोनों चारपाईयां जब आपस में जुड़ी हुई थीं तो मैं उन्हें क्लियर कर गया और उस कामयाबी से जोश खा गया। फिर चारपाइयों में छः इंच का फासला किया गया, मैंने उन पर से छलांग लगाई तो मेरा पांव दूसरी चारपायी के परले सिरे पर कहीं उलझा और मैं धड़ाम से मुंह के बल गली की पक्की जमीन पर जाकर गिरा। मुंह माथा फूटा, कोहनियां फूटीं और बायाँ घुटना ऐसा फूटा कि घुटने की कटोरी—नीकैप (KNEE-CAP)—हिल गयी।

तदोपरान्त चोटों से तो मैं हफ्ते भर में उबर गया लेकिन बायीं टांग में ऐसा नुक्स पैदा हुआ कि वो घुटने पर से पूरी तरह से मुड़नी बन्द हो गयी। बस, थोड़ी सी मुड़ती थी और फिर कहीं अटक जाती थी, आगे नहीं मुड़ती थी। मैं लंगड़ा

कर चलने लगा तो मेरी मां की तवज्जो इस बात की तरफ गयी। उसने आगे पिता को खबर की तो पिता ने आदतन डांट कर पूछा कि क्या हुआ था?

मैंने बताया।

फिर अपनी सहूलियत से, अपनी मसरूफियात से टाइम निकाल कर पिता एक दिन मुझे डाक्टर के पास लेकर गया। डाक्टर ने बताया कि नीकैप डिसलोकेट हो गयी थी, सर्जरी बिना ठीक नहीं हो सकती। सर्जरी के नाम पर पिता सकपका गया और खामोश हो गया। मैं नहीं जान सका कि पिता के मन में क्या था लेकिन आइन्दा भी मैं लंगड़ा कर ही चलता रहा।

एक रोज मैं हमउम्र दोस्तों के साथ बाजार से गुजर रहा था तो सिविल हस्पताल के दरवाजे के बाहर अड्डा जमा कर बाजार में बैठने वाले एक मोची ने मेरे को देखा। उस मोची से मैं वाकिफ था क्यों कि दो तीन बार मैंने उससे अपने पिता का जूता पालिश करवाया था, अपनी चप्पल गंठवाई थी।

"लंगड़ा के क्यों चलता है?"—उसने पूछा—"क्या हुआ?"

मैंने बताया।

"कब की बात है?"

मैंने बताया।

"अरे ! डेढ़ महीना हो गया ! घरवालों को खबर नहीं?"

"है।"

"तो?"

"सर्जरी होगी !"

"क्या होगी?"

"आपरेशन होगा !"

"आपरेशन होगा ! देखूं तो !"

उस ने मेरी टांग का मुआयना किया।

"अच्छी भली तो है टांग !"—फिर बोला—"काहे को आपरेशन होगा?"

"डाक्टर बोलता है।"

"डाक्टर बोलता है ! हूं।"

उसने मेरी टांग को अपने मजबूत दो हाथों से यूं थामा कि एक हाथ टखने से ऊपर पिंडली पर था, दूसरा घुटने से ऊपर जांघ पर था और बोला—"परे देख।"

"क्या?"

"अरे परे देख, भई, स्टेशन की तरफ देख।"

मैंने देखा।

चटाक !

मेरे मुंह से चीख निकली।

दहशत में मैंने निगाह वापिस घुमाई।

जो टांग डेढ़ महीना मुड़ के नहीं दी थी, उसकी एडी जांघ के पृष्ठभाग के साथ लगी हुई थी।

"दुखती है?"—उसने पूछा।

"हां।"

उसने टांग को चार पांच बार सीधा किया, वापिस मोड़ा।

"दुखती है ?"

"नहीं।"

"चल के देख।"

मैंने देखा।

"दुखती है?"

"थोड़ी सी।"

"लंगड़ा के चला?"

"नहीं।"

"भाग जा।"

दौड़ता मैं घर पहुंचा और मां को किस्सा बयान किया, टांग पैंडुलम की तरह हिला डुला के दिखाई, मोड़ कर दिखाई, बिना लंगड़ाये चल कर दिखाया, दौड़ कर दिखाया।

मां बाग बाग हो गयी और बार बार भगवती भवानी को याद करने लगी जिस की वो अनोखी कृपा मुझ पर हुई थी।

शाम को वाकये की खबर पिता को लगी तो चमत्कृत तो वो भी हुआ लेकिन साथ ही घुड़क कर बोला—"जानता है ऐसे टांग घुटने पर से टूट सकती थी, एक की दो हो सकती थी ?"

"हुई नहीं।"—मैं दबे स्वर में बोला।

"हुई नहीं। कहता है हुई नहीं। आया वड्डा का'न ! जा, दौड़ जा।"

बहरहाल सर्जन का काम मोची ने किया।

यहां मुझे एक जोक याद आता है जो पूरी तरह से तो उपरोक्त पर लागू नहीं लेकिन फिर भी है :

एक व्यक्ति मनोविशेषज्ञ डाक्टर के पास गया और बोला—"मुझे सारी रात सपने आते हैं कि मेरे पलंग के नीचे कोई है जो कि पलंग के नीचे से निकल कर मेरे पर हमला करने पर आमादा है। मैं घबरा कर उठ बैठता हूं। फिर सोता हूं तो फिर यही हाल होता है। सारी रात यूं ही बेकरारी में गुजरती है।"

"गम्भीर समस्या है।"—डाक्टर संजीदगी से बोला—"लेकिन क्योरेबल है। छः वीकली साइकिक सैशन अटेंड करने होंगे, साथ में कुछ दवाईयां भी खानी होंगी, ठीक होजाओगे।"

मरीज ने वो ट्रीटमेंट पूरा किया लेकिन ठीक न हुआ। 'पलंग के नीचे कोई है' की उसकी शिकायत बदस्तूर बनी रही।

"एक सैशन रिपीट करना होगा।"—डाक्टर बोला।

मरीज ने छः अतिरिक्त विजिट्स की हामी भरी लेकिन पहली ही विजिट के बाद गायब हो गया, फिर न आया।

दो हफ्ते बाद वो डाक्टर को एक शापिंग माल में मिल गया।

"क्या बात है, मिस्टर माथुर?"—उसने पूछा—"आप आये नहीं? अभी तो पांच सैशन और अटैंड करना था!"

"वो क्या है, डाक्टर साहब"—मरीज बोला—"मैं ठीक हो गया हूं।"

"ठीक हो गये हो!"

"जी हां। अब मुझे शिकायत नहीं होती कि मेरे पलंग के नीचे कोई है।"

"अच्छा! लेकिन कैसे हुआ ये? किस से बात की?"

"अपने बारमैन से।"

"क्या!"

"और उसकी राय पर अमल किया।"

"क्या राय दी उस नानमैडिकल पर्सन ने? क्या किया?"

"पलंग के चारों पाये काट दिये।"

हमारे पड़ोसी नत्थूराम मलिक को मेरे पिता के हुक्के की बड़ी फैंसी थी। ऐसा नहीं था कि वो हुक्के के वजूद से वाकिफ नहीं था लेकिन वो बड़े वाली लम्बी, फ्लैक्सीबल नाल जैसी नड़ी वाले हुक्के से ही वाकिफ था जो कि गांवों में चौपले पर सामूहिक रूप से पिया जाता था। उसका डोमेस्टिक वर्शन वैसा छोटा सा हुक्का उसने पहले कभी नहीं देखा था जिस की नड़ी पाइप जैसी सीधी नलकी होती थी और जिसका बेस, जिस में कि पानी भरा जाता था, पीतल का होता था जिसे कि रोज मांज कर, रगड़ कर बाकायदा चमकाया जाता था। सूट बूट टाई वाला विलायती कम्पनी का बाबू घर में हुक्का गुड़गुड़ाता था, ये बात उसे चमत्कृत करती थी। खुद भी स्मोकर था इसलिये कभी कभी मेरे पिता के साथ हुक्का शेयर करने आ जाता था।

मेरे पिता ने उसकी उस फैंसी की कद्र की, खास उसके लिये बटाला से वैसा हुक्का मंगाया जहां कि वो बनता था, चिलम और तम्बाकू लोकल बाजार से मुहैया किया और हुक्का पड़ोसी नत्थूराम मलिक को बतौर गिफ्ट पेश किया।

पड़ोसी बाग बाग हो गया और उसने पिता का भरपूर शुक्रिया अदा किया।

उन दिनों हमारे घर में फर्नीचर के नाम पर एक स्टूल तक नहीं था। हर इतवार घर में पिता की रमी की फड़ जमती थी जिस में उसके खुद उस जैसे लाहौर से विस्थापित दोस्त शरीक होते थे और दो दरी बिछी चारपाईयों पर बैठकर पांच पैसा प्वायन्ट रमी खेली जाती थी। एक मर्तबा पिता का एक नान रमी प्लेईंग दोस्त पिता से मिलने आ गया जिस के लिये फड़ से उठने की जगह पिता ने उसे वहीं अपने करीब बैठ जाने को कहा। दोस्त को चारपाई पर बैठना न जंचा उसने इशारे से मुझे करीब बुलाया और हुक्म दिया —"कुर्सी ला।"

मैं दूसरे कमरे में गया और वहां बैठी मां से बोला एक मेहमान कुर्सी मांगता था। धर्म संकट में पड़ी मां को यही सूझा कि कहीं पड़ोस से कुर्सी मांग कर लाई जाये, पिता ने पड़ोसी नत्थूराम को हाल में हुक्के का उपहार दे कर ओब्लाइज किया था इसलिये कुर्सी मांग कर लाने के लिये मुझे उसके घर दौड़ाया गया। मैं वहां से कुर्सी लाया और कुर्सी मेहमान को पेश की।

अभी दस मिनट भी नहीं गुजरे थे कि पड़ोसी की छोटी, मेरी उम्र की लड़की हमारे घर आयी और इतनी ऊंची आवाज में कि वो सारे घर में—कुर्सी के तालिब मेहमान को भी— सुनाई दी, बोली—"साढ़ी कुर्सी दयो।" (हमारी कुर्सी दो)

मेरी मां के छक्के छूट गये, उसने उठ कर लड़की का मुंह पकड़ा, जबरन उसे बाहर ड्योढ़ी में लेकर गयी और इस ताकीद के साथ उसे उसकी मां के हवाले किया कि जब तक कुर्सी वाला मेहमान न चला जाये, वो हमारे घर न घुसे।

शाम को मां ने पिता को वो वाकया बयान किया तो आने वाले दिनों में पिता दो गुणा दो फुट के टॉप वाली एक मेज और बिना बांहों की दो कुर्सियां खरीद कर लाया।

बाद में हमें पता चला था कि नत्थूराम मलिक ने बतौर तोहफा हासिल वो हुक्का घर में तभी तक चलाया था जब तक कि साथ में मिला तम्बाकू खत्म नहीं हो गया था। तदोपरान्त उन्होंने पल्ले से तम्बाकू खरीदने की जहमत नहीं की थी।

तो फिर हुक्के का क्या करना था?

वो सवाल शायद पड़ोसी के जेहन में भी था। तभी तो उसने नड़ी समेत लकड़ी वाला हिस्सा कूड़े में फेंका था और उसके बेस को पीतल के भाव कबाड़ी को बेच दिया था।

ये कद्र हुई तोहफे की।

नत्थूराम मलिक ने दो शादियां की थीं। दूसरी शादी से उन का जो बड़ा लड़का था, वो मेरा हमउम्र और हमजमाती था जो बाद में भूपेन्द्र कुमार स्नेही के नाम से कवि, गद्य लेखक, सम्पादक, फीचर राइटर, प्रूफ रीडर, रिपोर्टर वगैरह कई कुछ बना था और शायद इसी वजह से मजबूती से, मकबूलियत से कुछ भी नहीं बन पाया था। 'जैक आफ आल ट्रेड्स एण्ड मास्टर आफ नन' जैसी विलायती कहावत उस पर पूरी तरह से चरितार्थ होती थी। जांमारी के मुकाबले में यारबाशी पर ज्यादा अकीदा था इसलिये पक्के साहित्यकारों की सोहबत में—जैसे शेरजंग गर्ग, बाल स्वरूप राही, सेवा राम यात्री—अक्सर दिखाई देता था, साप्ताहिक हिन्दोस्तान के तद्कालीन सम्पादक मनोहर श्याम जोशी का बाकायदा हुक्का भरता था।

दूसरी खास खूबी ये थी कि फ्रीलोडर था, इतना तजुर्बेकार कि भैंसे का दूध निकाल सकता था। जैसी मेरी पहली और आखिरी नौकरी इन्डियन टेलीफोन इन्डस्ट्रीज की थी, वैसी अपने जीवन काल में उसने बीस से ज्यादा नौकरियां की थीं जिन में से कुछ तो—जैसे टाइम्स आफ इन्डिया की, इन्डियन स्टैण्डर्ड इंस्टीच्यूट की (ISI), दूर संचार की—बहुत रुतबे और रसूख वाली थीं। बीवी अच्छी तनखाह पाने वाली बैंक अधिकारी थी और तब तक वो जायन्ट फैमिली को कब से अलविदा कह चुका था, इसलिये कोई नौकरी छूट जाने की उसे कोई खास परवाह नहीं होती थी।

प्रैस क्लब में वो अक्सर मुझे ड्रिंक्स की थूक लगाता था। उसकी मृत्यु के बाद संयोगवश क्लब में सालाना इलैक्शंस के वक्त वोटर्स की लिस्ट देख कर मुझे मालूम हुआ था कि खुद वो भी क्लब का मेम्बर था, यानी बार सर्विस के लिये मेरी स्पांसरशिप का मोहताज नहीं था।

गली में साहित्यिक अभिरुचि वाला एक और लड़का भी मुकाम पाता था जिस का नाम गुलशन कुमार खानीजू था। उसकी स्नेही से ज्यादा गहरी छनती थी। इतनी कि दोनों ने 'दो कवि' शीर्षक से एक कविता संग्रह खुद खर्चा शेयर करके प्रकाशित करवाया था, लेट फिफ्टीज में जिस की कीमत एक रुपया थी। उस आयोजन में व्यवसायिक सम्भावनायें सिफर थीं, बस छपास का सुख पाने के ही काम आया था। और वजह ये भी थी कि वो कवि ही नकली थे, तरीके से बालिग और दानिशमन्द होने पर दोनों ने ही कविता से ऐसा पल्ला झाड़ा था जैसे उस विधा से कभी वाकिफ ही नहीं थे।

गुलशन कुमार की दूसरी बाकमाल खूबी ये थी कि जब कालेज में पढ़ता था तो एक लड़की को उसके घर ट्यूशन पढ़ाने जाया करता था और ऐलानिया उसको अपनी बहन बताता था। लड़की उसके जज्बात को ये कह कर पुख्ता करती थी कि उसके दो भाई थे—एक मांजाया और एक गुलशन भाजी।

बाद में उसी लड़की से उसने शादी कर ली थी।

फिर गुलशन कुमार टाइम्स आफ इण्डिया में ट्रेनी जर्नलिस्ट सलैक्ट हो गया था और मुम्बई चला गया था। बाद में उसने अपना नाम 'सुदीप' रख लिया था और तब वो नाम मुझे सारिका में, धर्मयुग में, नवभारत टाइम्स में अक्सर दिखाई देता था। कुछ अरसा खतोकिताबत से मेरा उससे सम्पर्क रहा था फिर वो भी टूट गया था।

अब पता नहीं वो कहां है!

है भी या नहीं!

□

प्रायमरी स्कूल पास करने के बाद शाहदरा में बसे रिफ्यूजियों के लिये बच्चों का पांचवी में दाखिला विकट समस्या बन गया। एक बाबू राम हायर सैकेंड्री स्कूल ही वहां था लेकिन पांचवी कक्षा में सब बच्चों को समेट लेने की क्षमता तब उस स्कूल में नहीं थी। दाखिले की उम्मीद में मां बाप फिर भी बच्चों को स्कूल के वक्त स्कूल भेज देते थे जिन में मैं भी शामिल था, और बच्चों के साथ स्कूल का सारा वक्त फ्रंट यार्ड में उगे एक घने पेड़ के नीचे बैठकर गुजारता था और पूरी छुट्टी की घंटी बजने पर घर लौट आना था। उस सिलसिले में कुछ नया हुआ था तो ये हुआ था कि एक पुराना मेजपोश मैं घर से ले जाने लगा था जिस को चार तहों में मोड़ कर मैं जमीन पर रखता था और उस पर बैठता था। वैसे ही और बच्चे भी टाट का टुकड़ा, बोरी, चटाई या कुछ भी और घर से बैठने के लिये लाते थे। लेकिन न कभी हाजिरी लगती थी, न कोई पढ़ाई होती थी। अलबत्ता ये आश्वासन गाहे बगाहे मिलता रहता था कि कभी न कभी दाखिला जरूर मिल जायेगा।

पांच महीने वो सिलसिला चला।

फिर किसी सरकारी हुक्म के तहत स्कूल को दो शिफ्टों का कर दिया गया, आखिर सब को दाखिला मिला लेकिन क्लास रूम फिर भी नसीब न हुआ। स्कूल की तब की एकमंजिला इमारत में गिनती के कमरे थे जिन में से एक पर स्वाभाविक रूप से प्रिंसीपल का कब्जा था, एक स्टाफ रूम था और बाकी—शायद पांच या छः—क्लास रूम थे। वैसे स्कूल के कब्जे में बहुत जगह थी।

बड़ा फ्रंट यार्ड तो था ही, पिछवाड़े में इतना बड़ा मैदान था कि वहां क्रिकेट खेली जा सकती थी; हाकी, फुटबाल खेले जा सकते थे। उस बड़े मैदान का फायदा अच्छी पूछ रखने वाले स्थानीय, व्यस्क लोग भी उठाते थे। अक्सर इतवार को व्यस्कों के बीच वहां क्रिकेट का मैच होता था जिसे देखने के लिये काफी लोग इकट्ठे हो जाते थे।

आज स्कूल की तब की जर्जर इमारत की जगह एक भव्य चारमंजिला स्कूल कम्पलैक्स खड़ा है।

जैसा कि मैंने पहले अर्ज किया, स्कूल का नाम बाबू राम स्कूल था। तब हमारे साथ पढ़ता सुशील नाम का एक लोकल लड़का, जिस का पिता शाहदरा म्यूनीसिपैलिटी का प्रेसीडेंट था, बड़ी शान से बताया करता था कि उस के नाना का नाम बाबू राम था और उसी के नाम पर स्कूल का नाम पड़ा था। जमा, उसके दादा का नाम भोला नाथ था जिस के नाम पर कि उस इलाके का नाम भोला नाथ नगर पड़ा था जिस में कि वो स्कूल था।

स्कूल के तकरीबन लड़के उस दावे को कोई खास खातिर में नहीं लाते थे लेकिन जो लाते थे, वो यूं प्रतिक्रिया जाहिर करते थे :

"तो तेरे नाना का नाम बाबू राम था?"

"हां।"

"दादा का भोला नाथ?"

"हां।"

"नानी का नाम चान्दनी देवी?"

"चल बे !"

"क्यों चल बे? अरे भई, चान्दनी चौक का नाम चान्दनी चौक और किसके नाम पर पड़ा होगा?"

तब मेरे सैक्शन में एक दूसरा लोकल लड़का था जिस से मेरी बहुत जल्दी घनिष्टता हो गयी थी। उस लड़के का नाम वेद प्रकाश काम्बोज था। फौरन ही हम दोनों में इतनी पटने लगी थी कि हायर सैकन्ड्री पास कर चुकने तक हम दोनों हर क्लास में एक बैंच पर बैठते थे। अलबत्ता काम्बोज की जिद शुरू से सबसे पीछे के बैंच पर बैठने की होती थी।

वजह जल्दी ही उजागर हो गयी।

वो पोर्न लिटरेचर, फाश किताबें, पढ़ने का छोटी उम्र से ही बहुत शौकीन था। पता नहीं कहां से वो वैसी—मस्तराम, वही वहानवी लेखक होते थे—किताबें मुहैया करता था और स्कूल में ही उन्हें पढ़ता था क्योंकि वैसी किताब

घर ले जाने की उस की मजाल नहीं होती थी। क्लास में मास्टर पढ़ा रहा होता था और वो डैस्क की ओट में वैसी कोई किताब पढ़ रहा होता था। वैसी किताब न उपलब्ध हो तो जासूसी नावल पढ़ता था फिर भी सिफ्त ये थी कि कभी किसी क्लास में फेल नहीं हुआ था।

उसके पिता की लाल किले में वहां के मीनाबाजार नाम के कवर्ड बाजार में सोविनियर हाउस के नाम से क्यूरियो शाप थी जहां टूरिस्ट अट्रैक्शन की मार्बल की, ब्रास की, लकड़ी की आइटमें डिस्पले पर होती थीं। वेद अपने पिता के नौ बच्चों में—छः भाई, तीन बहनें—सबसे बड़ा था इसलिये पिता का हाथ बँटाने के लिये दुकान पर उसकी हाजिरी लाजिमी होती थी। एक बजे स्कूल से छुट्टी होती थी, पौना घन्टा उसे घर पहुंचने और खाना खाने के लिये मिलता था और फिर उसे सीधा लाल किले दुकान पर पहुंचना होता था।

एक बार किसी वजह से छुट्टी होने में देर हो गयी तो बाप के डंडे से त्रस्त पहले घर जाने की जगह वो स्कूल से ही लाल किले की ओर रवाना हो गया। जाने से पहले वो मुझे एक दुअन्नी के साथ एक किताब थमा गया जो मैंने बड़े बाजार के सिरे पर स्थित एक सरदार की उस दुकान पर पहुंचा कर आनी थी जिस का मेन धन्धा किताबों की जिल्दें बान्धना था लेकिन अपनी इंकम को सप्लीमेंट करने के लिये जो लैंडिग लायब्रेरी भी चलाता था। वेद के लाल किले से लौटने तक उसकी दुकान बन्द हो चुकी होती थी और यूं किताब का दो दिन का किराया भरना पड़ सकता था इसलिये उस रोज किताब लौटाने का काम उसने मुझे सौंपा। वैसे वो दुकान उस के घर के रास्ते में पड़ती थी और छुट्टी के बाद घर लौटता ये काम वो खुद ही करता था।

उसके चले जाने के बाद मैंने किताब को उलट पलट कर देखा तो पाया कि वो जासूसी दुनिया थी जो हर मास प्रकाशित होती थी और इब्ने सफी नामक लेखक का एक सम्पूर्ण जासूसी उपन्यास जिसमें हर मास छपता था। उपन्यास उर्दू से अनुवादित होता था और उसमें अनुवादक का नाम प्रेम प्रकाश दर्ज होता था। कीमत बारह आना थी।

उत्सुकतावश खड़े खड़े ही मैंने उसके आठ-दस पृष्ठ पढ़े तो जो मैंने पढ़ा, उस में मुझे बहुत रस आया। मेरा अचानक ही दिल मचलने लगा कि मैं उस उपन्यास को पूरा पढ़ूँ। घर तो उसे मैं ले जा नहीं सकता था क्यों कि देख लेती तो मां मेरी भी मरम्मत करती और किताब भी जब्त कर लेती।

स्कूल के ऐन सामने एक गऊशाला थी जिसके फाटक के भीतर अहाते में एक पीपल का पेड़ था जिसके गिर्द एक पक्का चबूतरा बना हुआ था। मैं गऊशाला में घुस गया और चबूतरे पर बैठ कर मैंने वो किताब मुकम्मल पढ़ी।

मुझे बहुत मजा आया।

वो पहला जासूसी उपन्यास था—कैसा भी उपन्यास था जो उस अल्पायु में मैंने पढ़ा था और पढ़ते ही इब्ने सफी का शैदाई बन गया था—तदोपरान्त मैं जासूसी उपन्यासों का रसिया बन गया था—तब मुझे क्या पता था कि आगे चल कर मैंने भी उसी कारोबार का अंग बनना था और नाम कमाना था!

काम्बोज को भी!

मैंने वो किताब दुअन्नी किराये के साथ सरदार की दुकान पर लौटाई और घर लौटा। मां बैठी भुननुना रही थी कि सारे बच्चे लौट चुके थे, उसका नौनिहाल नहीं आया था। गुस्से से उसने सवाल किया कि मैं देर से क्यों आया था।

"मास्टर ने रोक लिया था।"—मैंने बड़ी मासूमियत से जवाब दिया।

मास्टर के हवाले का जादुई असर हुआ। मां फिर न बोली।

काम्बोज तो क्लास में ऐसा उपन्यास अक्सर लाता था, तब मैंने मनुहार करनी शुरू की कि किताब सरदार की दुकान पर वो लौटा भी सकता हो तो इस काम के लिये वो किताब मेरे को ही सौंपे।

उसे कोई ऐतराज न हुआ।

नतीजतन, कर्टसी वेद प्रकाश काम्बोज, जासूसी उपन्यासों का मैं रेगुलर रीडर बन गया।

जो कि मैं आज तक हूं।

तब स्कूल में इंगलिश के एक सिख टीचर हुआ करते थे जिन का नाम प्रतिपाल सिंह था। एक दिन वो क्लास में पहुंचे तो क्लास को पढ़ाना शुरू करने से पहले उन्होंने घोषणा की कि भविष्य में विद्यार्थी उन्हें 'मास्टर जी' न कहा करें, 'सर' कहा करें।

वजह उन्होंने खुद बयान की।

छोटे बाजार की एक गली के जिस मकान में वो रहते थे उस में एक दर्जी भी किरायेदार था जिसकी बाजार में एक छोटी सी दुकान थी। एक रोज वो एक ग्राहक को दुकान पर न मिला तो ग्राहक उसकी बाबत पूछता-पाछता घर पहुंच गया। उसने मकान के सामने गली में खेलते एक बच्चे को पकड़ा और उसे हुक्म दिया—"जा, मास्टर जी को बुला के ला।"

लड़का सिख स्कूल टीचर प्रतिपाल सिंह को बुला लाया।

तब ग्राहक ने खुलासा किया कि वो दूसरे मास्टर जी को—दर्जी को—पूछ रहा था।

सिख टीचर को उस हवाले से बहुत हत्तक महसूस हुई कि दर्जी भी मास्टर जी कहलाता था और वो भी मास्टर कहलाते थे। लिहाजा उन्होंने आकर स्कूल में हुक्म सुनाया कि आइन्दा उन्हें मास्टर जी न कहा जाये 'सर' कहा जाये।

पर उस बात को अमली जामा न पहनाया जा सका।

विद्यार्थियों के मुंह से आदतन 'मास्टर जी' निकल जाता था, डांट पड़ती थी तो वो 'सर' बोल देते थे लेकिन 'सर' बोलने की आदत उन की न बन सकी।

उसकी दूसरी वजह ये भी थी कि बाकी, इंगलिश टीचर के मुकाबले में उम्रदराज, टीचर्स को 'मास्टर जी' कहलाने से कोई एतराज नहीं था।

मेरे एक मास्टर जी का नाम होतू राम था जो मुझे याद नहीं कि कौन सा सबजेक्ट पढ़ाते थे। एक दिन वो क्लास में आये, पैंतीस के करीब बच्चों में से एक मेरे को छांटा और मुझे करीब बुलाया। बड़ा फख्र महसूस करता मैं पेश हुआ कि इतने विद्यार्थियों में से खास मुझे छांटा गया था तो जरूर मेरे में कोई ऐसी खूबी पायी गयी थी जो और किसी में मौजूद नहीं थी। अब जरूर मुझे कोई स्पेशल काम सौंपा जाने वाला था, मास्टर जी की निगाह में जिसे सिर्फ मैं कर सकता था।

वो मुझे स्टाफ रूम में ले कर गये और 'स्पेशल काम' उन्होंने मुझे सौंपा।

अपनी अलमारी साफ करने का।

झाड़ा पोछा करने वाले नौकर की तरह एक घन्टा उन्होंने मेरे सिर पर खड़े होकर लकड़ी की अलमारी का हर कोना खुदरा साफ कराया, निरन्तर टोका टाकी के साथ कराया—"यहां से कर, यहां ठीक नहीं हुआ। उधर कोने में फिर कपड़ा फेर। खड़े बोर्डों को कपड़ा गीला करके साफ कर...."

बाद में क्लासमेट्स ने बड़ी उत्सुकता से मेरे से पूछा मास्टर जी ने क्या काम कराया था तो मैंने बोल दिया कि उन के घर कुछ कापियां पहुंचा के आनी थीं जो कि मैं पहुंचा आया था।

मुझे नहीं मालूम था कि स्टाफ रूम के आगे के बरामदे से गुजरते एक सहपाठी ने मुंडू की तरह मुझे मास्टर जी की अलमारी साफ करते देख लिया था।

"झूठ बोलता है साला।"—वो तिरस्कारपूर्ण स्वर में बोला—"होतूराम जी की स्टाफ रूम की अलमारी साफ कर रहा था। मैंने अपनी आंखों से देखा!"

सारे सहपाठी हँसने लगे।

मेरी ऐसी किरकिरी हुई कि एक अरसा वो मुझे न भूली।

एक दूसरे मास्टर जी थे जिन का नाम मुझे याद नहीं, कौन सा विषय पढ़ाते थे, ये भी याद नहीं लेकिन इतना बाखूबी याद है कि उन की हिन्दी कमजोर थी, कई शब्दों को ब्लैक बोर्ड पर गलत लिखते थे और विद्यार्थी अपनी कापियों पर गलत दर्ज करते थे। एक बार जब उन्होंने ब्लैकबोर्ड पर 'अध्य्यन' लिखा तो मेरे से न रहा गया।

"मास्टर जी"—मैं बोला—"दोनों 'य' पूरे होते हैं।"

"क्या बोला?"—मास्टर जी मुझे घुड़क कर बोला।

" 'अध्ययन' में दोनों 'य' पूरे होते हैं।"

मास्टर जी ने एक क्षण को ब्लैक बोर्ड पर निगाह डाली और पूर्ववत् घुड़क कर बोला—"बैठ जा।"

"पर मास्टर जी, दोनों 'य'..."

"बैठ जा, नहीं तो बैंच पर खड़ा कर दूंगा।"

मैं खामोश हो गया और बैठ गया।

"दोनों 'य' पूरे होते हैं!"—मास्टर जी भुनभुनाया—"मुझे पढ़ाता है! जैसे मेरे से ज्यादा जानता है! अरे, मूर्ख, जब किसी शब्द में दो अक्षर इकट्ठे आते हैं तो उन में से एक, पहला, हमेशा आधा होता है। समझा कि नहीं?"

"समझा!"

कुछ दिनों बाद मेरे हाथ में एक साहित्यिक उपन्यास आया—शायद चतुरसेन शास्त्री का था—जिस में मुझे अध्ययन शब्द दिखाई दिया।

आधी छुट्टी के टाइम मैंने उपन्यास का वो पृष्ठ मास्टर जी को दिखाया, खास तौर पर 'अध्ययन' पर उंगली रख कर दिखाया।

मास्टर जी के मिजाज में कोई फर्क न आया।

"गलत छपा है।"—वो बोला—"प्रूफ की गलती है। उपन्यासों में प्रूफरीडिंग की तरफ खास ध्यान नहीं दिया जाता। उन में ऐसी गलतियां आम होती हैं।"

"अच्छा!"—मैं मायूसी से बोला।

"हां। और तू स्कूल में नावल क्यों लाता है? जानता नहीं कि....."

"स्कूल की लायब्रेरी से लिया है।"

वो सकपकाया।

"जा, भाग जा!"—फिर घुड़कता सा बोला।

आधी छुट्टी के वक्त स्कूल के मेन गेट के बाहर बेशुमार खौंचे, रेहड़ी वाले जमा हो जाते थे और उन के और विद्यार्थियों के बीच में स्कूल का माहौल हाहाकारी रुख अख्तियार कर लेता था। बड़ी क्लासों के लड़के मेरे जैसे जूनियर्स को धकिया कर पहले खुद खाद्य पदार्थ हासिल करते थे। दाल के चार लड्डू दो आने में मिलते थे जो मुझे अच्छे लगते थे। एक बार जब तक दुअन्नी देकर मैंने चार लड्डू हासिल किये, तब तक रिसैस का टाइम खत्म होने की द्योतक घन्टी बजने लगी। मैं लड्डू सम्भाले फाटक के भीतर की तरफ दौड़ा तो सामने प्रिंसीपल साहब खड़े दिखाई दे गये। कभी कभार वो रिसैस के बाद देर से लौटने वाले विद्यार्थियों को खुद पकड़ते थे और डंडे से हथेली सेंक कर सजा देते थे। मैं तो लेट भी नहीं था फिर भी मुझे ऐसी दहशत हुई कि मैंने लड्डुओं का दोना हाथ से गिर जाने दिया और दौड़ कर अपनी क्लास में जा बैठा।

लिहाजा दुअन्नी भी गयी और लड्डू भी खाना नसीब न हुआ।

ऐसी मिसएडवेंचर्स पता नहीं क्यों तब मेरे ही साथ होती थीं।

एक और बार रिसैस में मैं उस भीड़ में शामिल था जो रसगुल्ले, स्पंज बेचने वाले हॉकर के गिर्द जमा थी। मैंने उसे दुअन्नी दी और एक रसगुल्ला मांगा। उसने मेरी दुअन्नी ले ली और रसगुल्ला देने की जगह दूसरों से पैसे बटोरने लगा ताकि देर होती पा कर कोई ग्राहक चला न जाये। दूसरों से निपट कर जब उसने मेरी तरफ तवज्जो दी तो पैसे मांगने लग गया।

"मैंने दी तो है तुझे दुअन्नी!"—मैं बोला।

"नहीं दी।"

"अरे, पागल हुआ है! दी है मैंने तुझे दुअन्नी।"

"नहीं दी। हम सब याद रखते हैं। दी होती तो क्या भूल जाते!"

"अरे, दी है।"

"नहीं दी।"

"दी है।"

"नहीं दी।"

उसने मेरी रोने वाली हालत कर दी। भीड़ छंट गयी, आधी छुट्टी खत्म होने की घन्टी बज गयी, वो अपनी जिद पर अड़ा रहा कि मैंने उसे दुअन्नी नहीं दी थी। मैं कम्बख्त लड़का था जो उसे यूं थूक लगाने की कोशिश कर रहा था।

हार कर रसगुल्ले को तरसता, अपनी दुअन्नी का मातम मनाता मैं क्लास में चला गया।

वेद प्रकाश काम्बोज इन मामलों में शुरू से ही शाहखर्च था। वो गोलगप्पों का बहुत शौकीन था जो तब एक रुपये के चौंसठ आते थे। एकमुश्त रुपया भी वो ही खर्च सकता था और ढेर गोलगप्पे भी वो ही खा सकता था। गोलगप्पे वाले का नाम ब्रह्मानन्द था जिसे सब बिरमी कहते थे। वेद उसका फेवरेट ग्राहक था। वो आ जाता था तो बिरमी सबसे पहले उसे सर्व करता था। अपने गोलगप्पानोशी के उस अभियान में वो मुझे भी शामिल करता था और उसके खर्चे रुपये से आधे—यानी कि बत्तीस—गोलगप्पे मैं भी खाता था।

उन दिनों शाहदरा में एक दौलत टिक्की वाला भी बहुत मशहूर था जो कि उस काम का असली कारीगर था—जैसे कि अब पाये ही नहीं जाते। न पाये जाने की प्रमुख वजह ये है कि कद्रदान नहीं पाये जाते। तरीके से टिक्की को तवे पर सेकने में पौना घन्टा लगता था, इतना इन्तजार आदतन बेसब्रे लोग कहां कर पाते थे! इसलिये आजकल लोग बाग टिक्की के नाम पर खुले तेल में तले आलू खाते हैं जिन की शक्ल टिक्की जैसी होती है।

दौलत असली कारीगर था, उसका कारोबार इसीलिये किसी स्कूल की रिसैस में नहीं चल सकता था। रिसैस के टाइम में तो उसके कलात्मक स्टाइल से बनाई टिक्की का एक राउन्ड तैयार नहीं होता था। जो लोग उसकी कारीगरी

को समझते थे और इन्तजार कर सकते थे, वो ही उसकी टिक्की खाते थे। कोई कैजुअल ग्राहक आ खड़ा होता था तो वो उसे पहले खबरदार कर देता था—"इस राउन्ड के बाद वाले में बारी आयेगी या उससे भी बाद वाले में बारी आयेगी।"

उसकी कारीगरी से बेखबर ग्राहक ये सुन कर अमूमन चल देता था।

तवा काफी बड़ा होता था जिस पर एक राउन्ड में बीस टिक्कियां बनती थीं जो कि दस ग्राहकों को सर्व होती थीं, फिर अगले राउन्ड की टिक्कियां सिकने लगती थीं।

कोई कोई उतावला, गुस्ताख ग्राहक कभी कभार टोक ही देता था—"अबे, जल्दी कर न!"

दौलत जल्दी करता था। लेकिन टिक्की बनाने में नहीं, ऐसे ग्राहक के पैसे उसके मुंह पर मारने में।

उसकी दूसरी खूबी ये मशहूर थी कि शाम को धन्धा बन्द करने का फिक्स्ड टाइम होने तक जो सामान बचता था, वो उसे फेंक देता था। लिहाजा अगले रोज हर चीज ताजा होने की गारन्टी होती थी।

वैसे ऐसी नौबत शायद ही कभी आती थी जब कि उसके क्लोजिंग टाइम से पहले ही उसका सब सामान नहीं बिक जाता था।

शाम को गलियों में मटका कुल्फी बेचने वाले आते थे जिन की एक खास फूं फां वाली हरकत काबिलेजिक्र है।

ऐसे फेरीवाले के साथ मटका उठाने के लिये एक नौकर होता था जिसके आगे आगे वो चलता था। कोई ग्राहक रोकता था तो कुल्फी उसे वो सर्व करता था लेकिन अदायगी के पैसों को वो हाथ नहीं लगाता था, वो नौकर को थमाने होते थे। वो मालिक था आखिर, मुनीमी भला वो कैसे कर सकता था!

छोटे बाजार में एक रामचन्द्र हलवाई की दुकान थी जो कि कई पुश्त पुरानी बताई जाती थी। वहां सारा दिन बालूशाही बनती थी जो कि ऐसी लगन और तवज्जो से बनाई जाती थी जैसी की कि आज कल्पना नहीं की जा सकती। उस पर ऐसी मेहनत की जाती थी कि उसकी आखिरी अन्दरूनी कोर तक मिठास पहुंची होती थी जब कि आजकल बालूशाही शीरे की परत चढ़ी मोटी मठ्ठी जैसी होती है।

एक और गौरतलब बात है कि हलवाई तब देसी घी भी बेचते थे।

कीमत?

साढ़े चार रुपये किलो।

कोई ग्राहक कभी घी की शिकायत करे तो खुशी खुशी बचा हुआ पूरा लॉट बदल देते थे।

बहरहाल शाहदरा में तब खान पान की बहुत महिमा थी जो कि आज भी याद आती है तो मुंह से ये कहती हसरतभरी आह निकलती है—कहां गये वो दिन !

□

सन् 1950 में भारत गणतन्त्र बना।

भारत के पहले गवर्नर जनरल लार्ड माउन्टबेटन—जो कि नये वजूद में आये देश पाकिस्तान के भी गवर्नर जनरल थे—तब तक पहले ही विदा हो चुके थे और उन की जगह चक्रवर्ती राजगोपालाचार्य ले चुके थे जो कि आजाद भारत के पहले भारतीय गवर्नर जनरल थे।

और आखिरी भी।

गणतन्त्र में गवर्नर जनरल की जगह राष्ट्रपति ने ले ली थी जो कि डाक्टर राजेन्द्र प्रसाद थे। तब आम सुना जाता था कि हमारे तद्कालीन, आजाद भारत के पहले, प्रधानमन्त्री पंडित जवाहर लाल नेहरू चाहते थे कि राजगोपालाचार्य ही भारत के प्रथम राष्ट्रपति बनते लेकिन किन्हीं वजुहात से, जिनसे मैं वाकिफ नहीं, ऐसा नहीं हो सका था और वो पद डाक्टर राजेन्द्र प्रसाद को प्राप्त हुआ था। उन के बाद डाक्टर राधाकृष्ण राष्ट्रपति बने थे। आजाद हिन्दोस्तान में आज तक की वो दो ही मिसाल हैं कि वो दोनों विद्वान महापुरुष दो टर्म के लिये राष्ट्रपति बने थे। उन के बाद आज तक किसी राष्ट्रपति का दूसरी टर्म के लिये चयन नहीं हुआ।

गणतन्त्र की स्थापना की जो मेरे लिये यादगार बात है वो ये है कि तब राजधानी के सारे स्कूलों में—मुमकिन है देश के सारे स्कूलों में लेकिन मुझे सिर्फ दिल्ली के स्कूलों की खबर है—त्रिमूर्ति के मोनोग्राम वाली एक रकाबी में चार चार लड्डू रख कर बान्टे गये थे। ये एक बड़ा आयोजन था जिसको तब पूरी जिम्मेदारी से अंजाम दिया गया था। आज ऐसा कुछ होता तो किसी को रकाबी न मिलती, किसी को लड्डू न मिलते—मिलते तो पूरे न मिलते—किसी को दोनों ही चीजें न मिलतीं।

शाहदरा आज की तरह तब बाकी की दिल्ली से कनैक्टिड नहीं था। तब शाहदरावासी को दूर या करीब कहीं भी जाना हो, उसे पहले रेल या बस से या फटफटिया से दरिया पार करके कोडिया पुल—जहां रेल पहुंचाती थी—या फव्वारा—जहां सड़क पर दौड़ने वाले वाहन पहुंचते थे—आना पड़ता था। वहां पहुंचने के बाद ही मुसाफिर वहां से आगे कहीं मूव कर सकता था।

फटफटिया एक फैंसी सवारी थी जिसमें चार सीटें होती थीं। तब उस के गिनती के तीन रूट थे—एक शाहदरा से फव्वारा, दूसरा फव्वारा से रीगल और तीसरा मद्रास होटल से करोलबाग। एक सिरे से दूसरे सिरे तक चार आना किराया था, कहीं बीच में उतर जाने पर पैंसेजर से दो आना या तीन आना चार्ज होता था। सुबह शाम फटफटिया पर बैठने के लिये भी बाकायदा लाइनें लगती थीं जो कि पैसेंजर बड़ी सभ्यता से, बड़े सब्र से लगाते थे। बाकी का दिन भी वो रूट पर आम दौड़ते दिखाई देते थे और कहीं भी सवारी के इशारा करने पर रुक जाते थे। कितनी भी मनुहार हो, कभी पांचवी सवारी नहीं बिठाते थे इसलिये फटफटिया के अलावा उस वाहन का सभ्य नाम फोर सीटर था। बाद में एक बार स्कूटरों की व्यापक हड़ताल हुई थी तो उन को छः सवारी बिंठाने की सरकारी इजाजत मिल गयी थी। फिर उन्होंने अपने वाहन को छः से आठ सीटर खुद धुप्पल में बना लिया था और लाल किला से मैडिकल इंस्टीच्यूट (AIIMS) और फव्वारे से झील जैसे अतिरिक्त रूट उन्होंने खुद खड़े कर लिये थे। ऐसे सिर्फ चार सौ वाहन दिल्ली में थे जो यातायात का दिल्ली का विशेष आकर्षण थे लेकिन बाद में एक सरकारी हुक्म के तहत उन पर रोक लग गयी थी और वो लुप्त हो गये थे।

जैसा कि मैंने पहले अर्ज किया, फटफटिया की सवारियों की सारी मारामारी सुबह शाम की होती थी, दोपहर के वक्त के लिये चार सवारियां मिलने में कई बार गैरमामूली देर हो जाती थी, इतनी कि जो पैसेंजर बैठा होता था, बस आ गयी पा कर वो भी उतर जाता था। यानी ऐसे मुलाहजे में उसका कोई यकीन नहीं था कि बैठ गया था तो बैठा ही रहता। फिर भी कुछ पैसेंजर ऐसे होते थे जो फटफटिया पर ही सफर करते थे, भले ही बस खाली जा रही हो।

अपने फुरसत के उस वक्त में फटफटिया ड्राइवर इकट्ठे हो के गप्पे ही नहीं मारते थे, आती जाती औरतों को भी ताड़ते थे और उन पर फबतियां कसने से भी बाज नहीं आते थे। कुछ फबतियां तो इतनी फाश होती थीं कि लाहौर रेलवे स्टेशन के 'माई लुच्ची पूरी' पुकारते हाकरों को भी मात करती थीं। कोई खूबसूरत, ठस्सेदार औरत करीब से गुजरती दिखाई देती थी तो कोई न कोई हांक लगा देता था—"ओये ऐन्नू कुछ न कहना, ऐ मरवायेगी जे।"

कहने को अन्देशा जाहिर किया जाता था कि फजीहत करा देगी, दुरगत करा देगी लेकिन मार कहीं और ही मार रहे होते थे।

"आहो, भा जी"—कोई दूसरा तरह देता था—"अन्दर वी करवायेगी जे।"

(हां, भाई साहब, गिरफ्तार भी करा देगी)

टुचकरों का ये उन का रोज का सिलसिला था जो दोपहर के आसपास कई बार दोहराया जाता था।

शाहदरा से क्योंकि हर किसी का पहले फव्वारा पहुंचना लाजमी होता था इसलिये फव्वारे पर हर घड़ी विशेष चहल पहल रहती थी और वहां रेहड़ी वाले हाकर भी बहुतायत में पाये जाते थे। इत्तफाक से चान्दनी चौक में फव्वारा से ले कर लाल किले तक के आधा किलोमीटर के फासले के बीच चार सिनेमा—जुबली, मैजेस्टिक, कुमार, मोती—थे जिन में से मोती अभी भी बतौर सिंगल स्क्रीन सिनेमा चल रहा है, बाकी तीन का वजूद कब का खत्म हो चुका है।

फव्वारे की चहल पहल में तब कोई, आधा दर्जन छोले भटूरे बेचने वाले इजाफा करते थे जो कि मैजेस्टिक के सामने एक कतार में अगल बगल रेहड़ियां लगाते थे। गुजरते राहगीर को वो तजुर्बे से पहचान लेते थे कि छोले भटूरे का ग्राहक था और आवाजें लगाने लगते थे :

"मैं क्या जी तुसी ऐद्दर ई आ जाओ।"

ग्राहक ने कहीं तो जाना ही होता था, वो किसी एक रहेड़ी के आगे जा खड़ा होता था। वो इतनी चलती दुकानदारी थी कि एक ही आइटम छः सात जने बेच रहे होते थे फिर भी किसी को भी ग्राहकों का कोई तोड़ा नहीं था इसलिये आई कान्टैक्ट होते ही ग्राहक को आवाज़ लगाने के अलावा उसको पटाने के लिये और कोई मारामारी नहीं होती थी। ग्राहक अभी सामने आ कर खड़ा नहीं हुआ होता था कि पंजाबी रिफ्यूज़ी दुकानदार उसके लिये गर्म तवे पर पहले से तल कर रखे हुए दो भटूरे डाल भी चुका होता था और कड़छी से पतीले में से प्लेट में छोले डाल रहा होता था। उस व्यस्तता में एकाएक वो हाथ रोकता था और धमकाती सी आवाज में पूछता था—"पनीर के कोफ्ता?"

ग्राहक हड़बड़ी में, या यूँ कहिये कि रिफ्लैक्स एक्शन में, दोनों में से एक लफ्ज दोहरा देता था।

दुकानदार उसे पनीर—या कोफ्ते—वाले छोलों की प्लेट पेश करता था और पत्ते पर रखे दो भटूरे थमा देता था। ग्राहक खा कर, तृप्त होकर, उसे चार आने देने लगता था—जो कि रेहड़ी पर टंगा बोर्ड कहता था कि एक प्लेट छोलों भटूरों की कीमत थी—तो दुकानदार कर्कश स्वर में कहता था—"आठ आने दे, भई।"

"लेकिन"—ग्राहक विरोध करता था—"छोले भटूरे की प्लेट तो तुम ने लिख कर लगाया हुआ है चार आने की है!"

"है न! चार आने का कोफ्ता—या पनीर—भी तो लिया न!"

ग्राहक खून का घूंट पी कर रह जाता था और आठ आने अदा करता था। वो बेचारा तो समझ रहा होता था कि वो सर्विस एक प्लेट में शामिल थी,

चायस तो उससे महज इसलिये पूछी जाती थी क्योंकि दोनों उसे नहीं हासिल हो सकते थे।

पूछने का ढंग ही ऐसा दबंग होता था कि दोनों में से एक चीज की हामी भरने से पहले शायद ही कोई ग्राहक होता था जिसे ये सवाल करना सूझता था कि वो एक्स्ट्रा सर्विस चार्ज होनी थी या फ्री थी, छोले-भटूरे की प्लेट की कीमत में शामिल थी।

रेहड़ीवालों के, फेरीवालों के, हाकरों के ऐसे और भी बहुतेरे कारनामे थे जो कि बाकायदा रैकेट थे और उन दिनों बहुत कामन थे।

शायद तभी आज के नारे की बुनियाद बनी थी कि दिल्ली में दो ही चीजों की अहमियत है : जमीन की या कमीन की।

———————

किशोरावस्था

(फूलों ने तो हँस-हँस के, बस जख़्म दिये मुझ को,
यूं देख मुझे जख़्मी, हर ख़ार बहुत रोया।)

शाहदरा की तब ये भी एक खूबी—या खामी—थी कि वहां, या आसपास भी, कहीं कोई सिनेमा नहीं था। कभी कभार कोई अस्थायी सिनेमा सरकुलर रोड के पीछे के मैदान में खेमा गाड़ बैठता था। तब ऐसे सिनेमा का प्रचलित नाम टूरिस्ट टाकी होता था। मैदान में तम्बुओं का एक परकोटा खड़ा किया जाता था जिस के एक बाजू सफेद कपड़े की स्क्रीन खड़ी की जाती थी और दूसरे बाजू प्रोजेक्टर लगाया जाता था। बीच में पांच आना क्लास में दरियां बिछी होती थीं और उन के पीछे तम्बू कनात वालों से किराये पर मंगाई फोल्डिंग कुर्सियां होती थीं और वो दस आना क्लास कहलाती थीं। टूरिंग टाकी का प्रचार करने के लिये सारे शाहदरा में एक जुलूस सा निकलता था जिस में पांच छः जने उस फिल्म के दो बोर्ड गर्दन से टखनों तक आगे पीछे लटकाये होते थे जो कि टूरिंग टाकी में दिखाई जा रही होती थी, उनके आगे पीतल की घन्टी बजाता भारी खनकती आवाज वाला एक आदमी चलता था और घोषणा करता जाता था :

साहबान, कद्रदान! आज शाम न्यू बीर टाकी में फिल्म नगीना देखिये जिस की शरह टिकट पांच आना, दस आना। नूतन, नासिर खान की बेमेल अदाकारी देखिये आज शाम न्यू बीर टाकी में। शरह टिकट पांच आना, दस आना।"

टाकी का नाम मुमकिन है कुछ और हो लेकिन मुझे हमेशा 'न्यू बीर' ही सुनाई देता था। और फिल्म का नाम 'नगीना' की जगह 'नाबीना' सुनाई देता था जो कि उर्दू में अन्धे को कहते हैं।

घंटी वाला आदमी, मिनी जुलूस का सरगना, फिल्म की घोषणा सीधे ही नहीं कर देता था, श्रोताओं को आकर्षित करने के लिए पहले फैंसी बातें करता था जो शेरों की सूरत में होती थी लेकिन जिन का आगे आने वाली फिल्म की उसकी घोषणा से कोई लेना देना नहीं होता था। मसलन :

"गुल गया गुलशन गया, बुलबुल की सवारी आयी, अब जिगर थाम के बैठो मेरी बारी आयी। साहबान, मेहरबान, आज शाम न्यू बीर टाकी में...."

एक फरलांग बाद, जाहिर है कि, मुनादी तो वही रहती थी लेकिन शेर बदल जाता था :

"सच्चाई छुप नहीं सकती बनावट के उसूलों से; खुशबू आ नहीं सकती कभी कागज के फूलों से। साहबान, कद्रदान, आज शाम न्यू बीर टाकी में...."

और एक फरलांग बाद :

"रफीकों से रकीब अच्छे जो जल कर नाम लेते हैं; गुलों से खार बेहतर हैं जो दामन थाम लेते हैं। कद्रदान, मेहरबान, आज शाम न्यू बीर टाकी में...."

फिर चौक में पहुंचकर वो एक चबूतरे पर चढ़ कर इर्द गिर्द जमा होती भीड़ से पूरे जोश के साथ मुखातिब होता था :

"साहबान, कद्रदान, मेहरबान, जनाबेहाजरीन, तारीफ उसकी पहले जिसने जहां बनाया। जिसने जमीं बनाई और आसमां बनाया। जिसने बनाई मुर्गी, बकरी, पहाड़, टीला। है नाम उसका भगवन, अल्लाह, मौला, खुदा, न्यारी है उस की लीला। आज शाम न्यू बीर टाकी में...."

शेर कहने का जोशीला अन्दाज ऐन आगा हश्र के ड्रामों जैसा होता था जिन से खलकत के बीच मुनादी वाला ढ़ोल बजा कर सब की तवज्जो अपनी तरफ करता था और फिर बुलन्द आवाज में कहता था—"ख़लक खुदा का, हुक्म बादशाह का...."

अपने होश में सिनेमा कभी न देखा होने की वजह से मेरा मन बहुत ललकता था सिनेमा देखने को लेकिन मायूस ही होना पड़ता था क्योंकि इस मद में घर से कोई प्रोत्साहन नहीं था।

फिर एक रोज गली का एक हमउम्र लड़का ये जोशीली खबर लाया :

"अब्बे ! स्टेशन के पुल से सिनेमा दिखाई देता है।"

श्रोता लड़कों में से, जिन में मैं भी शामिल था, किसी की समझ में कुछ न आया। सब की मनुहार पर उस लड़के ने बात का खुलासा किया :

तब शाहदरा स्टेशन पर दो ही प्लेटफार्म थे—एक दिल्ली से आती गाड़ियों के लिये और दूसरा दिल्ली जाती गाड़ियों के लिये—उन पर एक फुट ओवरब्रिज था। उस ओवरब्रिज पर से दूर मैदान में खड़ी टूरिंग टाकी की स्क्रीन की बैक दिखाई देती थी। टूरिंग टाकी के हरकत में आने के लिये सूरज का डूबना और अन्धेरा होना जरूरी होता था। क्योंकि परकोटा ऊपर से तो ढंका होता नहीं था इसलिये धूप में तो फिल्म चलाई नहीं जा सकती थी ! अन्धेरे में चादर की स्क्रीन की पिछली तरफ चलती फिल्म के उलटे अक्स उभरते थे जो कि दूर फुट ओवरब्रिज पर से दिखाई देते थे लेकिन वहां तक फिल्म की आवाज नहीं पहुंचती थी। लिहाजा फुट ओवरब्रिज पर टंगे लड़के एक तरह से मूक फिल्म का आनन्द लेते थे। मैं भी उस टोले में शामिल होता था लेकिन थोड़ी ही देर क्यों कि रात के वक्त ज्यादा देर तक घर से बाहर रहने की हिम्मत मैं नहीं कर पाता था।

करता तो मां तो शायद बख्श देती, पिता न बख्शता : हुक्के की नड़ी से मारता था जो एक ही पड़ जाती थी तो हफ्ता दुखती थी।

फिर एक बार ऐसा इत्तफाक हुआ कि चालनुमा मकान के ही दस बारह लड़के फिल्म देखने जाने की तैयारी करने लगे। मुझे भी खबर की गयी। वो इतवार का दिन था। इसलिये पिता दिन भर से ही घर पर था पर सिनेमा जाने की बाबत मैंने मां से पूछा। उसने आराम से ये कह के पल्ला झाड़ लिया कि बाप से पूछूं। डरते डरते मैंने पिता की हाजिरी भरी। पिता ने पूरी बात भी न सुनी कि 'नहीं' बोल दिया। मैंने और फरियाद की तो झिड़क दिया—"सुनता नहीं ! नहीं जाना !"

"यहां के सारे बच्चे जा रहे हैं।"

"मैंनूँ नहीं पता। तू ने नहीं जाना।"

पिटा सा मुंह ले कर मैं पिता की हाजिरी से रुखसत पाता।

चाल के लड़के रवानगी से पहले फिर पूछने आते—"ओये चल रहा है या नहीं?"

मैं मायूसी में इंकार में सिर हिला देता।

हँसते खिलखिलाते वो सिनेमा देखने चल देते। मैं मन मसोस कर रह जाता। बहनें मेरी हमदर्द बनतीं लेकिन हमदर्दी से मेरा क्या बनता था, मैं तो इजाजत का और टिकट के लिये पांच आना की रकम का तालिब था।

"तू चाई नू फेर कह।"—मेरी मेरे से छोटी बहन फुसफुसा के मुझे सलाह देती।

मैं फिर मां के हवाले होता और उससे मनुहार करता कि पिता से इजाजत दिलवाये। आखिर मेरे हमउम्र बाकी लड़के भी तो गये थे। मेरे पर तरस खा कर मां जा कर पिता से बात करती थी तो पिता उसे भी घुड़क देता था। लेकिन बीवी के हकूक नाबालिग बच्चे से यकीनन ज्यादा होते थे इसलिये जैसे मैं टल कर आ गया था, वो नहीं आती थी। आधा घन्टा 'जाने दो', 'नहीं' का मैच चलता था, फिर आजिज आ कर पिता इजाजत दे देता था। मां आकर मुझे गुड न्यूज देती थी कि पिता से इजाजत मिल गयी थी, मुझे पांच आने थमाती थी जिस को मुट्ठी में भींचे मैं बगूले की तरह घर से सिनेमा तक की दौड़ लगाता था और पांच आना क्लास की टिकट खरीद कर अन्दर जा कर बैठता था।

तम्बू वाले सिनेमा में भीड़ हो या न हो, टिकट हमेशा हासिल होती थी। ज्यादा भीड़ हो जाये तो भीड़ को ये कह कर निराश नहीं किया जाता था कि हाउस फुल था, परली तरफ से तम्बू परे सरका दिया जाता था।

स्क्रीनिंग में मैं इतना लेट पहुंचा होता था कि पन्द्रह बीस मिनट बाद इन्टरवल हो जाता था।

इन्टरवल के दौरान मैं भीड़ में अपने साथियों को तलाशता था और फिर बाकी की फिल्म उन के साथ देखता था और खुशी से उछलता उन के साथ घर लौटता था।

'नगीना' पहली फिल्म थी जो मां बाप की सदारत के बिना मैंने देखी थी।

शाहदरा छोटी सी जगह थी, तीन चार दिनों में फिल्म देखने के ख्वाहिशमन्द तमाम लोगों ने फिल्म देख ली होती थी। तब टूरिंग टाकी का मालिक नया पैंतरा आजमाता था :

एक टिकट में दो फिल्म।

यानी दर्शकों को आगे पीछे दो फिल्म इकट्ठी दिखाई जाती थीं और यूँ टाकी में फिर रश होने लगता था।

ऐसे जो फिल्में दिखाई जाती थीं, वो पुरानी होती थीं जो कि आरोजिनल रिलीज के बाद से कब की सर्कट से गायब हो चुकी होती थीं। लेकिन उस उम्र में मेरे को इस बात से क्या लेना देना होता था! मेरे लिये तो फिल्म नयी, पुरानी होने से पहले फिल्म थी।

सिनेमा मालिक के हत्थे कभी कभार इत्तफाक से कोई हालिया फिल्म लग जाती थी तो वो रेट डबल कर देता था—यानी पांच आना क्लास का रेट दस आना और दस आना क्लास का रेट सवा रुपया कर देता था। रश घटने लगता था तो रेट फिर नार्मल कर देता था, और घटता था तो फिर शो को डबल फीचर शो बना देता है।

जो लोग इस गेम को समझ चुके होते थे, वो बड़े धीरज के साथ नार्मल रेट में डबल फीचर दिखाये जाने का इन्तजार करते थे।

उस टूरिस्ट टाकी में कदरन जल्दी पहुंच गयी एक फिल्म 'आवारा' थी जो तब तक सब जानते थे कि सुपर हिट साबित हो चुकी थी। लिहाजा दर्शक उस पर टूट कर पड़े। वो भी जो नार्मल रेट्स में डबल फीचर का इन्तजार करते थे। 'आवारा' के साथ ऐसा कभी न हुआ। वो तम्बू सिनेमा में जब तक भी दिखाई गयी, डबल रेट पर ही दिखाई गयी। शौकीन दर्शकों ने फिर भी सवा तीन घन्टा लम्बी फिल्म को तीन तीन, चार चार बार देखा।

फिर आखिर शाहदरा को एक पक्का सिनेमा नसीब हुआ।

जीटी रोड से पार राधू नाम का सिनेमा वजूद में आया।

वो सिनेमा क्या था, एक ढलुवां छत वाली 'आई सोर' इमारत थी जो सीधे तौर पर किसी ट्रांसपोर्ट कम्पनी का गोदाम लगता था। टूरिंग टाकी और उसमें बस यही फर्क था कि कवर्ड एनक्लोजर होने की वजह से वहां स्क्रीनिंग अन्धेरा होने की मोहताज नहीं थी, वहां दिल्ली के अन्य सिनेमाओं की तरह बाकायदा चार शो चलते थे और इतवार को मार्निंग में एक शो किसी भूली

बिसरी नामालूम इंगलिश फिल्म का भी चलता था जिसको देखने चन्द ठरकी लोग इस उम्मीद में चले आते थे कि कोई नंगी विलायती मेम उन्हें उसमें दिखाई देगी।

उन की ये उम्मीद कभी पूरी नहीं होती थी, इक्का दुक्का चुम्बन का सीन देखकर ही उन्हें सब्र करना पड़ता था।

लेकिन वो सिनेमा पक्का होने के बावजूद फर्स्ट रिलीज में कोई फिल्म उस पर कभी नहीं लगती थी। वहां री-रंस (RE-RUNS) ही दिखाई जाती थीं लेकिन शाहदरावासी उन से भी खुश थे।

वहां जो पहली फिल्म मैंने देखी थी, वो दिलीप कुमार मीना कुमारी की 'फुटपाथ' थी जिसे नून शो में देखने के लिये मेरी मां ने मुझे इस शर्त पर भेज दिया था कि मैं दोनों बहनों को भी साथ ले कर जाऊं। एक बद्मजा जिम्मेदारी की तरह मैं उन्हें साथ ले कर गया था लेकिन फिल्म देख कर बहुत प्रसन्न हुआ था, इसलिये नहीं कि फिल्म मुझे बहुत अच्छी लगी थी, अच्छी बुरी फिल्म में तमीज करना तो अभी उस उम्र मे आया ही नहीं था, बल्कि इसलिये कि पिता के आगे गिड़गिड़ाये बिना मुझे फिल्म देखने का मौका मिला था।

तब एक अजीब बात मेरे अहसास में आयी थी।

मुझे लगता था कि फिल्म मुझे एकदम साफ नहीं दिखाई देती थी। पहले तो मैंने यही समझा कि पांच आना क्लास की सीट्स बहुत आगे होती थीं, स्क्रीन के कदरन करीब होती थीं इसलिए ऐसा होता था लेकिन बहनों से पूछता था तो वो कहती थीं कि उन्हें तो साफ दिखाई दे रहा था। वो एक उलमन मेरे सामने थी लेकिन कोई गम्भीर मसला वो मुझे फिर भी नहीं लगता था।

एक बार इत्तफाकन मैंने मुट्ठी बन्द करके यूँ उसमें बने एक महीन छेद में से स्क्रीन की तरफ झाँका तो मैं बहुत हैरान हुआ।

अब मुझे सब साफ दिखाई दे रहा था।

पाँच मिनट मैंने वैसे फिल्म देखी फिर जमीन पर उड़ता फिरता एक कागज काबू में करके मैंने उस के बीच में एक महीन छेद बनाया और उसको आंख के आगे करके स्क्रीन की तरफ झाँका तो फिल्म मुझे मुट्ठी के छेद से भी बेहतर दिखाई दी।

बाकी की सारी फिल्म मैंने अपनी ईजाद उस पिन होल में से देखी और सब साफ, तीखा दिखाई देने की वजह से मैं खूब आनन्दित हुआ।

मैं सातवीं क्लास में था जब कि बाबू राम स्कूल में पहली बार सारे विद्यार्थियों का डाक्टरी मुआयना हुआ। वो मुआयना सरकार की तरफ से था या स्कूल की

तरफ से, इस बात का मुझे इल्म नहीं लेकिन उस मुआयने के दौरान आंखों के डाक्टर ने मेरे को अजूबे की तरह देखा।

"तेरी निगाह तो बहुत कमजोर है !"

मेरी समझ में कुछ न आया।

"पढ़ाई कैसे करता है? क्लास रूम में बोर्ड पर लिखा पढ़ लेता है?"

मैंने इंकार में सिर हिलाया।

"तो कैसे पढ़ाई करता है? क्या करता है?"

मैंने बताया कि जो मास्टर जी बोर्ड पर लिखते हैं, उसे मैं बगल वाले की कापी से नकल मार कर अपनी कापी में लिखता था।

"यानी नजदीक का ठीक से पढ़ लेता है?"

मैंने हामी भरी।

"घर में ये बात मालूम है?"

मैंने इंकार से सिर हिलाया।

"क्यों नहीं बोला?"

मैं क्या बोलता ! जो डाक्टर कह रहा था, वो मुझे मालूम होता तो बोलता न !

"तेरी निगाह बहुत कमजोर है। चश्मा लगेगा। नम्बर यहां नहीं मिल सकता। उसके लिये दो तीन दिन डाक्टर के पास जाना पड़ता है। घर पर खबर करना।"

मैंने घर पर खबर की।

मां बहुत चिन्तित हुई।

शाम को पिता घर आया तो उसने ये बात पिता को बतायी।

मैं ये तो नहीं कहता कि पिता ने कान से मक्खी उड़ाई लेकिन मां जितना चिन्तित पिता मुझे न दिखाई दिया।

"मैं किसी आंखों के डाक्टर का पता करता हूँ।"—पिता ने कहा।

इंगलिश इलैक्ट्रिक कम्पनी आफ इन्डिया एक ब्रिटिश कम्पनी थी जिस में बतौर स्टेनोग्राफर पिता मुलाजिम थे। वहां का निजाम ब्रिटिश मिजाज से ही चलता था। प्लाजा और ओडियन के बीच की गली में चौधरी बिल्डिंग के फर्स्ट फ्लोर पर तब कम्पनी का भव्य दफ्तर था जो तब एयरकन्डीशंड था जब कि दफ्तरों में एयर कंडीशनर शायद ही कहीं दिखाई देता था। भीतर दाखिल होते ही पार की दीवार पर मलिका एलिजाबेथ की भव्य आयल पेंटिग लगी दिखाई देती थी और ऐसी खामोशी से दफ्तर का कारोबार चल रहा होता था कि टाइप राइटर की ठक ठक और टेलीफोन आपरेटर की 'हल्लो, इंगलिश इलेक्ट्रिक' के अलावा कोई गैरजरूरी आवाज वहां नहीं सुनायी देती थी। सुबह नौ बजे दफ्तर

के खुलने का टाइम था तो उसका मतलब ये नहीं था कि सरकारी दफ्तरों की तरह तब लोग बाग एक एक दो दो कर के आना शुरू कर देते थे, आकर आपस में हाल चाल पूछते थे, चाय वाय पीते थे, शीशे में देख कर बाल सँवारते थे कनफर्म करते थे नाक नाक की जगह थी, कान कान की जगह कायम था और फिर कोई दस-सवा दस बजे खुद को याद दिलाते थे कि आफिस में थे, पिकनिक पर नहीं थे, काम करना था। मेरे पिता के दफ्तर में दफ्तर का टाइम नौ बजे था तो नौ बजे पूरा दफ्तर लगा होता था और हर कोई पूरी मुस्तैदी से अपना काम कर रहा होता था। नौ बजे कोई बाहरी आदमी उस आफिस में कदम रखता तो यही समझता कि वो तो घन्टों पहले से लगा हुआ था। हर कोई वक्त से पहले दफ्तर पहुंचता था, लेट होने का कोई मतलब ही नहीं था, किसी की ये एक्सक्यूज देने की मजाल नहीं होती थी कि बस नहीं मिली, या जाम में फंस गयी या ट्रेन लेट हो गयी, हर किसी को ट्रेनिंग थी, उस की जिम्मेदारी थी कि वो ऐसी अनहोनियों की गुंजायश रख कर घर से निकले। खुद मेरे पिता साढ़े सात से भी पहले घर से निकलते थे और घर से शाहदरा स्टेशन और नयी दिल्ली स्टेशन से प्लाजा सिनेमा तक की वाक को मिला के भी पौने नौ बजे से पहले हर हाल में आफिस में होते थे। नाहक छुट्टी लेकर घर बैठ जाने का कोई रिवाज नहीं था। हमेशा दफ्तर में मुकम्मल हाजिरी होती थी। जब तक कोई इतना बीमार न हो कि बैड रैस्ट अवश्यम्भावी हो, कोई छुट्टी नहीं लेता था और जो छुट्टी लेता था, वो भी बीमारी से नहीं, दफ्तर से गैरहाजिरी से त्रस्त होता था और इन्तजार करता था कि कब वो उठ कर अपने पैरों पर खड़ा होने के काबिल हो और जा कर दफ्तर में अपने काम से लगे।

आजकल लोग शौकिया बीमार पड़ते हैं, शौकिया छुट्टी करते हैं, टकसाली सिक्के की तरह चौकस होते हैं फिर भी आफिस नहीं जाते। आखिर छुट्टी उन का अधिकार है, कोई खैरात तो नहीं है! दफ्तर जाते हैं तो चार पांच दिन ये कहते काम से पल्ला झाड़ते रहते हैं कि 'बीमारी से उठ के आये हैं, कुछ तो खयाल करो। काम का क्या है, वो तो तमाम उम्र करना है'।

खुद मैं सरकारी मुलाजमत में था, एक सैक्शन का इंचार्ज था। मैं फील्ड वर्कर को किसी काम पर भेजने के लिये तलब करता था तो वो मुझे टका सा जवाब देता था—"मेरी तबीयत खराब है, किसी और को भेज दो।"

मैं उससे सवाल नहीं कर सकता था कि जब वो ड्यूटी के लिये फिट नहीं था तो क्यों दफ्तर आया था!

एक बार मैंने ऐसे आदी 'तबियत खराब' की चीफ मैनेजर से शिकायत की तो उसने मुलाजिम को आउट आफ आर्डर मुलाजिम न ठहराया, मुझे आउट आफ आर्डर अफसर ठहराया। फरमाया—"यार, तुम नॉनआफिसर से आफिसर

बने लोगों में यही नुक्स है, गवर्न करना नहीं आता, एडजस्ट करना नहीं आता। तुम्हारे अन्डर में बीस वर्कर हैं, एडजस्ट करो।"

आइन्दा फिर कभी मैंने किसी ऐसे नाकारे कर्मचारी की शिकायत न की जिस की कि एटर्नली तबीयत खराब थी और जो आराम करने दफ्तर आता था, बल्कि इस नुक्तानिगाह से महकमा चलाया कि मेरे अन्डर में बीस नहीं, दस कर्मचारी थे। ये सबक ले कर काम चलाया कि एक कर्मठ कर्मचारी चार निकम्मों के ऐब ढंकता था और चार में एक आदतन कर्मठ और निष्ठावान कर्मचारी तो सरकारी महकमों में भी निकल ही आता था।

बहरहाल मैं कहना ये चाहता था कि मेरा पिता दफ्तर से कभी छुट्टी नहीं करता था। मुझे आंखों के डाक्टर के पास ले जाने के लिये पिता सुबह मुझे अपने साथ दफ्तर ले कर गया, करीब ही प्लाजा वाले ब्लॉक में डाक्टर था जिसके पास दफ्तर से एक घन्टे की छुट्टी मांग कर वो मुझे लगातार तीन दिन लाते रहे। वापिस मुझे अकेले जाना पड़ता था क्योंकि मुझे घर छोड़ के आने तक गैरहाजिरी दफ्तर से पिता को मंजूर नहीं थी। उस वक्त नयी दिल्ली स्टेशन से शाहदरा की किसी गाड़ी का टाइम नहीं होता था इसलिये सख्ती से मेरा पिता मुझे समझाता था कि मैं वहां से फटफटिया पर बैठ कर फव्वारे पहुंचूं और आगे शाहदरा की गाड़ी पकड़ूं।

एक अनोखी हिदायत मुझे और जारी होती थी।

पिता के पास तो रेल का माहाना पास होता था, मेरी वो टिकट खरीदते थे जो कि नयी दिल्ली स्टेशन पर जमा भी नहीं करानी पड़ती थी क्योंकि निकास द्वार की तरफ जाना ही नहीं होता था, सारे डेली पैसेंजर रेलवे ट्रैक के साथ साथ चलते कनाट प्लेस पहुंचते थे। वो वापिस न जमा कराई टिकट मेरा पिता मुझे थमाता था और हुक्म जारी करता था कि वापिसी में शाहदरा पहुंचकर वो टिकट मैं बुकिंग आफिस पर लक्ष्मी नारायण को लौटा दूं जो कि हमारे चार मकानमालिकान में सबसे बड़ा था, रेलवे का मुलाजिम था और शाहदरा स्टेशन पर बुकिंग क्लर्क की ड्यूटी भरता था। मंशा ये होती थी कि वो मुझे दो आना लौटा देता और टिकट किसी और पैसेंजर को बेच देता जो कि मामूली काम था।

मैंने टिकट कभी न लौटाई।

मुझे वो ऐसा टुच्चा काम लगता था कि मैं पिता की डांट खाने को तैयार था, वो काम करने को तैयार नहीं था।

उस मद में डांट बहरहाल मुझे कभी न पड़ी क्योंकि शाम तक पिता को याद ही नहीं रहता था कि पूछे कि यूं वापिस हासिल हुई दुअन्नी कहां थी!

ऐसा ही एक और वाकया :

मैं दसवीं में था जब कि आईटीओ पर स्थित डाक्टर सेन के नर्सिंग होम में मेरे पिता का गाल ब्लैडर का आपरेशन हुआ था। आज दिल्ली में बड़े नर्सिंग होम्ज की, मैडीकल सैंटर्स की भरमार है, उस वक्त वैसा प्रतिष्ठित नर्सिंग होम पता नहीं दिल्ली में दूसरा था या नहीं। मेरे पिता वहां आपरेशन कराना इसलिये अफोर्ड कर पाये थे क्योंकि बिल की भरपाई बाद में इंगलिश इलैक्ट्रिक कम्पनी से हो जानी थी।

वो नर्सिंग होम कब का बन्द हो चुका है, अब उस की इमारत में एक आफिस कम्पलैक्स है।

नर्सिंग होम से छुट्टी हुई तो मेरे पिता कुछ दिन के लिये सफदरजंग हस्पताल के क्वार्टरों में अपने भतीजे के पास चले गये जो कि तब हस्पताल का मुलाजिम था और उसे वो क्वार्टर अलॉट हुआ हुआ था। तब एलडीसी भतीजे को मिला वो क्वार्टर आज रेजीडेंड डाक्टर्स को मिलता है। वहां पहुंच कर पिता को याद आया कि उन के दो संतरे नर्सों के स्टेशन पर मौजूद रेफ्रीजरेटर में पड़े रह गये थे। पिता ने मुझे खासतौर से हिदायत दी कि घर लौटता पहले मैं नर्सिंग होम जाऊं और वो संतरे वहां से हासिल करूं।

मैं सीधा घर गया।

एक और मिसाल :

मैं पिता के साथ बस में सवार था कि साथ उन का एक दोस्त सवार हो गया। दोनों आत्मीयता से आपस में बतियाने लगे। कंडक्टर आया तो पिता ने उससे दो टिकट की माँग की। स्वाभाविक तौर पर दोस्त समझा कि दूसरा टिकट उसके लिये था क्योंकि न उसे मेरी खबर थी और न वो मुझे दोस्त के फरजन्द के तौर पर पहचानता था। उसने तीव्र विरोध किया, बारबार विरोध किया कि वो अपनी टिकट खुद ले लेगा, मेरे पिता ने दो टिकट लिये पर उसे न कह कर दिया कि लड़का साथ था, दूसरा टिकट उसके लिये था। कंडक्टर को ये बात मालूम थी, उसने दोस्त को टिकट लेने को कहा, दोस्त ने पिता की तरफ इशारा कर दिया, तब कंडक्टर ने उसे बताया कि पिता ने दूसरा टिकट दोस्त के लिये नहीं, अपने बेटे के लिये लिया था।

ताकीद है कि ऐसे व्यवहार की वजह कंजूसी नहीं होती थी, मितव्ययता होती थी जो कि पार्टीशन में बर्बाद होकर दिल्ली आये तमाम के तमाम विस्थापित पंजाबियों की आदत थी। अलबत्ता पिता को चाहिये था कि वो शुरू में ही क्लियर करते कि दूसरा टिकट उन्होंने अपने बेटे के लिये लिया था।

तीन विजिट्स के बाद आखिर डाक्टर ने मुझे चशमे का नम्बर दिया और साथ में ये शाकिंग न्यूज भी जारी की कि मेरी दायीं आंख इतनी कमजोर थी कि लैंस से भी वैसे नार्मल नहीं हो सकती थी जैसे चश्मा लग जाने के बाद बायीं आंख होती। डाक्टर एक बुजुर्ग सिख थे जिनकी ये विशेषता थी कि वे आंखों के अलावा ईएनटी स्पैशलिस्ट भी थे। वो एक दुर्लभ कम्बीनेशन था कि आंखों का डाक्टर किसी और डिपार्टमेंट में भी दखल रखता था। उन दिनों आंख का मुआयना करने के लिये आज जैसी माडर्न गजटरी नहीं होती थी। आज कल की तरह कम्प्यूटर से चशमे का नम्बर नहीं निकाला जाता था जिसे कि बाद में फिजीकली बस कनफर्म किया जाना होता था। तब डाक्टर मरीज की नाक पर

एक चश्मे जैसा शिकंजा चढ़ाता था और उस में जुदा जुदा फोकल लैंग्थस के लैंस डाला मरीज से क्विज प्रोग्राम शुरू करता था—"ये ठीक है कि ये ठीक है?"

एक तो डाक्टर रोबीला, ऊपर से बगल में पिता की हाजिरी, मैं घबरा बौखला कर फैसला करता था कि क्या ठीक था। नतीजतन डाक्टर साहब ने जो नम्बर मुझे दिया, सरासर गलत दिया। उन्होंने मुझे माइनस पांच का नम्बर तजवीज किया जब कि कई साल बाद—जब कि आई टैस्टिंग की सोफिस्टिकेटिड मशीनें आ गयी थीं—मुझे मालूम हुआ कि वो नम्बर गलत था, असल में मुझे माइनस चार से भी कम का लैंस लगाते होना चाहिये था लेकिन वो बातें, वो फर्क मेरे लिये गौण थे, बड़ी बात ये थी कि चश्मा लगते ही मुझे एक नयी ही दुनिया दिखाई देने लगी थी। जिस रोज मुझे चश्मा मिला, उस शाम मैं पिता के साथ ही घर लौटा था और बल्लियों उछलता घर लौटा था क्यों कि दिल्ली मुझे कभी इतनी रंगीली, इतनी चमकीली, इतनी मल्टीकलर्ड नहीं दिखाई दी थी।

चश्मे के साथ मैं घर लौटा तो मेरी मां की आंखों में आंसू आ गये। मेरी बचकानी खुशी के साथ वो खुद को न जोड़ पायी। तब बच्चों को चश्मा लगना कोई आम बात नहीं थी। चश्मा एक खोट थी, एक नुक्स था जो उसके 'सोहणे सजीले पुत्तर' में पैदा हो गया था।

यहां ये बात गौरतलब है कि अगर कोई मायोपिक (MYOPIC) होता है यानी अगर किसी की दूर की निगाह खराब होती है तो वो जन्म से होती है, भले ही उसकी खबर उसे देर से—या मेरी तरह बहुत देर से—लगे। जब कि नजदीक की निगाह उम्र के साथ बिगड़ती है और ऐसा अक्सर चालीस के बाद होता है। दूर की निगाह सत्तर, अस्सी साल तक के लोगों की न बिगड़ती देखी गयी है लेकिन कुदरत ने इंसान को कुछ ऐसा बनाया है कि चालीस के बाद नजदीक की निगाह में नुक्स पैदा होना लाजमी होता है। चालीस के ऊपर के शख्स में जब वो प्रक्रिया शुरू होती है तो वो पढ़े जाने वाले डाकूमेंट को निगाह से थोड़ा परे सरका कर देखता है तो वो उसे पढ़ पाता है और यूं काम चला लेता है। डाकूमेंट को परे, और परे सरकाने का सिलसिला चलता चलता इस हद तक पहुंच जाता है कि पूरी बांहें सामने फैला कर भी वो पढ़ा नहीं जा पाता। उस अवस्था को व्यंग्य में कहा जाता है कि अधेड़ावस्था में एक वक्त ऐसा आता है कि बांहें छोटी हो जाती हैं।

तब भुक्त भोगी रीडिंग ग्लासिज़ की मोहताजी की पकड़ में आता है।

मैं गली में चश्मा लगा कर फिरता था तो लोकल्स अचरज करते थे और फब्तियां कसते थे कि ये भी कोई लाड हुआ, ये भी कोई 'फैसन' हुआ, इतने छोटे लड़के को चश्मा ले दिया। मेरी मां सुनती थी तो मातमी आवाज में समझाती

थी—"बहन जी, ये फैशन वाला चश्मा नहीं है, काके की निगाह खराब हो गयी है, ये नजर का चश्मा है।"

लोग बाग और अचरज करते थे, अविश्वासभरी शक्ल बनाते थे और कहते थे—"लो! इत्ते बित्ते भरके छोरे की नजर खराब हो गयी है! हमें पागल बनाने चली है पंजाबन! वो तो बुढ्ढों की होती है! वो भी सबकी नहीं! हमारे ताया भी बासठ साल के हैं, अभी तक चश्मा नहीं लगाते! ऊंह! फैसन कराया है छोरे को! हमें सब बेरा!"

चश्मे से मेरी रोजमर्रा की जिन्दगी तो खुशहाल हुई लेकिन वो मेरे लिये हैण्डीकैप भी बन गया, वलनरेबल प्वायंट भी बन गया। स्कूल में या गली में किसी से झगड़ा होता था—ऐसे झगड़े होते ही रहते थे, नहीं टाले जा सकते थे—तो सबसे पहले तो वो मेरा चश्मा ही उतार के अपने कब्जे में करता था और मुझे चश्मे की वापिसी के लिये गिड़गिड़ाने के लिये मजबूर करता था।

राजकुमार गौतम नाम के मेरे एक सहपाठी ने तो एक बार हद ही कर दी। उसने न सिर्फ मेरा चश्मा उतार लिया, ले कर भाग गया। सारा दिन सहमा सा मैं इस उम्मीद में चश्मे के बिना घूमता रहा कि अब लौट आयेगा, अब लौट आयेगा पर वो न लौटा। दिन ढले मुझे नयी फिक्र खाने लगी कि पिता को पता लग गया तो इसी बात पर धुन देगा कि मैं इतने कीमती (कितने कीमती! मुझे नहीं मालूम था) चश्मे की हिफाजत नहीं कर सका था। तब डरते झिझकते मैंने तमाम माजरा अपनी मां को बयान किया।

"उसका घर मालूम है?"—चिन्तित मां ने पूछा।

"फर्श बाजार के पास की किसी गली में है, पक्का नहीं मालूम।"

"फर्श बाजार तक ले के चल।"

हम मां बेटा फर्श बाजार पहुंचे तो वहां दरयाफ्त करने से पता चल गया कि राजकुमार गौतम कहां रहता था। मेरी ये भी खुशकिस्मती हुई कि तब वो घर पर था।

पूरी बेशर्मी से दान्त निकालते, सर्वदा खेदरहित भाव से उसने मुझे चश्मा लौटाया।

बहरहाल अब मैं क्लास रूम में बगल में बैठने वाले सहपाठी की कापी का मोहताज नहीं था, बोर्ड पर मास्टर का लिखा बोर्ड पर से सीधे पढ़ सकता था। अब मैं बिना पिन होल के सिनेमा देख सकता था। आस पड़ोस की हमउम्र लड़कियां भी अब मुझे पहले से ज्यादा खूबसूरत, ज्यादा सजी धजी दिखाई देती थीं।

मेरे को चश्मा लग गया, पिता का खर्चा हो गया, बात आयी गयी हो गयी लेकिन मेरी मां के लिये न हुई। मेरी दायीं आंख की बाबत वो अक्सर मेरे पिता के सामने अपनी चिन्ता व्यक्त करती थी, जवाब में पिता 'हां, हूं' कर के 'देखेंगे, कुछ करेंगे' कह कर रह जाते थे।

आखिर एक रोज पिता ने बताया कि दरियागंज में डाक्टर श्रौफ का आंखों का हस्पताल था जहां कई बड़े डाक्टर ओपीडी अटैंड करते थे लेकिन पिता मुझे नहीं ले जा सकते थे, लिहाजा ये काम मां को करना चाहिये था।

मां ने वो काम करना कबूल किया और किया। आठ नौ महीने तक हर महीने वो मुझे दरियागंज डाक्टर श्रौफ के हस्पताल में—जो कि आज भी विद्यमान है और पूर्ववत् चलता है—ले कर जाती रही, जब कि दूसरी विजिट में ही डाक्टर ने बोल दिया था कि दायीं आंख जन्म से कमजोर थी, उसमें कोई सुधार मुमकिन नहीं था। मां फिर भी मुझे वहां ले जाती रही। वहां कई डाक्टर थे जो ओपीडी अटेंड करते थे, हर बार हमारा नये डाक्टर से वास्ता पड़ता था और बड़े दयनीय भाव से वो उम्मीद करती थी कि कोई तो ये कह कर उसके कान में अमृत टपकायेगा कि मेरी दायीं आंख में सुधार हो सकता था। लेकिन ऐसा करिश्माई आश्वासन क्योंकर हासिल होता ! एक बार हमारा नम्बर उसी डाक्टर के क्लीनिक में आ गया जिसने सब से पहले कहा था कि मेरी दायीं आंख का कुछ नहीं हो सकता था। उसने सबके सामने मेरी मां को बुरी तरह से झिड़का कि क्यों वो बार बार वहां आ जाती थी।

हार कर मां ने मुझे वहां ले जाना बन्द किया।

दरियागंज का वो माहाना फेरा एक और वजह से भी काबिलेजिक्र है। मेरी मां मेरी दोनों छोटी बहनों को और घर को एक पड़ोसन के आसरे छोड़ कर मेरे साथ शाहदरा से ट्रेन में सवार होकर दिल्ली रेलवे स्टेशन पहुंचती थी और इस ईनाम या लालच के जेरसाया मुझे आल दि वे दरियागंज तक पैदल चलाती थी कि वो वापिसी में विग पूरी वाले से मुझे पूरी खिलायेगी। विग पूरी वाला तब बहुत मशहूर था जो कि लाजपत राय मार्केट से आधा अन्दर आधा बाहर फुटपाथ पर मुकाम पाता था और जिस घड़ी भी पहुंचो, खचाखच भरा मिलता था। लिहाजा बैठने को जगह पाने की बारी आने का इन्तजार करना पड़ता था। चार आने की दो पूरी मिलती थीं जो इतनी बड़ी होती थीं कि मेरी तीसरी की चाह नहीं होती थी, दो से ही पेट भर जाता था।

तब मेरा अपनी कमजोर, लाइलाज दायीं आंख से कोई वास्ता नहीं था, वास्ता था तो इस बात से कि ट्रेन के सफर का, दिल्ली की सैर का दुर्लभ मौका

मिलता था और ये ... बड़ी बड़ी दो पूरी खाने को मिलती थीं। उन दो पूरियों के लालच में दरियागंज और बैक की स्टेशन की लांग वाक मुझे कभी न अखरी। अखरने की कोई वजह ही नहीं थी, आखिर उतना ही फासला मेरी मां भी तो मेरे साथ पैदल चलती थी।

शाहदरा में होली का हुड़दंग काफी व्यापक होता था। होली से बीस बाइस दिन पहले ही हो हल्ला शुरू हो जाता था। तब रंग अभी नहीं खेला जाता था लेकिन होली के नाम पर प्रैंक्स (PRANKS) का बहुत बोलबाला होता था। दो प्रैंक्स तो बहुत पापुलर थे और एक ही टाइम में कई विभिन्न इलाकों में आजमाये जाते थे।

एक में बीच सड़क पर एक रुपये का एक सिक्का इस ढंग से पैबस्त किया जाता था कि वो वहां से उठाया नहीं जा सकता था। राहगीर सड़क पर पड़ा सिक्का देखता था तो उसके करीब ठिठकता था और झुक कर उसे उठाने की कोशिश करने लगता था। सिक्का वो उठा नहीं पाता था, प्रैंकस्टर उसके इर्दगिर्द जमा हो कर तालियां बजाते थे और उसकी, उसके लालच की खिल्ली उड़ाते थे। वो बेचारा खिसियाया सा वहां से खिसक लेता था।

थोड़ी देर बाद उसी जाल में कोई दूसरा जमूरा फंस जाता था।

घन्टों वो सिलसिला चलता था जिसमें शिकार की खिल्ली उड़ाने में बाजार के दुकानदार भी शामिल होते थे।

दूसरे में बीच बाजार में ऊंचाई से बारीक लेकिन मजबूत धागे के साथ बन्धा एक हुक लटकाया जाता था जिसे कहीं किसी इमारत की पहली मंजिल के छज्जे पर बैठा कोई लड़का कन्ट्रोल करता था। तब काफी लोग बाग टोपी पहनते थे। ऐसा कोई टोपी वाला सड़क पर से गुजरता था तो एक लड़का उसकी पीठ पीछे चुपके से और नीचे लटक आया हुक थामता था और उसे राहगीर की टोपी में अटका देता था। छज्जे पर बैठा लड़का फौरन टोपी खींच लेता था और टोपी राहगीर के सिर के ऊपर उसकी पहुंच से दूर हवा में लटक जाती थी। तब टोपी की वापिसी के लिये उससे पैसों की मांग होती थी जो कोई भुनभुना के देता था तो कोई कोई खुद को उस प्रैंक में शरीक मान के खुशी खुशी भी देता था और कोई कोई सब को कोसनों से नवाजता लड़ने भिड़ने को उतारू हो जाता था। लेकिन मुकाबिल बेशुमार लड़के होते थे जिन के सामने उस की पेश नहीं चलती थी तो आखिर वो भुनभुनाता हुआ टोपी छोड़ के चल देता था, पैसे नहीं देता था। तब कोई लड़का उसके पीछे दौड़ कर जाता था और उसकी टोपी लौटा कर आता था।

सारा दिन वो तमाशा चलता था।

उपरोक्त दोनों पब्लिक न्यूसेंस थीं जिन पर किसी बन्दिश की कोशिश कभी नहीं हुई थी।

मुझे अच्छी तरह से याद है कि होली के अवसर पर लाहौर में भी ऐसा एक तमाशा चलता था जिस का शिकार कोई बेचारा निर्दोष हातो होता था। वो तमाशा उस उम्र में भी मुझे बुरा, बद्मज़ा, बल्कि घिनौना, लगता था।

जैसा कि मैंने पहले भी अर्ज किया, लाहौर में जो कश्मीरी मजदूर होते थे वो हातो कहलाते थे और वो बहुत ही विपन्न और भोले होते थे।

ऐसे एक हातो को उसकी उजरत मुकर्रर करके एक मिट्टी का घड़ा उठाने के लिये बुलाया जाता था जिस का मुंह बन्द होता था और जो गन्दगी से भरा होता था। हातो घड़ा सिर पर उठाये बाजार से गुजरता था तो कुलीन शरारती तबका पीछे से पत्थर मार कर घड़े को तोड़ देता था। नतीजतन बेचारा हातो सिर से पाँव तक गन्दगी से सराबोर हो जाता था और लोग हो हो कर के, तालियां बजा के हँसते थे।

पता नहीं घड़ा उठाने के लिये मुकर्रर उजरत भी उसे मिलती थी या नहीं !

गनीमत थी कि शाहदरा में होली पर इतना बुरा कुछ नहीं होता था।

होली वाले दिन होली एंथुजियास्ट लड़के टोलियां बना कर होली खेलने निकलते थे। वो होली के भड़वे कहलाते थे और बाकायदा तरन्नुम में उनका जिक्र किया जाता था :

"होली के भड़वे निकल पड़े, कोई यहां गिरा कोई वहां गिरा।"

उपरोक्त गीत सन् 1948 में रिलीज हुई फिल्म 'प्यार की जीत' के सैड सांग 'इक दिल के टुकड़े हजार हुए, कोई यहां गिरा कोई वहां गिरा' पर आधारित था और फिल्म के आयी गयी हो जाने के बाद भी सालोसाल होली पर गाया जाता रहा था।

'कोई यहां गिरा कोई वहां गिरा' वाले हिस्से की बुनियाद शायद भांग या शराब जैसा कोई नशा होता था लेकिन पक्के तौर पर इस बाबत मुझे कोई खबर नहीं।

होली पर मजाक में तब अर्थी निकालने का बहुत रिवाज था। एक लड़का मुर्दा बन कर अर्थी पर लेट जाता था और बाकी जने विलाप सा करते उसके साथ चलते थे :

"बेचारा अभी मरा है।"

"देसी घी का परांठा खा के मरा है।"

"सजरा मोया ए। (ताजा मरा है)"

बीच बीच में मुर्दा भी उठ कर बैठ जाता था और बाकायदा उस हाल दुहाई को खुद भी तरह देता था।

आज मुझे वो नजारा याद आता है तो हैरानी होती है कि कैसे मां बाप को औलाद का—मजाक में ही सही—मुर्दा बन के अर्थी पर लेटना कबूल होता था।

और गौरतलब बात ये थी कि भड़वों की वो टोलियां साथ में लम्बी सीढ़ी ले कर निकलती थीं। वो घर घर जाते थे और जो कोई होली के हुड़दंग में शामिल होने में रुचि न दिखाये, घर में छुप कर बैठ जाये, उसके घर को सीढ़ी लगाते थे जो इतनी लम्बी होती थी कि आराम से दोमंजिले तक पहुंच जाती थी। यूं घर की छत पर पहुंच कर सीढ़ियों के रास्ते नीचे उतर कर उसको काबू में करते थे और जबरन उसे होली में शरीक करते थे।

होली का त्योहार किसी भी उम्र में मुझे पसन्द नहीं था और मैं हमेशा उससे कतराता था। मैं भी होली पर घर में छुप कर बैठने वालों में था लेकिन होली के भड़वे मेरे घर में भी अपने ट्रेडीशनल स्टाइल से घुस ही आते थे। तब मेरी मां उन के आगे ये अपील लगा कर मेरी मदद करती थी—"लड़का बीमार है, इसे भिगोना नहीं।"

कभी वो अपील कबूल होती थी, कभी नहीं होती थी। कभी मुझे खाली मुंह पर गुलाल मल कर छोड़ दिया जाता था तो कभी बिना लिहाज के रंगभरी पिचकारियां मार मार कर ऊपर से नीच तक सराबोर किया जाता था।

उन के गीले रंग अधिकतर ऐसे होते थे कि हफ्ता रगड़ते रहने पर जिस्म से छूटते नहीं थे।

सवेरे सात बजे से शुरू हुआ वो सिलसिला दोपहरबाद दो ढ़ाई बजे तक तो यकीनन चलता था।

☐

सन 1952 में आजाद भारत में पहली बार जनरल इलैक्शंस हुए थे।

जनरल इलैक्शन एक बहुत व्यापक, मेले जैसा आयोजन था जिसने आवाम में बहुत उत्तेजना फैलाई थी। तब वो कहलाता भी पर्ची मेला ही था। तब भारत में कांग्रेस और जनसंघ (आज की भारतीय जनता पार्टी) दो ही प्रमुख राजनैतिक पार्टियां थीं जो दिल्ली में सक्रिय थीं। तीसरी किसी गिनती में थी तो कम्यूनिस्ट पार्टी थी जिस का कोई कामरेड इलैक्शन लड़ता था तो कभी नहीं जीत पाता था—जीतना तो दूर सिक्योरिटी जब्त होने से बचा लेता था तो कमाल समझा जाता था। कोई इक्का दुक्का इंडीपेंडेंट कैण्डीडेट भी खड़ा हो जाता था जिस को ये खुशफहमी होती थी कि अपने क्षेत्र में वो बहुत मशहूर था,

हैण्ड्स डाउन जीत सकता था। जब कि असल में उसे हजारों में तो क्या, सैंकड़ों में भी वोट हासिल नहीं होती थीं।

तब शाहदरा में ऐसे एक बुधसिंह नाम के इंटीपेंडेंट कैण्डीडेट का किस्सा बहुत मशहूर होता था जिस की बाबत मुझे पता नहीं कि सच था कि गढ़ा हुआ था। किस्सा था :

इंडीपेंडेंट कैंडीडेट बुधसिंह अल्पशिक्षाप्राप्त था, भाषण देने में अक्षम था लेकिन उसे समझाया गया कि अपने सम्भावित वोटरों के बीच उसका सभा करना, भाषण देना जरूरी था, भले ही ऐसा वो महज एक बार कर पाये।

"लेकिन मैंने कभी भाषण दिया नहीं !"—बुधसिंह ने अपनी कमतरी जाहिर की।

"अरे, कुछ मुश्किल नहीं होता भाषण देना।"—उसे समझाया गया— "किसी भी बात को पकड़ कर बोलना शुरू कर देना, फिर देखना, अपने आप बात में से बात निकलती चली जायेगी।"

"अच्छा !"—बुधसिंह संदिग्ध भाव से बोला।

रात को पता नहीं कैसे उसकी चुनाव सभा में चन्द श्रोता जमा भी हो गये। उस बात से उत्साहित हो कर बुधसिंह माइक के आगे खड़ा हुआ और, जैसा उसे समझाया गया था, उसने एक बात को पकड़ कर बोलना शुरू किया :

"भाइयो और बहनो, पंडित जवाहर लाल नेहरू हमारे सबसे बड़े नेता हैं जिन्हें कि गुलाब का फूल बहुत पसन्द है। गुलाब से गुलकन्द बनता है। गुलकन्द

खांसी दूर करता है जो कि हर बीमारी की जड़ होती है। जड़ की बात करूँ तो वो खरबूजे की लम्बी होती है। खरबूजे को देखकर खरबूजा रंग बदलता है। रंग, आप जानते ही हैं कि, जर्मनी के मशहूर होते हैं। जर्मनी ने कई वारें लड़ी थीं जैसे सोम वार, मंगल वार, बुद्ध वार, मेरा नाम बुधसिंह है, वोट मुझे देना।"

बुधसिंह को इलैक्शन में तीन वोट मिले। बीवी गले पड़ गयी।

"तुमने कोई रखी हुई है।"

"पागल हुई है !"

"जरूर कोई रखी हुई है, नहीं तो ये तीसरा वोट किसका है? एक वोट तुम्हारा अपना है, दूसरा मैंने दिया, कोई रखी नहीं हुई तो तीसरा कहां से आ गया?"

इलैक्शन के दिनों में तब एक अच्छा भाईचारा पैदा होता था जो कि आज दिखाई नहीं देता। तब एक स्थान पर कांग्रेस की चुनाव सभा के लिये मंच खड़ा किया जाता था, लाउडस्पीकर वगैरह लगाये जाते थे तो सभा समाप्त होने के बाद वो सब तामझाम उखाड़ा नहीं जाता था, उसी पर अगले रोज जन संघ की चुनाव सभा होती थी, और अगले रोज कम्यूनिस्ट पार्टी की चुनाव सभा होती थी वगैरह।

चुनाव सभा के टाइम का ढिंढोरा शाम आठ बजे का पिटवाया जाता था, लेकिन असल में सभा दस के बाद शुरू होती थीं और देर रात तक चलती थी। उससे पहले फिल्मी गाने बजते रहते थे और बीच बीच में घोषणा होती रहती थी कि फलां नेता बस पहुंचने ही वाले हैं।

दस बजे भी पहले जनाबेहाजरीन को एन्टरटेन करने के लिये राग रंग का प्रोग्राम होता था जिस में तब के मशहूर फिल्मी गानों की तर्ज पर बने गाने सुनाये जाते थे।

जैसे उन दिनों 'नगीना' फिल्म का गाना मशहूर था—'तू ने हाय मेरे जख्मेजिगर को छू लिया' और कांग्रेसी मंच से कोई सिद्धहस्त गायक तबला हारमोनियम की संगत के साथ पंडित जी का प्रशंसागान करता था—'तूने देश की खातिर क्या कुछ नहीं है किया'।

तब एक दूसरा गाना मशहूर था जिसकी फिल्म का नाम 'काली घटा' था और जिस के बोल थे—'लाई लाई हिल्ला बेली ला रे, दिन है प्यारे प्यारे, तू मेरा मैं तेरी, ऐसे में तू आ जा रे।' इसका कांग्रेसी प्रचार वर्शन होता था—"नेहरू का पैगाम है, सब जनता के नाम है, दूर करो बीमारी, जो है फिरकेदारी।"

तब सुनने में आता था कि कांग्रेस के लिये ऐसे गाने इन्द्रजीत सिंह तुलसी नाम के एक सिख कवि लिखते थे जो कि रेल मन्त्रालय में क्लर्क थे और यूं कांग्रेस के लिये गाने लिखते लिखते ही मन्त्रालय में बहुत ऊंचे पद तक पहुंचे थे

रात की वैसी रौनक फिर शाहदरा में दशहरे के दिनों में होती थी। जो लोकल ट्रेडीशनल दशहरा था, वो सर्कुलर रोड के पीछे के उस मैदान में मनाया जाता था जिस में कभी कभार टूरिंग टाकी का तामझाम खड़ा होता था। वहां एक बाड़ा बनाया जाता था जिसके एक सिरे पर स्टेज होती थी और सामने सारे मैदान की परिक्रमा में एक कारीडोर बनाया जाता था जिस में राजा रामचन्द्र की सवारी निकलती थी जो स्टेज पर पहुंचती थी तो कुछ डायलॉगबाजी होती थी जो अव्वल तो सारे हुजूम को सुनाई ही नहीं देती थी, सुनाई देती थी तो उसकी तरफ तवज्जो कोई कोई जान ही देता था। मूल रूप से आयोजन एक मेला होता था जहां लोगबाग चाट पकौड़ी, गोलगप्पे, जलेबी खाने आते थे।

उपरोक्त के विपरीत पंजाबी रिफ्यूजियों द्वारा जो रामलीला संचालित की जाती थी, वो स्टेज पर होती थी और रोज सिर्फ रामलीला ही नहीं होती थी, बीच बीच में वीर अभिमन्यू, श्रवण कुमार जैसे ड्रामे भी होते थे जो दर्शक राम लीला से ज्यादा एनजाय करते थे। वो टिपीकल पंजाबी आयोजन था जैसा लोकल्स ने पहले कभी नहीं देखा था। दस साढ़े दस बजे स्टेज का पर्दा उठता था और डेढ़ दो बजे तक कार्यक्रम चलता था। लेट शुरुआत की वजह ये होती थी कि दुकानदार तबका नौ बजे तक घर लौटता था, खाना खाने में फिर गृहिणी के रसोई समेटने में दस बज जाते थे और फिर वो सपरिवार जाकर पड़ोस के उस मैदान में बैठता था जहां वो आयोजन होता था। घर का कर्त्ता नहीं जाता था तो गृहिणी बच्चों को ले कर रामलीला देखने और उन्हें दिखाने चली जाती थी।

रामलीला में जो दशरथ का रोल करता था, वो एक अधेड़ावस्था का इन्दरसिंह नाम का सरदार था, फर्श बाजार में उसकी ड्राई क्लीनिंग की दुकान थी और वो इन्दरसिंह लांड्रीवाला के नाम से सारे शाहदरा में मशहूर था। दशरथ बनने के लिये उसे बस इतना करना पड़ता था कि किनारी बाजार से आया किराये का कास्ट्यूम पहनता था, पगड़ी उतार कर केश खोलता था और पगड़ी की जगह सिर पर मुकट बांध लेता था। सरदार होने की वजह से रौबदार दाढ़ी मूंछ तो उसके चेहरे पर होते ही थे, लिहाजा सजीला दशरथ तैयार।

जब राम को बनवास का प्रसंग आता था तो अपनी व्यथा को जुबान देने के लिये राजा दशरथ—इन्दरसिंह लांड्रीवाला—एक गाना गाते थे जो कि पूरे का पूरा टैक्सी ड्राइवर फिल्म का होता था और उसके बोल औने पौने राजा दशरथ की उस घड़ी की भावनाओं पर तब फिट भी बैठते थे, नहीं बैठते थे तो जबरन बिठाये जाते थे। हरमोनियम की तान पर और ढोलक तबले की थाप पर व्यथित होते, गिरते पड़ते, पछाड़ खाते राजा दशरथ गाते थे :

जायें तो जायें कहां
समझेगा कौन यहां

दर्दभरे दिल की जुबां
जायें तो जायें कहां !
मायूसियों का मजमा है जी में
क्या रह गया है इस जिन्दगी में
रुह में गम, दिल में धुआं
जायें तो जायें कहां !
ओ जाने वाले दामन छुड़ा के
मुश्किल है जीना तुझको भुला के
इक किश्ती सौ तूफां
जायें तो जायें कहां।
उनका भी गम है, अपना भी गम है....

मूल गाने में दूसरी लाइन है 'अब दिल में बसने का उम्मीद कम है'। यहां इन्दरसिंह लांड्रीवाला अपनी अक्ल लड़ाता था और राजा दशरथ के उस घड़ी के किरदार के अनुरूप उस लाइन को अमैंड करके गाता था :

अब मेरे बचने की उम्मीद कम है।

गाना खत्म होता था, राजा दशरथ आखिरी बार पछाड़ खा के गिरते थे और एक साल और इन्दरसिंह लांड्रीवाला की पावरफुल परफारमेंस का समापन होता था।

जो पंजाबी सज्जन रावण बनते थे, उन का जिस्म भारी भरकम था और कद लम्बा था इसलिये रावण के मेकअप में बहुत प्रभावशाली लगते थे। अन्त में जब राम रावण युद्ध में मृत्यु को प्राप्त होते थे तो यूं धराशायी होते थे कि स्टेज हिला देते थे।

दर्शकों में बैठी उन की पत्नी सब से ज्यादा व्याकुल होती थी, यूं जैसे कि रावण न मरा हो, उस का पति मर गया हो। उस बात से हलकान हर बार वो अपने पति से मनुहार करती थी—"आप रावण न बना करो।"

उसकी मनुहार कभी कबूल नहीं होती थी। हर साल वो ही रावण बनता था। आखिर उस किरदार को निभाने में उसे जितनी वाहवाही हासिल होती थी, उतनी तो किसी भी दूसरे अभिनेता के किरदार को हासिल नहीं होती थी—राम को भी नहीं, दशरथ को भी नहीं।

रामलीला में जहां जहां रावण के दरबार का दृश्य आता था, पब्लिक के मिजाज के मद्देनजर उसे एक खास तरीके से हैंडल किया जाता था। मसलन जैसे हनुमान जी ने रावण के दरबार में पेश होना है तो पर्दा उठता था तो रावण का दरबार सजा सामने आता था। एक ऊंचे मंच पर रौबदार रावण बिराजमान होता था और दायें बायें अर्धवृत बनाये आठ दस मन्त्री बैठे होते थे। तब फौरन वहां

हनुमान जी का पदार्पण नहीं होता था, जैसे कि होना चाहिये था। पहले रावण की रोबीली आवाज पब्लिक अड्रैस सिस्टम पर गूँजती थी—"महामन्त्री, नाचने वाली को बुलाओ।"

पहले से तैयार लड़की बना लड़का दरबार में पेश होता था और पब्लिक की तरफ मुँह करके—रावण की तरफ मुंह करके नहीं जिस के हुक्म पर कि नाचने वाली को बुलाया गया था—बड़ी दक्षता से कुक्कू की तरह डांस करने लगता था और साथ में रिकार्ड चलता था—"एक दो तीन, आजा मौसम है रंगीन।"

पब्लिक खुश।

तदोपरान्त दरबार में हनुमान जी का पदार्पण होता था और रामायण आगे बढ़ती थी।

आगे फिर दरबार का सीन आता था जब कि अंगद ने पेश होना होता था। तब फिर रावण की हुंकार गूंजती थी—"महामन्त्री, गाने वालों को बुलाओ।"

चार पाँच लड़के स्टेज पर प्रकट होते थे जो कि कास्ट्यूम भी नहीं पहने होते थे और पब्लिक की ओर मुंह करके नाचते गाते फिल्म ठोकर की कव्वाली गाने लगते थे :

"मैं तो नहीं पीता मैंने तो नहीं पी है,
साकी से मुहब्बत है उसी की खुशी की है।"

रावण के दरबार में कव्वाली!

सब एनजाय करते थे। कभी किसी ने शिकायत नहीं की थी।

जो युवक राम का रोल अदा करता था वो शो का डायरेक्टर भी था और सर्वेसर्वा भी था इसलिये उसकी बाकियों से ज्यादा चलती थी, सब उसका रौब मानते थे।

राम को बनवास हो जाने के बाद के सीन का जब पर्दा उठता था तो स्टेज पर सीता और राम खड़े होते थे। राम के बायें कन्धे पर धनुष होता था, दायें हाथ में तीर होता था और सीता उस की बगल में खड़ी होती थी। तब वो एक्टर से पहले डायरेक्टर होता था और एक्ट शुरू करने से पहले सीता को निर्देश देता था—"पिच्छे हट के खलो।"

जो माइक के जरिये पब्लिक को साफ सुनाई देता था कि राजा रामचन्द्र पंजाबी बोल रहे थे, सीता माता को पीछे हट के खड़ी होने को बोल रहे थे।

सीता एक क़दम पीछे हट के खड़ी हो जाती थी।

तब राजा रामचन्द्र स्टेज लैवल से नीचे बैठे साजिन्दों को इशारा करते थे और गाना शुरू करते थे—"न बन को चलो ऐ सिया कहना मानो... न बन को चलो ऐ सिया कहना मानो...."

और साथ ही ठिठक कर साजिन्दों को निर्देश देते थे—"ठेका शुरू!"

तत्काल तबला खड़कता था ढोलक को थाप पड़ती थी, हारमोनियम बजना शुरू होता था।

उस राम लीला का कोई रामचरित मानस जैसा स्थापित आधार नहीं होता था। एक्टर-निर्देशक-व्यवस्थापक अपनी ही स्क्रिप्ट तैयार करता था जो मोटे तौर पर कथा का अनुसरण करती थी।

उन दिनों दो रामायण बाजार में बहुत चलती थीं :

एक के रचयिता राधेश्याम कथावाचक थे। तब वो रामायण इतनी पापुलर थी कि उसकी नकल भी छपने लगी थी जिसके लेखक राधेश्याम के साथ 'कथावाचक' नहीं जुड़ा होता था। ओरीजिनल राधेश्याम की रामायण बहुत सरल भाषा में वर्स में होती थी। कुछ प्रसंग तो यूं होते थे जैसे फिल्म के डायलाग्स और स्क्रीनप्ले के तौर पर लिखे गये हों। एक मिसाल देखिये :

अंगद रावण से मुखातिब है, बाकायदा उसे फटकार लगा रहा है :

"ओ, झूठे, नारीचोर, मूर्ख, क्या नया तुझे सरसाम हुआ?
कोई और हकीम बुलाअं क्या जो अभी नहीं आराम हुआ?"

केकई को फटकार की राधेश्याम कथावाचक स्टाइल बानगी देखिये :

"केकई, केकई खबरदार ! क्यों तोड़ रही तू सांगा है?
तूने वन राम को मांगा है या सीता को भी मांगा है?
सीता पर क्या अधिकार तेरा जो वलकल तू पहनाती है?
हम जितना दबते जाते हैं, तू उतना तनती जाती है?"

परशुराम के लक्ष्मण के प्रति उद्गार देखिये :

"तू नाहक छोटा-ढोटा है, पर बड़ा ढीठ और खोटा है,
सोने के लोटे में विष है जो दूध मिला के घोटा है।"

दूसरी प्रचलित रामायण यशवन्त राय की थी जो कि आगा हश्र के स्टाइल में ठेठ उर्दू में थी। उस का एक नमूना मुलाहजा फरमाइये :

राजा रामचन्द्र को बनवास का आदेश हो चुका है। वो कौशल्या माता को इस बात की खबर देने पहुंचते हैं। भाषा उर्दू है इसलिये बनवास तो नहीं कहा जा सकता, उसकी जगह उर्दू का दिलखुश लफ्ज 'फकीरी', देखिये, क्या खूब लगाया गया :

राजा रामचन्द्र तरन्नुम में कौशल्या माता को खबर करते हैं :

"राज के बदले माता मुझ को हो गया हुक्म फकीरी का,
खड़ा मुन्तज़िर हे माता मैं तेरे हुक्म अखीरी का।"

जवाब में कौशल्या माता विलाप के से स्वर में तरन्नुम में उचरती है :

"बैठी थी मैं आस लगाये, इन बातों की आन गुमान नहीं,
सुन कर तेरी बातें बेटा, रही बदन में जान नहीं।"

तब पंजाबी रिफ्यूजी जो रामायण पेश करते थे, वो उपरोक्त की और उनके अपने वर्शन की खिचड़ी होता था जो रोते हँसते दर्शकों को खूब आनन्दित करता था।

पब्लिक के मनोरंजन के लिये रावण के दरबार में तो फिल्मी गाना बजाना खुल्ला होता था, रोज रात बीच बीच में दस दस मिनट की दो पंजाबी स्किट भी पिरोई जाती थीं जो परफारमेंस में ऐसी बाकमाल होती थीं कि वो दर्शक भी हँस हँस कर लोट पोट हो जाते थे जिन्हें पंजाबी नहीं आती थी।

उस रामलीला के सारे किरदार पंजाबी थे जिन के लिये रामलीला के लिये खड़े पैर अपने पंजाबी डायलेक्ट से किनारा कर पाना मुहाल क्या, नामुमकिन होता था। अपने उर्दू के डायलॉग तो वो जैसे तैसे घोट लेते थे—या इस बाबत प्राम्पटर मदद कर देता था—लेकिन अपने पंजाबी डायलेक्ट को दरकिनार वो नहीं कर पाते थे—कर क्या नहीं पाते थे, कोशिश ही नहीं करते थे—आखिर जमा दर्शक भी तो दो तिहाई पंजाबी ही होते थे।

वीर अभिमन्यु के ड्रामे में अर्जुन बने पंजाबी एक्टर की डायलॉग डिलीवरी की बानगी देखिये :

डायलाग है :

"क्षत्रिय कुमार धर्म से विचलित नहीं होगा।"

पंजाबी अर्जुन बोलता है :

"छतरी कुमार धरम से वचल्लत नईं होगा।"

अदायगी हास्यास्पद थी लेकिन कहने का ढंग तो रोबीला होता था, ओझपूर्ण होता था।

फिर परमारमेंस में अदाकार की अपनी मूल पर्सनैलिटी का भी दखल होता था, उस की नाटक मंडली में हैसियत का ही नहीं, सामाजिक हैसियत का भी दखल होता था। मसलन जो एक्टर श्रवण कुमार के ड्रामे में श्रवण कुमार का रोल करता था, वो पंजाब नेशनल बैंक में अधिकारी था इसलिये नाटक के अन्त में श्रवण कुमार के मरने का सीन उसे पांच सात मिनट में करने को कहा जाता था तो वो उसे पच्चीस तीस मिनट घसीटता था क्योंकि जानता था कि वो सीन निहायत पावरफुल था और मुकम्मल फोकस उस पर होना था। कैसे हो सकता था कि वो तीर खाता, दशरथ की नृषंसता के खिलाफ डायलॉग बोलता और मर जाता? वो तीर खाता था और पछाड़ खा कर यूँ स्टेज पर गिरता था कि स्टेज के तख्ते हिल जाते थे और जोर की आवाज होती थी, और गाना गाता था :

मैंने जालिम तेरा क्या बिगाड़ा (हिचकी)

तीर सीने में क्यों तू ने मारा (पछाड़)

बीस पच्चीस मिनट वो आठ दस लाइन के इस गाने को गाता था और हर लाइन की अदायगी के बाद तीर छाती से सटाये हिचकी ले कर पछाड़ खा कर गिरता था। कभी गिरते वक्त तीर हाथ से छिटक जाता था तो उठा कर फिर उसकी नोक छाती से लगा लेता था लेकिन दर्शकों के भक्ति भाव पर कोई फर्क नहीं पड़ता था, क्या बच्चे, क्या जवान, क्या बूढ़े सब जार जार आंसू बहाते बैलगाड़ी पर रवाना हुई श्रवण कुमार की मौत का नजारा करते थे।

यूं ही रावण वध का दृश्य बहुत लम्बा घसीटा जाता था। कितनी ही देर रावण के आखिर धराशायी होने से पहले राम रावण धनुष बाण सम्भाले एक दूसरे के गिर्द नाचते रहते थे, रावण गगनभेदी हूंकार भरता रहता था, राम मुस्कुराते रहते थे।

हमारी चाल के दूसरे विंग में एक पंजाबी परिवार था जिसके चार बच्चे—दो बेटियां, दो बेटे—थे। बेटों में एक चारों बच्चों में सब से बड़ा था—खूब बड़ा था—और दूसरा सबसे छोटा था। छोटी बेटी तीसरे नम्बर पर थी, मेरी हमउम्र थी, बहुत सुन्दर थी, बहुत बढ़िया बदन निकाल रही थी और—

बहुत चंचल थी।

इतनी की राह चलते लड़कों से बतिया लेती थी। गली में बैठ कर अंगीठी को पंखी मार रही होती थी तो साथ साथ करीब ठिठके खड़े किसी लड़के से बात भी कर रही होती थी। गली में कोई नौजवान फेरी वाला भी आता था तो उस की नवाजिशों से भरपूर तवज्जो के दायरे में होता था।

फिर पड़ोस में रहता मैं भला कैसे यूँ बंटते शीराजे से महरूम रह पाया होता! मैं उसका हमउम्र था, उसकी तरह पंजाबी था, पड़ोसी था इसलिये मेरे पर तो वो खास मेहरबान होना चाहती थी।

होना चाहती थी, हो नहीं पाती थी।

उसकी मां उसकी हरकतों से, उसके मिजाज से अच्छी तरह से वाकिफ थी इसलिये उस पर कड़ी निगाह रखती थी।

लेकिन चौबीस घन्टे कौन किस पर निगाह रख सकता था!

दशहरे के दिनों में नियमित रूप से वो अपनी बड़ी बहन और छोटे भाई के साथ रामलीला देखने जाती थी। मां, बड़ी बहन साथ होती थीं इसलिये रामलीला के दौरान अपने चंचल स्वभाव को हवा देना उसके लिये मुमकिन नहीं हो पाता था।

रामलीला का दस्तूर था कि हर रात की परफारमेंस के बाद अगली रात के प्रोग्राम की घोषणा हो जाती थी।

यूँ जिस रोज वीर अभिमन्यु के ड्रामे की बारी थी, मैंने मौका लगा के उससे बात की :

"जब अभिमन्यु मरे तो घर आ जाना।"

"क्या?"

"अरे, जब ड्रामा आधा हो चुका होता है तो चक्रव्यूह में घिर कर अभिमन्यु मरता है न?"

"हां।"

"तब तू घर आ जाना।"

"क्यों? आगे का ड्रामा मैंने भी तो देखना होगा!"

"तू न देखना।"

"क्यों?"

"ओफ्फोह! तू समझती क्यों नहीं'?"

"समझती तो नहीं लेकिन... चल, फिर?"

"फिर बोला तो! फिर घर आ जाना।"

"चाई नहीं आने देगी।"

"बोलना, जिद करना कि तुझे नींद आ रही थी।"

"वो छोड़ने आयेगी।"

"नहीं आयेगी। इतने जज्बाती ड्रामे को बीच में कोई नहीं छोड़ के आता।"

"बहन को या भाई को साथ भेजेगी।"

"अरे देखना, कोई नहीं उठने वाला। तेरे को अकेली चली जाने को बोला जायेगा। कोई मील थोड़े ही जाना है ! रामलीला से सौ गज पर तो घर है।"

"फिर भी कोई छोड़ने आया तो?"

"तो किस्सा खत्म।"

"न आया तो? मैं अकेली आयी तो?"

"तो समझ।"

"मेरे से नहीं समझा जाता। तू समझा।"

"अरे, तब बारह बजने को होते हैं। यहां सब सोये पड़े होते हैं। दोनों ड्योढ़ियां सुनसान होती हैं, सारी गली सुनसान होती है।"

"तो?"

"मैं तेरे को ड्योढ़ी में मिलूँगा न !"

"मिलेगा? किसलिये?"

"इसलिये?"

मैंने उसकी कमर पर चिकोटी काटी।

वो खुश हो गयी।

"ठीक है।"—और मुदित मन से बोली।

रात को वो निपट सन्नाटे में अकेली वापिस लौटी।

थर थर कांपते हुए मैंने ड्योढ़ी में उसे दबोच लिया।

लेकिन जल्दी ही—उसकी नहीं—मेरी हिम्मत दगा दे गयी। मैं उसे छोड़ के भाग गया और रामलीला में जा बैठा।

बाकायदा मैनीपुलेट करके वर्जित फल चखने का वो मेरा पहला मौका था जिसे मैंने खुद ही बंगल कर दिया।

अगले दिन स्कूल से लौटती उससे मैं टकरा गया तो उसने मेरी खूब खबर ली।

"उल्लू ! खोता ! भाग क्यों गया?"

"डर गया था।"

"एक मिनट के लिये इतना आडम्बर रचा !"

"एक मिनट कहां ! तीन...."

"एक से ज्यादा हरगिज नहीं। मूरख ! मैंने डरना था कि तू ने डरना था?"

"माफी !"

"अब क्या माफी ! मौका तो गया?"

"कल फिर...."

"मां का सिर कल फिर! कल आखिरी दिन है। पता नहीं चाई ले जायेगी या नहीं। जा दफा हो।"

कई दिन उसने मेरे से बात न की, मुझे दिखा दिखा कर, चिड़ा चिड़ा कर और लड़कों से बात की, मैं भी पछताता रहा कि अपनी बुजदिली के हवाले मैंने बहुत बढ़िया मौका खो दिया था और उसे नाराज कर लिया था।

लेकिन वो वाकया तो जैसे मेरे लिये ट्रेनिंग साबित हुआ।

अब चाल की, गली की और लड़कियों पर भी लाइन मारने की हिम्मत मुझ में आ गयी। कोई पटी, कोई न पटी, यूअर्स ट्रूली ने कोशिश बरकरार रखीं।

साहबान, मैंने जानबूझ के सुधीर कोहली को याद किया है। उसका मिजाज लड़कपन से इसलिये आशिकाना है क्योंकि मेरा मिजाज लड़कपन से आशिकाना था। उसकी मानिंद में भी कह सकता था :

अजल से हुस्नपरस्ती लिखी थी किस्मत में,
मेरा मिजाज लड़कपन से आशिकाना है।

जो फलसफा उसका नौजवानी में था; वो मेरा किशोरावस्था में था :

यू विन सम, यू लूज़ सम, दि लाइफ गोज आन

आइन्दा दिनों में उस लड़की की उच्छृंखलता इस हद तक बढ़ी कि उस की माँ ने उसे स्कूल से उठा लिया और पन्द्रह साल की लड़की को अट्ठारह साल की बता कर उसकी शादी कर दी। वो थी भी ऐसी ही खुले खुले हाथ पांव वाली कि जवानी की दस्तक उसके जिस्म को जल्दी सुनाई दे गयी थी, लगती थी अट्ठारह साल की।

ऐसा आम होता देखा गया है कि ज्यादा उम्र की लड़की को कम उम्र की बता कर उसकी शादी की गयी हो लेकिन वो पहली मिसाल थी जब कि किसी कम उम्र बेटी की मां ने उसकी उम्र ज्यादा बता कर उसकी शादी की हो।

शादी के एक साल के भीतर वो बच्चा खिला रही थी।

मायके आयी खुले में चारपाई डालकर अपने पुत्र के साथ धूप में बैठी होती थी तो मुझे ऐसा लगता था जैसे उसकी मां के और बच्चा हुआ हो जिसे वो खिला रही थी।

बच्चा पांच साल का था कि मां की बराबरी करने लग गया था। मां बेटे का एक डायलाग मुलाहजा फरमाइये :

"शंटी, जे तू मर जायें न! तो मैं तुझे जमना में डाल के रोती घर चली जाऊं।"

"चाई, जे तू मर जायें न! तो मैं तुझे जमना में डाल के रोता ही घर चला जाऊं।"

मां बेटे की वैसी तकरार आम बात थी।

वजह शायद यही थी कि मां ही अभी मुश्किल से बालिग हुई थी।

तकरार के बीच में कभी कभार दादी दखलअंदाज होती थी तो वो मां को ही—अपने बेटी को ही—डांटती थी—"अरी, क्यों लड़के के पीछे पड़ी है? क्यों उसे हलकान कर रही है?"

तो आगे से जवाब मिलता था—"क्या किया है मैंने लड़के को? मैंने इसे ईंट मारी है? मैंने इसकी टांग तोड़ी है?"

बाल बच्चे हो जाने पर भी उसके बुनियादी मिजाज में कोई फर्क न आया, वो वैसी ही 'दिलदरिया' बनी रही जैसी शादी से पहले थी। फर्क कोई था तो ये कि अब मां को परवाह नहीं थी कि वो क्या करती थी। शादी से पहले मुझे नाम ले कर पुकारती थी, अब 'माई डियर' कहने लगी थी। मायके से लौटते वक्त मेरे को निहायत जज्बाती हिदायत दे कर जाती थी—"माई डियर, रोना नहीं। अब जा रही हूँ। फिर आऊंगी।"

मैं हैरान होता था। 'हँसना नहीं' कहती तो कोई बात भी होती।

बाद में उससे क्या, उस परिवार से ही वास्ता खत्म हो गया था। अलबत्ता काफी देर बाद तक उसकी बाबत खबर मिलती रहती थी, कोई कहता था कि लड़का जवान हो जाने के बाद बहुत धार्मिक हो गयी थी और भजन कीर्तन में मन लगाने लगी थी।

लिहाजा किसी ने ठीक ही कहा था कि औरत जब शैतान के काम की नहीं रहती तो भगवान के हवाले हो जाती है।

स्कूल में मैं इतना दुबला और कमजोर था कि बस हड्डियों पर सीधे ही खाल मंढी जान पड़ती थी। मेरा कश्मीरी क्लास टीचर तक मुझे देख कर हैरान होता था और पूछता था—'क्या बात है? मां सौतेली है? घर वाले तुझे खाना खाने को नहीं देते?'

जब कि ऐसा नहीं था, मेरी बहनें हट्टी कट्टी थीं, मेरे मां बाप तन्दुरुस्ती की मिसाल थे, एक मैं ही सींकिया पहलवान था जो पता नहीं क्यों था। शीशे में शक्ल देखता था तो खुद मुझे अपने आप पर तरस आने लगता था। लेकिन 'सिल्वर लाइनिंग इन क्लाउड्स' की तरह मेरे दान्त बहुत खूबसूरत थे। पिता का दोस्त डाक्टर तक इस बात की ताईद करता था। दांत और उन की खूबसूरती बहरहाल आज भी बरकरार है। मेरे मुंह में पूरे बत्तीस दान्त हैं, कभी भूलकर भी दान्तों से ताल्लुक रखती कोई तकलीफ मुझे न हुई, न कभी एक बार भी मैंने किसी डेंटिस्ट का मुंह देखा।

मेरी बुरी सेहत की मेरी मां फिक्र करती थी लेकिन पिता को उस बाबत कोई परवाह नहीं थी।

"ठीक हो जायेगा।"—एक ही जवाब देते थे—"आलस छोड़ेगा, दौड़े फिरेगा, ठीक हो जायेगा।"

वजह शायद यही थी कि बहुत व्यस्त थे। छः दिन कठोर, पसीनानिचोड़ नौकरी करनी होती थी, इतवार को रमी की फड़ जमानी होती थी, वक्त किधर था ऐसी बातों की तरफ तवज्जो देने का ! फिर बच्चे मोटे दुबले होते ही थे, वक्त आने पर सब ठीक हो जाता था।

अपनी स्टेनो ग्राफर की नौकरी से उन की कमिटमेंट ऐसी थी कि कभी शनिवार को इतनी ढेर डिक्टेशन मिल जाती थी कि तमाम की तमाम उसी रोज टाइप नहीं हो पाती थी तो इतवार को टाइपराइटर ठकठकाने दफ्तर पहुंच जाते थे; जब कि मालूम था कि कोई ओवरटाइम नहीं मिलना था, कोई कम्पैंसेटरी आफ नहीं मिलना था, बल्कि कोई शाबाशी तक नहीं मिलनी थी—शाबाशी क्या, किसी को खबर भी नहीं लगनी थी कि वो पिछले रोज का बचा काम निपटाने के लिये इतवार को दफ्तर आये थे।

बहरहाल ऐसा कभी कभार ही होता था, तकरीबन इतवार के दिनों में तो ताश की फड़ ही लगती थी।

कभी फड़ के मेम्बरान को आने में देर हो जाती थी तो वो वजह मालूम करने के लिये मुझे घर घर भेजते थे। कोई खास वजह न निकले तो बुला के लाने को बोलते थे।

ऐसे जिन साहबान के साथ इतवार को मेरे पिता रमी खेलते थे, वो उन के पुराने जोड़ीदार थे, लाहौर के दोस्त थे जो बंटवारे की मार खाये मेरे पिता की तरह ही शाहदरा आ के बसे थे। उन में से एक का नाम मुनीलाल था लेकिन सब उसे छुरीमार्का बुलाते थे। ये अनोखा नाम उसका क्यों था कभी मेरी समझ में न आया। एक जोशी जी थे जो किसी मन्त्रालय में क्लर्क थे लेकिन लकड़ी का टाल भी चलाते थे। एक किशनलाल थे जिनका जूतों का कारोबार था, आगरे से जूते लाते थे और खान मार्केट में बतौर रिफ्यूजी अलाट हुई दुकान में बेचते थे।

आज खान मार्केट दिल्ली की सबसे पौश और सबसे महंगी मार्केट है, एक्सपेंसिव बार्स और रेस्टोरेंट्स से अटा मेजर एन्टरटेनमेंट हब है लेकिन तब वो रिफ्यूजी मार्केट थी।

एक नथांवां थे, जिनके नाम के मानी बहुत देर बाद मेरी समझ में आये थे। पंजाबी में नथांवां का मतलब था जिसके लिये कोई थां नहीं थी, यानी कोई जगह नहीं थी, कोई ठिकाना नहीं था। जो नोमाड (NOMAD) था।

रमी की फड़ के स्थायी पार्टनी वो पांच जने ही थे, अलबत्ता कोई दरियापार से दोस्त मिलने आ जाता था—जैसे वो दोस्त आ गया था जिस की मांग पर मैं पड़ोस से कुर्सी उधार मांग कर लाया था—तो उसे भी वहीं, फड़ के करीब बिठा लिया जाता था।

लेकिन फड़ के स्थायी साथियों में से हर किसी को खास हिदायत थी कि फड़ वाले दिन वो रमी खेलने का तमन्नाई कोई दोस्त साथ ले कर न आये। यानी मेरे पिता के किसी गैरवाकिफ को उस फड़ में शामिल होने की इजाजत नहीं थी। वजह ये बताई जाती थी कि यूँ हारजीत आपस में ही होती थी। आज एक जना हारता था तो कल जीत जाता था। यानी यूँ हारजीत का पैसा आपस में ही सर्कुलेट होता था। यानी फड़ जुआ नहीं, इतवार की छुट्टी की तफरीह का जरिया था।

ऐसा कभी कभार दर्शन देने वाला लाहौर का, सूदों की गली वाला वो पड़ोसी था जो बच्चों को कुयें में लटका दिया करता था और जिस का नाम रामप्रकाश मल्होत्रा था। वो उन दुर्लभ लोगों में था जिन्होंने बंटवारे की वजह से खास कुछ नहीं खोया था। लाहौर की रिजर्व बैंक की नौकरी ही उन्हें दिल्ली में मिल गयी थी, गली के लोग पार्टीशन के बाद पीछे अपना साजोसामान छोड़ कर आये थे, वो उनका सामान भी बटोर लाये थे। दिल्ली में आते ही जामा मस्जिद के इलाके में एक विस्थापित मुसलमान के घर पर कब्जा कर लिया था, फिर उसको अपनी मिल्कियत बता कर बेच कर और लाहौर के मकान के क्लेम में मिले प्लॉट को बेच कर मालवीय नगर में अपना मकान बना लिया था। उन के उद्यम का ये हाल था कि जहां जाते थे बाइसिकल चला कर जाते थे। मालवीय नगर से शाहदरा तक का लम्बा सफर बाइसिकल पर तय करते थे। और न कभी थकते थे, न पस्त होते थे।

अपने घर का पता याद रखने के लिये वो ये फार्मूला पेश करते थे :

एम फार मल्होत्रा, एम फार मालवीय नगर।

लालकिले से मालवीय नगर की बस का नम्बर '28', मेरे घर का नम्बर '28'।

वो फड़ कोई सात आठ घन्टे की होती थी जिसमें पांच पैसा प्वायन्ट में भी काफी हारजीत हो जाती थी। कन्ट्रीब्यूशन में पचास सिग्रेटों का पासिंग शो का, या डीलक्स टेनर का टिन मंगाया जाता था—टिन तब बहुत कामन था, हर ब्रांड का आता था—और दो तीन बार मेरी मां चाय और बिस्कुट की कार सेवा कर देती थी।

एक मर्तबा घर आये एक खास मेहमान का खास जिक्र मैं यहां करना चाहता हूं। बात तब की है जब कि हम भोलानाथ नगर वाले किराये के मकान से बड़ा बाजार वाले बीच बाजार के मकान की पहली मंजिल के एक पोर्शन में शिफ्ट कर चुके थे। एक शाम मैं घर से निकल कर बाजार में कोई दस-बारह कदम आगे बढ़ा था कि एक रौबदार, अधेड़ व्यक्ति ने मुझे रोका।

"यहां 528 नम्बर मकान कौन सा है?"—उसने पूछा—"528 बटा 1, नयी बिल्डिंग, बड़ा बाजार। मालूम है?"

वो उसी मकान का पता पूछ रहा था जिसमें हम रहते थे।

"मालूम है।"—मैं बोला—"इसी लाइन में थोड़ा आगे जा कर एक नया बना दोमंजिला मकान है। नीचे चार दुकानें हैं। बीच से रास्ता है।"

"मैं ने पन्नालाल पाठक के घर जाना है।"

"वहीं रहते हैं। पहली मंजिल पर दायीं ओर के पोर्शन में।"

और मैं प्रश्नकर्ता को वहीं खड़ा छोड़ कर लम्बे डग भरता बाजार में आगे बढ़ गया।

दो ढाई घन्टे की अपनी मटरगश्ती के बाद मैं घर लौटा तो वो मेहमान अभी भी घर पर ही था।

मैं सकपकाया।

"ये मेरा लड़का है।" —पिता ने परिचय दिया—"सुरिन्दर।"

मैंने हाथ जोड़ कर मेहमान का अभिवादन किया।

"ये !"—मेहमान हैरानी से बोला—"ये तेरा लड़का है?"

"हां !"—पिता बोले—"क्यों?"

"अरे, इसी से तो बाजार में मैंने तेरे घर का पता पूछा था !"

पिता ने हैरानी से मेरी तरफ देखा।

"ये तब क्यों न बोला ये तेरा लड़का था? मुझे घर साथ क्यों न ले कर आया?"

"जवाब दे !"—पिता घुड़क कर बोले।

"मैंने... मैंने"— मैं दबे स्वर में बोला—"जरूरी काम से कहीं जाना था।"

"इन्हें घर पहुंचाकर नहीं जा सकता था?"

मैं खामोश !

पिता ने सब्र किया कि नालायक औलाद की खातिर मेहमान के सामने ही न कर दी।

मेहमान और भी देर बाद गया इसलिये गुजरे वक्फे ने मेरी गुस्ताखी का डंक निकाल दिया।

मेहमान को खुद घर न लाने के पीछे असल वजह ये थी कि फिर मेहमान की घर में मौजूदगी के दौरान मेरी घर में हाजिरी जरूरी हो जाती। मेहमान आने पर हमेशा ऐसा ही होता था। घरों में सुविधाओं के तब आज जैसे साधन तो होते नहीं थे। मेहमान की खातिर तवज्जो की जो भी दरकार होती थी, खड़े पैर उसका इन्तजाम करना पड़ता था। मई-जून के दिन थे, पहला हुक्म तो यही होता कि 'बर्फ ला' जो जरूरी नहीं था कि करीब से ही मिल जाती, उसकी तलाश में बहुत दूर तक जाना पड़ सकता था। फिर 'ये ला, वो ला, यहां जा वहां जा' जैसे कई हुक्म रिपीट हो सकते थे।

यानी जब तक मेहमान घर में, तब तक मैं एरैंड ब्वाय ! जनरल हैण्डीमैन ! रामू !

उन जहमतों से बचने के लिये मैं मेहमान को घर ले कर नहीं आया था। मुझे यकीन था कि मेरे घर लौटने तक वो कब का वहां से रुखसत पा चुका होगा। लेकिन वो तो शाम का आया रात को दस बजे गया। घूंट लगा के, खाना खा के गया—इसी वजह से मेरी पोल खुली।

मिशन कामयाब हो के भी नाकाम रहा।

बहरहाल उस का लेट जाना मेरे काम आया, तब तक उसके साथ हमप्याला, हमनिवाला हुए पिता को ही भूल गया कि मेरी मिजाजपुर्सी का एक अहम काम अभी बाकी था।

पिता की रमी की फड़ का दोस्त मुनीलाल उर्फ छुरीमार्का छुट्टी के अलावा शाम को भी अक्सर हमारे घर आता था और अगर पिता घर आ चुका हो तो दोनों रमी खेलने बैठ जाते थे।

तब का एक नजारा मुझे बहुत हैरान करता था।

पिता हार रहे होते थे तो पेमेंट नहीं करते थे, टालते रहते थे कि अभी पत्ता पड़ने लगेगा तो पेमेंट वैसे ही एडजस्ट हो जायेगी। लेकिन छुरीमार्का की जिद होती थी कि पेमेंट हाथ के हाथ हो। इस सिलसिले में काफी झैं झैं हो जाती थी तो पिता उठता था और अलमारी में से पैसे निकाल कर लाता था।

पेमेंट को टालना, टालते रहता पिता की स्थापित आदत थी। उस पेमेंट को भी टालते रहते थे जो जानते थे कि नहीं टल सकती थी।

दो मिसाल पेश करता हूं :

हमारे मालिकान में से एक की छोटा बाजार में हार्डवेयर की दुकान थी। एक बार दफ्तर के लिये रवाना होते मुझे हुक्म देकर गये कि मैं उस दुकान से लोहे की एक बाल्टी ले कर आऊं, साथ ही ताकीद की कि बोल के आऊं कि कीमत

घर पर पिता चुकता करेंगे। मैं बाल्टी लेने गया तो मालूम पड़ा कि कीमत तीन रुपया थी। संयोग से तीन रुपये मेरे पास थे जो कि मैंने अदा कर दिये।

शाम को पिता लौटा।

"बाल्टी लाया?"

"हां, जी।"

"कितने की थी?"

"तीन रुपये की।"

"पैसे तो नहीं दिये?"

"दिये। मेरे पास तीन रु..."

भरपूर झांपड़ मुंह पर पड़ा।

"जब बोला था पैसे नहीं देने तो क्यों दिये?"

मैं चुप।

कैसे समझाता कि वैसी उधारी मुझे नापसन्द थी। फिर सिर्फ तीन रुपये के लिये क्या किसी का अहसान लेना! देर करने से क्या पेमेंट टल जानी थी!

किस की मजाल थी पिता से ज़ुबानदराजी करने की!

दूसरी मिसाल :

मेरा ससुराल बाराटूटी चौक में था लेकिन शादी ग्रेटर कैलाश में हुई थी जहां कि मेरा एक साला रहता था। बारात वहां ले जाने के लिये पिता ने डीटीएस (अब डीटीसी) की चार बसें भाड़े पर ली थीं ताकि बारात लेट न हो, जो रह जाये दूसरी बस में आ जाये, उससे भी रह जाये तो तीसरी में आ जाये, फिर स्टैण्ड बाई अभी चौथी भी थी। वो बसें बुलाने के लिये एडवांस पेमेंट करनी पड़ती थी और फाइनल हिसाब बाद में होता था। पेमेंट ज्यादा हुई हो तो रिफंड का चैक आ जाता था, कम हुई हो डिमांड नोट जारी हो जाता था।

ऐसा डिमांड नोट जारी हुआ—रकम मुझे नहीं पता कितनी थी—तो पिता ने पैसा जमा न कराया।

रिमाइन्डर आ गया, सैकण्ड रिमाइन्डर आ गया, पैसा फिर भी जमा न कराया।

आखिर वकील का नोटिस आ गया तो पैसा जमा कराया।

□

पाँच आना क्लास में सिनेमा देखने की तब अपनी पेचीदगियां हुआ करती थीं। मसलन उस क्लास की एडवांस बुंकिग नहीं होती थी और करंट में भी एक दर्शक को एक ही टिकट मिलती थी। यानी चार दोस्त पाँच आना क्लास में फिल्म

देखने के तमन्नाई हों तो चारों को लाइन में खड़ा होना पड़ेगा, दस आना, सवा रुपया क्लास की तरह कोई एक जान जाकर चार टिकटें नहीं खरीद के ला सकता था। वो एक टिकट भी आगे ब्लैक न हो पाये, उसका ये खास इन्तजाम किया जाता था कि टिकट लेने वाले के हाथ पर एक मोहर भी लगाई जाती थी जो गेट पर टिकट देते वक्त गेटकीपर को दिखानी पड़ती थी। वो मोहर ऐसी होती थी कि खड़े पैर डुप्लीकेट नहीं की जा सकती थी। दर्शक के पास टिकट है लेकिन हाथ पर मोहर नहीं है तो गेटकीपर समझ जाता था कि खरीदार वो नहीं था। वो टिकट जब्त कर लेता था और दर्शक को डांट कर भगा देता था।

लेकिन ब्लैक में टिकट फिर भी हासिल होती थी—बमय मोहर हासिल होती थी।

देखिये कैसे !

मेरा दांव जगत सिनेमा पर 'नागिन' देखने जाने का लगा। मैं पांच आना क्लास की टिकट ही अफोर्ड कर सकता था लेकिन उसकी बुकिंग विंडो पर मैंने मारामार पायी। यहां ये भी बात काबिलेजिक्र है कि दस आना, सवा रुपया क्लास की विंडोज अन्दर लॉबी में होती थीं लेकिन पांच आना क्लास की विंडो सिनेमा की इमारत से बाहर खुले में खुलती थी। लाइन की मारामार देखकर मुझे यकीन हो गया कि मैं टिकट हासिल नहीं कर सकता था। मैं लौटने लगा था कि एक चितकबरा, मैला कुचैला सा आदमी मेरे करीब आया और मुझे घूरता हुआ बोला—"टिकट चाहिये?"

मैं ने झिझकते हुए सहमति से सिर हिलाया।

"आठ आने ऊपर से लगेंगे, मिल जायेगी।"

"यानी तेरह आने ! इससे तो मैं दस आने की टिकट ले लूँ...."

"नहीं है, कब की खत्म है। सवा रुपये की भी।"

"पर पांच आने की टिकट के ऊपर आठ आने...."

"अबे, बस न कर, लेनी है तो बोल।"

"नहीं।"

"चल छः आने।"

"नहीं।"

"ओये, तू छोटा है, तेरा वजन भी कम है इसलिये खास तेरे लिये चार आने।"

"वजन की क्या बात हुई?"

"मालूम पड़ेगी। अब जल्दी फैसला कर। लेनी है के नहीं?"

"क-कैसे?"

"तुझे इससे क्या मतलब? टिकट चाहिये न ! मिल जायेगी।"

"मो-मोहर?"

"वो भी लगेगी। अब टिकट चाहिये तो चार आने निकाल फटाफट। फिल्म चालू हो भी चुकी है।"

मैं ने उसे चवन्नी थमाई।

"पांच आने मुट्ठी में जकड़ मजबूती से।"

मैं ने वो भी किया।

उसने मुझे कन्धे पर बिठाया और जबरन लाइन में घुस गया। लोगों को धकियाता, दायें बायें कोहनियां चलाता वो मुझे लिये दिये चुटकियों में ऐन बुकिंग विंडो पर पहुंच गया।

"हाथ डाल! हाथ डाल!"

मैं ने बौखलाते घबराते झुक कर बुकिंग विंडो के झरोखे में हाथ डाला। तत्काल पांच आने मेरे हाथ से निकले, मेरे हाथ पर मोहर ठुकी और उस में टिकट आ गयी।

किला फतह!

लिहाजा पांच आना क्लास की टिकट की ब्लैक का ये दस्तूर था जगत सिनेमा पर।

मैं हाल में पहुंचा तो वैजयन्तीमाला को सखियों के साथ 'सुन री सखी मोहे सजना बुलाये' गाते पाया। पड़ोसी से पूछने पर मुझे मालूम हुआ कि तब तक आधे घन्टे से ज्यादा की फिल्म स्क्रीन हो चुकी थी और 'तन डोले मन डोले' गाना भी निकल चुका था। मैं फिर भी खुश था कि आखिर हाल के भीतर मौजूद था, फिल्म देख रहा था।

गोलचा सिनेमा पर पांच आना क्लास की टिकट हासिल करने का तरीका था कि दर्शक वहां पर साइकल पर पहुंचता और बुकिंग आफिस की जगह सीधा सिनेमा के साइकल स्टैण्ड पर पहुंचता और साइकल के बदले में पांच आना क्लास का टिकट हासिल करता। यानी साइकल स्टैण्ड के कान्ट्रेक्टर का हर शो की पांच आना क्लास की टिकट कर एक कोटा निर्धारित था जिस का इस्तेमाल वो अपना धन्धा चमकाने के लिये करता था।

रिट्ज़ पर ब्लैक छुप कर नहीं होती थी, शरेआम होती थी। सिनेमा के ऐन बाहर ही मुट्ठी में टिकटें और नोट सम्भाले ब्लैकिया खड़ा होता था और खुल्ली ब्लैक करता था। वहां सब से ज्यादा डिमांड बाक्स की टिकट की होती थी क्योंकि रिट्ज़ राजधानी के दुर्लभ सिनेमाओं में था जिन में कि बॉक्स थे। करीब ही दिल्ली यूनीवर्सिटी होने की वजह से नून और मौटिनी शो में विद्यार्थीगण उमड़ के पड़ते थे और तनहाई तलाशते सब को बॉक्स की टिकट दरकार होती थी।

रिवोली क्योंकि नयी दिल्ली में था इसलिये वहां का ब्लैक का तरीका कदरन जुदा था, कदरन माडर्न था।

टिकट का तलबगार दर्शक बिना गेटकीपर से निगाह मिलाये हाल में दाखिल होता था और किसी भी खाली सीट पर जा कर बैठ जाता था। कुछ अरसे बाद उशर के साथ उस सीट का टिकट होल्डर पहुंचता था, उशर सीट को आकूपाइड पाता था तो स्वाभाविक तौर पर पूछता था—"टिकट!"

"नहीं है।"—इत्मीनानभरा जवाब मिलता था।

उशर ये नहीं पूछता था कि टिकट नहीं है तो वहां क्यों बैठा है? भीतर कैसे आया? वो या तो सीट के असली मालिक को कहीं और बिठा देता था या आप को किसी और सीट पर शिफ्ट कर देता था।

पांच मिनट बाद वो लौटता था और आप को टिकट का काउन्टरफायल— जो कि अद्धा कहलाता था—पकड़ा जाता था।

और पांच मिनट बाद टार्च चमकाता—तब तक स्क्रीनिंग शुरू हो चुकी होती थी—आता था और टिकट की विंडो प्राइस और ब्लैक की फीस—जो कि हमेशा एक ही होती थी—क्लैक्ट कर ले जाता था।

राधू सिनेमा के दरवाजे क्यों कि ओपन यार्ड में खुलते थे इसलिये इन्टरवल पर हाल से बाहर कदम रखने वाले दर्शकों को एक छपा हुआ टैम्परेरी एग्जिट कार्ड मिलता था जो कि वापिसी कहलाता था और जो हाल में आप के पुनर्प्रवेश के अधिकार को सुनिश्चित करता था। उस सिनेमा की यूनीक बात ये थी कि इन्टरवल में वो वापिसी बिक जाती थी। यानी दर्शक का फिल्म में मन न लगा हो या बाकी की फिल्म देखने का उस के पास टाइम न हो तो वो इन्टरवल में वापिसी बेच कर वहां से रुखसत हो सकता था।

इन्टरवल में वापिसी इशु होने की सुविधा को मैं और मेरा गली का एक दोस्त एक जुदा तरीके से अपने हक में इस्तेमाल करते थे। फिल्म का एक शो देखने के लिये घर से कम से कम चार घन्टे की गैरहाजिरी जरूरी होती थी जिस की घर से सुविधा हम दोनों को ही उपलब्ध नहीं थी। लिहाजा गैरहाजिरी का वक्फा आधा कर देने की हम दोनों ने एक तरकीब निकाली थी। एक रोज पहले वो इन्टरवल तक फिल्म देखता था और बाहर पहले से इन्तजार करते मुझे वापिसी दे कर घर चल जाता था। अगले रोज इन्टरवल तक की फिल्म पहले मैं देखता था और वापिसी उसे सौंप कर घर चला आता था। यूँ हमारी घर से आधे वक्त की, दो घन्टे की, गैरहाजिरी दोनों परिवारों में से किसी को भी नहीं खटकती थी।

और बड़ा हो जाने के बाद राधू पर मेरी फिल्म देखने की एक्सपिडीशन सोलो हो गयी थी। मैं मैटिनी में फिल्म देखने जाता था। और इन्टरवल में सब से पहले हाल से बाहर निकल कर घर तक की—फासला कोई डेढ़ किलोमीटर— फर्राटा रेस लगाता था, गली से ही मां को अपनी सूरत दिखाता था, जब आई कान्टैक्ट हो जाता था, स्थापित हो जाता था कि मैं गली में ही था, वो उतने ही जोशोजुनून के साथ दौड़ता वापिस सिनेमा पहुंच जाता था जहां तब तक बड़ी हद पांच या सात मिनट की फिल्म गुजरी होती थी।

दरिया पार जाने की मेरी हिम्मत कभी नहीं हुई थी। अलबत्ता एक बार छब्बीस जनवरी की परेड देखने जाने की इजाजत मुझे मिली थी और साथ में एक रुपया भी मिला था। तब परेड का रूट आज की तरह तिलक ब्रिज दरियागंज से नहीं होता था, कनाट प्लेस, अजमेरी गेट, फतहपुरी चान्दनी चौक से होता था। फव्वारे तक मैं बस में गया और आगे परेड के इन्तजार में चान्दनी चौक में जा खड़ा हुआ। तब मुझे पता लगा कि वहां परेड पहुंचने में तो अभी डेढ़ घन्टा बाकी था। मैं लाल किले से बस पकड़ कर कनाट प्लेस या कर्जन रोड के आसपास कहीं पहुंच सकता था। लाल किले जाकर पता चला कि वहां से बस सर्विस बन्द थी लेकिन दरियागंज से फटफटिया मिल सकती थी। मैं पैदल चल के दरियांगज, पहुंचा तो वहां फटफटिया न मिली। मैंने घर लौट जाने का फैसला किया जिसके लिये अब ओल्ड दिल्ली स्टेशन तक पैदल चलना जरूरी था। मजबूरी थी इसलिये वापिस पैदल चल दिया।

मैं फव्वारे पहुंचा तो मैजेस्टिक सिनेमा पर अशोक कुमार मधुबाला की फिल्म महल के बैनर लगे पाये। मेरे को फिल्म देखने का लालच आने लगा। वो खास दिन था जब कि घर में किसी ने सवाल तो करना नहीं था कि मैं देर से क्यों लौटा। जमा, जो रुपया मुझे मिला था, उस में से अभी बतौर बस किराया दो आने ही खर्च हुए थे, चौदह आने मेरे पास थे। मैं बुकिंग आफिस पर पहुंचा तो सब विंडो बन्द पायीं। करीब खड़े एक आदमी ने मुझे बताया कि ऐसा इसलिये था क्योंकि नून शो की स्क्रीनिंग तो कबकी शुरू हो चुकी थी। निराशा मैं वापिस लौटने लगा तो एक आदमी मुझ से मुखातिब हुआ—"टिकट चाहिये?"

"हां।"

"कौन सी?"

"पांच आना क्लास की।"

"आठ आने दे, मैं अन्दर से ला के देता हूँ।"

"आठ आने क्यों?"

"अबे, ब्लैक में खरीदता तो दुगने से ज्यादा देता।"

"फिल्म तो शुरू हो चुकी है!"

"हां। लेकिन अभी ज्यादा नहीं निकली। अब जल्दी अठन्नी इधर कर वर्ना और ज्यादा निकल जायेगी।"

"पहले टिकट ला।"

वो गया और उलटे पांव टिकट के साथ लौटा।

शक का कीड़ा अभी भी मेरे मन में कुलबुला रहा था।

"गेटकीपर से पार लगा के आ।"

उसने वो भी किया तो मैंने उसे अठन्नी दी।

मैं हाल में जा बैठा।

आँखे अन्धेरे की अभ्यस्त हुई तो पता लगा हाल में उल्लू बोल रहे थे। कुछ जमा पचास आदमी भी सारे हाल में मौजूद नहीं थे।

फिर कोढ़ में खाज—बीस मिनट में इन्टरवल हो गया।

फिल्म का सिर पैर मेरे कुछ समझ न आया, मैं फिर भी खुश था कि मैंने दिल्ली के सिनेमा में फिल्म देखी थी, नयी लगी फिल्म देखी थी।

घर लौटा तो सिर्फ मां ने सवाल किया—"परेड देखी?"

"हां।"

"कैसी थी?"

"अच्छी।"

"क्या देखा?"

"फौजें देखीं। झांकियां देखीं।"

"कहां से देखीं?"

"चान्दनी चौक से।"

"फिर तो पैसे बचे होंगे!"

"नहीं बचे। खर्च लिये।"

"खर्च लिये! कैसे खर्च लिये?"

"छोले भटूरे खाये। स्टेशन पर चाय पी। केक खाया।"

इति रिपोर्ट गणतन्त्र दिवस परेड दर्शन।

शाहदरा के छोटे बाजार में उसके दहाने पर एक बाजू एक बड़ा सा अहाता था जो अक्सर शादी ब्याहों के लिये या इलैक्शन के दिनों में चुनावी सभाओं के लिये इस्तेमाल होता था। उस में एक बार एक डांस ट्रुप ने मुकाम पाया जिस में कोई दो घन्टे का औरतों का नाच गाने का प्रोग्राम होता था और सात पैसे टिकट होती थी।

सात पैसे?

तब एन्टरटेनमेंट टैक्स लगता था और ऐसे टैक्स की लोअर लिमिट दो आना थी। यानी किसी शो की टिकट दो आना या उससे ज्यादा थी तो 25% एन्टरटेनमेंट टैक्स चार्ज होता था। दो आने से कम टिकट होने पर टैक्स नहीं लगता था। वो डांस ट्रुप टिकट दो आने रखता तो उन के पल्ले छः पैसे पड़ते। टिकट लेने वाले को एक पैसा वापिस नहीं किया जाता था। वो जिद करता था तो उसकी दुअन्नी लौटा दी जाती थी और उसे खुल्ले पैसे लाने को बोला जाता था।

ये था भेद सात पैसा टिकट का।

उस शो के अहाते के बाहर बड़े बड़े, सुन्दरियों से अटे, बैनर लगे होते थे जो बहुत लुभाते थे। टूरिंग टाकी की तरह शाहदरा में उस शो का घन्टी वाला जुलूस भी निकलता था।

फिर एक रोज वेद प्रकाश काम्बोज ही बोला कि देखने चलते हैं।

मैं और काम्बोज टिकट ले कर खचाखच भरे अहाते में गये और सीट न मिलने की वजह से खड़े हो कर ही हमने वो शो देखा।

उस वक्त के पापुलर फिल्मी गानों पर आधारित वो शो होता था। पब्लिक को रोमांचित करने के लिये, पर्सनल टच देने के लिये गानों में गायिका कोई अपना हेर फेर भी कर लेती थी। जैसे श्री चार सौ बीस का गाना 'रमैया वस्ता वैया' गाती थी तो आगे—जैसा कि गाने में था—ये नहीं कहती थी कि 'मैंने दिल तुझको दिया', पब्लिक में दोनों हाथ लहरा कर कहती थी, 'मैंने दिल सबको दिया'। या लोगों को छांट छांट का इनडिविजुअल अटैंशन देती कहती थी—'मैंने दिल इस को दिया', 'मैंने दिल उसको दिया'। साथ में बीच बीच में सवाल करती थीं—'क्यों, सरदार जी! ठीक है न!"

सरदार जी निहाल।

दायें बायें गर्व से देखते थे जैसे जता रहे हों कि डांसर ने सवाल उन से—उन से, किसी और से नहीं—पूछा था।

या जुबानी कहते थे—"भ्राजी, मैनूं पुच्छयां ए बीबी ने!"

मैं और काम्बोज शो को खूब एनजाय कर रहे थे कि संयोगवश मेरी निगाह अहाते के प्रवेश द्वार की तरफ भटकी तो मेरा दम निकल गया।

अहाते में छुरीमार्का दाखिल हो रहा था।

बद्हवास मैं इधर उधर ओट लेने की कोशिश करने लगा।

"क्या हुआ?"—हैरान होते काम्बोज ने पूछा।

"मुनीलाल! पिता जी का दोस्त! अभी भीतर आया।"

"तो क्या हुआ?"

"अरे, वो मुझे देख लेगा। पिता को बता देगा।"

"इसलिये तुझे दहशत है वो तुझे देख लेगा?"

"हां।"

"पागल साला! अरे, देख लिये जाने की दहशत तुझे होनी चाहिये कि उसे! उसे शर्म नहीं आती जो रंडियों का नाच गाना देखने आया हुआ है! तुझे देखकर उसे छुपना चाहिये कि दोस्त को—तेरे बाप को—उसकी इस फाश हरकत की खबर लग जायेगी!"

तर्क दमदार था, फिर भी मैं वहां टिका न रह सका। मैं काम्बोज को पीछे छोड़ के भाग आया।

एक बार मेरी मां ने पिता को बताया कि लड़के के पास जूता नहीं था, अब वो नौंवी जमात में हो गया था, चप्पल घसीटता स्कूल जाता अच्छा नहीं लगता था, उसे जूता ले के दो। पिता ने मुझे तलब किया।

"खान मार्केट खुद चला जायेगा?"

मैं सकपकाया।

"लाल किले तो जा ही सकता है न! वहां से लोधी कालोनी की फलां नम्बर बस जाती है। खान मार्केट उतर जाना। ठीक है।"

मैंने जल्दी से सहमति में सिर हिलाया।

"वहां चाचा किशनलाल की जूतों की दुकान है। जूता ले के आना अपने नाप का। समझ गया?"

मैंने फिर सहमति में सिर हिलाया।

"बीस रुपये का आयेगा। तू दे ही देगा! नहीं?"

जाहिर था कि पिता मुझे बाल्टी वाला प्रकरण याद दिला कर तंज कस रहा था।

मैं सिर झुकाये खामोश खड़ा रहा।

"चाचा किशनलाल पैसे नहीं मांगेगा तेरे से। जूता ले के आना। किराये के लिये मां से पैसे ले के जाना।

स्कूल से आने के तुरन्त बाद मैंने जूता लेने निकलना था लेकिन खाना खा के मुझे झपकी आ गयी इसलिये खान मार्केट के लिये मैं कदरन लेट घर से निकला। चाचा किशनलाल की दुकान पर पहुंचा तो वहां मैंने पिता को पहले से मौजूद पाया।

पिता ने घूर कर मुझे देखा।

"पहले बस न मिली"—मैं दबे स्वर में बोला—"फिर गलत बस में बैठ गया। इसलिये...."

मेरे से सफाई नहीं मांगी गयी थी लेकिन मैं लेट आने की सफाई दे रहा था क्योंकि घूर के देखे जाने का मतलब मैंने यही लगाया था कि पिता मेरे लेट आने पर अपनी अप्रसन्नता दर्ज करा रहा था।

तब के लोग औलाद पर ऐसा ही रौब रखने में विश्वास रखते थे। बटाला में मेरा ताया रौशनलाल भी मेरे से ऐसे ही पेश आता था। मुझे गली में देखता था तो सख्ती से पूछता था—"यहां क्या कर रहा है?", घर में चौबारे पर देखता

था तो सख्ती से पूछता था—"यहां क्या कर रहा है !" मैं नीचे चला जाता था तो झल्लाता था—"क्या ऊपर नीचे ऊपर नीचे कूद रहा है? टिक के नहीं बैठ सकता?"

चायनीज कहावत है : बच्चे को रोज डांटो ! वजह आप को मालूम हो न हो, उसे मालूम होगी।

यानी वो डांट को खुद ही अपनी किसी बेजा हरकत से एसोसियेट कर लेगा। जरूर हमारे कुनबे में भी उस कहावत पर बाकायदा अमल होता था।

पिता की सुपरविजन में चाचा किशनलाल ने मुझे जूते ट्राई कराना शुरू किया। मैं जो जूता पहनता था, पिता तपाक से सख्ती से सवाल करता था—"ठीक है?"

मैं इतना नर्वस हुआ कि उस सिलसिले को लम्बा चला कर पिता के कोप का भाजन बनने की दहशत में एक जूते को ठीक बता दिया।

जूता मुझे मिल गया, मैं पिता के साथ घर वापिस लौटा।

अगली सुबह स्कूल जाते वक्त मैंने वो जूता पहना तो पाया कि वो मुझे छोटा था। मुझे चाहिये था कि इस बात की मैं पिता को खबर करता। वाकिफकार से जूता लिया था, बड़ी सहूलियत से बदला जा सकता था। वैसे भी साइज तो गैरवाकिफ दुकानदार भी बदल देता था। मुझे लगा कि मैंने जूते की बाबत बोला नहीं कि बाप ने कड़क कर पड़ना था—"तब अन्धा था?"

मैं चुपचाप जूता पहन कर स्कूल के लिये रवाना हो गया।

गली के मोड़ पर ही मैंने जूता उतार दिया और नंगे पांव स्कूल गया।

छुट्टी के बाद वापिसी में गली के मोड़ पर मैंने जूता वापिस पहन लिया और घर जा कर उतार दिया।

ऐसा चार महीने चला।

लेकिन कभी तो वो सिलसिला खत्म होना जरूरी था। वो नया जूता था, ऐसे तो वो कभी भी पुराना न होता, बदरंग न होता और ये बात घर में किसी न किसी की निगाह में आ कर रहती।

कुछ किया जाना जरूरी था।

मैंने किया।

एक रात सोने से पहले मैं जूते के एक पांव के साथ चुपचाप घर से निकला और जूते को करीबी गन्दे नाले में फेंक आया।

अगली सुबह मैंने चारपाइयों के नीचे, इधर उधर झांकना शुरू किया और तब तब वो सिलसिला जारी रखा जब तक कि वो बात मां की तवज्जो में न आ गयी।

"क्या ढूंढ़ता है?"—उसने पूछा।

"जूता। दूसरा पांव नहीं मिल रहा।"

"देख, यहीं कहीं होगा!"

"नहीं है।"

"अरे, कहां जायेगा! यहीं कहीं होगा। ठीक से देख।"

मैंने ठीक से देखा। बहनों ने मेरा साथ दिया। फिर मां ने भी देखा।

दूसरा पांव मिलने का सवाल ही नहीं था। वो तो नाले में डूबता उतराता रात भर में पता नहीं कहां पहुंच गया था।

"जरूर कुत्ता ले गया।"—मां बोली।

बहनों ने उस बात का अनुमोदन किया।

मैं बाग बाग हो गया। यही तो मैं सुनना चाहता था। सब को पता था कि दरवाजा खुला रह जाता था तो गली का कोई न कोई कुत्ता घर में घुस आता था।

बात पिता की जानकारी में लायी गयी।

डांट मुझे फिर भी पड़ी लेकिन वो उतनी गम्भीर नहीं थी जितनी कि तब होती जब कि पिता को जूते की असल कहानी मालूम पड़ी होती।

मुझे नया जूता दिलाया गया।

और यूं मैंने साइज से छोटा जूता पहनने की मजबूरी और यातना से निजात पायी।

□

मेरी मां दो तीन साल बीच बीच में बहुत बीमार रही। दोबार कई कई दिन के लिये लेडी हार्डिंग हस्पताल भरती होना पड़ा। वजह तब मुझे मालूम नहीं थी—मेरी समझ से बाहर भी थी—बाद में मालूम पड़ा कि प्रेग्नेंट थी, दो बार केस बिगड़ा, मिसकैरेज, दूसरी बार तो ऐसा कि जान पर आ बनी।

मैं नौवीं जमात में था जब कि तीसरी बार वो फिर हस्पताल में भरती थी।

वजह अनोखी थी—अनोखी क्या थी, कम्बख्त थी।

मेरी दादी का मानना था कि एक बेटा अच्छा नहीं होता था। जिस शख्स का एक बेटा हो, वो बेटे से पहले मरता था।

क्या मतलब हुआ इसका?

दादी को बेटे की जिन्दगी की फिक्र थी, पोते की जिन्दगी की फिक्र नहीं थी! उसे मंजूर था कि बाप के सामने बेटा मर जाये, बाप बेटे की अर्थी को कन्धा दे!

ये एक वाहियात सोच थी जिस का नतीजा न मेरी दादी समझती थी, न सोच को दरकिनार करती थी।

उसके बड़े लड़के हीरालाल के चार बेटे थे। तीसरे लड़के रौशनलाल के चार बेटे थे, दूसरे मदनलाल का एक ही बेटा था लेकिन वहां मजबूरी थी क्योंकि बहू जवानी में विधवा हो गयी थी इसलिये पन्नालाल के पीछे पड़ी थी कि एक बेटा ठीक नहीं होता था।

असल में मुमकिन है वो ये कहना चाहती हो कि एक बेटा हो तो बाप कदरन जवान मौत मरता था—जैसे कि ताया मदनलाल मरा था, मेरा पिता मरा था—लेकिन वो एक ही रट लगाए रहती थी—"वे, इक पुत्त चंगा नईं हुंदा।"

साफ इशारा था—इशारा क्या था इसरार था, बल्कि हुक्म था—कि वो और औलाद की कोशिश करे।

पिता मां की बातों में आ गया। और औलाद की कोशिश की। कोशिश में दो बार मां की जान जाते जाते बची और अभी फिर हस्पताल में थी।

एक शाम पिता कदरन जल्दी घर आये, मुझे बुलाया और संजीदा लहजे से मुझे हुक्म सुनाया—"जा, अड़ोस पड़ोस में गली में जा के बोल तेरे बहन हुई है।"

पिता की मर्जी के बिना, दादी की जिद के तहत, एक बेटी और आ गयी।

मां हस्पताल से घर आयी तो मैंने नयी बहन का मुंह देखा।

जैसे पूर्णमासी का चान्द।

ऐसा गोल जैसे परकार से बनाया हो।

ऊपर से गोरी चिट्टी, गुलगुथनी।

हम चार भाई बहनों में सब से खूबसूरत।

लेकिन दादी की जिद का सिला।

पिता ने मेरी मां की गैरहाजिरी में घर सम्भालने के लिये, जच्चगी के बाद मेरी मां की देखभाल करने के लिये दादी को शाहदरा बुला लिया था।

लड़की हुई जान कर दादी को बहुत मायूसी हुई। लेकिन तब इतना जरूर हुआ कि 'इक पुत्त चंगा नईं हुंदा' की रट उसने छोड़ दी।

बहरहाल वो रट ही वजह थी कि मेरी और मेरी सबसे छोटी बहन की उम्र में पन्द्रह साल का फर्क था।

जब कि मां के पहले तीन बच्चे छः साल के वक्फे में हुए थे।

छोटी बहन पांचेक महीने की थी जब कि मैंने रसोई में उसको गोद में लिये बैठी दादी को अपनी सूखी छाती उधाड़ कर मुरझाया हुआ निप्पल जबरन मुन्नी के मुंह में धकेलने की कोशिश करते देखा।

क्यों वो ऐसा कर रही थी, ये आज भी मेरे लिये अचरज का मुद्दा है।

ऐसी और भी अस्वाभाविक हरकतें दादी करती थी जिन्हें वो छुपाती भी नहीं थी। जैसे सुबह बाप हुक्का गुड़गुड़ा कर दफ्तर जाता था तो उसका हुक्का पी लेती थी। चिलम बुझ गयी हो तो नयी चिलम तैयार कर लेती थी। उसे सांस

की प्राब्लम थी इसलिये नया तैयार किया हुक्का उस से खिंचता नहीं था। तब वो मुझे बुलाती थी और हुक्म देती थी कि मैं हुक्के के पांच छः लम्बे लम्बे कश लगाऊं ताकि चिलम रवां हो जाये।

मैं उस हुक्म की तामील करता था।

एक बार मेरी मां ने मुझे वो हरकत करते देख लिया तो एक झन्नाटेदार थप्पड़ उसने मेरे मुंह पर रसीद किया। और घसीट कर हुक्के से अलग किया।

"क्या कर रहा था? क्यों कर रहा था?"

'क्या कर रहा था' तो प्रत्यक्ष था, 'क्यों कर रहा था' का जवाब मैंने दिया कि दादी ने कहा था। तब मां मेरी दादी पर भी बहुत खफा हुई लेकिन दादी ने उस के खफा होने की रत्ती भर परवाह न की। वो फिर भी हुक्का रवां करने के लिये मुझे बुला लेती थी, अलबत्ता इतनी एहतियात जरूर बरतने लगी थी कि पहले तसदीक कर लेती थी कि मां कहीं आसपास नहीं थी।

मां को दिन भर सौ काम होते थे जो उसने अकेले करने होते थे, कैसे वो हर घड़ी मुझ पर निगाह रख सकती।

गनीमत थी कि हुक्कानोशी की घर में ही ट्रेनिंग के बावजूद अपनी आइन्दा, बालिग, जिन्दगी में मैं स्मोकर न बना।

बावजूद इसके कि मेरा लंगोटिया वेद प्रकाश काम्बोज बहुत छोटी उम्र में सिग्रेट पीने लगा था।

जब मैं डीएवी कालेज जालंधर में दाखिल हुआ था और दाखिले के बाद होस्टल में मुझे कमरा अलाट हुआ था तो कमरे को कोर्स की किताबों से सजाने के अलावा जो अहमतरीन काम मैंने किया था वो ये था कि होस्टल के बाहर स्थित एक पनवाड़ी की दुकान से एक डीलक्स टेनर सिग्रेट का पैकेट और माचिस खरीद कर लाया था जिसे मैंने स्टडी टेबल पर टेबल लैम्प के करीब बाकायदा सजा कर रख दिया था ताकि देखने वाले रौब खाते कि दिल्ली से पढ़ने आया लड़का कितना शहरी था, कितना माडर्न था।

वो सिग्रेट मैंने इसलिये खरीदा था क्योंकि पीछे दिल्ली में पिता की रमी की फड़ के सदके मुझे दो ही ब्रांड के नाम आते थे—दूसरा पासिंग शो था जो कि दुकानदार के पास नहीं था।

उस रात मैंने दो तीन बोर्डर्स को दिखाकर एक सिग्रेट पीने की कोशिश की। कोई आनन्द आना तो दूर की बात थी, मुझे वो एक निहायत बद्‌मजा काम लगा। कश खींचते वक्त धुंये की तपिश होंठों को लगती थी तो मुझे और अन्देशा सताता था कि यूँ मेरे होंठ काले हो सकते थे जो कि मुझे मंजूर नहीं था क्योंकि तब मैं अपने आप को बहुत खूबसूरत समझता था और काले होंठों की सूरत में खूबसूरती में विकार पैदा होना मुझे मंजूर नहीं था।

अगली सुबह जब झाड़ू देने वाला मेरे कमरे में आया तो माचिस और सिग्रेट का पैकेट—जिस में अभी नौ सिग्रेट बाकी थी—मैंने उसके हवाले बिना ये तसदीक किये कर दिया कि वो सिग्रेट पीता था या नहीं।

उसने खुशी खुशी दोनों चीजें कबूल कीं।

मुफ्त के माल को कौन मना करता था?—वो उसके काम न आता तो उसके वाकिफ किसी और के काम आ जाता।

सिग्रेटनोशी का वो मेरा पहला तजुर्बा था लेकिन आखिरी नहीं था।

वो हरकत मैंने तब भी दोहराई थी जब कि मैं थापर इंस्टीच्यूट आफ इंजीनियरिंग, पटियाला में एडमिशन से पहले मैडीकल एग्जामिनेशन के लिये बुलाया गया था। तब ओवरनाइट मुझे होटल में ठहरना पड़ा था और अहमकों की तरह प्रदर्शनवाद को हवा देने के लिये, वहां भी मैं सिग्रेट का पैकेट और माचिस खरीद लाया था। वहां भी मैंने बस एक ही बार लोगों को दिखा कर सिग्रेट पीने की कोशिश की थी और फिर अगली सुबह चैकआउट करने से पहले पैकेट और माचिस वेटर को थमा दिये थे।

जालंधर में एक बार ऐसा धर्मसंकट पेश आया था कि हम पांच लड़के फिल्म देखने के लिये शहर गये। हमने शाम को शहर में ही खाना खाया और फिर सब ने पनवाड़ी की दुकान पर जा कर सिग्रेट लिये, मेरे न न करते होने के बावजूद जिन में से एक मुझे अलाट किया गया। सबने माचिस से सिग्रेट सुलगाये और आखिर में माचिस मुझे थमा दी।

यहां ये बात भी गौरतलब है कि पनवाड़ी दुकान पर एक रस्सी सुलगा कर टांग कर रखता था जिससे एक सिग्रेट खरीदने वाले सिग्रेट सुलगाते थे लेकिन कोई महंगे ब्रांड का सिग्रेट खरीदे और उसकी पर्सनैलिटी भी अच्छी हो तो वो उसे माचिस देता था।

मैंने तीन बार तीली जलाई और सिग्रेट सुलगाने की कोशिश की, नातजुर्बेकारी में, और नर्वसनैस में, जो मेरे से न सुलगा। लिहाजा मैंने ये जाहिर किया कि सिग्रेट सुलग गयी थी और माचिस लौटा दी। दोस्तों को भी मैं इसी भ्रम में डाले रहा कि मैं सिग्रेट के कश लगा रहा था। रात का अन्धेरा होने की वजह से मेरी वो कोशिश चल गयी थी। बाद में वो महंगी अनसुलगी सिग्रेट मैंने तोड़ मरोड़ कर चुपचाप फेंक दी थी।

यूँ एक बड़ा करतब हुआ था कि मैं स्मोकर बनने से बच गया था वर्ना आईटीआई के दफ्तर में तकरीबन हर कोई स्मोक करता था और प्रकाशन व्यवसाय में भी इक्के दुक्के लेखक या प्रकाशक को छोड़ कर हर कोई सिग्रेट पीता था।

पान की शागिर्दी से मैं कैसे बचा, मुझे नहीं मालूम।

बहरहाल ताजिन्दगी मैंने न सिग्रेट पिया, न पान खाया।

जब कि घर में ही फालो करने के लिये एक बड़ी मिसाल मौजूद थी।

मेरे पिता ने बाद में हुक्का तो छोड़ दिया था क्योंकि तम्बाकू मिलने में दिक्कत आने लगी थी लेकिन गोल्डफ्लैक की बीस सिग्रेटों का एक पैकेट वो रोज पीते थे जबकि घर पर बीड़ी भी पीते थे। रोज पीली पत्ती किमाम वाले आठ-दस जोड़ी मघई पान खाते थे। आम पान तब चार आने से आठ आने तक आता

था लेकिन मघई पान एक रुपये से कम कहीं नहीं मिलता था इसलिये उसको अफोर्ड कर पाने वाले कम ही होते थे और वो बतौर पक्के ग्राहक पनवाड़ियों के जाने पहचाने होते थे।

रीगल वाले ब्लॉक की नुक्कड़ के जिस पनवाड़ी से मेरा पिता मघई पान लेता था, जब उसे पता लगा था कि इंगलिश इलैक्ट्रिक वाले बाबू पन्नालाल पाठक की डैथ हो गयी तो उसने मघई पान रखना ही बन्द कर दिया।

देसी घी में बकरा भून कर पिता दिल्ली में हर इतवार को खाते थे। बाहर भी खाते ही होंगे लेकिन उसकी घर में क्या खबर लगती थी !

विस्की के रसिया थे लेकिन गनीमत थी कि डेली ड्रिंकर वो थे ही नहीं, घर में न पीने की भी कोशिश उन की बराबर होती थी। ब्रिटिश कम्पनी थी इसलिये शाम को आफिस में ड्रिंक करना भी उन के तौर तरीकों में शामिल था और आये दिन ड्रिंक्स की पार्टी तो होती ही थीं। तीज त्योहार पर तो पार्टी होना और भी लाजमी होता था। कोई नया भरती हुआ था तो पार्टी, कोई रिटायरमेंट या ट्रांसफर या कहीं और नौकरी पर जा रहा था तो पार्टी, कोई बड़ा आर्डर मिल गया था तो पार्टी।

एक और भी अनोखा करतब करते मैंने पिता को अकसर देता था।

बाहर से ढेर पी कर घर आते थे तो टुथब्रथ को उल्टी तरफ से पकड़ कर उस का हैंडल हलक में मारने लगते थे और यूँ जबरदस्ती उल्टी आने के हालात पैदा करते थे। यानी तब तक अनपची विस्की और अनपचा खाना मेदे से जबरन निकाल कर तब चैन की नींद सोते थे।

मैं खुद घूँट का रसिया हूं लेकिन आज तक ये हरकत करते मैंने किसी टिपलर को नहीं देखा। पी कर उल्टी करने वाले बहुत देखे लेकिन जबरन उल्टी के हालात पैदा करने वाला कोई न देखा।

सिवाय—खुदा उन्हें जन्नतनशीन करे—पन्नालाल पाठक के।

□

मेरे पिता की अपनी फैमिली को 'स्पैशल समर ट्रीट' तब भी जारी थी। पिता तब भी हर साल मां को बच्चों के साथ ससुराल, मायके धकेलता था। पौने दो महीने का वो निर्वासन था जिसे मैंने 'ट्रीट' बताया तो समझिये कि रिस्पैक्टेबल नाम दिया।

तब तक मेरा मामा, मेरी मां का इकलौता बड़ा भाई, स्थायी रूप से अमृतसर बस गया था और नानी भी खेमकरण छोड़ आयी थी और उसके साथ रहने लगी थी। तब मेरी मां बटाला कम—बड़ी हद एक हफ्ता—रहती थी और

अमृतसर भाई के पास ज्यादा रहती थी। लेकिन पहले हमेशा बटाला ही जाती थी।

बटाला में तब मेरे स्वर्गवासी ताया की बड़ी लड़की, जो उम्र में मेरे से बड़ी थी, 'प्रभाकर' की पढ़ाई कर रही थी और उस को कोर्स में बतौर टैक्स्ट बुक सूर्यकान्त त्रिपाठी 'निराला' का उपन्यास 'अनुपमा' लगा हुआ था। बिना उस की इजाजत उसकी किताबों में से निकाल कर मैंने वो उपन्यास पढ़ा तो वो मुझे बहुत अच्छा लगा।

वो साहित्य से मेरा पहला वास्ता था वरना मुझे खबर ही नहीं थी कि जासूसी दुनिया, भयंकर भेदिया में छपने वाले नावलों से जुदा भी नावलों की कोई किस्म होती थी, कोई दुनिया होती थी।

मेरी दादी उस बहन की हमेशा बड़ी फिक्र करती थी और हमेशा कलपती रहती थी कि बिन बाप की बेटी की शादी की किसी को फिक्र नहीं थी। मेरा पिता दूर दिल्ली में रहता था इसलिये वो तो बच जाता था लेकिन साथ रहते अपने दो बेटों को वो अक्सर कोसती थी कि वो नालायक उस बड़ी जिम्मेदारी को नजरअन्दाज कर रहे थे और लड़की बड़ी, और बड़ी होती जा रही थी।

एक बार उत्सुकतावश मैंने दादी से पूछ ही लिया कि उसकी कितनी उम्र थी।

"सोलह साल !"—दादी ने यूँ दोनों हाथों के पंजे मेरे मुंह के आगे धकेलते जवाब दिया जैसे किसी अनहोनी का जिक्र कर रही थी।

मैं बहुत हैरान हुआ।

सोलह साल की लड़की और दादी की नजरों में शादी के मामले में ओवरएज हो गयी थी।

फिर एक फौजी से उसकी शादी हुई तो आखिर दादी को चैन की सांस आयी।

उसकी बहन की शादी तेइस साल की उम्र में हुई थी, उसके लिये भी दादी ऐसा ही प्रलाप करती थी या नहीं, मुझे याद नहीं।

ताया हीरालाल के बड़े लड़के का नाम डोगरमल था। मैं नहीं जानता कि उसने कोई पढ़ाई वगैरह की थी या नहीं लेकिन उस के पांव में जन्मजात ऐसा चक्कर था कि घर पर टिकता ही नहीं था। रात को चारपाई पर सोया होता था, सुबह वहां से गायब होता था। पहली बार यूँ गायब हुआ तो घर में हाहाकार मच गया, जो तलाश सम्भव थी वो कराई गयी लेकिन ढूढ़े न मिला। परिवार हार कर खामोश हो गया।

कुछ महीनों बाद खीसें निपोरता खुद ही लौट आया।

वो हरकत उसने इतनी बार दोहराई कि ताया हीरालाल ने उसकी फिक्र करना छोड़ दिया। घर में था, वाह वाह, नहीं था, तो भी वाह वाह।

शादी।

टिकता तो होती!

एक बार वो लाहौर आया और कुछ दिन हमारे—अपने छोटे चाचा के—घर रहा। तब शायद मैं पांच या छः साल का था, मैं मां को तंग करता था तो वो आफर करता था कि वो मुझे कहीं घुमा लाता था, जैसे अनारकली की सैर करा लाता था या मल्कां का बुत दिखा लाता था।

'मल्कां का बुत' यानी मलिका विक्टोरिया का काले संगमरमर का बना तख्तनशीन बुत।

मेरी मां बहुत सख्ती से इंकार करती थी।

क्यों?

क्योंकि वो डोगर मल की फितरत से वाकिफ थी। उसे अन्देशा होता था कि वो फिर गायब हो जायेगा और मुझे भी साथ ले जायेगा। फिर जैसे डोगरमल ढूंढ़े नहीं मिलता था, मैं भी ढूंढ़े नहीं मिलूँगा।

सालों वो सिलसिला चला, सालों ताये के पास उसकी बाबत सच्ची झूठी खबरें पहुंचती रहीं। मसलन :

जम्मू के सिनेमा में गेटकीपर था।

अमृतसर में हाल गेट के बाहर पैन पैंसिलें बेचते देखा था।

धर्मशाला में एक ढाबे पर प्लेटें धोता था।

करनाल में रिक्शा चलाता था।

भटिंडा में बस अड्डे पर सवारियों के लिये हांक लगाता था।

मलेरकोटला में देखा था, करता क्या था, पता न लगा, पूछने पर जवाब न दिया, मुंह फेर लिया।

ऊधमपुर में था, शादी कर ली थी, दो बच्चे थे।

बहरहाल हिन्दोस्तान में कहीं भी उसका मुकाम मुमकिन था, कोई भी उस का काम मुमकिन था। सैकंड वर्ल्ड वार के दौरान कोरिया पहुंच गया था, फौजी वर्दी पहने बाकायदा अपनी तसवीर दिखाता था।

उसका आखिरी अंजाम कब हुआ, कहां हुआ, कैसे हुआ, मुझे कोई खबर नहीं।

ताया हीरालाल का दूसरा लड़का राम प्रकाश था। वो बहुत जहीन था और हम दस कजंस में सब से ज्यादा खूबसूरत था। सुथरे, तीखे, नयन नक्श, गोरा चिट्टा, फिल्म स्टार जान पड़ता था। मैट्रिक पास करके पंजाब नेशनल

बैंक में क्लर्क भरती हुआ था और वहाँ से डिवीजनल मैनेजर रिटायर हुआ था। लिहाजा पाठक परिवार में सब से ज्यादा तरक्की भी उसी ने की थी।

ताया हीरालाल के तीसरे लड़के का नाम वेद प्रकाश था और ताया को उसमें जरूर कोई अतिरिक्त गुण दिखाई देते थे जो उसने उसका प्यार का नाम 'जज' रखा था। बाकी तीन बेटों का कोई प्यार का नाम नहीं था, वो डोगर, प्रकाश, अशोक थे लेकिन वेद प्रकाश 'जज' था। बन तो न सका लेकिन तब मां बाप बच्चों के जज, डिप्टी, जनरल, कप्तान जैसे नाम आम रखते थे। जज की खूबी ये थी कि गाता बहुत बढ़िया था। हर वक्त गुनगुनाता रहता था। लेकिन मजाल थी कि कहने पर कुछ सुना दे ! उससे गाना सुनना हो तो सारे कजंस उसके खिलाफ ये षड्यन्त्र करते थे कि जब वो गुनगुनाता था तो उस को मुकम्मल तौर से नजरअन्दाज करते थे। उस ट्रीटमेंट से खफा हो कर वो जोर जोर से गाने लगता था।

कजंस का मकसद हल हो जाता था। सब हँसने लगते थे तो उस की समझ में आता था कि कैसे उसे जाल में लपेटा गया था और वो भुनभुनाता सा फौरन गाना गाना बन्द कर देता था।

दिवंगत ताया मदन लाल का इकलौता लड़का चरणजीत सर्दियों में नहाने से बहुत कतराता था और सर्दियों में नहाने की जरूरत को नकारती बाकायदा दलील पेश करता था :

पंज स्नानी सदा ज्ञानी, नित नहावन दरिद्री।

यानी वो ही समझदार थे जो ठण्ड में नहाने की जगह हाथ, पांव और मुंह चुपड़ लेते थे। रोज नहाने वाले तो दरिद्री होते थे, तभी तो रोज नहाते थे।

वही कजन शौच जाने के बारे में भी अनूठी सूझ बूझ और सोच का इजहार करता था :

बाट सीचम दस गड़व सीचम,

ईंट सीचम दस गागरम;

घास कूची समान गंगा,

घसीटका सर्वतीर्थम्

यानी शौच के बाद कंकड़ उठा कर रगड़ लेना दस लोटा पानी से धोने के समान है। ईंट का प्रयोग दस गागर पानी से धोने के समान है। आस पास उगी घास उखाड़ कर काम चला के तो जैसे गंगाजल इस्तेमाल किया। और जमीन पर पेंदा घसीट लिया तो जैसे सारे तीर्थों के जल से शुद्धि कर ली।

ताया रोशनलाल का सब से बड़ा लड़का कदरन संजीदामिजाज था और उसका खास शगल छः छोटे भाई बहनों पर रौब गांठना और उन को डिसिप्लिन में रखना था। तीन बहनों को इस बाबत वो ज्यादा अपनी तवज्जो का मरकज

बनाता था। उस की अपने कोर्स से ताल्लुक रखती तीन किताबें थीं जिन पर खाकी कागज का कवर चढ़ा कर उन की पुश्त पर कैलेंडर में से काट कर 1, 2, 3 के अंक चिपकाये हुए थे। उन तीनों को रैक में खड़ी करके वो अपनी बहनों को बुलाता था और बाकायदा उन्हें ट्रेनिंग देता था :

"मैं बोलूं एक नम्बर किताब लाओ तो ये किताब लानी है, तीन नम्बर किताब लाओ तो ये किताब लानी है..."

ऐसा बोलते वक्त वो किताबों के सिरहाने ही बैठा होता था लेकिन सैक्रिटेरियल सर्विस न हासिल होती तो बड़ेपन का अहसास कैसे होता !

उसका नम्बर दो जन्मजात रंगीला राजा था। बहुत कमउम्र में छुप कर धूम्रपान करने लगा था और मौहल्ले की लड़कियां ताड़ने लगा था। शाम ढले ऐसी कोई लड़की घर आये तो सीढ़ियों के अन्धेरे में छुप कर खड़ा हो जाता था और अकेली लौटती को दबोच लेता था। वो ऐतराज करती थी तो फौरन छोड़ देता था, नहीं ऐतराज करती थी तो जब तक आवाजाही की कोई आहट न मिले, हाथापायी जारी रखता था।

वो मेरा हमउम्र था इसलिये एक बार मैंने कहा—"तू मरेगा।"

"खामखाह !"—वो हँसता था।

"कोई तेरी शिकायत कर देगी तो..."

"नहीं करेगी।"—वो पूरे इतमीनान, पूरे विश्वास के साथ कहता था— "ओये, एतराज करती हैं, शिकायत नहीं करतीं। जो ऐतराज करे, उस के करीब भी दोबारा नहीं फटकना; जो खामोश रहे, उसको निशानी लगा के रखना आइन्दा के लिये। यही इस खेल का भेद है। समझा !"

"नहीं।"

"ऐसे ही कभी खुद करके देखना, समझ जायेगा।"

मेरी मजाल न हुई।

उन दिनों सीवर तो अभी डिस्टेंट ड्रीम था ही, सैप्टिक टैंक का भी रिवाज नहीं था। हर घर की सबसे ऊपरली मंजिल पर ड्राई लैट्रिन होती थी जिसको साफ करने दस ग्यारह बजे के बीच मेहतरानी आती थी जो कि अमूमन जवान लड़की होती थी और कोई कोई इतनी खूबसूरत होती थी कि देखते ही बनता था। निसंकोच वो अपना काम करती थी और चली जाती थी। उसकी आमद से पहले ही एक घड़ा पानी से भरके रख दिया जाता था इसलिये किसी का छत पर उसके साथ जाना जरूरी नहीं होता था।

ऐसी लैट्रिन ताया रौशनलाल के पक्के मकान में भी थी जो मकान खाली पड़ा होने के बावजूद इस्तेमाल होती थी। मेहतरानी कच्चे पक्के घर में आती

थी तो दूसरे घर की चाबी मांग के ले जाती थी और अपना काम करके चाबी लौटा जाती थी।

एक बार मैंने उस कजन को मेहतरानी के पीछे पक्के घर में जाते देखा।

दस-पन्द्रह मिनट बाद मेहतरानी को वहां से कूच करते देखा और और पांच मिनट के बाद कजन को बाहरले दरवाजे को ताला लगा कर लौटते देखा।

दो दिन बाद मैंने उसको फिर से पहले की तरह मेहतरानी के पीछे जाते देखा।

लेकिन तीन मिनट में लौट आया।

मैं ने सवालिया निगाह से उसे देखा।

"सिरहाना लेने आया हूं।" वो एक आंख दबाता फुसफुसाया।

सच में सिरहाने के साथ उसने चौक पार किया और पक्के घर में चला गया।

पुराने घर की पहली मंजिल की एक खिड़की में खड़ा मैं वो नजारा करता रहा।

दस मिनट बाद पक्के घर का दरवाजा खुला लेकिन मेहतरानी की जगह कज़न बाहर निकला।

मुझे हैरानी हुई।

फिर वजह से वाकफियत हुई।

"जा !"—वो मेरे पास आ कर धीरे से बोला।

"कहां?"—मैं सकपकाया।

"दूजे घर।"

"क्यों?"

"वो ऊपरले कमरे में फर्श पर लेटी हुई है।"

"क्या !"

"बोल के आया हूँ दिल्ली से मेरा भाई आया हुआ है, वो भी..."

मेरे होश फाख्ता हो गये।

"जा भी अब।"

मैं न गया।

"कमला माईंयवा !"—मुझे कोसता वो वापिस चला गया।

फिर मां अमृतसर आती थी तो मामा के घर में रौनक और चहल पहल देखने लायक होती थी। मामा बेऔलाद था इसलिये घर में बच्चों की चिल्ल पौं मामा मामी दोनों को बहुत सुहाती थी।

मामा ने पाकिस्तान चले गये एक मुस्लिम परिवार का मकान अमृतसर में काबू कर लिया था जिसमें उसका रिश्तेदार एक दूसरा परिवार भी रहता था। रिश्ता क्या था, मुझे कभी मालूम न हो सका। मकान एकमंजिला था, उसके फ्रंट में एक काफी बड़ा कमरा और ड्योढ़ी थी। वो कमरा मामा मामी के अधिकार में था। पीछे अगल बगल दो छोटे छोटे कमरे थे जो फ्रंट के बड़े कमरे ड्योढ़ी के साइज के थे। बीच में एक आंगन जैसा ढंका हुआ हिस्सा था जिस को रौशन करने के लिये छत में सलाखों वाला जाल था। उसके एक कोने में दो परिवारों के लिये रसोई थी और दूसरे कोने में सीढ़ियों के नीचे के हिस्से में एक हैण्डपम्प था जहां नहाना, कपड़े धोना होता था।

मामा का बेऔलाद होना सास बहू के रोजाना झगड़े तकरार का बायस था, दोनों किसी भी वक्त लड़ पड़ती थीं और झगड़ा तकरार लम्बा चलता था। उस झगड़े तकरार की शुरुआत हमेशा नानी की तरफ से होती थी जो बेऔलाद बहू से इसी वजह से नाखुश थी। वो बेटे को पट्टी पढ़ाती थी कि वो दूसरी शादी कर ले जिसके लिये मामा कभी तैयार न हुआ। इंकार से नानी और भड़कती थी और मन की भड़ास निकालने के लिये बहू से और झगड़ती थी—इतनी कि सारी गली सुनती थी। बमय मामा, किसी के चुप कराये चुप नहीं होती थी। आखिर उस मौखिक द्वण्द्व युद्ध का तभी समापन होता था जब नानी लड़ते लड़ते थक जाती थी।

मामा एक मिल में नौकरी करता था जो कि वेरका में थी। आवाजाही साइकल से करता था, वापिसी में हाल गेट पड़ता था जहां कई मैगजीन, नावलों वगैरह वाले पाये जाते थे और जहां से वो उर्दू की कोई मैगजीन—ज्यादा पसन्दीदा शमा—लेकर लौटता था और लौट कर खाना खा कर डेढ़ दो घन्टा मैगजीन पढ़ता था। मैं उर्दू बाखूबी पढ़ लेता था, मैगजीन पढ़ सकता था लेकिन वो मेरे काबू में ही नहीं आती थी। मामा सुबह नौकरी पर रवाना होते वक्त उसे साथ ले कर जाता था।

एक बार मामा की अलमारी टटोलने की अनाधिकारिक चेष्टा में मुझे एक नावल पड़ा दिखाई दिया। मैंने नावल काबू में किया तो पाया कि वो प्रेमचन्द का 'गबन' नाम का नावल था जो कि उर्दू में था। मैंने बड़े चाव से चार पांच दिन में उसे पढ़ा और मुझे वो बहुत अच्छा लगा।

तब मुझे दूसरी बार अहसास हुआ कि जासूसी नावलों के अलावा भी पढ़ने के लिये दुनिया में बहुत कुछ था, जासूसी नावलों के अलावा भी नावलों की कोई किस्म होती थी।

एक बार इतवार के दिन मैंने एक जासूसी नावल मामा को पढ़ते देखा। सवा सौ पेज के करीब का वो हिन्दी नावल था जो मामा ने दोपहबाद खाने के

वक्त तक पढ़ कर खत्म भी कर लिया। तदोपरान्त नावल मैंने चुपचाप कब्जा लिया और जा कर सीढ़ियों में छुप कर चुपचाप पढ़ा।

मुझे बहुत आनन्द आया।

शाम को डरते डरते मैंने मामा को बताया कि मैंने वो नावल पढ़ा था।

वो बहुत हैरान हुआ, नाराज होने की जगह पूछा—"कैसा लगा?"

"बहुत अच्छा।"—मैं तृप्त भाव से बोला।

जब कि न मैंने लेखक के नाम की तरफ तवज्जो दी थी, न मुझे उपन्यास का नाम याद था।

फिर मैंने मामा पर अपनी ख्वाहिश जाहिर की कि मैं वैसे नावल और पढ़ना चाहता था।

"शीला गुस्से होगी।"—मामा ने आशंका जाहिर की।

शीला मेरी मां का नाम था।

"नहीं होगी। छुट्टियां हैं।"

मामा मेरा लिहाज करता था, उसका सिर अपने आप ही सहमति में हिलने लगा।

"हाल बाजार से पैदल वापिस आ जायेगा?"—फिर पूछा।

"हां।"

"भटक गया तो!"

"नहीं भटकूंगा। सीधा तो रास्ता है!"

"अच्छा। कल सुबह तैयार रहना।"

अगली सुबह मामा मुझे साइकल पर बिठा कर हाल गेट के भीतर उस के पतले सिरे से थोड़ा आगे स्थित खोतीहाता नाम के इलाके में ले कर गया जहां कि एक बड़ी सम्पन्न लैंडिंग लायब्रेरी थी और मेरा मामा जिस का रेगुलर कस्टमर था। मामा ने दुकान के मालिक को इस हिदायत के साथ मेरा परिचय दिया कि मैं नावल लेने आया करूँगा लेकिन किराया मामा भरेगा।

आइन्दा एक महीना मैं चौक खजाना से चल कर—जहां की एक गली में मेरे मामा का मकान था—चार-साढ़े चार किलोमीटर दूर खोतीहाते जाता और लौटता रहा। हर फेरे में मैं एक नहीं, दो नावल लाता था जिन्हें पढ़ कर अगले रोज वापिस दे आता था और दो और ले आता था। कभी कभी मामा की साइकल मिल जाती थी तो मौज हो जाती थी। यूँ मैंने बिना इस बात की तरफ तवज्जो दिये कि लेखक कौन था, एक महीने में साठ जासूसी नावल पढ़े और यूँ 'जासूसी दुनिया' के अलावा 'भयंकर भेदिया', 'जासूस महल', 'मधुप जासूस' जैसी हर अंक में समूचा जासूसी नावल छापने वाली पत्रिकाओं से दो चार हुआ।

मेरा मामा मेरे पर बहुत मेहरबान था, जिस मौज मेले की, जिन सुविधाओं की बाजरिया पिता मैं कल्पना नहीं कर सकता था, वो बाजरिया सुदर्शन दास तिवारी मुझे सहज ही हासिल थीं। अक्सर मैं उसके साथ सिनेमा देखने जाता था, अक्सर पूरी की, तन्दूरी कुलचे की, विम्टो की बोतल की (कोका कोला का विकल्प लोकल कोल्ड ड्रिंक) की फरमायश करता था तो मुझे कभी नाउम्मीद नहीं होना पड़ता था।

बाजारी खानपान के मामले में तब के अमृतसर में एक खास बात मेरे देखने में आयी थी।

लोगबाग मुरब्बा स्नैक्स की तरह, फास्ट फूड की तरह खाते थे।

जैसे शाम चार बजे किसी को समोसा, कचौड़ी खाना सूझता है, वैसे मुरब्बा खाते थे। मुरब्बे की दुकान पर जाते थे और आर्डर करते थे—"इक से, इक औला।"

दुकानदार मर्तबान से निकाल कर पत्ते पर एक सेव, एक आमला रखता था, छुरी से उसके टुकड़े करता था और ग्राहक को पेश करता था।

ग्राहक चाट पकौड़ी की तरह सेव और आंवले का मुरब्बा खाता था और एग्जीक्यूटिड आर्डर को सप्लीमेंट करता था—"चल्ल, इक गाजर वी दे दे।"

पूर्ववत पत्ते पर गाजर के मुरब्बे के टुकड़े कर के दुकानदार ग्राहक को पत्ता थमाता था।

सम्पन्न अमृतसरियों में वैसे भी खान पान की बहुत महिमा थी। कोलेस्ट्रोल से, हाईपरटेंशन से, डायबटीज से, ओबीसिटी से उन का कोई लेना देना नहीं था। उन के जीवन का एक ही मूलमन्त्र था :

"कोई खाते पीते मरता है तो मर जाये। माईंयवा पेट थोड़े ही बान्ध लेना है !"

बच्चे ढेरों में होते थे जिन में से कोई फेल हो जाये तो मां नाक चढ़ाती गली में कहती थी—"लै ! फेर की होया ! असी केड़ियां नौकरियां करानियां ने।"

(लो ! फिर क्या हुआ ! हम ने कौन सी नौकरियां करानी हैं !)

कोई सुपुत्र मुटिया रहा हो तो पिता फरमाता था—"ऐनू भलवान बना दयांगे।" (इसे पहलवान बना देंगे)

यानी मां बाप का काम औलाद में नुक्स निकालना नहीं होता था, उन के ऐब ढंकना होता था।

मेरा मामा मुझ से अक्सर कहा करता था—"मेरी तेरे पिता जितनी तनखाह होती तो मैं जेब खर्च के लिये तुझे एक रुपया रोज देता।"

एक रुपया रोज !

हे भगवान !

जब पांच आने में फिल्म देखी जा सकती हो, चार आने में कोका कोला आता हो, दुअन्नी में कुल्फी मिलती हो, इकन्नी में समोसा, कचौड़ी मिलती हो तो रोजाना एक रुपया जेब खर्च तो बड़ा वाकया हुआ ! घर में तो दुअन्नी मिल जाना गनीमत होता था।

उन दिनों बतौर सिंगर तलत महमूद बहुत बड़ा स्टार था और बाकायदा फिल्मों में हीरो भी आने लगा था। सहगल के बाद मेरा मामा किसी का डाईहार्ड फैन बना था तो वो तलत महमूद था। एक छुट्टी के दिन वो मुझे हलाकू नाम की एक फिल्म दिखाने के लिये साथ ले कर चला। जिस सिनेमा पर 'हलाकू' लगी थी—नाम मुझे याद नहीं—वो हाल गेट के अन्दर कहीं था और वहां तक पहुंचने के लिये हाल गेट से गुजरना लाजमी होता था। तब वहां लगे एक बैनर से मामा को पता चला कि नजदीकी चित्रा सिनेमा पर उसी रोज तलत महमूद की नयी फिल्म 'दिलेनादान' लगी थी। मामा ने 'हलाकू' देखने का प्रोग्राम तर्क करने में एक सैकंड भी न लगाया। मेरे भरपूर विरोध के बावजूद उसने सीधे चित्रा सिनेमा का रुख किया, ईश्वर जाने कैसे 'दिलेनादान' की दो टिकट हासिल कीं और वो फिल्म देखी।

मैंने भी जमहाईयां लेते, जहरमार की तरह देखी।

बाद में उसने खुद अपनी जुबानी कबूल किया कि फिल्म बहुत ही घटिया थी लेकिन साथ ही जैसे खुद को तसल्ली दी—"पर सुरिन्दर, तलत महमूद के गानों में तो मजा आ गया!"

फिर बतौर कन्सोलेशन प्राइज मामा ने मुझे केसर के ढाबे पर खाना खिलाया। वापिसी का सारा रास्ता वो तलत महमूद का 'दिलेनादान' में गाया गाना गुनगुनाता आया—"मुहब्बत की धुन बेकरारों से पूछो। वो नग्मा है क्या चान्द तारों से पूछो।"

बाद में मामा ने आखिर मुझे 'हलाकू' भी दिखाई जो कि 'दिलेनादान' से कई दर्जा ज्यादा मनोरंजक फिल्म थी। उस में 'हलाकू' बना प्राण मुझे कई दिन सपने में डराता रहा।

आखिर गर्मी की छुट्टियां खत्म होने को आती थीं।

घर लौटने का टाइम होता था तो मामा के घर का माहौल जैसे सहम सा जाता था। मामी के चेहरे की उदासी छुपाये नहीं छुपती थी, वही हाल मामा का होता था। दोनों ऊपर से दिलेरी से मुस्कराते थे, हँसते थे लेकिन आंखों से वीरानी टपकती थी, मायूसी टपकती थी। इतना अरसा घर में इतनी रौनक रही थी और अब वो घर फिर हमेशा जैसा उदास और तनहा हो जाने वाला था। लेकिन क्या किया जा सकता था! बच्चों की छुट्टियां खत्म हो रही थीं, मां ने जाना ही था।

मामा स्टेशन तक हमारे साथ आता था। हम ट्रेन में सवार हो जाते थे तो वो प्लेटफार्म पर खड़ा खिड़की में से हम से बतियाता था। गाड़ी चलने को होती थी तो हमें प्यार देता था, बहन को 'जा कर चिट्ठी लिखना' की हिदायत देता था। ये सब कहते उसका गला रुंध रहा होता था, आंखें डबडबा आई होती थीं, हम तो छोटे थे उस वक्त के जज्बात को समझते नहीं थे लेकिन मां सब समझती थी, वो 'फेर आवांगी न!' कह कर भाई को तसल्ली देती थी और उस प्रक्रिया में उसकी आंखों में से भी आंसू ढुलक पड़ते थे।

आखिर ट्रेन प्लेटफार्म से सरकती थी, रफ्तार पकड़ने लगती थी तो पीछे प्लेटफार्म पर मामा तनहा खड़ा, आंखों में उमड़ते आंसू रोकता हाथ हिलाता रह जाता था।

बाद में जब मैं बड़ा, बालिग और खुदमुख्तार हो गया था तो मामा मेरा मामा नहीं रहा था, दोस्त बन गया था। हमउम्र जैसा दोस्त बन गया था।

लेकिन वो किस्सा अभी आगे।

गर्मियों की छुट्टियों के बाद जब हमारी वापिसी बटाला से होती थी तो हमें पहले बटाला से अमृतसर की पैसेंजर ट्रेन पकड़नी पड़ती थी और फिर हम आगे दिल्ली की ओवरनाइट एक्सप्रेस ट्रेन पर सवार होते थे। तब ताई हमें रास्ते में खाने के लिये परांठे और आलू की सूखी सब्जी पैक कर करके देती थी। अपनी कमउम्री में वो खाना मुझे किसी नियामत से कम नहीं जान पड़ता था। बटाला से पैसेंजर ट्रेन ने अभी आउटर सिग्नल पार किया होता था कि मैं मचलने लगता था—"चाई, रोटी दे न !"

"वे रुड़जानिया, घर से खा के तो चला था !"—मां झिड़कती थी।

"घर से न ! अब तो दे !"

"इतनी जल्दी भूख लग आयी है तेरे को?"

"हां। अब दे न !"

"चुप रह ! अभी नहीं। वो सब रात के खाने के लिये है, रात को मिलेगा। अब खबरदार जो बोला तो।"

मैं वक्ती तौर पर खामोश हो जाता था।

असल में भूख तो लगी नहीं होती थी, असल में तो परांठा ललचा रहा होता था जो कि आम हालात में दादी के घर बनता नहीं था।

मैं थोड़ी देर खामोश बैठता था और फिर रिरियाने लगता था—'रोटी दे।'

फिर फटकार मिलती थी।

लेकिन आखिर आजिज आ कर, पीछा छुड़ाने के लिये मां मुझे परांठा दे ही देती थी।

फिर दो बेटियों को क्यों न देती !

फिर खुद भी खाने लगती थी।

नतीजतन अभी अमृतसर नहीं आया होता था जहां से कि हमारा असली सफर शुरू होना होता था कि आधे परांठे हम चट कर भी चुके होते थे।

रोजमर्रा की दाल रोटी के मुकाबले में आखिर तो परांठे ने नियामत ही बन के दिखाया न !

कमजोर माली हालात ऐसे बहुत तजुर्बे कराती थी उन दिनों।

इसी सन्दर्भ में बच्चों के सथ मां के टैम्परेरी सालाना निर्वासन के बाद घर वापिसी के वक्त की एक खास घटना का वर्णन यहां जरूरी है :

वापिसी में हम अगर गाड़ी लेट न हो तो नौ-साढ़े नौ बजे तक घर पहुंच जाते थे, गाड़ी लेट हो तो दोपहर भी हो जाती थी।

ऐसी एक वापिसी पर जब मेरी मां ने जा कर रसोई में झांका तो भौंचक्की रह गयी।

रसोई का शायद ही कोई बर्तन था जिस में कि शेव नहीं हुई हुई थी। जाहिर था कि हमारी गैरहाजिरी में दफ्तर जाने की तैयारी में पिता जब शेव करते थे तो पानी डालने के लिये रसोई से एक गिलास निकाल लेते थे। गिलास खत्म हो जाते थे तो प्यालियों में पानी भर के शेव करते थे, फिर कटोरियों की बारी आती थी। कहने का मतलब ये था कि रसोई में उपलब्ध हर वो बर्तन, जिसमें पानी भरा जा सकता था, शेव के लिये इस्तेमाल हो चुका होता था और ऐसे तमाम बर्तनों में दाढ़ी के बालों का बुरादा मिली झाग जमी होती थी।

कोई पिता से सवाल नहीं कर सकता था कि क्यों रोजाना शेव के लिये एक ही गिलास नहीं इस्तेमाल किया जा सकता था।

तब सारा घर ही बुरे हाल में होता था लेकिन मुंह बाये सामने खड़ा अकेला रसोई की हालत सुधारने का काम ही कम से कम तीन घन्टे का होता था। वो हो चुकता तो रोटी पकने की बारी आती।

तब पिता मां का सिर्फ इतना लिहाज करते थे कि मुझे तलब करते थे और हुक्म देते थे कि मैं जा कर ढाबे से पन्द्रह रोटियां ले कर आऊं।

ढ़ाबे शाहदरा स्टेशन के बाहर थे जहां उन दिनों रोटी के साथ दाल फ्री मिलती थी। पन्द्रह रोटियों के साथ तो काफी दाल मिलती थी इसलिये मुझे कमंडल ले के जाने का हुक्म होता था। उस मुफ्त मिली दाल को मां घर में

प्याज का तड़का लगा लेती थी और उसके साथ सब जने मिल कर पन्द्रह तन्दूरी रोटियां खाते थे।

शाम होने को हो जाती थी और अभी निर्वासन से लौटी मां घर ही झाड़ बुहार रही होती थी, संवार रही होती थी।

गर्मियों की छुट्टियों में क्यों हमारा नानी घर या दादी घर जाना जरूरी था, मैं कभी न समझ सका। पड़ोसियों से पता लगता था कि सुबह आठ बजे से पहले नौकरी के लिये घर से निकला पिता कभी रात दस-ग्यारह बजे से पहले घर नहीं लौटता था। इतवार की रमी की फड़ तो जमती ही थी।

उन्हीं दिन्हों एक खास घटना घटी जिस की वजह से पिता को खड़े पैर बटाला जाना पड़ा।

मेरी विधवा ताई का बड़ा लड़का नौवीं में था जबकि उसने स्कूल जाना बन्द कर दिया और रोडवेज ट्रांसपोर्ट का बस कन्डक्टर बनने का संकल्प धारण कर लिया। उन दिनों बस कन्डक्टरी के लिये दरकार क्वालीफिकेशन मिडल पास होती थी जो कि वो था ही। सारा सारा दिन वो बस अड्डे पर बैठा रहता था जहां वो ये तो दरयाफ्त करता ही था कि बस कन्डक्टर की भरती कैसे होती थी, बड़े शौक से कन्डक्टरों के तौर तरीके भी सीखता था। नतीजतन अमृतसर से पठानकोट तक के रूट के सारे स्टाप उसे जुबानी याद हो गये थे। घर पर भी होता था तो ऊंची आवाज में चिल्लाने लगता था—"चल इक सवारी वेरका, कत्थूनंगल, जंतीपुर, बटाला, छीना, धारीवाल, सोनपुर, गुरदासपुर, परमानन्द चाकोलाड़ी, पठानकोट ओये!"

दिल्ली वाला चाचा बटाला पहुंचा तो उसका कन्डक्टर बनने का ख्वाब टूटा। पिता ने उस को भरपूर फटकार लगाई, वापिस स्कूल में भरती कराया और कान उमेठ तक ताकीद की कि मैट्रिक पास हो जाने तक उसने और किसी बात का खयाल भी नहीं करना था।

उसने मैट्रिक पास की तो पिता ने उसे दिल्ली बुला लिया और कश्मीरी गेट पर स्थित टाइप शार्टहैण्ड सिखाने वाले एक स्कूल में डाला।

फिर उसकी सफदरजंग हस्पताल में एलडीसी की नौकरी लगी और हस्पताल परिसर में ही एक उम्दा क्वार्टर मिला जो कि बाद में डाक्टरों को अलाट होने लगा। बस कंडक्टर बनने का अभिलाषी मेरा कजन आफिस सुपरिंटेंडेंट के तौर पर नौकरी से रिटायर हुआ।

अपने पिता का अपनी विधवा भाभी के इकलौते बेटे के लिये वो गुड डीड मुझे आज तक नहीं भूला।

□

मैंने पीछे शाहदरा की जिस लैंडिंग लायब्रेरी का जिक्र किया, उस को चलाने वाले एक सिख रिफ्यूजी थे जो पाकिस्तान में मंडी बाउदीन नाम की किसी जगह से विस्थापित हो कर आये थे और शाहदरा में आ के बसे थे। उन का काफी बड़ा परिवार था और सब के मुंह तक निवाला पहुंचाने की जिम्मेदारी अकेले उन पर आयद होती थी। विस्थापन के शुरुआती दौर में वो डाकखाने के सामने के खाली मैदान में एक तख्तपोश पर बैठ कर किताबों की जिल्दें बान्धा करते थे। फिर हालात सुधरे थे—जिन में उन की बीवी की भी कहीं छोटी मोटी नौकरी लग जाना शामिल था—तो बड़े बाजार में उन्होंने एक दुकान किराये पर ले ली थी और अपनी जिल्दें बांधने से होने वाली आमदनी को सप्लीमेंट करने के लिये लैंडिंग लायब्रेरी चालू कर ली थी। बहुत ही खुशमिजाज आदमी थे और बहुत ही उद्यमी थे। मैंने कभी उन्हें खाली बैठे नहीं देखा था। कोई काम नहीं होता था तो काम ईजाद कर लेते थे। जैसे लिफाफे बनाने लगते थे जिन्हें वो बाजार के ही दुकानदारों को बेच देते थे।

उन दिनों परचून के व्यापारियों को सरकारी हुक्म के तहत दुकान पर एक साइन बोर्ड टांगना जरूरी होता था जिस की एकाएक ही भारी डिमांड निकल आयी थी। शाहदरा में कोई साइन बोर्ड पेंटर तब नहीं था, लिहाजा सरदारजी खड़े पैर साइन बोर्ड पेंटर बन गये। वो घी, तेल के बड़े वाले कनस्तर को खोलते थे, उसकी चार तहें खोल कर पीट कर सीधी करते थे तो वांछित आकार का साइन बोर्ड उपलब्ध हो जाता था जिस पर वो सफेद पेंट का कोट मारते थे और ऊपर हिन्दी में सरकारी तहरीर दर्ज कर देते थे। साइन बोर्ड पेंटिग के लिहाज से उन का काम किसी काम का नहीं होता था लेकिन क्योंकि खानापूरी में सक्षम होता था इसलिये दुकानदारों को कबूल होता था। दूसरे, दुकानदार जानते ही नहीं थे कि जेनुइन साइन बोर्ड पेंटर बोर्ड पेंट करता तो उसकी क्या बानगी होती! लिहाजा नातजुर्बेकार सरदार जी का वो कैजुअल काम भी काफी अरसे तक उन के लिये कमाई का जरिया बना रहा।

फिर उन्होंने कोर्स की किताबें और कापियां रखनी शुरू कर दीं। तब तक शाहदरा में स्कूल भी कई हो गये थे इसलिये धीरे धीरे उन्होंने अपने दूसरे कैजुअल धन्धे तो बन्द कर दिये लेकिन लैंडिंग लायब्रेरी फिर भी जारी रखी, जबकि लैंडिंग लायब्रेरी की सप्लाई लाइन बनाये रखना काफी शिद्दत का काम था। शाम साढ़े छः बजे वो दुकान बन्द करते थे, ट्रेन से दिल्ली जाते थे, आगे दरीबे तक वाक करते थे जहां नावलों की होलसेल की दुकानें थीं। वो बिना इस बात का नोटिस लिये कि लेखक कौन था या प्रकाशक कौन था, हर नये आये नावल की एक एक कापी खरीदते थे और नयी रिलीज हुई फिल्मों के गानों की

आठ पेज की पांच पांच बुकलेट्स खरीदते थे। वो बुकलेट दरीबे से थोक के रेट पर एक पैसे में मिलती थी जिसे वो दुकान पर एक आने में बेचते थे।

मैं तब तक जासूसी नावलों का पक्का शैदाई बन चुका था और मेरे घर से बाहर रहने के मामले में रोक टोक भी कदरन घट चुकी थी। जिस दिन मुझे उम्मीद होती थी कि सरदार जी 'जासूसी दुनिया'—जिसके तहत इब्ने सफी के नावल छपते थे—साथ लेकर लौटेंगे तो उन की वापिसी की ट्रेन के टाइम पर मैं जाकर शाहदरा रेलवे स्टेशन की सीढ़ियों पर बैठ जाता था और ट्रेन वहां पहुंचने पर जब डेली पैसेंजर्स का रेला बाहर निकलता था तो मेरी चौकस निगाह सरदार जी को भीड़ में से सिंगल आउट करती थी, मैं वहीं उन का झोला खुलवाता था और 'जासूसी दुनिया' हासिल कर लेता था।

कभी जवाब मिलता था कि आज अभी 'जासूसी दुनिया' मार्केट में नहीं आयी थी तो मैं यूं नाउम्मीदी जाहिर करता था जैसे बहुत बड़ी जायदाद हाथ आते आते रह गयी हो।

अगले दिन फिर वही ड्रिल होती थी।

कई बार 'जासूसी दुनिया' फिर भी हासिल नहीं होती थी क्योंकि ट्रेन में ही उन्हें कोई मेरे जैसा ग्राहक मिल जाता था जो ट्रेन के शाहदरा स्टेशन पर आकर रुकने से पहले ही 'जासूसी दुनिया' पर काबिज हो जाता था। मन ही मन मैं सरदार जी को बुरी तरह कोसता था, जुबानी गिला भी करता था।

"ओये, सुरिन्दर"—तो जवाब मिलता था—"यार, वो भी तो तेरे जैसा ही ग्राहक था न!"

"यार बोला न!"—मैं भुनभुनाता था—"वो ग्राहक था न, यार तो नहीं था न!"

तब सरदार जी तनिक लाजवाब होते थे और वादा करते थे कि आइन्दा याद रखेंगे।

जो कि वो कभी नहीं रख पाते थे।

ऐसे ही मुलाहजेबाज थे।

लेकिन उन से मेरी दोस्ती किसी कमाल से कम नहीं थी। मुझे जब फुरसत होती थी, मैं उन की दुकान पर पहुंच जाता था और दुकान के आगे के प्रोजेक्शन पर एक कोने में हमेशा पड़ी रहने वाली एक संदूकची जैसी लकड़ी की पेटी पर जाकर बैठ जाता था। सरदार जी अपना काम करते रहते थे और बतियाते रहते थे। मेरा प्रमुख रोल श्रोता का ही होता था। मुझे उन की बातें सुनना अच्छा लगता था, उन्हें अपनी बातें सुनाना अच्छा लगता था। निरन्तर वो मुझे मंडी बाउदीन की बातें सुनाते थे जिन्हें मैं मुकम्मल तौर से नहीं भी समझता था तो चाव से सुनता था। वो काम करते थे, मुस्कराते थे और बोलते थे, मैं सुनता था।

अजीब इक्वेशन थी वो। सरदार जी मेरे से पच्चीस साल बड़े थे। मैं किशोरावस्था में था और वो अधेड़ावस्था की दहलीज पर पहुंचे हुए थे लेकिन फिर भी उस बेमेल दोस्ती में कोई इंग्रेडियंट एक्स था जिसने हमें एक दूसरे के साथ बान्धा हुआ था। मेरा पिता भी हैरान होता था और अक्सर सवाल करता था—"क्यों जाता है सरदार के पास बैठने? क्या मिलता है तुझे?"

मैं क्या जवाब देता!

"अपने बराबर के दोस्तों के साथ उठा बैठा कर।"

मैं हामी भरता था लेकिन वो हामी जुबानी जमा खर्च ही साबित होता था।

मेरे डीएवी कालेज जालंधर में दाखिला पाने तक वो सिलसिला चला। मेरे बीएससी करके जालंधर से लौटने तक सरदार जी ने अपना लैंडिंग लायब्रेरी का धन्धा बन्द कर दिया था और पूरी तौर से पाठ्य पुस्तकों के विक्रेता बन गये थे।

उन से बैठकबाजी का सिलसिला ठण्डा पड़ने के पीछे वो भी एक वजह थी।

फिर सन् 1964 में हमने शाहदरा छोड़ दिया था तो वो किस्सा ही खत्म हो गया था।

छियासी साल की उम्र में उन का देहावसान हुआ था। तब तक उन्होंने दुकानदारी कब की छोड़ दी थी—चारों लड़के अच्छी नौकरियां करने लगे थे—और वो सरदार अजीत सिंह की जगह संत अजीत सिंह कहलाने लगे थे। उनका बड़ा लड़का रधुबीर सिंह मेरी उम्र का था। अजीब विडम्बना थी कि मैं, जो कभी पिता का दोस्त था, अब पुत्र का दोस्त था—गनीमत थी कि जब पिता का दोस्त था तब पुत्र से मेरी कोई वाकफियत नहीं थी और पुत्र दोस्त बना था तो तब तक पिता से सम्पर्क पूरी तौर से टूट चुका था।

पिता की मौत की खबर मुझे किसी और ही जरिये से लगी थी—जब कि पुत्र को करनी चाहिये थी, जो कि उसने न की—और मैं किशोरावस्था की दोस्ती की यादों से बन्धा बिन बुलाये पिता की क्रिया में पहुंच गया था जो कि हरगोविन्द एंकलेव के गुरुद्वारे में सम्पन्न हुई थी और जहां मैंने व्यापक तौर पर उन का जिक्र बतौर संत अजीत सिंह सुना।

जब मैं सरदार जी को अपनी दुकान पर लिफाफे बनाते देखता था तो वो मुझे बहुत आसान, बहुत मकैनिकल काम लगता था। बस कागज काटना था, मोड़ के चिपकाना था, लिफाफा तैयार। तब ये वहशी खयाल मेरे जेहन में आया कि उस काम को मैं भी अंजाम दे सकता था।

मैंने घर बैठ कर लिफाफे बनाना शुरू कर दिया।

लिफाफे तो मैंने बना लिये लेकिन उनको बाजार में बेचने जाने में मुझे शर्म आती थी। घर से करीब ही एक पिछड़ी जात वालों का मौहल्ला था जिन के छोटे छोटे लड़के कहने को तो स्कूल भी जाते थे लेकिन असल में सारा सारा दिन रेलवे ट्रैक पर से इंजनों से गिरा कोयला बीनते थे। मैंने ऐसे एक हमउम्र को पकड़ा और एक रुपया फीस की एवज में उसको दुकानदारों को लिफाफे सप्लाई करके आने को तैयार किया। वो बहुत आसानी से वो काम कर आया, पैसे भी ले आया लेकिन जो लाया वो मुझे गुनाह बेलज्जत जैसा लगा। फिर भी कुछ अरसा मैंने वो सिलसिला चलाया। आखिर मुझे मालूम हुआ कि वो लड़का जितने पैसों में लिफाफे बिके बताता था, असल में उस से दुगने में बेच कर आता था। यानी एक रुपया फीस को भी खातिर में लाया जाये तो मेरे से ज्यादा वो कमाता था।

जब कि उसे कुछ करना भी नहीं पड़ता था।

सब कुछ तो मैं करता था!

वो मेरी जिन्दगी का सब से वाहियात काम था। बाद में जब मैंने उससे किनारा किया तो मुझे इस बात का गिला न हुआ कि मैंने वो नाशुक्रा काम किया, इंतहाई गिला इस बात का हुआ कि घर में किसी ने मुझे टोका नहीं, उस निकम्मे काम को करने से रोका नहीं।

मेरे पिता ने भी नहीं जो कि मेरी हर हरकत पर घाघ जैसी निगाह रखता था।

शायद सोचता था कि उसकी नालायक औलाद की यही औकात थी, नूरेचश्म इसी काबिल था।

शाहदरा में म्यूनीसिपैलिटी के दफ्तर के सामने एक लायब्रेरी थी, फिल्मी मैगजींस पढ़ने की नीयत से जिसके रीडिंग हाल में शाम को मैं अक्सर जा कर बैठा करता था। नये फिल्मफेयर को सब झपटते थे इसलिये उस के किसी दूसरे रीडर से फारिग होने का लम्बा इन्तजार भी करना पड़ता था। उस इन्तजार को आसान बनाने के लिये मैं साथ में 'जासूसी दुनिया' ले जाता था और किसी दूसरी, कमजोर मांग वाली, मैगजीन में छुपा का उस को तब तक पढ़ता था, जब तक फिल्मफेयर उपलब्ध नहीं हो जाता था।

एक बार यूँ मैं 'विनोद और लिवनार्ड' पढ़ रहा था जिस में मजाहियां सीन ऐसे थे कि मेरी हँसी नहीं रुकती थी। एक बार तो मैं बेसाख्ता इतनी जोर से हँसा कि अपने आफिस से उठ कर लाइब्रेरियन वहां आ गया। उसने मुझे नावल पढ़ते

देखा वो बहुत नाराज हुआ और बाकायदा फटकार लगाकर बोला कि वहां बाहर से नावल, रिसाले ले कर आना मना था। अगर मैं नावल्स का इतना ही शौकीन था तो लायब्रेरी का मेम्बर क्यों नहीं बन जाता था।

वो मेरे लिये नयी बात थी।

मैं समझता था कि लायब्रेरी के मेम्बर बड़ी उम्र के लोग ही बन सकते थे।

उसने अगले रोज दोपहरबाद मुझे बुलाया, मेम्बर बनाने की खानापूरी करवाई और पुस्तक इशु कराने वाला एक कार्ड मेरे हवाले कर दिया।

वो छोटी सी लायब्रेरी थी जिस में आज जैसी इंडैक्स सिस्टम वाली कैबिनेट्स नहीं थी। अपने निहायत ही खूबसूरत हैंडराइटिंग में लायब्रेरियन खुद दो रजिस्टर मेनटेन करता था जिसमें लायब्रेरी की तमाम किताबें उन के लेखकों के अल्फाबैटिक नामों के नीचे दर्ज होती थीं।

यूं जो दर्ज होता था दाईं ओर के वरके पर ही होता था। बाईं ओर का वरका या तो खाली होता था या 'जारी...' लिख कर उस पर कुछ नाम दर्ज होते थे।

किताब के तलबगार मेम्बर को वो रजिस्टर सौंप दिये जाते थे जिनका अध्ययन करके मेम्बर जो पुस्तक छांटता था वो लायब्रेरियन हाल में जा कर अलमारियों में से एक से निकाल लाता था।

ऐसे एक बार जब कोई किताब मेरी नाक के नीचे नहीं आ रही थी तो मेरी तवज्जो कृश्न चन्दर नाम के एक लेखक की ऐंट्री पर पड़ी जिस के नीचे सिर्फ एक उपन्यास का नाम—पराजय—दर्ज था।

सैकंड चायस के तौर पर मैंने वो नावल ईशु करा लिया।

वो एक छोटा सा नावल था जिसे मैंने पढ़ा तो मुझे एक नया ही तजुर्बा हुआ। कहानी तो जैसी थी सो थी, ऐसा सम्मोहन से जकड़ लेने वाला अन्दाजेबयां मैंने पहले कभी नहीं पढ़ा था, तहरीर की ऐसी रवानगी का पहले कभी तजुर्बा नहीं हुआ था, ऐसी किरदारनिगारी से भी पहले मेरा वास्ता नहीं पड़ा था।

मैं फौरन उस लेखक को और पढ़ने का तमन्नाई हो उठा लेकिन लायब्रेरी रजिस्टर में उसके नाम के नीचे तो सिर्फ एक किताब दर्ज थी—पराजय—जिसे मैं पढ़ चुका था। मैंने उस बाबत लायब्रेरियन से बात की कि इतने दमदार लेखक की लायब्रेरी में बस एक ही किताब क्यों थी।

वो हँसने लगा।

मैं बहुत सकपकाया, बहुत हैरान हुआ। क्यों हँसता था? क्या गलत कह दिया था मैंने?

तब उसने मेरी तवज्जो रजिस्टर के बायें वर्के की तरफ दिलाई जिस पर 'जारी...' के तहत कृश्न चन्दर की कई पुस्तकें दर्ज थीं।

मैंने तो आदतन बायें पेज की तरफ तवज्जो ही नहीं दी थी। कृश्न चन्दर की वहां इतनी किताबें उपलब्ध पा कर मेरी खुशी का पारावार न रहा।

फिर जब तक मैंने वो तमाम किताबें पढ़ न लीं, किसी दूसरी किताब को हाथ न लगाया।

'जासूसी दुनिया' को भी नहीं।

तब तक मैं जान चुका था कि कृश्न चन्दर मूल रूप से उर्दू का लेखक था—इसी लिये नाम ऐसे लिखता था, जैसे उर्दू में लिखा जाता था, कृश्न चन्दर लिखता था, कृश्नचन्द्र नहीं लिखता था जैसा कि होना चाहिये था। हिन्दी में वो गलत लिखा नाम ही उसका ट्रेडमार्क बन गया था—जो मुख्यरूप से कहानी लेखक था, अफसानानिगार था। 'पराजय' जैसे कुछ नावल उसने लिखे थे लेकिन वो भी मोटे तौर पर लांग शार्ट स्टोरी ही थे।

मुझे ये भी मालूम पड़ा कि 'पराजय' जब मूलरूप से उर्दू में प्रकाशित हुआ था तो उसका नाम 'दिल की वादियां सो गयीं' था और ये वही उपन्यास था जिस पर सुनील दत्त की पहली फिल्म 'रेलवे प्लेटफार्म' बनी थी।

एक बार कृश्न चन्दर की कलम से तआरुफ हो जाने के बाद मैंने दायें बायें झांका तो नफीस अफसानानिगारी की एक नयी ही दुनिया के दरवाजे मेरे सामने खुल गये और मेरी ख्वाजा अहमद अब्बास, इस्मत चुगताई, राजेन्द्र सिंह बेदी, सआदत हसन मंटो, वाजिदा तबस्सुम, अहमद नदीम कासिमी जैसे महान, कालजयी लेखकों से वाकफियत हुई और मैंने सब की रचनाओं को ढूंढ़ ढूंढ़ कर पढ़ा और जाना कि कमिटिड लेखन कैसा होता था।

आज उपरोक्त में से एक भी लेखक जिन्दा नहीं है लेकिन मेरे जेहन में, मेरे पर्सनल कलैक्शन में तमाम के तमाम जिन्दा हैं और रहेंगे। कृश्न चन्दर के बारे में तब मुझे पता चला कि उर्दू की शमा मैगजीन में हर महीने उस की एक कहानी छपती थी। नतीजतन शमा में मैंने अपने पसन्दीदा लेखक की कई कहानियां पढ़ीं जब कि मेरा उर्दू का ज्ञान सीमित था और उसे धाराप्रवाह पढ़ने में मुझे दिक्कत होती थी।

कृश्न चन्दर का मज़ाहिया नावल 'एक गधे की सरगुजश्त' भी मैंने हिन्दी में छपने से पहले शमा में धारावाही पढ़ा।

फिर साठ के दशक में टाइम्स आफ इन्डिया से 'सारिका' का प्रकाशन शुरू हुआ और उस में भी कृश्न चन्दर की कहानियां 'कृश्न चन्दर ने हिन्दी सीखी' प्रचार के तहत नियमित रूप से छपने लगी। यानी कि सारिका ने कृश्न चन्दर को हिन्दी का लेखक कह के प्रोमोट किया जो कि वो नहीं था। 'कृश्न चन्दर ने हिन्दी सीखी' भ्रामक प्रचार था—सीखी तो कहानी लेखन के लिये हरगिज न सीखी—लेखक ने सदा उर्दू में ही लिखा जिस का हाथ के हाथ हिन्दी में अनुवाद होता था और अनुवाद हाथ के हाथ टाइप होता था ताकि लेखक के हिन्दी हस्तलेख का सवाल ही न उठे। लिहाजा एक कथा के निर्माण के लिये तीन जने बैठते थे और निर्माण कर के ही उठते थे।

असैम्बली लाइन प्रोडक्शन की तरह !

कृश्न चन्दर फिल्मों में—खासतौर से डायलॉग—रेगुलर लिखते थे, पद्मभूषण थे, मुम्बई में हुए जश्नेकृश्नचन्दर की सदारत खुद तद्कालीन प्रधानमन्त्री इन्दिरा गान्धी ने की थी और सस्ते जमाने में पचास हजार रुपयों की थैली भेंट की थी फिर भी माली दुश्वारियों से परेशान रहते थे और बाद में हिन्द पॉकेट बुक्स के सौजन्य से सच में ही लेखन का कारखाना चलाने लगे थे। हिन्द पॉकेट बुक्स ने उन के लिखे जासूसी उपन्यासों का—रिपीट, जासूसी उपन्यासों का—मार्केट में ढेरा लगा दिया था। ओ हेनरी और चेखव के समकक्ष रखे जाने वाले महान लेखक को फुटपाथिया जासूसी नावलों का राइटर बना दिया था।

सब ईजी मनी की खातिर।

कृश्न चन्दर नाम का करिश्माई लेखक रेस का घोड़ा था। रेस का घोड़ा रेस हार भी जाये तो उसे तांगे में जुतने वाले घोड़े के समकक्ष नहीं खड़ा किया जा सकता।

इसलिये वो आज भी मेरे आदर्श हैं, मेरे प्रेरणास्रोत हैं।

बेदी और अब्बास से ताल्लुक रखती एक खास बात मैं यहां दर्ज करना चाहता हूं :

थोड़े से वक्फे के साथ राजेन्द्र सिंह बेदी की 'एक चादर मैली सी' और ख्वाजा अहमद अब्बास की 'चार दिल चार राहें' तब चार चार किस्तों में धारावाहित रूप से 'माया' में छपी थीं जब कि मैं डीएवी कालेज में थर्ड इयर का विद्यार्थी था। तब 'माया' का मैं रेगुलर सबस्क्राइबर नहीं था, कभी कभार कहीं से हाथ लग जाती थी तो पढ़ लेता था। यूं इत्तफाकन 'माया' का वो अंक मेरे हाथ में लगा जिस में 'एक चादर मैली सी' की पहली किस्त छपी थी। मैंने वो किस्त पढ़ी तो नशा छा गया। होस्टल के करीबी दोस्तों ने पढ़ी तो उन पर भी वही असर हुआ और हम सब 'माया' का अगला इशु आने के इन्तजार में तड़फड़ाने लगे।

सम्भावित तारीख पर मैं किराये की साइकल लेकर होस्टल से छः किलोमीटर दूर रेलवे स्टेशन गया लेकिन बुक स्टाल से मालूम पड़ा कि 'माया' नहीं आयी थी।

तीसरे राउन्ड में 'माया' का वांछित अंक प्राप्त हुआ।

आठ आने की मैगजीन के लिये तीन रुपये साइकल का किराया खर्च चुकने के बाद।

फिर होस्टल में एक अनार सौ बीमार वाला माहौल बनता था।

हल ये निकाला गया कि एक जना पढ़े और बाकी सुनें।

यूं हमने 'एक चादर मैली सी' और 'चार दिल चार राहें' पढ़ीं और उन दो महान उर्दू अदीबों के हमेशा के लिये मुरीद बन गये।

बाद में 'एक चादर मैली सी' और उसके लेखक राजेन्द्र सिंह बेदी ने उस एक रचना के सदके जो नाम कमाया वो बेमिसाल था। दो बार फिल्म बनी, दुनिया भर की भाषाओं में अनुवाद हुए। इंगलिश अनुवाद तो खुशवन्त सिंह ने 'आई टेक दिस वुमेन' के नाम से किया।

आज भी 'एक चादर मैली सी' की वही धाक बरकरार है जो सन 1960 में उस के प्रथम प्रकाशन के वक्त बनी थी।

अलबत्ता 'चार दिल चार राहें' इतना ऊंचा मैयार न खड़ा कर सकी।

तब तक मुझे दिल्ली पब्लिक लायब्रेरी जाना आ गया था जो कि बहुत बड़ी, बहुत सम्पन्न लायब्रेरी थी, दिल्ली रेलवे स्टेशन के ऐन सामने थी इसलिये वहां पहुंचना भी आसान था।

वहां इतनी किताबें होती थीं कि चायस मुश्किल होती थी कि कौन सी किताब ईशु कराई जाये। उस उलझन को मैंने अपने तरीके से सुलझाया। यहां ये जिक्र जरूरी है कि उस उम्र में हिन्दी के लेखकों से मैं ज्यादा मुतासिर नहीं था; प्रेमचन्द, शरतचन्द्र जैसे आइकानिक लेखकों के अलावा मोटे तौर पर मुझे नहीं मालूम था कि कौन लेखक किस काबिल था। तब इशु कराने के लिये मैं वो किताब चुनता था जिस की हालत सबसे खस्ता होती थी। मन्तव्य ये था कि बहुत लोगों ने पढ़ी, तभी तो हालत खस्ता हुई।

यूं चुनी किताब से मुझे कभी नाउम्मीदी न हुई।

दिल्ली पब्लिक लायब्रेरी से किताब दो हफ्ते के लिये इशु होती थी, लेट हो जाने पर डेली रेट पर जुर्माना होता था। उस जुर्माने से बचने का भी तरीका मेरे पास था।

किताब दो हफ्ते के लिये इशु होती थी लेकिन बाज लोग दो दिन में वापिस कर जाते थे। लेट हो गयी किताब के साथ और गोंद की एक ट्यूब के साथ मैं लायब्रेरी जाता था और कोई ऐसी किताब तलाश करता था जिस पर लगी मोहर के मुताबिक ड्यू डेट अभी दूर होती थी। मैं लायब्रेरी की वो स्लिप किताब पर से सावधानी से फाड़ लेता था, वैसे ही अपनी किताब पर से ईशू स्लिप उतारता था और उस की जगह वो स्लिप चिपका देता था जिस पर मोहरबन्द वापिसी की डेट अभी दूर होती थी और किताब को ले जा कर काउन्टर पर पेश कर देता था।

क्लर्क को मेरा कार्ड ट्रेस करने में थोड़ी दिक्कत डेट की हेराफेरी की वजह से होती थी लेकिन वो उसे क्लैरिकल मिस्टेक मानता था और आखिर कार्ड ढूंढ़ कर मेरे हवाले कर देता था।

एक बार दोस्तों के भड़काये, उनके हूल देने पर लायब्रेरी से किताब चुरा कर दिखाई। उस कोशिश में जब तक बाहर सड़क पर न आ गया, कलेजा मुंह को आता रहा।

फिर दोस्तों को चोरी की किताब दिखा कर शाबाशी हासिल की और अगले रोज किताब को यथास्थल वापिस रख के आया।

तब लायब्रेरी से लाकर पढ़ी जो किताब मुझे बहुत ही उम्दा लगती थी, मैं उस का नाम, लेखक का नाम, प्रकाशक का नाम पता डायरी में इस मकसद से नोट कर लेता था कि आइन्दा जिन्दगी में कभी मेरी कोई माली औकात बनेगी तो मैं उन उम्दा किताबों को खरीद कर अपनी पर्सनल लायब्रेरी बनाऊंगा। औकात तो आखिर बनी लेकिन तब तक वो किताबें मार्केट से गायब हो गयीं, ढूंढ़े न मिलीं।

उन्हीं दिनों एक बार मैं और वेद—वेद प्रकाश काम्बोज—राधू से सिनेमा देख कर लौट रहे थे। भोलानाथ नगर ले जाने वाली सड़क के दहाने पर पहुंचने के लिये जीटी रोड और उसके बीच में जो रेलवे लाइन पड़ती थी, उस को पार कर लेने पर वो अच्छा खासा शार्ट कट बन जाता था। हम रेलवे लाइन पर पहुंचे तो एक बेतहाशा लम्बी मालगाड़ी को बीच में खड़े पाया। हमारे दोनों तरफ इतने डिब्बे थे कि सिरे से पार होने के लिये किसी भी तरफ जाते तो शार्ट कट के मायने ही खत्म हो जाते।

"अबे, खड़ी है।"— काम्बोज बोला।

"है तो सही !"

"साली कब से खड़ी है। सिनेमा से निकले थे, तब भी खड़ी थी। अभी नहीं चलने वाली। नीचे से निकल लेते हैं।"

मैंने सहमति में सिर हिलाया, बातें करते हम दोनों एक बोगी के नीचे घुस गये। बातों में इतने मग्न थे कि परली पार निकल लेने की जगह पटड़ी पर बैठ गये और पत्थर उठा उठा कर सामने फेंकते बातें जारी रखीं। उस दौरान मेरे हाथ में एक बड़ा सुडौल, बड़ा सुन्दर पत्थर आ गया जिसे मैंने परे उछाल दिया तो मुझे सूझा कि वो पत्थर मुझे नहीं फेंकना चाहिये था, नावल्टी के तौर पर काबू में रखना चाहिये था। पत्थर को वापिस कब्जाने के लिये मैं पटड़ी पर से उठा और डिब्बे के नीचे से निकला।

काम्बोज ने मेरा अनुसरण किया।

मैंने दो ही कदम आगे बढ़ाये थे कि किसी अज्ञात भावना से प्रेरित हो कर मैंने घूम कर पीछे देखा।

मेरे प्राण कांप गये।

ट्रेन चल रही थी।

काम्बोज का भी वही हाल था। हम हकबकाये से एक दूसरे की शक्ल देख रहे थे, किसी के भी मुंह से बोल नहीं फूट रहा था।

यकीन ही नहीं हो रहा था कि मालगाड़ी के पहिये के नीचे आ कर कट मरने से हम बाल बाल बचे थे।

भावी उपन्यास सम्राट वेद प्रकाश काम्बोज।

टॉप मिस्ट्री राइटर आफ फ्यूचर सुरेन्द्र मोहन पाठक।

बतौर लेखक वजूद में आने से पहले ही जिन का वजूद मिट गया।

वो मौत से—जो मुझे छू कर निकल गयी थी—मेरी तीसरी मुलाकात थी।

वो तीसरा जीवनदान था जो खुदाई करिश्मे के तौर पर मेरी झोली में—जो कि मैंने फैलाई भी नहीं थी—आकर गिरा था।

दीन दयाल दयानिधि दोखन, देखत हैं पर देत न हारै।

□

मैं दसवीं क्लास में था जब कि गर्मियों की छुट्टियों में दिल्ली सरकार की तरफ से भारत दर्शन टूर का आयोजन हुआ। हर स्कूल से दस बच्चे चुने गये और भारत दर्शन के लिये एक स्पैशल, पूरी की पूरी ट्रेन उन के हवाले की गयी। ट्रेन में हर बच्चे के लिये स्लीपर उपलब्ध था और ब्रेकफास्ट, लंच, शाम की चाय, डिनर सब ट्रेन में ही उपलब्ध था जिसके लिये हर तरह के रसद के सामान समेत रसोईये ट्रेन में ही उपलब्ध थे जो जहां ट्रेन रुकती थी, वहां प्लेटफार्म पर खुले में कहीं अड्डा जमाते थे और बच्चों से भरी ट्रेन के लिये भोजन सामग्री तैयार करते थे।

वो चालीस दिन का सरकार की तरफ से हैवीली सबसिडाइज्ड टूअर था जिसके लिये फी बच्चा चार्ज किये गये थे—एक सौ पच्चीस रुपये।

मैं दो तरह से खुशकिस्मत था। एक तो मेरे स्कूल से चुने गये दस बच्चों में मैं शामिल था और दूसरे मेरे पिता ने उस टूअर पर मुझे भेजने में—यानी नालायक औलाद पर एक सौ पच्चीस रुपये सर्फ करने में—कोई हुज्जत न की।

ट्रेन की रवानगी के वक्त उस को हरी झंडी दिखाने के लिये स्टेशन पर खुद दिल्ली के तद्कालीन मुख्यमन्त्री चौधरी ब्रह्म प्रकाश आये।

वो पहला मौका था जब कि मैं इतने लम्बे अरसे के लिये अकेला घर से बाहर था। शायद ये ही वजह थी कि अभी चार ही दिन गुजरे थे कि उदास हो गया था और तदोपरान्त हर पांचवें छटे दिन होम सिकनैस के हवाले तनहाई में खामोशी में रोता रहा था।

लेकिन मौज भी भरपूर थी। खाना ऐसा उम्दा मिलता था जैसा कि घर में तो क्या अमूमन शादी ब्याह में भी कभी नहीं खाया था। जहां ट्रेन जा कर रुकती

थी, शहर की कोई बड़ी हस्ती ट्रेन को रिसीव करने स्टेशन पर मौजूद होती थी। पांडीचेरी में तो बाकायदा मदर से हाथ मिलाने का और तोहफा पाने का मौका हर विद्यार्थी को मिला।

चालीस दिन के टूअर में जिन शहरों का भ्रमण, दर्शन नसीब हुआ, जहां तक मुझे याद पड़ता है, वो थे भोपाल, हैदराबाद, सिकन्द्राबाद, तंजोर, मदुरा, त्रिचनापल्ली, मद्रास, पांडीचेरी, रामेश्वरम, कन्याकुमारी, बैंगलोर, मैसूर, बम्बई (अब मुम्बई) और आगरा।

हैदराबाद में टूअर की बस की सवारी छोड़ कर बाइसिकल किराये पर ली और सारे शहर में खूब दौड़ाई।

मद्रास में टूअर की बस को छोड़ कर मूर्खों की तरह सिनेमा में घुस गया। लिहाजा जब सारा टूअर क्लाइव का किला देख रहा था, मैं 'सीआईडी' देख रहा था जो कि मैं घर पर भी देख सकता था।

हाल में मेरी बगल की सीट पर एक मद्रासी बैठा था जिस को हिन्दी नहीं आती थी लेकिन जरूर जिसे बालीवुड की फिल्मों का चसका था। कोई नाच गाने के या एक्शन के सीन स्क्रीन पर चित्रित होते थे, तब तो वो खामोश रहता था लेकिन ज्यों ही डायलॉग वाला सीन आता था, वो हर डायलॉग पर मुझे कोहनी मारने लगता था और व्यग्रता से पूछने लगता था—"वाट डिड ही से, सर ! वाट डिड शी से, सर?"

पांडीचेरी (अब पुदूचेरी—PUDUCHERRY) में मैंने अपनी तब तक की जिन्दगी में पहली बार मर्दाना लिबास वाली लड़कियां साक्षात देखी। स्टेशन के बाहर ही दो किशोरियां खड़ी आपस में बतियाती दिखाई दीं। तीनों घुटनों से कई इंच ऊंची टाइट निक्कर और वैसी ही छोटी सी कालर वाली शर्ट पहने थीं। मेरे दिल ने यहीं गवाही दी कि वो ऐसे माता पिता की बेटियां थीं जिन्हें पुत्र की प्राप्ति नहीं हो पायी थी इसलिये वो पुत्रियों को पुत्र वाला लिबास पहनने को प्रेरित कर मन को तसल्ली देते थे कि उन की बेटियां ही बेटों जैसी थीं।

असल में तब पता लगा कि मेरी सोच गलत थी जब हमें औरविन्दो आश्रम ले जाया था। वहां तो सैंकड़ों की तादाद में लड़कियां थीं और वही पोशाक पहने थीं।

पांडीचेरी नगर की जो दूसरी विशेषता जानकारी में आयी, वो ये थी कि नगर की तमाम सड़कें या तो एक दूसरे से समानान्तर थीं, या समकोण बनाती हुई थीं। कहीं भी कोई कर्व नहीं था, कोई डैड एण्ड नहीं था, कोई भी रास्ता जिगजैग नहीं था। ऐसा लगता था जैसे सारी सड़कें ज्योमैट्री के जेरसाया डी, सैट-स्क्वायर और फुटे से बनायी गयी थीं।

एक और विशेषता रिक्शा वाले थे जो कलकत्ता की तरह रिक्शा हाथ से खींचते थे, कहीं पहुंचाने का अपनी मर्जी से जितना भाड़ा ठहराते थे, पहुंच कर उससे ज्यादा मांगने लगते थे। उस मेहनत और मशक्कत की दुहाई सारे रास्ते रनिंग कमैंट्री की तरह देते थे कि सवारी को बिठा कर रिक्शा खींचते सड़क पर दौड़ना पड़ता था। कोई उन की सैड स्टोरी से पिघल कर अतिरिक्त भुगतान कर देता था तो ठीक, नहीं करता था तो उसे स्थानीय भाषा में—शायद तामिल में—कोसने लगते थे।

रामेश्वरम पहुंचते गाड़ी ने एक पुल पर से गुजरना होता था जिस के करीब आने से पहले ही ट्रेन के पब्लिक अड्रैस सिस्टम पर घोषणा होने लगती थी कि जब तक गाड़ी पुल से पार न निकल जाये कोई अपने स्थान से न हिले।

उस पुल ने मुझे इतना डराया कि मैं तो तब तक न हिला जब तक कि ट्रेन अपने मुकाम पर जा कर खड़ी न हो गयी।

कन्याकुमारी हिन्दोस्तान का आखिरी सिरा था जहां मैंने एक पांव अपने मुल्क की खुश्की पर और दूसरा मुल्क से बाहर रख कर खड़ा होने का आनन्द उठाया। तब कन्याकुमारी में समुद्र में से सिर उठाये खड़ी विवेकानन्द रॉक तो थी लेकिन खाली रॉक ही थी जिसका नाम उस हाल में भी विवेकानन्द रॉक ही था। उस पर विवेकानन्द की यादगार में आज जो निर्माण दिखाई देता है, वो तब से बहुत, बहुत बाद में हुआ था।

कन्याकुमारी पर तीन सागर—अरब सागर, हिन्द महासागर, खाड़ी बंगाल—मिलते थे और तीनों का रंग साफ साफ एक दूसरे से जुदा था इसलिये साफ दिखाई देता था कि कहां अरब सागर खत्म हुआ था और कहां हिन्द महासागर शुरू हुआ था; कहां हिन्द महासागर खत्म हुआ था और खाड़ी बंगाल का समुद्र शुरू हुआ था। उस उम्र में वो नजारा भी मुझे यादगार लगा था।

बैंगलोर में पहली बार मैंने डोसा इडली की शक्ल देखी।

मैसूर में वृन्दावन गार्डेन की रात की वक्त की जगमग देखी तो यूं लगा कि जैसे मैं जादूनगरी में विचर रहा था। मन बहुत ही प्रफुल्लित हुआ, बहुत ही आनन्द और उत्साह की हिलोरें उस में पैदा हुईं।

मुम्बई में सब से लम्बा—पांच दिन का—स्टे था। खूब सैर की। टूर की बस के अलावा लोकल के सफर का आनन्द भी उठाया और टैक्सी की भी ख़ूब सैर की। तब मुम्बई में दो तरह की टैक्सी चलती थीं—एक आज जैसी फियेट जो कि बड़ी टैक्सी कहलाती थी और चार पैसेंजर बिठाती थी, दूसरी छोटी टैक्सी जो बाहर से आयातित आस्टिन या हिलमैन होती थी, तीन सवारी बिठाती थी और बड़ी टैक्सी से कम किराया चार्ज करती थी। छोटी टैक्सी एक तरह से ऑटो

का विकल्प थी जो कि तब होते ही नहीं थी। शार्ट डिस्टेंस के लिये घोड़ा बग्धी उपलब्ध होती थी जो कि विक्टोरिया कहलाती थी।

तब टैक्सी वाले इतने उदार थे कि दो टाइप की टैक्सियों का फर्क हमें उन्हीं ने समझाया :

"तुम बच्चा लोग है। छोटा टैक्सी एंगेज करने का। कमती किराया लगेगा। क्या बोला मैं?"

"छोटा टैक्सी लेने का।"

"बरोबर।"

विक्टोरिया टर्मिनस स्टेशन के सामने तब बेशुमार पैडलर होते थे जो बुशशर्ट और टीशर्ट बेचते थे जो मनीला, फिलीपाइन्स से आती थीं। लीगली इम्पोर्टिड होती थीं या समगल्ड होती थीं, ये तब समझने की हमारी उम्र नहीं थी। उन की बाबत हमारे लिये दो बातें प्रमुख थीं :

एक तो वो इतनी उम्दा होती थीं कि पैडलर जितनी दिखाता था, सब लेने को दिल ललकता था।

दूसरे, कीमत पांच रुपया।

उस पर भी तुर्रा कि टैक्सी वालों जैसा ही उदार पैडलर बोलता था—"तुम बच्चा लोग! तुम्हेरे से एट आनाज कम लेगा। तुम्हेरे को फोर फिफ्टी में देगा।"

मैंने एक बुशशर्ट और एक टीशर्ट खरीदी, क्योंकि दो से ज्यादा खरीदने के लिये मेरे पास पैसे नहीं थे। होते तो बीस खरीदता; तीस खरीदता।

और सबने चार-चार, पांच-पांच खरीदी, छः-छः खरीदी।

मेरे सीमित साधन मुझे मायूस करते थे। जी चाहता था किसी से उधार मांग लूं लेकिन एक तो मांगने का ही हौसला न जुटा पाया—मुमकिन था कि मांगता तो निराशा ही हाथ लगती—दूसरे, जो दस-बीस रुपये उधार मांगता, वो लौटाने भी तो होते! पिता न देता तो प्राब्लम होती। डांट फटकार अलग से पड़ती कि क्यों उधार मांगा।

बहरहाल दो ही शर्टों से सब्र किया लेकिन उन्हें मैंने यूं पहना कि एक धुल रही होती थी, दूसरी मैं पहने होता था; दूसरी धुल रही होती थी, पहली मैं पहने होता था। सारा मौहल्ला मेरे से पूछता था कि वो शर्ट मैं कहां से लाया था। मैं गर्व से बताता था कि मुम्बई से...मुम्बई से लाया था। श्रोता कीमत सुनते थे तो भौंचक्के रह जाते थे। उन का बस चलता तो दौड़कर मुम्बई जाते और वैसी शर्टें ले कर ही लौटते।

हमारे वापिसी के शिड्यूल में ग्वालियर भी था लेकिन ट्रेन के वहां पहुंचने से पहले ही पब्लिक अड्रैस सिस्टम पर घोषणा होने लगी कि ट्रेन घन्टों में नहीं, दिनों में लेट थी इसलिये ग्वालियर नहीं रुकेगी।

आगरा सिर्फ इसलिये रुकी कि वहां लंच सर्व होना था, साइट सीईंग के लिये कहीं ले जाने का वहां भी कोई शिड्यूल नहीं था।

फिर भी ताजमहल तो मेरे स्कूल के तीन साथियों की वजह से मुझे देखना नसीब हो ही गया। ट्रेन राजा की मण्डी स्टेशन पर रुकी थी जहां से कि ताजमहल करीब था। उन लड़कों ने लंच छोड़ देने का और उतने टाइम में ताजमहल देख आने का फैसला किया। उन की मेहरबानी हुई जो वो मुझे भी ले गये वर्ना मैं तो उस अभियान का खर्चा शेयर करने की स्थिति में था नहीं।

वापिसी में गनीमत थी कि मेरा पिता मुझे लेने के लिये नई दिल्ली स्टेशन पर आया हुआ था। साथ में कम्पनी की एक शोफर ड्रिवन एम्बैसेडर गाड़ी मांग कर लाया हुआ था। लिहाजा मैं स्टाइल से घर पुहंचने वाला था।

मेरे स्कूल का एक और लड़का मेरे साथ था जो एक व्यापारी परिवार का था, उसके पिता कार बैट्रियां बनाते थे और वो लोग दिलशाद गार्डन रहते थे जो कि शाहदरा से दो-ढ़ाई किलोमीटर ही आगे था। बतौर उसके, ड्राइवर उसे लेने आने वाला था जो कि पता नहीं क्यों नहीं आया था!

मेरे पिता ने उसे घर पहुंचाने का आश्वासन दिया।

हम दिलशाद गार्डन पहुंचे तो उस लड़के का पिता कोठी से बाहर निकला और ये देख कर बहुत प्रभावित हुआ कि लड़का नयी नकोर शोफर ड्रिवन ऐम्बैसेडर पर आया था।

आगे मेरे पिता से भी प्रभावित हुआ जिसे उसने सहज ही गाड़ी का मालिक समझ लिया।

"नवीं ली है, जी!"—प्रशंसात्मक स्वर में बोला।

"नहीं, जी।"—मेरे पिता ने जवाब दिया—"कम्पनी की है। आई एम ए पुअर मैन।"

उसके चेहरे पर से प्रशंसा के भाव यूं उड़े जैसे कभी आये ही नहीं थे।

'तौबा!'—मुझे उसके चेहरे पर लिखा लगा—'मैं एक पुअर मैन से मुखातिब था!'

फौरन वो हम से विमुख हो कर अपने पुत्र के साथ कोठी में दाखिल हो गया।

तब मुझे जिन्दगी में पहली बार अहसास हुआ कि 'पुअर मैन' होना कितनी बड़ी लानत थी, कितनी बड़ी तोहमत थी!

साथ ही मुझे अपने पिता पर गर्व हुआ जिसने कि कार के बारे में झूठ न बोला—अपनी बता देते तो कौन सी उस आदमी ने तसदीक करने की कवायद शुरू कर देनी थी—मुझे पिता पर गर्व हुआ कि उन्होंने एक ऐंठे हुए कारखानेदार के सामने खुद को 'पुअर मैन' तसलीम करने का हौसला दिखाया, गैरत दिखायी।

वो लड़का मेरा स्कूलमेट था लेकिन क्लासमेट नहीं था। वो मेरे से एक क्लास आगे, यानी ग्यारहवीं में था। मेरा उससे कोई दोस्ताना ताल्लुक तो क्या, वास्ता तक नहीं था। मैं महज उसकी सूरत पहचानता था क्योंकि वो इकलौता स्टूडेंट था जिसे कभी कभार कार स्कूल छोड़ने—या लेने—आती थी। मेरी तो शायद वो सूरत से भी वाकिफ नहीं था। जो छोटी मोटी वाकफियत उन चालीस दिनों में हमारे बीच वाकया हुई थी, वो महज टूअर के हमसफर होने की वजह से और एक स्कूल के होने की वजह से हुई थी। लिहाजा वो नहीं जानता था कि शाहदरा में मैं कहां रहता था या क्या—और कितना—मेरे पिता की आय का साधन था। कहने का मतलब ये है कि उसे भी कोई इमकान नहीं था कि मेरे पिता की कार रखने की हैसियत थी या नहीं और न होने वाला था।

और नहीं तो पिता ये ही कह सकते थे कि वो शोफर ड्रिवन कार उन्हें अपनी नौकरी के सिलसिले में बतौर पर्क्स मिली हुई थी। मेरी निगाह में ये बढ़ाई की बात थी कि पिता ने ऐसा कुछ न कहा, वही कहा जो सच था : आई एम ए पुअर मैन, कांट एफोर्ड ए कार।

ये उस जमाने की बात नहीं लेकिन यहां मैं एक तहरीर दर्ज करना चाहता हूं जो कि किसी भी जमाने में मानीखेज है :

बख्श देता है खुदा उस को,
जिस की किस्मत खराब होती है;
वो हरागिज नहीं बख्शे जाते,
जिन की नीयत खराब होती है।

न मेरा एक होगा,
न तेरा लाख होगा,
न तारीफ तेरी होगी,
न मेरा मजाक होगा।

गुरुर न कर शाहेशरीर का,
मेरा भी खाक होगा, तेरा भी खाक होगा;
जिन्दगी भर ब्रांडिड ब्रांडिड करने वालो,
याद रखना कफ़न का कोई ब्रांड नहीं होता।

मुरव्वत की एकता देखी,
लोगों की जमाने में;
जिन्दों को गिराने में,
और मुर्दों को उठाने में।

जिन्दगी में न जाने कौन सी बात आखिरी होगी,
न जाने कौन सी रात आखिरी होगी;
मिलते जुलते रहा करो, यारो, एक दूसरे से,
न जाने कौन सी मुलाकात आखिरी होगी।

एक शाम को मैं घर से निकल कर यूं ही भटकता सा स्कूल के दहाने पर पहुंचा तो वहां मुझे अपने तीन-चार स्कूलमेट दिखाई दिये जो एक युवक को घेरे खड़े थे। कुर्ता, पाजामाधारी उस युवक में मुझे कुछ गैरमामूली दिखाई दिया तो वो ये था कि उसके माथे पर भवों के बीच और दोनों कानों की लौ पर चन्दन का टीका था और दायें हाथ में एक आतशी शीशा (मैग्नीफाइंग ग्लास) था।

मैंने इशारे से एक दोस्त से सवाल किया कि क्या माजरा था।

"ज्योतिषी हैं।"—जवाब मिला—"हाथ देख रहे हैं। अच्छे मौके पर आया। तू भी दिखा ले।"

मैंने ऐसा कोई उपक्रम न किया।

ज्योतिष में, राशिफल में, भविष्यवाणी में मुझे कोई विश्वास नहीं था।

"पंडित जी, इस का भी हाथ देखो।"

मैं एक कदम पीछे हट गया।

"अबे, दिखा न ! हाथ पढ़ने का नतीजा तेरे हलक में तो नहीं धकेला जाने वाला। न मन माने तो न मानना।"

हिचकिचाते हुए मैं हाथ आगे बढ़ाया।

"हस्तरेखाओं का अध्ययन विज्ञान है।"—युवक बोला—"विज्ञान में अनास्था नादानी है।"

मैं खामोश रहा।

उसने मेरा हाथ थामा और आतशी शीशे में से उस पर निगाह गड़ाई।

"विकट रेखायें हैं।"—वो बुदबुदाया—"असाधारण जान पड़ती हैं। इसलिये जो तुरत परिणाम है, वो भी असाधारण है। सुनोगे?"

मैंने ऊपर नीचे सिर हिला कर हामी भरी।

"न कभी घर में इज्जत होगी, न घर से बाहर होगी।"

मैंने यूं चिहुंक कर हाथ वापिस खींचा जैसे सूरज की किरणें आतिशी शीशे के जरिये फोकस होकर मेरी हथेली जलाने लगी हों।

उसके बाद मैं वहां ठहरा ही नहीं। उस एक ही भविष्यवाणी ने मुझे हिला दिया था।

कितना ही अरसा गाहे बगाहे वो एक फिकरा मेरे कानों में बजता रहा।

न कभी घर में इज्जत होगी, न घर से बाहर होगी !

बाद में जैसी जिन्दगी मेरे सामने आती-जाती रही—आज भी आ रही है—उस में उस फिकरे का कड़वा सच बार बार, बार बार मेरे वजूद से टकराया, बार बार उसने अपनी हकीकी हाजिरी लगाई और मुझे हैरान किया। कई बार मायूसी से मैंने सोचा कि मैं उस युवा हस्तरेखा विशारद की और सुनता, कई बार इस अरमान ने मन में दस्तक दी कि वो मुझे फिर मिल जाये और मैं उससे अपनी बाबत और सवाल करूं।

कैसे मिल जाता !

क्या पता कौन था, कहां से आया था, कहां चला गया !

लेकिन इसका मतलब क्या हुआ? मेरा खयाल हिल गया? मुझे ऐसी बातों पर यकीन आने लगा?

हरगिज नहीं।

कितनी पत्र पत्रिकायें थीं जिन में दैनिक, साप्ताहिक, मासिक—बल्कि वार्षिक—बारह राशियों पर आधारित भविष्य दर्शन के कालम छपते थे !

वार्षिक भविष्य का विवेचन करने वाले मोटे मोटे ग्रंथ छपते थे और यूं कितने ही भविष्यवक्ता महानुभावों की हैसियत फिल्म स्टार्स जैसी हो गयी थी। उन पर विश्वास करने वाले उन्हें भगवान के समकक्ष रखते थे। लेकिन मुझे वो सब पाखण्ड जान पड़ता था, खुद को भरमाने का—बल्कि धोखा देने का—जरिया जान पड़ता था।

कैसे दुनिया के करोड़ों, अरबों लोगों का भविष्य सिर्फ बारह किस्म का हो सकता था! कभी किसी भविष्यवक्ता ने कहा कि फलां कुम्भ राशि फलां दिन बस के नीचे आकर मर जायेगा या टैररिस्ट अटैक का शिकार होगा? तरक्की खुशहाली के लिये जो नायाब टोटका औरों को बताया, कभी खुद पर या अपने घरवालों पर आजमाया? क्यों पंडित जी को नहीं मालूम होता कि उन को दिल का दौरा पड़ने वाला था या किड़नी फेल होने वाली थी या लिवर जवाब दे जाने वाला था।

यही सवाल उन से किया जाये तो फैंसी जवाब मिलेगा :

- ☐ "स्विच बिजली नहीं बनाता, रास्ता बनाता है जिसके जरिये बिजली उपकरण तक पहुंचती है और उसे चालू करती है, बल्ब तक पहुंचती है, उसे जलाती है। हम स्विच हैं, तुम बल्ब हो, ईश्वरीय अनुकम्पा या प्रकोप बिजली है।"
- ☐ "बारिश को नहीं रोका जा सकता लेकिन छतरी देकर प्राणी को भीगने से बचाया जा सकता है। बारिश ईश्वरीय विपत्ति है, तुम उस विपत्ति से ग्रस्त हो सकते हो। हमारा ज्ञान शक्ति है जो छतरी बन कर विपत्ति से तुम्हारी रक्षा करेगा।"
- ☐ "नेवीगेटर जहाज नहीं चलाता, दिशाज्ञान देता है। तुम्हारा दर्जा जहाज का है और हमारा नेवीगटर का। हमारा काम तुम्हें बताना है खबरदार करना है कि तुम्हारे रास्ते में तूफान किधर है।"

लेकिन फिर उपाय भी बताते हैं बराबर। पहले उस विपत्ति का हौवा खड़ा करते हैं जो आइन्दा आने वाली है, फिर निवारण के लिये खर्चीला यज्ञ या जाप बताते हैं जो जजमान के लिये वो करेंगे क्यों कि :

- ☐ जजमान के पास टाइम नहीं।
- ☐ वो पद्धति से अवगत नहीं।
- ☐ नातजुर्बेकारी में वो गलती कर सकता है जिससे विपत्ति दोबाला हो सकती है।

जजमान सब कुछ करता है।

विपत्ति फिर भी आती है—इसलिये आती है कि ऊंच नीच हर मानव जीवन में होती है, न कि इसलिये क्योंकि पंडित जी ने, आचार्य जी ने, श्री श्री जी ने ऐसी भविष्यवाणी की थी—जजमान डरते झिझकते शिकायत करता है तो

बिना झिझके पंडित जी निवारण के लिये नया उपाय करने की राय देते हैं और नयी—पहले से बड़ी—रकम की मांग करते हैं।

जो जजमान सहर्ष देता है।

अंजाम से खौफ खाया शख्स ऐसा ही होता है।

आइन्दा विपत्ति नहीं आती तो इसलिये क्यों कि कोरम काल हो गयी है, विपत्तियों, आपदाओं का आप का कोटा पूरा हो गया है लेकिन यश पंडित जी पाते हैं।

कोई जजमान आकर कहे—"पंडित जी, मुसीबत में हूं, संकट में हूं, दुखी हूं।" तो क्या पंडित जी उसे बोलते हैं कि सब नार्मल है, स्वाभाविक है, क्यों कि दो सुखों के बीच का वक्फा दुख कहलाता है और दो दुखों के बीच का वक्फा सुख होता है ! कहते हैं कि अगर तुम दुख में हो तो समझो कि सुख मोड़ पर खड़ा है, बस आने ही वाला है, अगर सुख में हो तो समझो कि अब दुख की विजिट ड्यू है, उसका बहादुरी से मुकाबला करने के लिये कमर कस लो ! याद रखो, सब दिन जात न एक समान।

ऐसी राय देने वाले पंडित को मोटी दक्षिणा तो क्या, कोई झुनझुना भी नहीं देगा। कम्बख्त जजमान को राय नहीं चाहिये, उसे करतब चाहिये, जो वो उम्मीद करता है कि पंडित जी करके दिखायेंगे, कोई करिश्मा चाहिये जिसके इन्तजार में वो आचार्य जी, श्री जी के आगे नतमस्तक है।

इस कारोबार का असली विशेषज्ञ वही पंडित होता है जो कि जजमान के मन में भविष्य की ऐसी टैरर खड़ी कर सकता है कि जजमान को पंडित जी में ही पनाह दिखाई देती है जो कि ऐन दुरुस्त कहते हैं कि पैसे का क्या है, बच्चा, वो तो हाथ का मैल है। अब मैल को तिलांजलि देने में भी कहीं कोई गुरेज करता है !

मेरी समझ से बाहर है कि कैसे अपने भविष्यवक्ता की राय पर अमल करके कोई अपने नाम की स्पैलिंग बदल ले—'ई' की जगह दो 'ई' लगाना शुरू कर दे या नाम में से 'यू' गायब कर दे या स्पैलिंग ऐसी बना ले कि किसी के बाप की समझ में न आये कि उस का उच्चारण क्या होगा—तो उज्ज्वल भविष्य के सारे द्वार एक ही बार में उसके सामने खुल जायेंगे।

फलां मंदिर तक घर से नंगे पांव जाने से भाग जाग जायेंगे।

कोई भविष्यवक्ता के हुक्म पर ऐसा करने की जगह श्रद्धावश ऐसा करे तो जागने की जगह भाग जरूर छुट्टी पर चले जायेंगे।

पादरी ने बच्चे से कहा—"वो जगह बता जहां गॉड है, मैं तुझे एक डालर दूंगा।"

जवाब में बच्चे ने कहा—"फादर, आप वो जगह बताओ जहां गॉड नहीं, मैं आप को दस डालर दूंगा।"

कोई औरत भोर भये सर्वदा नंगी हो कर चौराहे पर झाड़ू दे तो शर्तिया लड़का होगा।

सिर मुंडा कर भगवान के दर्शन करने से सर्वोत्तम फल मिलता है।

मूंड मुंडाये हरि मिले, सब कोई लेहि मुंडाय,
बार बार के मूंडने, भेड़ बैकुण्ठ न जाय।

मेरे एक प्रकाशक में वृद्धावस्था में खड़े पैर भक्तिभाव जागा और वो न सिर्फ रोज जा कर सत्संग में बैठने लगा, सत्संग को ओढ़ने बिछाने लगा। फोन पर 'हल्लो' की जगह 'हरिओम' बोलने लगा, गुरुजी की वाणी वाकिफ लोगों को जबरन फोन करके सुनाने लगा, अपने आफिस में अपनी पीठ पीछे से चन्दन का हार चढ़ी अपने स्वर्गवासी पिता की तसवीर हटा कर गुरुजी की तसवीर लगा ली लेकिन अपनी इस नामाकूल मान्यता को त्याग देने का कभी खयाल न किया कि बेइमानी बिना धन्धा नहीं हो सकता तथा बीच बीच में कभी कभार गंगा स्नान कर आने पर पिछली सारी बैलेंस शीट एडजस्ट हो जाती है और व्यापारिक कर्मों की लैजर का नया, कोरा पन्ना खुल जाता है जिस पर आइन्दा बेइमानियों को रुपये आने पाइयों की तरह दर्ज किया जाता है।

बाबा नानक कहते है :

अठ सठ तीरथ नहाईये, उत्तरे न मन का मैल।

कबीर जी कहते है :

नहाये धोये क्या भया, जो मन मैल न जाये,
मीन सदा जल में रहै, धोये बास न जाये।

और गंगास्नानी, सतसंगी सज्जन कहते हैं :

नानक हू? कबीर कौन?

हमारे एक प्रधान मन्त्री इतने एस्ट्रॉलोजी डिपेंडेंट थे कि जब तक एक नहीं, दो नहीं, आधी दर्जन नजूमियों से मशवरा नहीं कर लेते थे, कोई कदम नहीं उठाते थे। इतने खबरदार प्रधानमन्त्री अपनी पांच साल की टर्म में छः महीने भी कुर्सीनशीन न रह सके, 170 दिन में उन की सरकार गिर गयी।

मेरी नौकरी के दौर में मेरे चीफ मैनेजर के जवान लड़के को जब कैंसर डिटेक्ट हुई तो वो थर्ड स्टेज पर थी। टॉप के स्पैशलिस्ट्स ने कह दिया था कि बचने की कोई सूरत नहीं थी। किसी श्री श्री ने राय दी कि अगर ग्यारह पंडित बैठकर एक लाख एक बार गायत्री मन्त्र का जाप करते तो लड़का बच सकता था।

पिता मजबूर, जिसकी आंखों के सामने उस का जवान बेटा जा रहा था।

जमा डूबते को तिनके का सहारा।

एक मोटी फीस भर कर उसने उस आयोजन का इंतजाम किया।

जिस शाम उस आयोजन का समापन हुआ, उसी रात लड़के का स्वर्गवास हो गया।

एक फिल्म पत्रिका के प्रकाशक महोदय मेरे परिचित थे जिन्हें किसी पहुंचे हुए श्री श्री ने खास हाथ की खास उंगली में खास नग पहनने की राय दी।

उन्होंने राय पर अमल किया।

तीसरे दिन उन्हें भीषण दिल का दौरा पड़ा।

बकौल खुद उन के, जब नर्सिंग होम में उन्हें होश आया तो सबसे पहले उन्होंने वो भागजगाऊ अँगूठी ही उतार कर फेंकी।

साठ के दशक के उत्तरार्ध में मेरा एक प्रकाशक था जो कि खुद ब्राह्मण था। उसका पॉकेट बुक्स का कारोबार कदरन नया था लेकिन मन में तरक्की करने के अरमान बहुत थे। उसने मेरे अभी सात-आठ उपन्यास छापे थे जो कि उसके पास अच्छे चले थे, लिहाजा बतौर लेखक उसे मेरे में अपने प्रास्पैक्ट्स दिखाई दे रहे थे। एक बार वो मेरे घर आया और मेरी जन्मपत्री मांग कर ले गया। मेरी मां ने कहा कि हमारी तरह ब्राह्मण था, शायद मेरा कहीं रिश्ता कराना चाहता था। दो दिन बाद अपने मुलाजिम के हाथ मुझे जन्मपत्री वापिस भिजवा दी। मेरे को बहुत उत्सुकता थी जानने की कि आखिर वो जन्मपत्री क्यों ले गया था।

आखिर मुझे उस बाबत उस से सवाल करना पड़ा।

जवाब मिला कि उसने अपनी और मेरी पत्री ये जानने के लिये पंडित जी से मिलवाई थी कि क्या बतौर लेखक-प्रकाशक वो जुगबन्दी कामयाब हो सकती थी!

पंडित जी से जवाब मिला था कि नहीं हो सकती थी।

तभी वो बतौर लेखक मेरे से विरक्त हो गया था।

आज पॉकेट बुक्स के धन्धे में उस का मुकाम कहीं नहीं है, मिलता है तो मेरे से सवाल करता हैं मैंने इतनी फिनामिनल तरक्की कैसे कर ली!

जो जवाब मैं उसे कभी न दे सका वो यही था कि मैंने कभी किसी प्रकाशक की पत्री से अपनी पत्री मिला कर उसके लिये उपन्यास नहीं लिखा था।

भारत के एक बहुत ही बड़े भविष्यवक्ता थे जिन से अस्सी नब्बे के दशकों में बड़े से बड़े नेता, अभिनेता मशवरा करते थे। उन दिनों इन्डिया की क्रिकेट टीम इंगलैंड दौरे पे जाने लगी तो एक नेशनल डेली में उन की भविष्यवाणी छपी कि टीम बड़ी शान से पांच मैचों की टैस्ट सीरीज जीत कर लौटेगी।

टीम सारे मैच हार कर, पांच-जीरो का स्कोर बना कर लौटी।

क्या महान ज्योतिषी जी ने उस वजह से कोई परेशानी, कोई एमबैरेसमेंट महसूस की?

बिल्कुल भी नहीं।

उलटे बाजरिया मीडिया बयान जारी किया कि उन की भविष्य की गणना का, उसके आकलन का आधार वो समय था जिस पर भारतीय विमान ने इंगलैंड के लिये टेक आफ करना था, उन्हें बाद में—टीम के हार की शर्म से मुंह लटकाये लौट आने के भी बाद—पता चला था कि हवाई जहाज उस वक्त पर नहीं उड़ा था, वो लेट हो गया था, आधा घन्टा लेट उड़ा था और वस्तुतः उन की भविष्यवाणी गलत हो जाने की वजह फ्लाईट का लेट हो जाना थी। जहाज टाइम पर उड़ा होता तो टीम यकीनन जीत कर आती।

आप को कैसी लगी ये लाजिक?

एक बाबा थे जो मचान पर रहते थे और मचान से नीचे टांग लटका कर भक्त के सिर पर पांव रख के आशीर्वाद देते थे। कांग्रेस शासन के दौरान एक केन्द्रीय मन्त्री की उन पर बड़ी आस्था थी। जब जनरल इलैक्शंस का दौर था तो मन्त्री जी ने तद्कालीन कांग्रेसी प्रधान मन्त्री जी को मचान वाले बाबा के बारे में बताया और मनुहार की कि अगर वो भी बाबा का आशीर्वाद पायें तो निश्चय ही कांग्रेस भारी मैजोरिटी से जीतेगी। काफी ना नुक्कर के बाद पीएम साहब मचान वाले बाबा का आशीर्वाद पाने को तैयार हो गये। बाबा का पांव उन के सिर पर वाली तसवीरें सारे नेशनल डेलीज में छपीं।

उस बार के इलैक्शंस में कांग्रेस की तब तक की सबसे बुरी हार हुई।

मेरे एक साडू साहब की इन बातों में भरपूर आस्था थी। ऊपर से एक समधी ऐसा मिल गया जो कर्मकांडी ब्राह्मण था और ज्योतिष विद्या में प्रवीण बताया जाता था। एक बार उन के घर में कोई फंक्शन था जिस में शामिल होने के लिये मैं सपरिवार गया था। स्वाभाविक तौर पर वहां घर में और भी मेहमान जमा थे जिन में उन के ज्योतिष प्रवीण समधी साहब भी थे। एक दोपहर को जबकि मैं उन की बाल्कनी में धूप में खड़ा था, मेरे साडू साहब आये और मुझे हुक्म दनदनाया—"चलो।"

"कहां?"—मैं, सकपकाया।

"मेरे समधी के पास।"

"क्यों?"

"चल के हाथ दिखाओ उन्हें अपना।"

"लेकिन मुझे इन बातों में विश्वास नहीं है।"

"फिर भी दिखाओ। ये एडवांस बेल कराने जैसा काम होता है। चलो।"

मैं न गया।

वो बहुत नाराज हुए। जाके मेरी बीवी को—अपनी साली को—बोले कि मैंने उन के समधी की जो कि भीतर कमरे में बैठा वार्तालाप सुन रहा था—तौहीन कर दी थी।

क्या तौहीन कर दी थी :

भविष्य जानने का अभिलाषी बन कर मैं उन के हुजूर में पेश नहीं हुआ था।

यानी भविष्य जानना है तो जानना पड़ेगा, आप को डंडे से जनवाया जायेगा, आप कौन होते हैं कहने वाले आप भविष्य नहीं जानना चाहते, अपने अनकिये गुनाहों की अग्रिम जमानत नहीं करवाना चाहते!

बतौर फैन एक महिला ने मुझे आठ पेज की एक चिट्ठी लिखी जिस का अहम मकसद इस बात को दाखिलदफ्तर करना नहीं था कि वो मेरे नावल पढ़ती थीं और उन्हें खूब पसन्द करती थीं, बल्कि ये था कि कितनी विद्वान थीं, ज्योतिष विशारद थीं, भविष्यद्रष्टा थीं, वगैरह वगैरह थीं। अपनी आठ पेज की चिट्ठी में उन्होंने मेरे भूत और भविष्य के बारे में विस्तार से कुछ ऐसी बातें लिखीं जो कि इत्तफाक से—रिपीट, इत्तफाक से, क्योंकि उन से मेरी ज्योतिष में आस्था तो बन गयी नहीं थी, या बन जाने वाली नहीं थी—मेरे पर लागू होती थीं जिन में एक बात ये भी शामिल थी कि मेरी बावन साल की अवस्था में, जिसमें अभी आठ साल बाकी थे, मेरे ऊपर एक गम्भीर स्वास्थ्य सम्बन्धी विपत्ति आयेगी।

कालान्तर में वो बात सच साबित हुई थी फिर भी उस की बातों ने मेरे पर तो कोई स्थायी प्रभाव न छोड़ा, लेकिन मेरी बीवी को बहुत प्रभावित किया, उसने मुझे प्रेरित किया कि मैं उसे चिट्ठी का जवाब दूं और और बातें पूछूं।

जवाब तो मैंने अपनी रूटीन के तौर पर दिया लेकिन 'और बातें' न पूछीं।

फिर ऐसा इत्तफाक हुआ कि उन से मुलाकात हो गयी। मालूम पड़ा कि पति नहीं था लेकिन दो जवान बेटे थे जो कि कालेज में पढ़ते थे।

और मालूम पड़ा कि घूंट की रसिया थीं।

वो एक कामन बांड था, जिसने वाकफियत को किसी हद तक दोस्ती में तब्दील किया। तब उन्होंने कई चमत्कारी बातें अपनी बाबत मुझे बताईं, जिन में से ज्यादातर पर तो मैं ऐतबार ही न ला सका, लेकिन दो का जिक्र मैं यहां फिर भी करना चाहता हूं :

बकौल उन के शादी के बारे में उन्होंने अपने माता पिता को चेताया था कि वो उसकी कहीं भी शादी करें, कितनी भी ठोक बजा कर शादी करें, पांच साल के भीतर उनका विधवा हो जाना उनकी हथेली की लकीरों में लिखा था।

उन्हें अपनी खुद की मौत की तारीख और वक्त मालूम था जो कि उन्होंने अपनी डायरी में 'मेरी मौत' के अन्तर्गत लिख कर रखा हुआ था।

अब मेरा उन से कोई लिंक बाकी नहीं है। जब था तब मालूम पड़ा था कि बच्चे अमेरिका में सैटल हो गये थे, लिहाजा कोई बड़ी बात नहीं थी कि वो भी अमेरिका जा कर रहने लगी हों।

'मौत की तारीख' अभी आनी है या आ चुकी है, मुझे कोई खबर नहीं।

एक दो बार वो हमारे घर भी आयीं तो मेरी बीवी ने उन से हमारी बेटी के बारे में सवाल किये। जवाब में उन्होंने बताया कि रीमा थोड़ी सी मांगलिक थी इसलिये शादी की नौबत आने से पहले ही उस सिलसिले में कोई उपाय करना जरूरी था।

उपाय के खाते में उन्होंने वही स्टैण्डर्ड तरीका पेश कर दिया जो जजमान को छीलने के लिये व्यापक तौर पर इस्तेमाल होता था।

अनुष्ठान करना होगा जो कि वो करेंगी और केवल काम आने वाली सामग्री के लिये तीन हजार रुपये (सस्ते जमाने में) चार्ज करेंगी। मैं बिल्कुल हक में नहीं था लेकिन बीवी की जिद पर मैंने तीन हजार रुपये अदा किये। अनुष्ठान हुआ या न हुआ, कभी मालूम न पड़ा। उन की बात पर ही यकीन लाना पड़ा कि हुआ और अब बेटी की शादी के रास्ते में कोई रुकावट नहीं थी।

हमने लड़का तलाश किया, बीवी ने फिर उनसे राय मांगी। उन्होंने दो दिन में क्लीन चिट दी कि रिश्ता सर्वदा उपयुक्त था, लड़की सदा सुख पायेगी।

शादी दो महीने न चली।

बीवी ने गुस्से में मैडम को शिकायत की तो मैडम ने बड़ा गुस्ताख जवाब दिया :

"आप ने मुझे वो दिशा नहीं बताई थी जिस में लड़की ने जाना था। वैसे मेरे लेखे जोखे के मुताबिक सब कुछ ठीक था। लेकिन वो दिशा उचित और उपयुक्त नहीं थी जिस में आखिर लड़की गयी थी।"

"अगर ये बात इतनी अहम थी तो आपने क्यों न पूछी?"

"हमारे ध्यान में न आयी। हमारा शिड्यूल इतना बिजी होता है, मंत्रियों की गाड़ियां हमें लिवाने के लिये आती हैं, इतनी मुश्किल से आप के लिये टाइम निकाला था, दिशा के बारे में पूछने का ध्यान न आया। पर आप को खुद तो बताना चाहिये था कि नहीं बताना चाहिये था !"

बताया होता तो कह देतीं कि ससुराल में लड़के के बैडरूम की खिड़की का रुख चढ़ते की तरफ नहीं था इसलिये शादी में विघ्न आया, लड़की के पिता ने अपने कोट की जेब में लाल रूमाल नहीं रखा था, इसलिये गड़बड़ हुई, लड़की ने विदा के वक्त बायां पांव पहले उठा दिया जब कि दायां उठाना था, वगैरह।

महाज्ञानी अन्तर्यामी भविष्यदृष्टा जजमान को कुछ भी कह सकते हैं, कैसे भी कह सकते हैं, जजमान से यही अपेक्षित होता है कि वो आंखें मूंद कर सादर सिर को ऊपर नीचे हिला कर, वांछित दान दक्षिणा की फौरन अदायगी कर के अपनी आस्था का प्रमाण दे। सवाल करना तो दूर, खयाल तक न करे जब श्री श्री कहें :

"बच्चा, तेरे चौथे घर में शाहरुख बैठा हुआ है, छटे पर सलमान की कोपदृष्टि है और दोनों पर ऋतिक की छाया है। निवारण अक्षय कुमार के आवाहन से हो सकता है जिस के लिये अनुष्ठान करना पड़ेगा। ये सकल सामग्री की सूची है...."

मथुरा से एक आचार्य जी की चिट्ठी आई जिन्होंने बताया कि वो मेरे प्रेमी पाठक थे, निस्वार्थ मेरे लिये कुछ करना चाहते थे इसलिये मैं उन्हें अपनी जन्मपत्री की फोटोकापी प्रेषित करूं।

बीवी की मनुहार पर मैंने ऐसा किया।

जवाब में मेरे भविष्य का विस्तृत विवरण आया और सलाह आयी कि मेरे को फलां मन्त्र के नियमित जाप की जरूरत थी जिसका इन्तजाम मेरे लिये वो कर सकते थे। साथ में कोई चार पृष्ठों में फैली अस्सी पिच्चासी आइटमों की लिस्ट थी जिन की इस्तेमान में आने वाली मिकदार और उस की कीमत भी लिस्ट में दर्ज थी। करिश्मा उन आइटमों की कीमत के ग्रैंड टोटल में था जो न कम न ज्यादा, पूरा एक हजार रुपया था।

साथ में हजार रुपये की उन को अदायगी के लिये पहले से भरा हुआ डाकखाने का मनीआर्डर फार्म था।

कितना खयाल किया आचार्य जी ने अपने प्रिय लेखक का !

उसने मनीआर्डर फार्म भरने की भी जहमत नहीं करनी थी, बस हजार रुपये फार्म के साथ नत्थी करने थे और फार्म डाक खाने भिजवा देना था।

अब सोचिये वो हवन सामग्री हजार रुपये कीमत की ही क्यों थी?

क्योंकि तब बाजरिया मनीआर्डर डाकखाने से रकम भेजने की लिमिट हज़ार रुपये होती थी। आज की तरह लिमिट दो हजार होती तो यकीनन लिस्ट की आइटमों की कीमत दो हजार होती और भरे हुए मनी आर्डर फार्म में भी दो हजार रुपये दर्ज होते।

ऐसे करते है प्रेमी पाठक अपने प्रिय लेखक की निस्वार्थ, निशुल्क सेवा।

मेरे रीडर से बने एक दोस्त का अपना सगा साला हस्तरेखा विशारद तो था ही, तांत्रिक विधाओं का भी विशेषज्ञ होने का उस का दावा था। एक शाम दोस्त साले को साथ लेकर मेरे घर आ गया और मुझे मजबूर किया कि मैं साले को अपना हाथ दिखाऊं। 'अतिथि देवो भवः' की जिम्मेदारी से तहत मैंने हाथ दिखाया। आखिर वो मेरा भविष्य बांच सकता था, उसे खातिर में लाने के लिये मुझे मजबूर नहीं कर सकता था।

साले ने सबसे पहले टेल्कम पाउडर की मांग की।

मैं ने पाउडर का डिब्बा उस के हवाले किया तो उसने पाउडर मेरी हथेली पर छिड़क कर मसला। तब मैंने महसूस किया कि यूँ बारीक लकीरें भी बेहतर देखी जा सकती थीं। उसने काफी देर लकीरों का अध्ययन किया और फिर गम्भीरता से फैसला सुनाया—"भविष्य में समस्यायें तो हैं लेकिन ऐसी कोई नहीं जिस का निवारण न हो सकता हो, बल्कि यूं कहना होगा कि आसान निवारण न हो सकता हो।"

जो आसान निवारण उसने प्रस्तावित किया वो ये था कि मैं अपने घर के बैकयार्ड के एक कोने में एक खड्डा खोदूं, विस्की की एक बोतल मुहैया करू और हर रोज सुबह एक महीने तक एक ढक्कन विस्की उस खड्डे में डालूँ।

"एक महीने बाद क्या होगा?"—मैंने पूछा।

"भविष्य की समस्यायों का निवारण होगा।"

"समस्यायों पर, उन की किस्म पर कोई प्रकाश डालिये।"

"वो वक्त आने पर समस्यायें खुद डालेंगी।"

मेरा दिल चाहा कि मैं विस्की के ब्रांड के बारे में भी पूंछू क्यों कि शायद बेहतर ब्रांड से बेहतर फल मिलता हो, स्काच डालने से तो शायद खड्डा बलियार ही हो जाता हो।

मैंने मेहमान की इज्जत रखी, ऐसा कोई सवाल न किया।

अलबत्ता खड्डे में विस्की डालने से मुझे कोई गुरेज न हुआ।

उस खड्डे में नहीं जो मेहमान ने सुझाया था।

उस खड्डे में जो नाक के नीचे होता है।

बहरहाल मुद्दा ये था कि आप के खादिम की इज्जत न घर में, न घर से बाहर।

सत् बचन महाराज।

————

युवावस्था

(कुछ न कहने से भी छिन जाता है ऐजाज-ए-सुखन,
जुल्म सहने से भी जालिम की मदद होती है।)

ग्यारहवीं में हायर सैकेण्ड्री बोर्ड के एग्जाम का फार्म भरने का वक्त आया तो मेरे पिता ने ये कह कर मुझे भौंचक्का कर दिया कि मैंने फार्म नहीं भरना था।

"इम्तहान अगले साल देना।"—हुक्म हुआ—"एक साल और पढ़ाई कर ताकि अच्छे नम्बरों से पास हो सके और कालेज में दाखिला पा सके।"

मैंने बहुत मनुहार की कि मेरी अच्छी तैयारी थी, इम्तहान देने दो, हर बार एक ही जवाब मिला—"और तैयारी कर एक साल। तैयारी को पक्की कर। मजबूत कर।"

यानी उबलते पानी को चूल्हे पर रखा रहने दिया जाये तो वो और उबल सकता था।

खास, पिता की तजवीज के मुताबिक, पढ़ाई तो क्या होनी थी, एक साल का जैसे आवारागर्दी का लाइसेंस मिल गया। पिता सारा दिन दफ्तर में, मां को घर के काम से और नयी जन्मी बेटी से फुरसत नहीं, कौन मानीटर करता कि लड़का पढ़ाई के खाते में क्या कर रहा था! कोई ट्यूटोरियल क्लासिज अटेंड करने का इन्तजाम किया होता, या घर पर ट्यूटर के आने का इन्तजाम किया होता तो कोई बात भी थी। किताबों में सिर मैं फिर भी खपाता था लेकिन जो किताब खोल के कोई लैसन पक्का करने का विचार करता था, अक्ल कहती थी कि ये तो मुझे अच्छी तरह से पहले से आता था। नतीजतन मन उचाट हो जाता था। बड़ी हद हिसाब के कुछ सवाल कर लेता था, कोई कापी में पहले से दर्ज इंगलिश का ऐस्से घोटने लगता था और फिर बोर हो कर घर से खिसक जाता था।

तब तक हायर सैकेन्ड्री का नतीजा आ गया था और वेद प्रकाश काम्बोज पास हो गया था। बहुत कम नम्बरों से पास हुआ था, कालेज में दाखिला मिलने की कोई गुंजायश नहीं थी लेकिन वो जुदा मसला था, असल में उसके पिता की उसे आगे पढ़ाने की मर्जी ही नहीं थी। उस का रेगुलर लाल किले दुकान पर जाना शुरू हो भी चुका था जहां बतौर असिस्टेंट उसका कोई छोटा भाई भी जाता था। पिता को पहलवानी का शौक था, पहलवानों की सोहबत का शौक था इसलिये दुकान की जगह उसका तमाम दिन जमना किनारे अखाड़े में गुजरता था। इस बात से प्रोत्साहन पाकर काम्बोज कभी कभी मुझे दुकान पर बुला लेता

था। मैं चला तो जाता था लेकिन जब तक वहां ठहरता था, इस बात से खौफ खाता रहता था कि कहीं ऊपर से उसका पिता न आ जाये।

कभी कभार आ भी जाता था।

तो मैं अदब से नमस्ते कर के लगभग फौरन ही खिसक लेता था।

काम्बोज के घर की एक और सिफ्त थी कि खाना बहुत उम्दा बनता था। मेरे को वहां खाने की आफर होती थी तो मैं बाकायदा लालच से भर पेट खाता था। बड़ा कुनबा था। नौ भाई बहन तो काम्बोज वगैरह ही थे, फिर माता-पिता के अलावा दादी थी, एक वैसा ही ढेर बच्चों वाला चाचा था जो उसी मकान में रहता था, खाना तो वहां सारा दिन हर वक्त ही बनता दिखाई देता था। फिर रसोई के मुतवातर होते काम में और इजाफा यूँ होता था :

"क्या बनाया?"—शाम को वेद घर आ कर पूछता था।

"आलू मटर !"—जवाब मिलता था।

"अरे, वो तो कल भी बनाये थे, कोई चीज बनाओ।"

"क्या? तू बोल !"

"पनीर बनाओ।"

फिर पिता आता था :

"क्या बनाया?"

"आलू मटर बनाये थे, अभी वेद ने पनीर बनाने को बोला था, वो बनाया है।"

"सूखी सब्जी तो बनानी थी कोई !"

"आप बोलो क्या बनायें?"

"भिंडी बनाओ।"

यहां गौरतलब बात ये है कि जिसने जो कहा था, वो उसके लिये ही नहीं बनता था, सारे कुनबे के लिये बनता था। जिस फैमिली कंजम्पशन के मद्देनजर आलू मटर बने थे, वैसे ही वेद के कहने पर पनीर बनना था और पिता के कहने पर भिंडी बननी थी। जमा, घर में अन्नपूर्णा का वास था, हर सब्जी हर वक्त उपलब्ध होती थी।

इमारत में एक भरे पूरे परिवार वाला किरायेदार भी था। तीनों परिवारों में चार पप्पू थे जिन की शिनाख्त यूं होती थी :

बड़ा पप्पू। छोटा पप्पू। चाचा जी का पप्पू। किरायेदारों का पप्पू।

मंगलवार को मीनाबाजार की, जिसमें कि वेद के पिता की सोविनियर हाउस नामक दुकान थी, साप्ताहिक छुट्टी होती थी इसलिये वो वेद की भी साप्ताहिक छुट्टी होती थी। उस रोज सुबह से शाम तक मैं उस की फुल मुसाहिबी में होता था जब कि मैं उस के साथ फिक्स्ड वीकली रूटीन के तौर पर दो फिल्में

देखता था और और वो तमाम मौजमेला करता था जो वेद को पसन्द आता था जिस का वो फरमान जारी करता था।

तमाम दिन का तमाम खर्चा वेद करता था।

उन्हीं दिनों उसने एक और करतब कर दिखाया।

उसने एक जासूसी उपन्यास लिखा।

न सिर्फ लिखा, वो प्रकाशक को पसन्द भी आ गया और उस ने उसे आनन फानन छाप भी दिया।

यूँ सन 1958 में वेद प्रकाश काम्बोज नामक युवा लेखक का, जिसने कि तदोपरान्त इस क्षेत्र में बहुत प्रसिद्धि प्राप्त की, पहला जासूसी उपन्यास 'जासूस' नामक मासिक पत्रिका में 'कंगूरा' के नाम से छपा।

उपन्यास का प्रकाशक को पसन्द आ जाना जुदा मसला था लेकिन उसके आनन फानन छप जाने के पीछे इत्तफाक का हाथ था। उन दिनों 'जासूस' में नियमित रूप से ओम प्रकाश शर्मा नामक एक लेखक के उपन्यास प्रकाशित होते थे। यानी हर महीने शर्मा का एक नया उपन्यास 'जासूस' पत्रिका के अन्तर्गत छपता था। वो लेखक डीसीएम क्लॉथ मिल्स का स्थायी मुलाजिम भी बताया जाता था, लिहाजा उसका उपन्यास लेखन एक कपड़ा मिल मजदूर की मूनलाइटिंग का दर्जा रखता था। एक महीना ऐसा आया कि वो लेखक वक्त रहते अपने नियमित प्रकाशक के लिये नया उपन्यास न लिख सका। वही वो महीना था जब वेद ने प्रकाशक को अपना उपन्यास उसके विचारार्थ दिया था, प्रकाशक को उपन्यास जंचा था, उस को स्क्रिप्ट की फौरी जरूरत थी, नतीजतन उसने उस महीने फिलर के तौर पर एक नवोदित लेखक का उपन्यास 'जासूस' में प्रकाशित कर दिया था।

यूँ 'कंगूरा' के प्रकाशन के साथ वेद प्रकाश काम्बोज उन्नीस साल की अल्पायु में उपन्यास लेखक बन गया जो कि वो आज तक है।

'कंगूरा' के लेखक के तौर पर उसको प्रकाशक से अट्ठाइस रुपये हासिल हुए।

ऐसी ऑड रकम क्यों? तीस क्यों नहीं? पच्चीस क्यों नहीं?

क्योंकि उस प्रकाशक के यहां नये लेखकों के लिये रेट बन्धा हुआ था जो कि चार रुपये फी फर्मा (एक फर्मा = सोलह पृष्ठ) था। 'कंगूरा' सात फर्मे का—यानी 112 पेज का—उपन्यास था इसलिये बतौर नजराना लेखक के अट्ठाइस रुपये बनते थे।

लेकिन सवाल पैसे का नहीं था, सवाल फौरी कामयाबी का था जिसने लेखक को बहुत उत्साहित किया था और उसने निरन्तर लिखने की कमर कस ली थी।

पर सारा दिन तो लाल किले की दुकान पर होता था, लिखता कब था।

यहां ये बात गौरतलब है कि लालकिले की मीनाबाजार नाम की उस छत वाली मार्केट में सीमित—शायद पैंतीस—दुकाने थीं जिन में लाल किला देखने आये पर्यटक ही ग्राहक होते थे। दाखिले के लिये टिकट लेना पड़ता था इसलिये बाहरी ग्राहक के वहां आने का कोई मतलब ही नहीं था, वो भी तब जब कि बाहर चान्दनी चौक जैसा बड़ा और भव्य बाजार मौजूद था, ऐन सामने लाजपत राय मार्केट जैसी रिफ्यूजी मार्केट मौजूद थी। कहने का तात्पर्य ये है कि मीनाबाजार की दुकानों में ग्राहकों की कोई मारामार नहीं होती थी, बीच बीच में फुरसत के लम्बे इन्टरवल आते थे जिन में वो काउन्टर पर खड़े ही उपन्यास लिखता था। तब उपन्यासों का आज सरीखा कलेवर नहीं होता था, सौ और सवा सौ के बीच पृष्ठ छपते थे और एक पृष्ठ बाइस या तेईस से ज्यादा लाइनों का नहीं होता था। बकौल वेद, वो मजे से दुकान पर ही उपन्यास लिख कर कोई दो हफ्तों में उसे मुकम्मल कर लेता था।

लेकिन ये जो अर्ली सक्सैस उसे हासिल हुई थी, वो साथ में एक लानत भी लायी थी।

बहुत कम उम्री में वेद हैवी स्मोकर और ड्रिंकर बन गया था।

लेकिन किस्सा-ए-काम्बोज अभी आगे।

फिर मेरे इम्तहान का वक्त आया जिसमें मैं बैठा।

और सैकण्ड डिवीजन में पास हुआ।

उतने ही नम्बरों से पास हुआ जितने से पहली बार ही इम्तहान दे लेता तो होता।

उबला पानी और न उबला।

मेरा पिता बहुत खफा हुआ।

फिर मुझे जलावतन का हुक्म हो गया।

मेरे पिता ने मुझे बताया कि डीएवी कालेज जालंधर में मेरा दाखिला हो गया था मैं जाने की तैयारी कर लूँ।

मेरे पैरों के नीचे से जमीन खिसक गयी।

बाजरिया मां मैंने गुहार लगाई कि मैं नहीं जाना चाहता था।

गुहार खारिज हो गयी, फटकार अलग से पड़ी।

"तेरी नालायकी से जितने नम्बर तेरे आये हैं, उन के तहत तुझे दिल्ली में किसी कालेज में एडमिशन नहीं मिल सकता। इसलिये जाना पड़ेगा। फलां दिन तूने जालंधर पहुंचना है।"

जाना पड़ेगा !

यानी पिता दाखिल कराने साथ नहीं जाने वाला था !

तब तक न कभी अकेले मैं दिल्ली से बाहर कहीं गया था और न घर से बाहर अकेला कहीं रहा था।

सिर्फ इतनी तसल्ली मिली कि जालंधर स्टेशन पर कोई मुझे लेने आयेगा और वो ही मुझे डीएवी कालेज तक पहुंचायेगा।

सहमा सकुचाया मैं जालंधर पहुंचा।

स्टेशन पर 'कोई' मुझे लेने आया हुआ था जिसने मेरी शिनाख्त भी कर ली। मालूम हुआ वो मेरे से कोई चार साल बड़ा मेरे पिता के दोस्त का लड़का था। कालेज पहुंचाने की जगह वो पहले मुझे अपने घर ले गया जहां मुझे नित्यकर्म से निवृत होने का और कालेज जाने के लिये तैयार होने का अवसर मिला। फिर मुझे दस बजे से भी पहले खाना खाने के लिये मजबूर किया गया। खाने में पिछले रोज की साबुन जैसी वैसी चने की दाल थी जो घर में मेरी मां कुत्ते के खाने के लिये गली में फेंक दिया करती थी और रोटी थी जो कि गर्म थी, ताजी जान पड़ती थी।

बड़ी मुश्किल से मैंने वो जहरमार किया।

उसने मुझे मेरे सामान समेत शहर से बाहर स्थित कालेज में और आगे सुपरिंटेंडेंट के आफिस में पहुंचाया और रुखसत पायी।

वहां सुपरिंटेंडेंट ने बीएससी सैकंड इयर में मेरे दाखिले की कार्यवाही पूरी करना शुरू किया।

उस दौरान आफिस में मेरे और वयोवृद्ध आफिस सुपरिंटेंडेंट के अलावा कोई नहीं था। वो टेबल पर सिर झुकाये अपना काम कर रहा था और मैं टेबल के करीब सिर झुकाये खड़ा जार जार रो रहा था। आंसुओं का परनाला था कि थमने का नाम ही नहीं ले रहा था। उस घड़ी मैंने खुद को निहायत तनहा और लाचार महसूस किया, बार बार मेरे जेहन में आया कि पिता ने जुल्म किया था कि यूं अकेले मुझे घर से इतनी दूर धकेल दिया था। बार बार मुझे अहसास हुआ कि मेरे जैसा बेयारोमददगार दुनिया में दूसरा कोई नहीं था।

सुपरिंटेंडेंट ने सिर उठा कर मेरी तरफ देखा तो वो सकपकाया। खामोशी से उसने मेरी पीठ थपथपाई और मेज पर पड़ा अपना पानी का गिलास मुझे थमाया। कुछ पीते ज्यादा छलकाते मैंने आधा गिलास पानी पिया।

"सब के साथ होता है।"—फिर उसने मुझे तसल्ली दी—"शुरू में सबके साथ ऐसा होता है। दो दिन में सब ठीक हो जाता है। और चार दिन में याद भी नहीं आता कि वो घर से बाहर है। आंसू पोंछ और होस्टल में पहुंच।"

सच में यही हुआ ! एक हफ्ते में परदेस में, होस्टल में, कालेज में मन रम गया।

तीन साल मैंने वहां गुजारे। उस दौरान कई चक्कर घर के लगाने का इत्तफाक हुआ लेकिन इतने फेरों के बावजूद जब घर से वापिसी के लिये रवानगी का वक्त आता था तो मैं फिर उदास हो जाता था। सोचने लगता था कि कोई अनहोनी हो जाये और मुझे वापिस न जाना पड़े। लेकिन वो सोच ही थी जिसे किसी तौर भी अमली जामा नहीं पहनाया जा सकता था। वापिसी मैं हमेशा दिन की गाड़ी से करता था जो दोपहरबाद नयी दिल्ली स्टेशन से रवाना होती थी। घर से रवानगी के वक्त मैं दोस्तों के साथ ताश खेलते पिता को खबर करता था—"जा रहा हूँ।"

"ठीक है।"—पिता ताश पर से सिर भी नहीं उठाता था—"चिट्ठी लिख देना।"

शायद नालायक औलाद की ऐसे ही नाकद्री होती थी लेकिन मुझे यकीन है कि मैं पिता की पसन्दीदा लायक औलाद भी होता तो उन के रवैये में कोई फर्क न आया होता। उन्होंने ताश पर से सिर न उठाया होता और यही कहा होता—'चिट्ठी लिख देना।'

होस्टल में मेरा पिता बाजरिया मनीआर्डर मुझे सौ रुपये माहाना भेजता था। डाकिये के आने का जो वक्त होता था, तब तक कालेज में क्लास खत्म नहीं होती थीं लेकिन डाकिया मुझे कालेज में ढूँढ़ कर मनीआर्डर डिलीवर करता था क्योंकि उस जहमत के लिये मैं—हर बोर्डर—डाकिये को अठन्नी देता था।

डाकिया खुश।

ऐसा ही सस्ता जमाना था वो। सौ रुपये में मेरे तमाम खर्चे चलते थे, जैसे कि दो टाइम का मैस का खाना, कभी कभार का सिनेमा या होस्टल से बाहर का खाना, घर वापिसी का ट्रेन का किराया कालेज की माहाना फीस, कापियां किताबों का खर्चा वगैरह। बीच बीच में मैं कभी अमृतसर या बटाला का फेरा लगाता था तो वहां का आने जाने का किराया।

मैस में एक वक्त का खाना सवा छः आने का—रिपीट, सवा छः आने का—मिलता था जो अच्छा खासा स्वादिष्ट होता था। वहां एक ही जनरल मैस नहीं था, नौ दस मैस थे और बोर्डर को किसी भी मैस का मेम्बर बनने की सुविधा थी। सब के ठेकेदार अलग होते थे और उन में अच्छा खासा कम्पीटीशन होता था। हर मैस में सात आठ कर्मचारी होते थे जो सुबह से काम पर लगते थे और आधी रात को जाकर कहीं फारिग होते थे। ठेकेदार ने कर्मचारियों का खर्च निकालना होता था और खुद भी कमाना होता था। कैसे वो सवा छः आना की डायट में ये सब कर पाता था, ये किसी अजूबे से कम नहीं था।

फिर धीरे धीरे उसके ट्रेड की कुछ ट्रिक्स मेरी समझ में आने लगीं।

रेगुलर डायट के अलावा भी वो कुछ खास चीजें बनाता था जिसका वो अगल से—एक प्लेट एक डायट की कीमत के बराबर—चार्ज करता था। ऐसी चीजों में रबड़ी और भल्ले प्रमुख थे। ये दोनों आइटम अगले दिन की सर्विस के लिये उन्हें पिछली रात को ही तैयार कर लेनी पड़ती। जब वैसा कुछ सर्व होने

डीएवी कालेज में होस्टलमेट के साथ

का शिड्यूल हो तो हम पिछली रात को उसके बनने का इन्तजार करते रहते थे और गर्मागर्म रबड़ी या ताजा बने भल्ले खा कर ही सोते थे। अगले दिन फिर भी खाते थे लेकिन गर्मागर्म का अपना ही मजा था।

ऐसी एक और स्पेशल आइटम मटर पनीर थी जिस की एक छोटी पतीली हाथ के हाथ बनती थी और सवा छः आने में एक प्लेट मिलती थी। यानी जितने में मुकम्मल खाना, उतने में एक प्लेट मटर पनीर, जो ठेकेदार के कांट्रैक्ट में नार्मल डायट का हिस्सा कभी नहीं बनते थे इसलिये बोर्डर को लुभाते थे।

तब हमारा फैलो बोर्डर एक लड़का था जिस का नाम लाभ सिंह था। बड़ा जहीन स्टूडेंट था, बाद में चण्डीगढ़ यूनीवर्सिटी में प्रोफेसर लगा था और हैड आफ डिपार्टमेंट बना था। वो जब पहली बार मैस में खाना खाने आया तो उसने कुछ बोर्डरों को मटर पनीर खाते देखा। तत्काल उसने भी मटर पनीर की मांग की जो कि पूरी की गयी। उसको मटर पनीर इतने स्वाद लगे कि उसने रेगुलर दाल सब्जी खायी ही नहीं और चार प्लेट मटर पनीर खा गया। बाद में जब उसे पता लगा कि उसके एक रुपया नौ आने एक्सट्रा चार्ज होते थे तो वो बहुत कलपा, उसने बहुत शोर मचाया कि उसे ये बात शुरू में क्यों न बताई गयी। ठेकेदार का शान्त लेकिन दृढ़ जवाब था कि उसे खुद ये बात मालूम होनी चाहिये थी। जब हर कोई मटर पनीर नहीं खा रहा था तो उसकी कोई वजह थी जिस की कि उसको समझ होनी चाहिये थी।

वो फिर भी भड़कता रहा, एतराज दाखिलदफ्तर करता रहा।

उसका वो भड़कना होस्टल में इतना प्रचारित हुआ कि जब तक वो डीएवी कालेज में पढ़ा, किसी ने उसे लाभ सिंह न पुकारा। वो स्थायी रूप से हाजिरी में गैरहाजिरी में लाभ सिंह मटर पनीर बन गया।

कुछ याद आया, साहबान !

उसी जहीन सहपाठी की होस्टल मैस की उस मेडन एडवेंचर से प्रेरित हो कर मैंने अपने विमल सीरीज के चौथे उपन्यास 'पैंसठ लाख की डकैती' में लाभ सिंह मटर पनीर का किरदार खड़ा किया था।

मैस के मामूली खाने में कदरन रौनक लाने का बोर्डर्स का अपना तरीका था। जो अफोर्ड कर सकते थे या जो मैस के लैकलश्चर खाने से बेजार होते थे, वो बाजार से उम्दा देसी घी खरीद कर लाते थे और दोनों टाइम जब खाने के वास्ते मैस को रवाना होते थे तो साथ में एक कटोरी घी ले कर जाते थे जिसे वो रसोइये के हवाले इस हिदायत के साथ करते थे कि दो तिहाई का दाल सब्जी को तड़का लगा दे और एक तिहाई से फुलके चुपड़ दे।

देखा देखी तब मैं भी हर महीने मनीआर्डर प्राप्त होते ही शहर से चार किलो देसी घी खरीद के लाता था और एक महीने में सारा चट कर जाता था।

देसी घी का वो जलवा जलाल बस होस्टल में ही मेरे पर हावी रहा, बाद में उस से मुझे ऐसी विरक्ति हुई—आज तक है—कि मुझे देसी घी के खयाल से अलकत आती थी।

कितनी ही बार ऐसा इत्तफाक हुआ कि मैं किसी दावत में गया, मेजबान ने करीब आकर गर्व से बताया कि खाना खास तौर से देसी घी में बनवाया था, मैंने उस की तारीफ की और उसके पीठ फेरते ही प्लेट वापिस रख दी, खाना ही न खाया।

फिर मैंने नियम ही बना लिया कि शादी ब्याह का खाना हरगिज नहीं खाना।

होस्टल के किचन के खाने के साथ एक तकनीकी प्राब्लम थी कि किचन में वहीं सब्जी बनेगी जिस का भाव बाजार में बारह आने किलो से ऊपर नहीं होगा। तब आज की तरह मटर, गोभी जैसी सब्जियां आम सब्जियों की तरह बारह महीने उपलब्ध नहीं होती थीं। गर्मियों में मटर, गोभी वगैरह बाजार में दो-ढाई रुपये किलो होती थीं क्योंकि आज की तरह कोल्ड स्टोरेज से नहीं आती थीं, हिल स्टेशन से आती थीं। इसलिये रोजमर्रा के मैस के खाने में ये सब्जियां तब तक रूटीन में नहीं बन सकती थीं जब तक कि वो आम सब्जियों की तरह बाजार में उपलब्ध न होने लगें और उन का भाव बारह आना किलो से नीचे न आ जाये। इसी वजह से ऑफ सीजन में मैस में ये सब्जियां छोटी मात्रा में बनती थीं और उन का फी प्लेट स्पैशल रेट चार्ज किया जाता था।

ब्रेकफास्ट का या शाम के नाश्ते का जिम्मा मैस के सिर नहीं था। उसके लिये कैंटीन थी। कैंटीन में बोर्डर अकेले भी जाते थे और ग्रुप में भी जाते थे। ग्रुप में जाते थे तो एकाउन्ट क्लर्क जो कुछ सबने आर्डर किया होता था, उसको इकट्ठा दर्ज करता था, सब का नाम और रूम नम्बर भी इकट्ठा दर्ज करता था और दर्ज तहरीर के आगे लम्बी बड़ी ब्रैकेट लगा कर आगे उर्दू में 'मुश्तरका' लिख देता था। उस लफ्ज का मतलब किसी को नहीं आता था लेकिन मकसद से सब वाकिफ थे। अगर पांच जने थे तो बिल ने एकाउन्टिंग में हर एक के लिये एक बटा पांच हो जाना था। उस सिस्टम का फायदा ये था कि कैंटीन में कोई किसी को थूक नहीं लगाता था, मिल बांट के खाया जाता था और बिल अपने आप शेयर हो जाता था।

सालों बाद एक उर्दू की डिक्शनरी मेरे हाथ में लगी तो मुझे मालूम हुआ कि 'मुश्तरका' का मतलब था : सांझा। इक्वली शेयर्ड।

एक लड़का उस अल्पायु में चेन स्मोकर था और सिग्रेट नहीं, बीड़ी पीता था। बाजार से एक ही बार गुरुस का बीड़ी का बंडल और दर्जन का माचिस का पैकेट खरीद लाता है। सारे होस्टल में वो बीड़ी मास्टर के नाम से जाना जाता

था। मैं जब कभी भी उस के कमरे के आगे से गुजरता था, मुझे आवाज देकर कहता था—"पाठकोये! बीड़ी पलामां?" (पाठक, बीड़ी पिलाऊं?)

जब कि वो जानता था कि मैं धूम्रपान नहीं करता था।

मुझे याद नहीं कि इसके अलावा मेरी उससे कभी कोई और बात हुई हो।

यूँ बेतहाशा बीड़ी पीने की वजह में उसके बालों से, जिस्म से, कपड़ों से, बिस्तर से, किताबों कापियों तक से बीड़ी की बू आती थी, अभी बीस गज दूर होता था, पता लग जाता था कि बीड़ी मास्टर आ रहा था।

होस्टल के तकरीबन कमरे डॉरमीट्री थे, यानी एक कमरे में दो विद्यार्थी रहते थे, अलबत्ता कुछ कमरे क्यूबीकल भी थे जो उन विद्यार्थियों को अलाट होते थे जिन में कोई खास खूबी हो—जैसे कि स्कालर हो, मैट्रिक के इम्तहान में टॉप ट्वेंटी में जगह पायी हो, गेम्स की किसी टीम का कप्तान हो, टॉप का खिलाड़ी हो, वक्ता हो, गायक हो, ड्रामा आर्टिस्ट हो या होस्टल के ब्लॉक का प्रॉक्टर हो। ऐसे विद्यार्थी होस्टल के अपने कमरे के इकलौते आकूपेंट होते थे। बीड़ी मास्टर इन सब में से कोई भी नहीं था फिर भी अपने कमरे में अकेला रहता था।

वजह?

'बीड़ी की बू' की वजह से कोई उसके साथ रहने के लिये तैयार ही नहीं होता था।

एक लड़का फिल्मों का बहुत शौकीन था। एक बार क्लास में उसकी हॉबी की बाबत सवाल हुआ तो उसने जवाब दिया—"नवरंग देखना।"

गौरतलब है—फिल्म देखना नहीं, नवरंग देखना।

'नवरंग' उसे ऐसी बेतहाशा पसन्द आयी थी कि जब तक सिनेमा पर लगी रही वो रोज, बिना नागा मैटिनी शो में उसे देखने जाता रहा।

उसी जैसे एक खब्ती को शहर में कहीं की लस्सी बहुत पसन्द आयी। एक बार पी कर आया तो गर्मियों की छुट्टियां होने तक कोई एक महीना रोज, बिना नागा, छः आने की लस्सी पीने के लिये आने जाने का एक रुपया रिक्शा का किराया खर्च करके शहर जाता रहा।

एक लड़का लद्दाख से भी बहुत आगे के किसी गांव से था, बड़े जमींदार का बेटा था, सब उसे महाराज के नाम से पुकारते थे क्योंकि अक्सर लद्दाखी पोशाक और टोपी पहनता था, माथे पर चन्दन का टीका लगाता था और मैस का खाना खाने की जगह खुद खिचड़ी पकाकर खाने को तरजीह देता था। पिछड़े इलाके से होने की वजह से हायर स्टडीज के खाते में उसे सरकारी ग्रांट मिलती थी जिसे क्लेम करने जाने की जहमत वो कभी नहीं करता था। हम

हैरानी जाहिर करते थे तो लापरवाही से जवाब देता था—"कौन जा के लाइन में रखा हो !"

जब कि ग्रांट अच्छी खासी मोटी रकम की थी।

बहरहाल जाहिर था कि सम्पन्न घर का था, पैसे की उसे कोई कमी नहीं थी, इसलिये कोई परवाह नहीं थी।

उसकी दूसरी खूबी ये थी कि शायद ही कभी कालेज जाता था। कोई उस बाबत सवाल करता था तो सहज भाव से कहता था—"टाइम नहीं है।"

घर से दूर दराज जालंधर में पढ़ाई करने आया लड़का कहता था उसे क्लास अटैंड करने के लिये कालेज जाने का टाइम नहीं था।

क्लास में हाजिरी लगती थी तो जाहिर था वो गैरहाजिर पाया जाता था। प्रोफेसर सवाल करता था तो कोई सहपाठी जवाब देता था—"बीमार है।"

"डेढ़ महीने से बीमार है? जुलाई से बीमार है?"

कोई जवाब नहीं मिलता था।

इतनी गैरहाजिरी की वजह से उसे सालाना इम्तहान में बैठने के नाकाबिल करार दिया गया। तब वो सीधा प्रिंसीपल के पास गया और बड़ी सादगी से बोला—"इम्तहान में बैठने की इजाजत दीजिये, मैं गारन्टी करता हूँ कि फेल नहीं होऊंगा।"

"हुआ तो?"

"तो खुद ही कालेज छोड़ जाऊंगा।"

उसे इम्तहान में बैठने की इजाजत मिलती थी और वाकेई वो फेल नहीं होता था। क्लासिज अटैंड करने के लिये कालेज जाये बिना कैसे वो करतब करता था, वो ही जानता था।

वो अक्सर कहा करता था कि होस्टल के उस कमरे से उसे न निकाला जाता तो वो ताजिन्दगी वहां रहने के लिये तैयार था।

जब कि होस्टल खैराती पुत्री पाठशाला की जेल जैसा था।

कालेज में भाटिया नाम का एक लोकल लड़का था जो कि मेरी तरह सैकंड इयर में था लेकिन आर्ट्स स्टूडेंट था, यानी रिसैस के बाद उसकी छुट्टी हो जाती थी। एकाएक ही वो मुझ से बहुत दोस्ती दिखाने लगा था, मुझे अक्सर कालेज की कैन्टीन में ले जाता था और चाय और समोसे से नवाजता था। कभी मुझे पैसे नहीं देने देता था जिसकी वजह से मुझे बहुत संकोच होता था।

एक बार उस बाबत मैंने एक म्यूचुअल फ्रेंड से बात की तो राज खुला।

दोपहरबाद जिस वक्त उसकी कालेज से छुट्टी होती थी, उस वक्त चिलचिलाती, नाकाबिलेबर्दाश्त गर्मी होती थी जिसमें शहर में अपने घर लौटना उसके लिए सजावार काम होता था। वो जानता था रिसैस के बाद मेरे प्रैक्टीकल

के पीरियड होते थे जिनसे फारिग हो कर कोई पांच बजे मेरी होस्टल में वापिसी होती थी। लिहाजा उस दौरान वो मेरे कमरे में जा कर सो जाने के लिये चाबी चाहता था।

मैंने बिना हुज्जत उसे चाबी देना शुरू कर दिया।

मेरे कालेज से लौटने के बाद वो सो कर उठता था और मेरा शुक्रगुजार होता ठण्डे ठण्डे घर का रास्ता पकड़ता था।

वही लड़का अपनी आइन्दा जिन्दगी में बालीबुड में बीरबल नाम से कैरेक्टर एक्टर बना था और अपने करियर का सबसे लम्बा रोल उसने 'बून्द जो बन गयी मोती' में मुमताज के भाई बांझाराम का किया था।

जुल्का नाम के एक अन्य लोकल लड़के को बड़ा अभिमान था कि वो बहुत अच्छा गाता था। क्लास में, कैंटीन में कहीं भी गाने लग जाता था। उसका गाया 'सोने की चिड़िया' का एक गाना उसके गलत और हास्यास्पद उच्चारण की वजह से मुझे आज भी याद है। गाना था—प्यार पर बस तो नहीं है मेरा लेकिन फिर भी, तू बता दे मैं तुझे प्यार करूं या न करूं।

जुल्का पूरी संजीदगी के साथ, सैड सांग के अन्दाज से गाता था—प्यार परबत तो नहीं है मेरा लेकिन फिर भी, तू बता दे मैं तुझे प्यार करूं या न करूं।

उपरोक्त के विपरीत होस्टल के सीनियर सिख लड़के पंजाबी फौक सांग्स को जानबूझकर बिगाड़ते थे। जैसे :

साढ़े दिल दा बना लै कलाकन्द, नी रसगुल्ले खान वालिये भैना,
भैना...असां बन जाना ऐ तोते, तू मैना।

सब से खतरनाक गाना, जो वो बाकायदा ढ़ोल की ताल पर सब से ज्यादा जोश से समूह गान के रूप में गाते थे, वो 'जग्गा जम्मया तो मिलन वधाईयां' की तर्ज पर होता था :

**मार के ते भर लई बाटी से विच खोरी लून दी डली,
नैन पिच्छ दे बहाने पी गयी, पीन्दया ई टिड्ड हो गया।

एक संजीदा गज़ल थी—जगजीत सिंह की फेवरेट थी, बहुत उम्दा गाता था, अक्सर सुनाता था—जिस का मुखड़ा था :

उन्हें किस्सायेग़म लिखने जो बैठे तो देखा कलम की रवानी में आंसू,
यकीनन असर उनका होता है दिल पर निकलते हैं जो नौजवानी में आंसू।

इस गज़ल की यूँ जड़ मारी जाती थी :

उन्हें किस्सायेग़म लिखने जो बैठे, तो देखे कमल की जनानी के आंसू,
यकीनन असर उनका होता है नल पर, निकलते हैं जो खीरखानी के आंसू।

जैसा कि मैंने ऊपर दर्ज किया, होस्टल जेल जैसा था, रात को ठीक नौ बजे उसका फाटक बन्द हो जाता था और उसके बाद किसी को बाहर कदम रखने की इजाजत नहीं होती थी। और पांच मिनट बाद बाकायदा रोल काल होती थी जो ब्लॉक का प्रॉक्टर बनाया गया कोई सीनियर स्टूडेंट करता था। वो हाथ में रजिस्टर लेकर एक एक कमरे में जाता था और आंखों से देखकर हाजिरी की तसदीक करता था। हाजिरी की उस रूटीन की वजह से हर विद्यार्थी को सख्त हिदायत थी कि नौ और सवा नौ के बीच के वक्त वो अपने कमरे में लाजमी तौर पर मौजूद हो। तदोपरान्त वो होस्टल की चारदीवारी के भीतर कहीं विचरने के लिये स्वतन्त्र था।

मई जून में जालंधर में सख्त गर्मी पड़ती थी लेकिन होस्टल के कमरों में पंखे तक नहीं थे। कभी किसी को मेज, कुर्सी, बैड की तरह एक अदद पंखे को भी स्टैण्डर्ड होस्टल फर्नीचर का दर्जा देना नहीं सूझा था। होस्टल के कमरे का माहाना किराया आठ रुपये था, कभी किसी ने ये तक खयाल न किया कि पंखे की मद में किराये में इजाफा किया जा सकता था जिससे कि किसी को कोई ऐतराज न होता।

सम्पन्न घरों से ताल्लुक रखते विद्यार्थी गर्मियों में टेबल फैन बाजार से खरीद कर लाते थे या घर से मंगवाते थे। तब नया टेबल फैन अस्सी रुपये का आता था जो शहर की मार्केट से बिना सिक्योरिटी डिपाजिट के आराम से पन्द्रह रुपये महीने में किराये पर मिल जाता था। जो विद्यार्थी वो किराया भी खर्चना अफोर्ड नहीं कर सकते थे, वो बिलबिला कर गर्मियां गुजारते थे और रात को कमरे में सोने की जगह बाहर खुले में सोते थे।

यहां मैं डीएवी कालेज का स्टूडेंट होने की वजह से उसको हासिल एक खास प्रिविलेज का जिक्र करना चाहता हूँ। उसकी जरूरत की ऐसी कोई चीज नहीं होती थी जो डीएवी का बोर्डर होने की वजह से शहर से उधार नहीं मिल जाती थी। कापी, किताब लेनी हो, कमीज पतलून लेनी हो, पुलोवर लेना हो, दुकानदार सिर्फ नाम और रूम नम्बर पूछता था और सामान हवाले कर देता था। आइटम महंगी हो तो किस्तें भी कर देता था। यूँ खुद मैंने एक शानदार अंगोरा वूल का पुलोवर दस रुपये महाना की तीन किस्तों पर खरीदा था और पन्द्रह साल पहना था। कहने का तात्पर्य था कि पंखा किराये पर लाने के लिये बतौर सिक्योरिटी उसकी कीमत अस्सी रुपये तो जमा करानी पड़ती नहीं थी, किराया भी उधार में चल जाता था।

गर्मियों की छुट्टियों में होस्टल लगभग खाली हो जाता था लेकिन छुट्टियों के आगे पीछे भी लम्बा अरसा गर्मी का जलाल झेलना पड़ता था।

एक बार, सिर्फ एक बार—फाइनल ईयर में—मैं भी शहर से किराये पर टेबल फैन लाया। तब वो दौर था जब कि मेरी मेरे रूम मेट से नहीं बनती थी। माहौल इतना तल्ख था कि एक कमरे में रहते हम आपस में कलाम भी नहीं करते थे। मैंने किराये के पंखे को ला कर स्टूल पर यूँ रखा कि उसका रुख मेरी बैड की तरफ होता। मेरा ऐसा करना स्वाभाविक था, आखिर पंखा मैं लाया था, किराया मैंने खर्चा था, लेकिन वो उठता था और पूरी ढिठाई, बल्कि बेशर्मी से, पंखे का रुख अपनी तरफ मोड़ लेता था। मैं रुख अपनी तरफ मोड़ता था तो वो फिर उसे अपनी तरफ कर लेता था। मेरे से कहते नहीं बनता था वो ऐसा करने से बाज आये।

ऐसा ही दब्बू किरदार रहा मेरी जिन्दगी के हर दौर में।

अब बतौर मकबूल लेखक आवाम को खबरदार करता हूँ कि :

कुछ न कहने से भी छिन जाता है ऐजाज-ए-सुखन,
जुल्म सहने से भी जालिम की मदद होती है।

लेकिन खुद कभी खबरदार न हुआ। आदतन लोगों की ज्यादतियों का शिकार हुआ लेकिन अहसासेकमतरी का मारा कभी मौके पर मुंह न खोल पाया। आदत बन गयी कि नाजायज बात का स्मार्ट जवाब तभी सूझता था जब कि बात आई गयी हो चुकी होती थी। बाद में सूझा जवाब किस काम का ! उसके लिये मौजूं जो घड़ी थी, वो तो गुजर गयी !

जो मैं कभी खुद न कर सका, लेखक बन जाने पर आखिर वो मैंने सुनील से करवाया। जो जवाब मेरे को देने चाहियें थे पर कभी न दे सका उन का जरिया मैंने सुनील को बनाया और मन की भड़ास निकाली। सच पूछें तो इसीलिये सुनील हमेशा मुझे अपनी काउन्टरईगो जान पड़ता है।

बट दैट्स अनदर स्टोरी।

सर्दियों में होस्टल में इतनी ठण्ड होती थी कि रात का टैम्प्रेचर जीरो डिग्री आम हो जाता था। वो बला की ठण्ड सुबह नहाने में मेजर प्राब्लम करती थी। मैस वाले चार आने में गर्म पानी की—जो आधी से ज्यादा बार बस गुनगुना ही होता था—आधी बाल्टी देते थे लेकिन उसके तालिब कम ही होते थे क्योंकि पानी पहुंचने में देर हो जाने पर क्लास में गैरहाजिरी लगने का अन्देशा होता था।

मेरा कमरा जीटी रोड की ओर के रुख वाले होस्टल के जिस ब्लॉक में था, उसके कोने के बाथरूम्स की खिड़कियों की पोजीशन ऐसी थी कि दोपहरबाद लाजमी तौर पर वैसी किसी न किसी खिड़की में से धूप बाथरूम में आती थी और तब शावर के नीचे खड़े हो कर नहाते समय जिस्म को वो धूप भी लगती थी जो ठण्ड से, ठण्डे पानी से कदरन सुकून दिलाती थी। उस वजह से मैं खास

नहाने के लिये रिसैस में होस्टल लौट कर आता था और नहा कर पोस्टरिसैस सैशन के लिये वापिस कालेज जाता था।

होस्टल क्या था, फकीर की झोली था जिस में रोटी का सूखा टुकड़ा भी होता था और केक भी होता था। एक लड़का इतना गरीब था कि दो टाइम के खाने के अलावा हर चीज उसके लिये लग्जरी थी। ब्रेकफास्ट नहीं करता था इसलिये लंच में पचीस छब्बीस रोटियां खाता था। मैंने मैस के ठेकेदार को अक्सर उसे कहते सुना था—"यार, तू फुरसत में आया कर, रिसैस के रश में न आया कर। तेरे आ बैठने से बाकी सब जने शिकायत करने लगते हैं कि उन को रोटी नहीं पहुंच रही।"

मुझे ठेकेदार का ऐसा कहना बहुत बुरा लगता था लेकिन उस लड़के ने कभी प्रतिवाद नहीं किया था।

इसके विपरीत एक पोपली नाम का दूसरा लड़का था जो दो रोटी—रोटी तन्दूर की नहीं होती थी, चूल्हे का छोटा सा फुलका होता था—मुश्किल से खा पाता था।

एक और किसी सम्पन्न परिवार का लड़का तो दिन में कभी मैस का खाना खाता ही नहीं था। वो आर्ट्स स्टूडेंट था, रिसैस के बाद ही उसकी छुट्टी हो जाती थी—साईंस स्टूडेंट्स को प्रैक्टीकल्स के लिये रिसैस के बाद भी रुकना पड़ता था—होस्टल में उसने मोटरसाइकल रखी हुई थी, रोज शहर जाता था और लंच किसी बढ़िया रेस्टोरेंट में करके आता था।

होस्टल की कैंटीन का जो ठेकेदार था, उसका शहर में 'दि नैस्ट' नाम का एक रेस्टोरेंट था। वहां होस्टल के विद्यार्थी कैंटीन की तरह क्रेडिट पर सर्विस हासिल कर सकते थे। यानी 'दि नैस्ट' के बिल की मुश्तरका रकम भी कैंटीन के माहाना बिल में जुड़ जाती थी। कई बार हम खाली जेब 'दि नैस्ट' में डिनर के लिये गये तो वेटर की टिप भी बिल में लिखवा कर आये।

होस्टल की इतनी पाबन्दियों के बावजूद सीनियर स्टूडेंट्स नाइट शो देखने जाते थे।

कैसे?

शनिवार को फाटक बन्द होने से दस मिनट पहले वो प्रॉक्टर के कमरे में जाते थे और उसको बोलते थे कि वो फलां ब्लॉक के फलां कमरे में इकट्ठे बैठ के पढ़ाई कर रहे थे इस लिये वो उन्हें तभी प्रेज़ेंट मार्क कर ले। प्रॉक्टर लड़का कई बार उन स्टूडेंट्स से जूनियर होता था इसलिये इंकार नहीं करता था। फिर हाकी का कप्तान ऐसा कहे, कालेज के थियेटर ग्रुप का डायरेक्टर ऐसा कहे तो यूँ हाजिरी न लगने का सवाल ही नहीं पैदा होता था। मेरे जैसे किसी को उन्हीं की एनडोर्समैंट मिल जाती थी—'ऐ वी साढ़े नाल ए।' (ये भी हमारे साथ है)

फिर फाटक बन्द होने से पहले हम पांच छः जने बाहर निकल जाते थे और एक डेढ़ बजे वापस लौटते थे। तब हौले से फाटक खटखटा कर सोते चौकीदार को जगाते थे और उसकी तवज्जो अपनी तरफ करते थे।

वो उठ कर फाटक के सींखचों पर आता था और दबे स्वर में बोलता था—"पर्ची निकालो।"

पर्ची यानी एक रुपया।

हम सब उसको एक एक रुपया थमाते थे तो वो फाटक खोल देता था।

मिशन अकम्पलिश्ड।

फिर उस सिलसिले में विघ्न पड़ गया।

एक बार हम पिक्चर देखकर आधी रात के बाद होस्टल में लौटे तो चौकीदार 'दो पर्ची' माँगने लगा। हमने दो दो रुपये देने से इंकार कर दिया और बोले हम सड़क के पार कालेज परिसर से जुड़े पुराने होटल में जा रहे थे। असल में हम अपने होस्टल का घेरा काट के पिछवाड़े में पहुंचे जिधर कि होस्टल की दोमंजिला इमारत से जुड़ा वो कम्पाउन्ड था जिस में पांच मैस थे और कैंटीन थी। उधर एक जगह दीवार कदरन नीची थी जिस को फांद कर हम भीतर घुसे और फिर होस्टल को उस कम्पाउन्ड से जोड़ने वाला दरवाजा पार करके चुपचाप अपने कमरों में पहुंच गये।

चौकीदार जाहिर था कि आश्वस्त नहीं था कि हम रात को पुराने होस्टल में पनाह पाने में कामयाब हो गये थे इसलिये सुबह फाटक खोलने से पहले वो हमारे कमरों में झांकने आया तो देख कर बुरी तरह सकपकाया कि हम तो भीतर थे।

वापिसी के नये रूट से उत्साहित दो हफ्ते बाद हम फिर नाइट शो देखने गये, लौट के सीधे ही पिछवाड़े में पहुंचे, दीवार फांदी और भीतर का कम्पाउन्ड पार करके बीच के दरवाजे पर पहुंचे तो पाया कि वो भीतर से, होस्टल की तरफ से, बन्द था।

हम समझ गये कि चौकीदार हमारा गेम भांप गया था और उसकी वो करतूत थी।

अब सामने फाटक पर जा कर उसकी मनुहार करने में हमारी हेठी थी क्योंकि हो सकता था कि अपनी जिद में वो मनुहार से भी न पिघलता।

बाकी की वो रात हमने होस्टल के ओपन एयर थियेटर की सीढ़ियों पर बैठते लेटते, ऊंघते सोते गुजारी।

बाद में हमने चौकीदार से पूछा कि 'दो पर्ची' दें, तब तो रात को भीतर आने देगा।

बोला, जाती बार देकर जाओगे तो।

तदोपरान्त हम पांच जने कभी अपनी उस नाइट एडवेंचर पर निकले तो हमें दस का नोट पहले चौकीदार की हथेली पर रखना पड़ा।

आज वो बात याद आती है तो ये सोच कर हैरानी होती है कि इतने मीसने चौकीदार ने कभी वार्डन से या प्रॉक्टर साहबान से हमारी शिकायत करने की कोशिश न की।

कुछ पढ़ाई की तरफ ज्यादा तवज्जो देने वाले—या ऐसा पाखण्ड करने वाले—लड़के उसी चौकीदार को माहाना नजराना देते थे कि सर्दियों में वो उन्हें सुबह सवेरे जगा जाया करे ताकि वो कालेज जाने से पहले दो-ढाई घन्टे पढ़ाई कर सकें। सुबह पांच बजे—या छः बजे, जैसा कि स्टूडेंट का हुक्म होता था—चौकीदार भीतर बत्ती जल जाने पर, 'उठ गये हैं' सुन कर ही आगे बढ़ता था जब कि अधिकतर स्टूडेंट ऐसा कहते ही उठ के पढ़ाई करने लगने की जगह फिर सो जाते थे।

चौकीदार इस मामले में भला आदमी था, जल्दी ही वो स्टूडेंट्स की उस हरकत को भांप गया, नतीजतन उसने 'उठ गये हैं' सुन कर ही दरवाजे से टलना बन्द कर दिया।

"उठो"—वो जिद करता—"और दरवाजा खोलो।"

मजबूरन स्टूडेंट उठकर दरवाजा खोलता तो वो उसकी रजाई समेट कर परे डाल देता और सख्ती से कहता—"दरवाजा खोल कर रखना। लौट के आऊंगा।"

तबी कहीं स्टूडेंट नींद को तिलांजलि देता था और भुनभुनाता हुआ पढ़ाई की तरफ तवज्जो देता था।

उपरोक्त के विपरीत कई स्टूडेंट्स ऐसे भी थे जो बिना किसी के जगाये मुंह अन्धेरे उठते थे और लॉंग वाक पर या जौगिंग पर निकलते थे।

फेयर वैदर में मार्निंग वाक की कोशिश मेरी भी होती थी लेकिन सर्दियों में मेरा सो कर उठने का टाइम पौने नौ बजे था जब कि कालेज की पहली वार्निंग बैल बजती थी। कई बार तो मैं दूसरी वार्निंग बैल पर बिस्तर से निकलता था जब कि क्लास लगने में सिर्फ पांच मिनट रह गये होते थे।

कालेज का अपना स्वीमिंग पूल था जिसका होस्टल के लड़के भरपूर फायदा उठाते थे। मेरा बहुत दिल चाहता था कि मैं भी स्वीमिंग पर जाया करूं लेकिन मैं इतना दुबला था कि बदन उघाड़ने के खयाल से मुझे दहशत होती थी। लिहाजा बहुत गहरा पैठ चुका अहसासेकमतरी वहां भी मेरा पीछा नहीं छोड़ता था वर्ना जब गैंडे जैसा मोटा कोई स्वीमिंग कर सकता था तो बांस जैसा पतला मैं क्यों नहीं कर सकता था!

खुद मेरा रूममेट मेरे जैसा था, वो तो मेरे से छः इंच लम्बा भी था इसलिये मेरे से ज्यादा दुबला लगता था लेकिन ठाठ से स्वीमिंग करने जाता था।

शायद मैं छटी जमात में था जबकि एक बार अमृतसर में मैं अपनी मां और मामा के साथ रिक्शा में बैठा। रिक्शा में सीमित जगह होने के कारण मामा ने मुझे अपनी गोद में बिठाया। पाँच मिनट बाद ही मामा मेरी मां से बोला—"काके को तू ले ले, मेरे को तो इसकी हड्डियां चुभ रही हैं।"

बटाला में सारे कजंस, सारे मौहल्ले के लड़के मुझे कांगड़ी पहलवान कहते थे जो कि इंतहाई दुबले शख्स को कहा जाता था।

बटाला में एक बार छोटे ताये के चारों लड़के मिल के घर की चारपाईयां कस रहे थे कि देखा देखी मैंने भी एक चारपाई काबू में की और बड़े उत्साह से उसको कसना शुरू कर दिया।

बाद में मेरी तायी ने पाया कि जो चारपायी सबसे चौकस कसी गयी थी, वो मैंने कसी थी।

"हाय हाय"—तत्काल उसके मुंह से निकला—"किन्ना जोर ए ऐदी सुक्कियां हड्डियां च!"

गौरतलब है कि वो बात तारीफ में नहीं कही गयी थी, हसद में कही गयी थी कि तायी के खुद के चार लड़के उस काम को उतने उम्दा तरीके से अंजाम नहीं दे सके थे जितने से कि उसे मैंने दिया था जिसकी की सूखी हड्डियां थीं।

जब कि वो चारों मेरे से तन्दुरुस्त थे और दो मेरे से उम्र में बड़े थे।

होस्टल में भाईचारे का अच्छा माहौल था। किसी के बस में हो तो कोई किसी की छोटी मोटी—मुमकिन हो तो बड़ी भी—मदद से इंकार नहीं करता था।

एकाध मिसाल पेशेखिदमत है :

एक लड़के को सर्दियों के दिनों में सुबह पौने छः बजे की कहीं की ट्रेन पकड़नी थी। इस सिलसिले में उसके सामने समस्या ये थी कि इतनी सुबह होस्टल के सामने से रिक्शा नहीं मिलती थी जब कि दिन में सड़क पार कालेज के गेट पर रिक्शाओं का हुजूम होता था। उसने उस समस्या का हल यूँ निकाला कि रात को किसी की साइकल उधार ली, पहले से तहशुदा प्रोग्राम के तहत सुबह साढ़े चार बजे मुझे सोते से जगाया, दस मिनट मुझे टायलेट वगैरह जाने के लिये और कपड़े पहनने के लिये दिये और फिर साइकल पर मुझे और अपने सूटकेस को लाद कर छः किलोमीटर दूर स्टेशन के लिये रवाना हुआ। स्टेशन पर उसने साइकल मुझे सौंपी और मैं उस पर सवार हो कर होस्टल वापिस लौटा। मैंने साइकल को उसके मालिक के दरवाजे पर खड़ा किया और खुद अपने कमरे में जा कर फिर सो गया। पौने नौ बजे की कालेज की घन्टी की आवाज पर मैं उठा और मुंह धो पोंछ कर जा कर क्लास में बैठ गया।

एक लड़का होस्टल में घूंट लगाता था लेकिन शक्ल से बहुत ही छोटा लगता था—जैसे कि आठवीं, नौवीं में पढ़ता हो। इसी बात का हवाला दे कर वो मेरे से दरख्वास्त करता था कि मैं उसे शहर से पव्वा ला के दूं जिस के लिये वो मुझे पव्वे की कीमत और आने जाने का रिक्शा का किराया देता था।

पता नहीं कितनी बार उस की वो खिदमत मैंने की।

मैस के एक सर्वेंट की नयी नयी शादी हुई थी। एक बार वो मेरे पास आ कर बोला कि उसने दो दिन के लिये ससुराल जाना था, मैं उसको अपनी वो... वाली कमीज पहनने को दे दूँ।

गौरतलब है कि उसकी दरकार मेरी कोई कमीज नहीं थी, मेरी खास कमीज थी।

मैंने उसकी ख्वाहिश पूरी की।

तीसरे दिन वो वापिस लौटा और शुक्रिया के साथ उसने मुझे मेरी कमीज लौटाई।

मैली।

कालेज में लैब असिस्टेंट्स भी साईंस स्टूडेंट्स का ऐसा ही फायदा उठाते थे लेकिन उन की टेकिंग जुदा होती थी, हासिल भी जुदा होता था।

वो स्टूडेंट की पहले औकात भांपते थे फिर बातों में उसे लैब में लैब असिस्टेंट की अहमियत समझाते थे। लैब असिस्टेंट को कैमिस्ट्री लैब में होने वाले एग्जाम के हर एक्सपैरिमेंट की एडवांस में खबर होती थी क्योंकि एनेलाइज किये जाने के लिये कैमिकल उसी ने मिक्स करने होते थे, लिहाजा अगर उसे 'खुश' रखा जाता तो प्रैक्टीकल्स में वो स्टुडेंट की भरपूर मदद कर सकता था। वो चुपचाप उसे वो नतीजा ही बता सकता था जिस पर कि साईंस स्टूडेंट ने एक्सपेरिमेंट करके पहुंचना होता था।

स्टुडेंट खुश।

जब मुझे खामोशी से वो पट्टी पढ़ाई गयी तो मुहावरे की जुबान में मछली चारा निगल गयी।

उस का नजराना?

एक किलो चीनी। ढ़ाई सौ ग्राम चाय। दो सौ ग्राम मक्खन। सौ ग्राम काफी। एक किलो बेसन। एक किलो मैदा।

ये सब उसको खरीद के लाके के दिया जाना था?

हरगिज नहीं।

होस्टल की कैंटीन के नाम पर्ची लिख के देनी थी कि ये सामान उसे दे दिया जाये और एस एम पाठक, रूम नम्बर 15 के माहाना बिल में चार्ज कर लिया जाये।

अब ये पता नहीं कि जेन्टल ब्लैकमेलर लैब असिस्टेंट वहां से वो सामान ही क्लैक्ट करता था या उसके बदले में नकद रकम हासिल कर लेता था।

मैस के ठेकेदार का नाम मनसाराम था। उसकी शिनाख्त उसकी असाधारण तौर से बड़ी मूंछ थी और ये कि वो अपने मैस के मेम्बर बोर्डर्स को ज्ञान ध्यान की बातें बहुत सुनाता था जिनमें से अधिकतर का लुब्बोलुआब ये होता था कि औरत के चक्कर में नहीं पड़ना चाहिये था। पता नहीं अपनी खुद की जिन्दगी में उसे औरत का क्या कड़ुवा तजुर्बा हुआ था कि वो अक्सर कहा करता था—"बाउजी, जनानी दा की ए ! ओने ते कुज्जा ई डा देनै !"

उसके कहने का तात्पर्य ये होता था कि औरत की सारी जिम्मेदारियां बिछ के खत्म हो जाती थीं जब कि मर्द की उस नुक्ते से अभी शुरू होती थीं।

और कहता था :

औरतें पहले चरणों की दासी बनती हैं फिर सिर पर नाचती हैं।

साहबान, सच बतायें, आप को सुधीर कोहली, दि लक्की बास्टर्ड की याद तो नहीं आ रही !

यहां मैं अपनी दो छिछोरी, बेगैरत, जमीर से गिरी हरकतें भी दर्ज करना चाहता हूं :

सैकंड ईयर में पुराने होस्टल का मेरा रूम मेट घर से खताईयों से भरा एक बड़े वाला कनस्तर साथ लाया था जिस को वो ताला लगा कर रखता था। गाहे बगाहे वो ताला—ताला क्या, छोटी सी ताली थी जो लाकिंग की महज रसम अदायगी ही थी—खोलता था, तीन चार खताईयां निकालता था और मजे ले ले कर खाता था। कभी उसने मुझे खताई आफर न की। जब कि मेरा मन बहुत ललचाता था।

फिर ऐसा संयोग हुआ कि उसे तीन दिन के लिये कहीं बाहर जाना पड़ गया। उसके पीछे मैंने बड़ी आसानी से वो ताला खोल लिया और दो तीन खताईयां निकाल कर ताला वापिस बन्द कर दिया।

मैंने बहुत मजे ले ले कर वो खताईयां खाईं।

फिर खोल लिया।

फिर फिर और फिर खोल लिया।

लालच के हवाले मैं मन को यही तसल्ली देता रहा कि सोलह किलो साइज के भरे हुए कनस्तर में से कहां कुछ खताईयों के गायब होने की रूममेट को खबर लगनी थी।

वो लौटा तो उसने कनस्तर को एक तिहाई खाली पाया।

वो बहुत आग बगूला हुआ, साफ मेरे पर इलजाम लगाने लगा कि वो नामाकूल हरकत मैंने की थी। मैंने इंकार किया और कहा कि शायद उसके किसी दोस्त ने मेरी कमरे से गैरहाजिरी में आकर कनस्तर खोला था और जो खताईयां गायब थीं वो उसी ने एकमुश्त सरकाईं थीं।

वो बिल्कुल आश्वस्त न हुआ, मुझे चोर ठहराता वार्डन से मेरी शिकायत करने की धमकी देने लगा जिसने कि मुझे बहुत डराया।

आखिर चोर का दिल छोटा।

लेकिन गनीमत हुई कि उस धमकी पर उसने अमल न किया।

उसने कुछ और किया।

अपना कमरा चेंज करा लिया।

थर्ड ईयर में नये होस्टल में जो मेरा रूममेट था उस के पास एक ड्रैसिंग गाउन था जिसे वो सर्दियों में बहुत शान से पहन कर होस्टल में फिरता था। एक बार दो दिन के लिये उसे वापिस दिल्ली अपने घर जाना पड़ा।

पीछे मैं उसके उस गाउन को ले कर खास तौर से बटाला गया और वहां वो गाउन पहन कर मैं भी बड़े फरमायशी, बड़े नुमायशी अन्दाज से कजंस को अपनी शान दिखायी और तायों के आगे पीछे फिरा। मेरे बड़े ताये ने तो बाकायदा मुझे कहा—"ओये, तेरा पिता तो बड़ा मेहरबान है, बड़ा दरियादिल

है जो उसने तुझे ऐसा गाउन लेकर दिया ! मेरे खयाल से तो खुद उसके पास ऐसा गाउन नहीं होगा !"

मैं बहुत खुश हुआ।

दो छुट्टी बर्बाद करना और बटाला आने जाने का किराया खर्च करना मुझे बड़ा सार्थक हुआ लगा।

वापिस होस्टल में आ कर मैंने रूममेट के गाउन को तह करके यथास्थान रख दिया और गनीमत हुई कि रूममेट को पता न लगा कि जितना अरसा वो होस्टल से बाहर था, उतना अरसा उसका गाउन भी वहां से बाहर था।

मेरी खास फजीहत की एक दास्तान और :

मैं अपने आप को शतरंज का बड़ा सूरमा खिलाड़ी समझता था। होस्टल के कॉमन रूम में लड़के शतरंज खेलते थे तो मैं हर किसी की बाजी में दखलअन्दाज होता था, चालों को गलत करार देता उन पर तबसरा करता था और और भी हर उचित, अनुचित—अनुचित ज्यादा—तरीके से अपनी सूरमाई बघारता था। जूनियर लड़के सुनते थे, झेलते थे।

एक बार एक नया जूनियर लड़का मेरे मे बोला—"तू मेरे से खेल।"

"तेरे को आती है शतरंज ?"—मैंने उसकी खिल्ली उड़ाने के अंदाज से पूछा।

"आती तो है। हमारे घर में सब खेलते हैं।"

"यानी देख देख के सीखा !"

"शतरंज देख देख के ही सीखी जाती है।"

"यहां तो मैंने तुझे कभी खेलते नहीं देखा !"

"मुझे देखने में ज्यादा मजा आता है।"

"यूं। चल, लग।"

उसने बाजी लगाई।

बीसेक चालें हुईं थीं कि उसने एक चाल चली और एकाएक उठ कर चल दिया।

मैंने सोचा शायद टायलेट गया था, लौट आयेगा।

वो न लौटा।

मैंने और इन्तजार किया।

वो फिर भी न लौटा।

तब उसके इन्तजार में इधर उधर भटकती मेरी निगाह बिसात पर आ कर टिकी।

तब मुझे मालूम पड़ा कि वो यूँ ही उठ कर नहीं चला गया था, मुझे मात दे कर गया था।

मुझ पर जैसे घड़ों पानी पड़ गया।

उसने 'मात' तो क्या 'शह' तक कहीं बोला था।

बोलता तो मैं उतना जलील हुआ न महसूस करता जितना कि तब महसूस कर रहा था।

क्या खूब स्टाइल से मेरी पालिश उतार कर गया था।

उसके बाद मैंने कभी किसी की बाजी पर तबसरा न किया, अपनी सलाह न पेश की।

होस्टल में विशाल कॉमन रूम के अलावा एक रेडियो रूम भी था, जो नार्मल बोर्डर रूम से दोगुणा बड़ा था और सारे ब्लॉक्स के स्टूडेंट्स के लिये सांझा था। वहां दैनिक अखबार और कोई छोटी मोटी पत्रिका भी होती थी जिसमें किसी को कोई दिलचस्पी नहीं होती थी। अमूमन वो रूम खाली पड़ा रहता था, शाम को कोई इक्का दुक्का स्टुडेंट रेडियो सुनने आ जाता था पर ज्यादा देर नहीं टिकता था।

वो रूम खाली पड़ा रहता था, सिवाय बुधवार के।

बुधवार रात को बिनाका गीत माला प्रसारित होती थी जिस का उन दिनों हर कोई दीवाना था। उस छोटे से कमरे में ढेरों स्टूडेंट उस शाम बिनाका गीत माला का आनन्द नहीं ले सकते थे इसलिये खास उस दिन होस्टल का फाटक नौ की जगह दस बजे बन्द होता था ताकि बोर्डर बाहर सड़क पार के ढाबों पर बिनाका गीत माला का प्रोग्राम सुन पाते और अगर चाहते तो वहीं रात का भोजन भी कर लेते।

बुधवार शाम को—कर्टसी बिनाका गीत माला—उन ढाबों पर जश्न का माहौल होता था।

और बुधवार शाम होस्टल से खिसक कर सिनेमा देखने के लिये भी बहुत मौजूं होती थी क्योंकि उस शाम रात नौ बजे वाली हाजिरी लगा पाने का मतलब ही नहीं होता था और दस बजे तक बोर्डर्स के लौटने का इन्तजार करने को प्रॉक्टर्स ही अवायड करते थे।

डीएवी कालेज जालंधर उन दिनों पंजाब का सबसे बढ़िया कालेज माना जाता था। और इस श्रेष्ठता का श्रेय उसके तद्कालीन प्रिंसीपल सूरज भान को था। सूरज भान पंजाब के बड़े शिक्षाविद थे जो कि बाद में पंजाब यूनीवर्सिटी के वाइस चांसलर बने थे और पंजाब सरकार के शिक्षा मन्त्री के पद के लिये चर्चा में आये थे।

सूरज भान हर साल पंजाब यूनीवर्सिटी के मैट्रिक के रिजल्ट पर निगाह रखते थे और जो नाम टॉप टैन में पाते थे, खुद उन के घर जा कर उन के माता-पिता से मनुहार करते थे कि वो लड़के को डीएवी कालेज जालंधर में दाखिल करवाये जहां उसे हर प्रकार की सुविधा निःशुल्क प्राप्त होगी।

ऐसे ही वो डीएवी की स्पोर्ट्स टीम्स का गठन करते थे।

कालेज के सारे हैड आफ डिपार्टमेंट्स और कुछ सीनियर प्रोफेसर टैक्स्ट बुक्स के बड़े मकबूल लेखक थे। मैथ्स के हैड आफ डिपार्टमेंट बंसीलाल की ट्रिग्नोमैट्री तो भारत में ही नहीं, सारे साउथ एशिया में धड़ल्ले से चलती थी। कम्प्यूटर का युग तब अभी दूर था, पुस्तकें मैनुअली कम्पोज होती थीं और उन में प्रूफ की गलती रह जाने की कई वजह बन जाती थीं। मसलन सब कुछ चाक चौबन्द होता था लेकिन प्रिंटिग के वक्त किसी अक्षर का फेस टूट जाता था या इम्प्रैशन नहीं आता था तो वो गलती बन जाता था जिस को नहीं रोका जा सकता था।

फिर भी प्रोफेसर बंसीलाल की भरपूर कोशिश होती थी कि उन की लिखी टैक्स्ट बुक्स में प्रुफ की गलती न हो। अपनी इस कोशिश के तहत वो अपनी क्लास के हर उस विद्यार्थी को पांच रुपये ईनाम देते थे जो उन की पुस्तक में प्रूफ की गलती की तरफ उन का ध्यानाकर्शण करे।

कहना न होगा कि जब सवा छः आने में एक टाइम का खाना मिलता था, पांच आने में फिल्म देखी जा सकती थी तब पांच रुपये आकर्षक ईनाम था।

फिर कोई दो तीन, चार, पांच गलतियां भी तो बता सकता था!

वो सिलसिला उन्होंने बहुत टाइम तक चलाया था लेकिन आखिर उसे दरकिनार कर दिया था। कहते थे कि वो नये एडीशन में प्रूफ की दस गलतियां ठीक कराते थे, बारह नयी हो जाती थीं।

एक इंगलिश के प्रोफेसर देवेश्वर साहब थे जिन का तकिया कलाम था—"थैंक्स गॉड यू आर बॉर्न इन इन्डिया..." उन की क्लास में कोई विद्यार्थी बेहूदा, नालायक गलती करता था तो वो अपने तकिया कलाम के तहत ही उसे फटकारते थे :

"थैंक गॉड यू आर बार्न इन इन्डिया, इफ यू वर बार्न इन रशिया, युअर हैड वुड हैव बिन चॉप्ड ऑफ अपटिल नाओ।"

("शुक्र मनाओ कि इन्डिया में पैदा हुए, रूस में पैदा हुए होते तो अब तक मुंडी हाथ में होती।")

मैं हैरान होता था कि कैसा था—कहां था—ये मुल्क रूस जहां कालेज में एक सवाल का जवाब ठीक न दे पाने पर बतौर सजा सिर कलम कर दिया जाता

लेखक पहली खड़ी लाइन में बायें से तीसरा

था ! तब मुझे नहीं सूझता था कि वो हकीकत नहीं थी, अपनी बात की गम्भीरता को रेखांकित करने का तरीका था प्रोफेसर साहब का।

कैमिस्ट्री के एक प्रोफेसर साहब का अपना मिजाज था कि सालाना ग्रुप फोटो में प्रिंसीपल, अन्य प्रोफेसरों, विद्यार्थियों के साथ कभी शामिल नहीं होते थे।

फाइनल इयर में मेरी क्लास की ग्रुप फोटो की तैयारी हो रही थी कि एकाएक आ गये। सब विद्यार्थी बहुत खुश हुए कि उन्होंने हमारे लिये अपना नियम तोड़ दिया था। सादर उन्हें कुर्सी पेश की गयी।

तब उन्होंने बड़ी रुखाई से फरमाया कि वो ग्रुप फोटो के लिये नहीं आये थे, लैब में अपना एक एक्सपैरिमेंट करने आये थे।

सब विद्यार्थी अवाक !

कोई उन से सवाल नहीं कर सकता था कि सर, जब आ ही गये थे तो दो मिनट के लिये ग्रुप फोटो में शामिल होने में क्या हर्ज था।

ग्रुप फोटो में शामिल होने का मेरा अपना, धूर्ततापूर्ण तरीका था। फोटो में प्रोफेसर साहबान की कुर्सियों के पीछे ऊपर नीचे कम से कम तीन कतारों में विद्यार्थी खड़े होते थे और यूँ तकरीबन विद्यार्थियों का मुंह, कन्धे ही तसवीर में आते थे। मेरी अभिलाषा होती थी कि मेरी नख से शिख तक पूरी तसवीर आये। उसके तहत जब फोटोग्राफर अपने शॉट की तैयारी कर रहा होता था तो मैं ग्रुप फोटो में शामिल होने की जगह आसपास कहीं छुपा रहता था। ज्योंही मुझे लगता था कि फोटोग्राफर अपने कैमरे के साथ तैयार था, मैं लपक कर वहां पहुंच जाता था और यूँ हांफता हुआ जाहिर करता था जैसे ग्रुप फोटो में शामिल होने के लिये लम्बे फासले से दौड़ा चला आ रहा था।

कोई प्रोफेसर झिड़क कर मुझे कहता था—"चल जल्दी कर, साइड में कहीं खड़ा हो।"

खेदपूर्ण शक्ल बनाये मैं लपक कर पहली कतार के कोने में खड़ा हो जाता था—वहां जगह नहीं भी होती थी तो कतार थोड़ा थोड़ा सरक कर मेरे लिये बनाती थी, आखिर प्रोफेसर का हुक्म था कि मैं साइड में जा कर खड़ा होऊं।

यूँ जब भी मेरी कोई ग्रुप फोटो खिंची, मैं उसमें साइड में था और नख से शिख तक दर्ज था।

मेरी वो ट्रिक कभी किसी की समझ में न आयी, अलबत्ता लेटलतीफ मुझे सब करार देते थे और बाकायदा निगाहों से मेरे पर भाले बर्छियां बरसाते थे।

एक प्रोफेसर साहब की अपनी ही विशेषता थी कि टैक्स्ट बुक के लेखक थे लेकिन अपना ही लिखा याद नहीं रख पाते थे। बायें हाथ में अपनी लिखी किताब थाम कर विद्यार्थियों को पढ़ाते थे, यानी किताब से पढ़ते जाते थे और

ब्लैक बोर्ड पर उतारते जाते थे। सालों उन का यही दस्तूर रहा। उन की पीठ पीछे विद्यार्थी कलप कर कहते थे कि वो किताब तो सब के पास थी, बस 'वरका नम्बर फलां से फलां तक बोल दिया करें, पौने घन्टे के लैक्चर की क्या जरूरत थी।

कैमिस्ट्री के जिन्दल नाम के प्रोफेसर साहब एक खास लैसन के बारे में अटेंडेंस के बाद क्लास में फरमाते थे—"आज मैंने फेज रुल (PHASE RULE) पढ़ाना है जो कि सब की समझ में आने वाला नहीं है। अटैंडेंस मैंने लगा दी है। जो स्टूडेंट्स इस लैसन में जेनुइन इन्टेरस्ट रखते हैं, वही यहां बैठे, बाकी जा सकते थे।"

और विद्यार्थियों की ढ़िठाई गौरतलब होती थी, आधे से ज्यादा उठ कर चल देते थे।

मैं भी।

ऐसा ही हौवा था फेज रूल का।

वाइस प्रिंसीपल साहब पुराने जमाने के आदमी थे जो गर्मियों में भी सफेद पोशाक के साथ कॉटन का सफेद कोट पहनते थे और पीठ पीछे लम्बी पूंछ वाली सफेद पगड़ी बान्धते थे। एंटीक की तरह उन का वजूद कालेज से बावस्ता था और वहां पढ़ के गयीं तीन तीन पुश्तें भी उन को 'थीटा' के नाम से जानती थीं।

दिल्ली से आये विद्यार्थियों से उन को खास खुन्दक थी। अपने लैक्चर के दौरान सब से ज्यादा क्लास उन्हीं की लेते थे। बात बात पर टोकते थे, बेवजह झिड़कते थे। मसलन एक लड़के ने लिखने में सुविधा करने के लिये कमीज की आस्तीन चढ़ा ली तो बरस पड़े—"तू मुझे घड़ी दिखाता है! मैंने घड़ी नहीं देखी कभी?"

किसी और को नाहक टोक देते थे—"इतना सजधज के क्यों आया है? क्लास के बाद शादी में जा रहा है?"

छुट्टी के बाद घर जाने के लिये उन का रिक्शा वाले से भाव नहीं बनता था तो उस के लिये दिल्ली से आये विद्यार्थी जिम्मेदार थे।

"इन्होंने ही मुहमांगे दाम दे दे कर रिक्शा वालों के मिजाज बिगाड़े हैं।"

उन दिनों मोहन राकेश, रवीन्द्र कालिया, सुदर्शन फाकिर जैसे बड़े साहित्यकार डीएवी कालेज जालंधर में पढ़ाते थे लेकिन तब मैं उनके बड़प्पन से वाकिफ नहीं था।

शायद तब खुद वो साहबान भी नहीं।

रिसैस के तुरन्त बाद प्रिसींपल साहब से मिलने के लिये उन के आफिस के बाहर विद्यार्थियों की लाइन लगती थी। उस लाइन के एक विद्यार्थी ने अपना तजुर्बा खुद यूं बयान किया :

उसे कोई खास अलर्जी थी जो जालंधर में डायग्नोज नहीं हो पा रही थी, उसके डाक्टर ने उसे पीजीआई चण्डीगढ़ रेफर किया था। उस सन्दर्भ में लिखी अर्जी लेकर छुट्टी रिकमैंड कराने को वो लाइन में खड़ा हुआ। अर्जी में उसने खास तौर से लिखा था—माई डाक्टरी सर्टिफिकेट इज एनक्लोज्ड।

दस मिनट बाद उसकी बारी आयी, प्रिंसीपल साहब ने अर्जी का मुआयना किया, फिर सिर उठा कर पूछा—"कौन सी क्लास में हो?"

"सर, थर्ड इयर में।"

"इंगलिश सब्जेक्ट है?"

"है, सर।"

"डाक्टरी सर्टिफिकेट क्या होता है?"

उससे जवाब देते न बना।

"ठीक करके लाओ।"

परेशानहाल बाहर आकर उसने उस बात पर गहन विचार किया तो उसे अपनी गलती का अहसास हुआ। उसने 'डाक्टरी सर्टिफिकेट' की जगह 'मैडीकल सर्टिफिकेट' लिखा और फिर लाइन में लगा।

तब तक लाइन और लम्बी हो गयी थी, इसलिये इस बार पन्द्रह मिनट बाद बारी आयी।

प्रिंसीपल साहब ने अर्जी रिजेक्ट कर दी।

वो बहुत कलपा।

"अर्जी रिजेक्ट ही होनी थी"—बोला—"तो पहली बार ही रिजेक्ट कर देते, 'ठीक करके लाओ' बोलने की क्या जरूरत थी?"

कालेज की स्पोर्ट्स की हर टीम अमूमन अच्छा प्रदर्शन करती थी। कभी किसी कांटे के मैच में टीम की हार हो रही हो तो सीनियर क्लासिज की छुट्टी कर दी जाती थी और उन को कहा जाता था कि वो फील्ड में जा कर अपनी टीम की हौसलाअफजाई करें।

जब कि असल मतलब जुदा ही होता था—जा कर, हो हल्ला मचा कर दूसरी टीम को नर्वस करो, उस का हौसला पस्त करो।

एक बालीबाल का फाइनल मैच मुझे खासतौर से याद है जिसमें डीएवी की तीन साल की चैम्पियन टीम हार रही थी। मैच थोड़ा सा ही बाकी था कि हमारी टीम ने रोशनी कम होने की दुहाई देना शुरू कर दिया। नतीजतन मैच अगले रोज के लिये मुल्तवी हो गया।

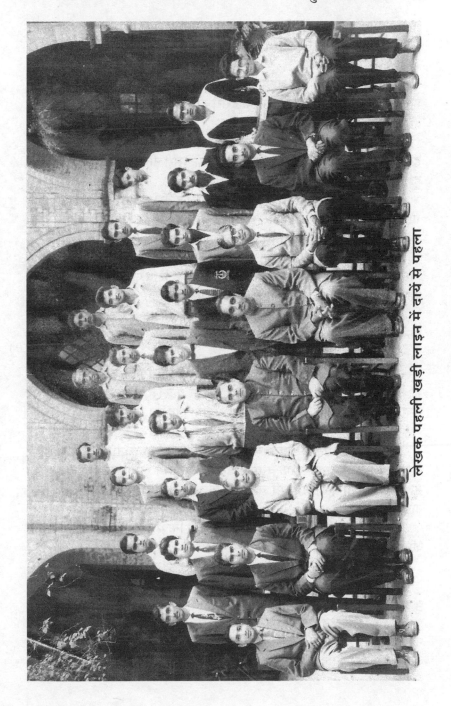

लेखक पहली खड़ी लाइन में दायें से पहला

अगले रोज हमारी टीम हार गयी।

नामाकूल कैप्टन फिर भी दखलअन्दाज था—"सर्विस साडी सी।"

रैफरी कलप गया।

"थी तो नहीं"—वो बोला—"लेकिन अगर ऐसा था तो आज मैच शुरू होने के वक्त क्यों नहीं बोले जब कि दूसरी टीम सर्विस कर रही थी?"

"मैनूं नईं'पता। सर्विस साडी सी।"

अपील नामंजूर हुई, दूसरी टीम को विजेता घोषित किया गया, लेकिन हमारे कैप्टन ने प्रचार करना न छोड़ा कि रैफरी दूसरी टीम से मिल गया, बेइमानी हुई हमारे साथ। बेईमानी से जीते।

प्रिंसीपल साहब इतने व्यस्त थे कि कालेज के ऐनुअल स्पोर्ट्स डे के दिन भी फील्ड में फाइलें देख रहे होते थे। बीच बीच में उठकर टीमों की सलामी लेते थे और फिर फाइलें देखने लगते थे, डिक्टेशन देने लगते थे।

ऐसे मौकों पर कालेज के सारे स्टूडेंट्स के सामने उन का भाषण बहुत विनोदपूर्ण होता था। ऐसे एक मौके पर भाषण के लिये उन्हें आमंत्रित करने से पहले कॉम्पियर ने उन्हें 'सूर्यभानु' कह कर पुकारा।

तत्काल उन्होंने उठ कर उसके हाथ से माइक ले कर विरोध प्रकट किया—"भई, मेरा नाम सूरज भान है। ठीक से लो।"

कॉम्पियर पानी पानी हो गया।

अपने भाषण में सूरज भान इस बात पर अक्सर गिला करते थे कि कितने ही विद्यार्थी वहां ऐसे थे जिन की पुश्तें डीएवी कालेज से पढ़ कर गयीं लेकिन उन्हें डीएवी का मतलब नहीं आता था जो कि खेद का विषय था।

ऐसी एक मिसाल दिल्ली में आज भी कायम है।

अशोक विहार में डीएवी मैनेजमेंट द्वारा संचालित कुलाची हंसराज हायर सैकेंड्री स्कूल है, क्या स्टाफ क्या स्टूडेंट्स, तकरीबन लोगों को 'कुलाची' का मतलब नहीं मालूम। न कभी कोई इस बाबत जिज्ञासा प्रकट करता है। बस, नाम है स्कूल का।

वस्तुतः कुलाची उस गांव का नाम है जो कि महान शिक्षाविद सूरज भान जी की जन्मस्थली था।

एक बार अपने भाषण के दौरान उन्होंने स्टूडेंट्स को ये वाकया सुनाया :

"किसी ने मुझे खाने पर इनवाइट किया। मैंने कहा, भई, इनवीटेशन मुझे कुबूल है लेकिन मेरी तीन शर्तें हैं। एक तो ये कि खाना खाने लायक हो। दूसरे, प्रस्तावित डिनर डेट तक मैं जिन्दा रहूँ। तीसरे, आप अपने इनवीटेशन से मुकर न जायें।"

ऐसे ही विनोदप्रिय व्यक्ति थे महान सूरज भान।

तब जालंधर में सात सिनेमा थे जिन में ज्योति सिनेमा बेहतरीन माना जाता था और उसमें टॉप ग्रेड फिल्में लगती थीं लेकिन मैं उसका जिक्र किसी और ही वजह से करना चाहता हूँ। नयी रिलीज हुई किसी ए ग्रेड फिल्म का पहले दो-तीन दिन हर शो हाउस फुल होना लाजमी होता था लेकिन टिकट फिर भी मिलती थी। दस आना क्लास की टिकट खरीदने पर साथ में एक फोल्डिंग चेयर मिल जाती थी जिसे आप हाल में जहां जगह पायें बिछा कर फिल्म देख सकते थे। कुर्सी रखने की जगह न मिले तो कुर्सी को तिलांजलि दीजिये और कहीं भी खड़े हो कर फिल्म देखिये।

यूँ मिडल या साइड एज़ल में फोल्डिंग चेयर बिछा कर मैंने उस सिनेमा पर कई फिल्में देखीं।

कई बार नून शो देख कर निकलने के बाद जेब की हालत ऐसी पतली होती थी कि रेस्टोरेंट में सावधानी से हिसाब लगा लगा कर खाना पड़ता था। रेस्टोरेंट में खाना इसलिये जरूरी होता था क्योंकि होस्टल का मैस दिन के खाने के लिये कब का बन्द हो चुका होता था। ऐसे खस्ताहाल मैंने कई बार खाना खाया। जेब टटोलते सोचता था एक रोटी और मंगा लेता हूँ, रिक्शा की जगह बस पर वापिस चला जाऊंगा। अभी एक और मंगा लेता हूँ, पैदल वापिस चला जाऊंगा। इस नाजुक हिसाब किताब में इस बात का खास खयाल रखा जाता था कि वेटर को टिप में चवन्नी जरूर देनी थी भले ही एक रोटी कम खानी पड़े।

□

अब मैं इस आलेख की उस विशिष्ट आइटम पर आता हूँ जिसे मैंने जानबूझ कर आखिर के लिये बचा कर रखा था।

उस आइटम का—नायाब आइटम का—नाम है :

जगजीत सिंह।

डीएवी कालेज जालंधर में तीन साल (1958-61) में जगजीत सिंह मेरा कालेजमेट था, होस्टलमेट था, क्लासमेट था लेकिन सैक्शनमेट नहीं था। हम दोनों बीएससी के स्टूडेंट थे लेकिन हमारे सैक्शन जुदा थे अलबत्ता फिजिक्स की लैब हर सैक्शन के लिये जुदा नहीं थी इसलिये वहां मेरी उससे अक्सर बस इतनी मुलाकात होती थी कि हम दोनों सूरत से एक दूसरे को पहचानते थे।

नये होस्टल में जगजीत सिंह का कमरा पहली मंजिल पर था जब कि मेरा ग्राउन्ड फ्लोर पर था। एक शाम मैं अपने कमरे के दरवाजे पर अकेला खड़ा कोई फिल्मी गाना गुनगुना रहा था जब कि जगजीत सिंह सीढ़ियां उतर कर नीचे

आया और उसके पैर मेरे कमरे वाले बरामदे में कदम पड़े। वो ठिठक कर मेरा गाना सुनने लगा जब कि मैं इस बात से बेखबर था।

मैं खामोश हुआ तो वो मेरे करीब आया और बोला—"तुसी गा सकदे ओ।"

मैं सकपकाया।

कालेज का मकबूल सिंगर लड़का कह रहा था कि मैं गा सकता था तो वो बड़ी बात थी।

"अच्छा !"—मैं नर्वस भाव से बोला।

"रियाज वेले मेरे नाल बैठया करो। मैं सिखा देवांगा।"

उसके साथ रियाज में अकिंचन मैं ! वो सिखा देगा !

"कब?"

"सवेरे पंज वजे। दो घन्टे। रोज।"

दाता ! पांच बजे सवेरे। वो भी रोज दो घन्टे।

नौ बजे के स्कूल टाइम के लिये पौने नौ बजे उठने वाला मैं कैसे सुबह पांच बजे उठ सकता था !

वो भी गा सकने के नाशुक्रे, नामुराद काम के लिये !

मैं वहां बीएससी करने आया था, न कि संगीत विशारद बनने।

मैंने पूरी विन्रमता से उस पेशकश को नकारा।

उसने न बुरा माना, न पेशकश दोहराई। आदतन खुशमिजाज लड़का था, हँसता मुस्कराता चल दिया।

रूबरू वो मेरी उससे पहली मुलाकात थी और पहली गुफ्तगू थी। फिर बाकायदा मेरी उससे दुआ सलाम बन गयी और मैं शाम को बोर्डरों के उन जमघटों में भी जा खड़ा होने लगा जिन में शमा-ए-महाफिल जगजीत सिंह होता था। बहुत दिलचस्प बातें सुनाता था जिनको वो बीच बीच में किसी तद्कालीन फेमस फिल्मी गाने की एक डेढ़ लाइन से पंक्चुएट भी करता जाता था। उस दौरान सहज स्वाभाविक ढंग से—बल्कि यूं जैसे उसे खबर ही न लगी हो—एक ऐसी हरकत करता था जिसने कभी जनाबेहाजरीन को चौंकाया, कभी हकबकाया तो कभी बतौर प्रैंक (PRANK) हँसने पर मजबूर किया।

गर्मियों के मौसम में होस्टल नर्क का नजारा होता था। कमरों में पंखे नहीं होते थे इस वजह से वो इतने तपते थे कि भट्टी जान पड़ते थे। गनीमत थी कि देर सबेर हवा चल पड़ती थी और गर्मी से निजात मिलने लगती थी लेकिन निजात की वो घड़ी आने से पहले बोर्डर कम से कम कपड़े पहन कर—जैसे निक्कर बनियायन—बरामदों में या लान में खड़े रहते थे। जगजीत सिंह क्योंकि सिख था इसलिये वो तब घुटनों तक आने वाला ट्रेडीशनल लांग अन्डरवियर पहनता

था, जो कि उसकी ज़ुबान में 'कछहरा' कहलाता था, और उसके अलावा कुछ नहीं पहनता था। अकेले कछहरे में वो सारे होस्टल का चक्कर लगा आता था और किसी को भी उसमें कुछ काबिलेएतराज या गैर मामूली नहीं लगता था। वो अपने गप्पबाज साथियों के रूबरू कछहरा पहने खड़ा होता था तो उसके असाधारण रूप से लम्बे नाले के दोनों सिरे खिलन्दड़े अन्दाज में अपने दान्तों के बीच दबोचे होता था। बातों के दौरान खुदा जाने कब क्या हरकत वो नाले के सिरों के साथ करता था कि पता ही नहीं चलता था कि कब कछहरा कमर के गिर्द से हटकर टखनों पर जा ढेर हुआ था और वो सब के सामने मादरजात नंगा खड़ा था। उसका उस घड़ी का सहज रवैया हमेशा ये जाहिर करता था कि जो हुआ था, उससे वो कतई बेखबर था।

"ओसे जगजीत सिंहां।"—तब कोई श्रोता कहता—"तेरा कछहरा!"

"की होया ए ओनू?"

"ओये, वेख!"

तब जगजीत सिंह यूं जाहिर करता था कि तभी, टोके जाने पर ही, उसे खबर लगी थी कि कछहरा कमर पर से सरक गया था और वो झपट कर कछहरे को काबू में करता था और वापिस कमर के साथ बांधता था।

छुट्टी का दिन हो तो होस्टल में उससे गाना सुनाने की फरमायश अक्सर होती थी जिस को वो कभी नकारता भी नहीं था। फौरन पेटी (हारमोनियम) सम्भालता था और मनोयोग से, बिना कोई अहसान जताये हर किसी की फरमायश पूरी करता था। कई बार वो सिलसिला इतना लम्बा चल जाता था कि चपरासी आके बोलता था—"वार्डन साहब कह रहे हैं, अब बस करो।"

उन दिनों फरमायश के टॉप पर जो गाना होता था वो 'अनाड़ी' का गाना 'सच है दुनिया वालों कि हम है अनाड़ी' था। जगजीत सिंह का खुद का मन भी उस गाने में बहुत लगता था इसलिये वो उसे अतिरिक्त उत्साह से सुनाता था। गाने के बीच में रह रह कर जो म्यूजिक का तोड़ा आता था, वो तो उसे इतना भाता था कि बाकायदा उसे डुप्लीकेट करने की कोशिश करता था। वो तोड़ा आने से पहले वो हारमोनियम में जल्दी जल्दी ढेर हवा भर लेता था और फिर हवा के पंखे पर से हाथ हटाकर दसों उंगलियों को बिजली की रफ्तार से यूँ सुरों पर चलाता था जैसे प्यानो बजा रहा हो।

श्रोता मन्त्रमुग्ध हो जाते थे।

लेकिन उसका खुद का मूड आने की भी तो बात होती थी! उसका मूड हो तो बरामदों में खड़े जो लड़के मिल जायें, उन को गाना सुनाने लगता था। कभी वो सुनते थे, कभी विरक्त होकर दिखाते थे और तब गायक से गिला तक करने लगते थे—"ओये, तूने तो पास होना नहीं, हमें तो पढ़ने दे!"

तब जगजीत सिंह भड़कता था और गुस्से से कहता था—"सालो नाशुक्रो,
एक दिन ऐसा आयेगा कि मेरा गाना सुनने के लिये तुम टिकट खरीदोगे।"

ऐसा ही आत्मविश्वास से भरपूर था जगजीत सिंह जब कि अभी वो
मुश्किल से बीस साल का था।

जैसा कि मैंने पहले अर्ज किया कि होस्टल मोटे तौर पर सुविधाविहीन था
लेकिन फिर भी उसके दो मंजिलों और बारह ब्लाकों में फैले बेशुमार कमरों में
से लोकेशन के लिहाज से कुछ कमरे बेहतर माने जाते थे और विद्यार्थियों की उन
पर खास निगाह होती थी। इस मामले में कोई तरफदारी न हो, इसको सुनिश्चित
करने के लिये मैनेजमेंट ने एक फार्मूला बनाया हुआ था कि पिछले इम्तहान में
जिस विद्यार्थी के नम्बर सबसे ज्यादा आये होते थे, उसे कमरा चुनने की पहली
चायस मिलती थी और यूँ डिसेंडिंग आर्डर में चायस आगे बढ़ती थी। जाहिर है
कि यूँ बेहतर कमरों की चायस घटती चली जाती थी और फिर वो कमरे बाकी
रह जाते थे, मर्जी से जो किसी की भी पसन्द नहीं बन पाते थे। जो विद्यार्थी पास
मार्क्स की मैरिट लिस्ट के सिरे पर बचते थे, उन्हें ही मजबूरन वो कमरे कबूल
करने पड़ते थे।

नापसन्द किये जाने वाले ऐसे कमरे थे :

☐ सीढ़ियों के आजू बाजू के कमरे।
विद्यार्थियों की और मैस स्टाफ की सीढ़ियों पर निरन्तर आवाजाही
होती थी, सीढ़ियों पर हर घड़ी शोर करने, ऊपर नीचे चलते दौड़
लगाते पांव पड़ते थे जो आजू बाजू के कमरों के आकूपेंट्स के लिये
मुतवातर डिस्टर्बेंस का बायस बनते थे।

☐ वाशरूम और टायलेट के आजू बाजू के कमरे।

वहां भी हर वक्त की आवाजाही की डिस्टर्बेंस होती थी और टायलेट्री की भान्ति भान्ति की खुशबुओं, बदबुओं का बोलबाला होता था।

- जगजीत सिंह के कमरे के आजू बाजू के कमरे।
- कोई भी टॉप करने का अभिलाषी, स्कालर विद्यार्थी जगजीत सिंह के पड़ोस में रह कर राजी नहीं था, कोई मजबूर ही, लास्ट चायस वाला विद्यार्थी ही वहां मजबूरी में रहता था। सुबह पांच बजे—जब कि अड़ोसी पड़ोसी विद्यार्थी अभी सोये पड़े होते थे—सरदार जी का रियाज शुरू होता था और दो-ढाई घन्टे चलता था। वो बुलन्द आवाज में आलाप लेना शुरू करता था, पड़ोसियों की नींद डिस्टर्ब हो जाती थी, वो करवटें बदलने लगते थे और खामोशी से उस कम्बख्त, नालायक, नामाकूल, थर्ड इयर साइंस के विद्यार्थी को कोसने लगते थे।

वैसा रियाज जगजीत सिंह शाम को भी करता था लेकिन तब सुबह जैसा प्रबल ऐतराज नहीं होता था।

वो ऐवरेज स्टूडेंट था, आम हालात में उसे डॉरमीट्री में रहता होना चाहिये था लेकिन उसके लिये हालात आम कहां थे! और वो अकेला कहां था! उसके साथ उसके हारमोनियम ने, तबलों ने, तानपूरे ने, बैंजो ने, गिटार ने भी तो रहना होता था! फिर संगीत के हर इंटरकालेज कम्पीटीशन में ईनाम जीत के लाता था, अकेले कमरे का—क्यूबीकल का—हकदार तो उसे होना ही हुआ।

यहां ये बात गौरतलब है कि अपनी अनूठी, अद्वितीय, अविस्मरणिय संगीत यात्रा के शुरुआती दौर में जगजीत सिंह क्लासीकल सिंगर था और इन्टरकालेज, इंटरयूनीवर्सिटी इवेंट्स में इसी कैटेगरी में कन्टैस्ट करता था। लेकिन शास्त्रीय संगीत में प्रवीणता के उसके आत्मविश्वास को पुरुषोत्तम जोशी नाम के एक विद्यार्थी ने हिला दिया था जो कि कालेज में उस से एक क्लास पीछे था। डीएवी में वो आर्ट्स का स्टूडेंट था लेकिन संगीत तो जैसे उसको घुट्टी में पिलाया गया था। सिर्फ आठ साल की उम्र में वो आल इन्डिया रेडियो जालंधर का रेगुलर स्टाफ आर्टिस्ट थ। और तब भी रेडियो पर उसका शास्त्रीय गायन नियमित रूप से प्रसारित होता था और शौक से सुना जाता था। किसी भी सन्दर्भ में जब कभी डीएवी के ओपन एयर थियेटर में उसके गायन का प्रोग्राम होता था तो थियेटर गेट क्रैशिंग की मिसाल बन जाता था। सारे जालंधर के संगीत प्रेमी बिन बुलाये पुरुषोत्तम जोशी का गायन सुनने के लिये दौड़े चले आते थे और कालेज उन की आमद पर अंकुश नहीं लगा पाता था। तब थियेटर हमेशा ऐसा खचाखच भर जाता था कि तिल धरने को जगह नहीं होती थी। संगीत प्रेमी नगर

समुदाय पुरुषोत्तम जोशी नामक छोटे से लड़के को यूँ सुनता था जैसे किसी बड़े मकबूल उस्ताद को सुन रहा हो।

ये हाल तब था जब कि ये कहने वालों की कोई कमी नहीं थी कि जगजीत सिंह और पुरुषोत्तम जोशी की गायन प्रवीणता में उन्नीस बीस का भी फर्क नहीं था। छोकरे की बस किस्मत बुलन्द थी जो उसे ऐसी वाहवाही हासिल होती थी। ये स्थापित था कि जब कभी भी दोनों एक ही कम्पीटीशन में हिस्सा लेंगे तो यकीनी तौर पर जोशी फर्स्ट आयेगा और जगजीत सिंह सैंकड आयेगा।

हमेशा यही होता था।

नतीजतन जगजीत सिंह को ऐसा कम्पलैक्स हुआ कि उसने क्लासिकल में कन्टैस्ट करना ही बन्द कर दिया और लाइट म्यूजिक में, सुगम संगीत में रुचि लेनी शुरू कर दी। उसके ऐसा करने की देर थी कि उसके लिये सफलता के जैसे चौतरफा द्वार खुल गये। हर कन्टैस्ट में, हर कम्पीटीशन में जगजीत सिंह ने झण्डे गाड़े। कालेज के टाइम में ही बहुत नाम कमा लिया लेकिन उस दिशा में जो हुआ, सिर्फ इसलिये हुआ कि कालेज में पुरुषोत्तम जोशी नाम का एक जन्मजात शास्त्रीय संगीत विशारद मौजूद था, शास्त्रीय संगीत में जिसके आगे जगजीत सिंह की कभी पेश न चली। पुरुषोत्तम जोशी न होता तो एशियन उपमहाद्वीप का हरदिलअजीज गजल सिंगर जगजीत सिंह कभी न बन पाया होता। गजल का ऐसा शहंशाह कभी न बन पाया होता जिससे कि मेहंदी हसन भी रश्क करता था।

कैसी विडम्बना है कि आज पुरुषोत्तम जोशी के नाम से भी कोई वाकिफ नहीं और सन् 2011 में उसकी असामयिक मौत के बावजूद जगजीत सिंह को जमाना जानता है।

एक पोलिश मुहावरा है कि तीन चीजें सिखाई नहीं जा सकतीं :

1. सिंगिंग वायस 2. पोयेट्री 3. जनरासिटी।

यानी सिंगर जन्मजात होता है, ठोक पीट कर नहीं बनाया जा सकता। जगजीत सिंह जन्मजात सिंगर था, उसकी रग रग में संगीत बसा था, उसकी कर्ण शक्ति की संगीत से स्थायी जुगलबन्दी थी, वो गायक के अलावा कुछ हो ही नहीं सकता था। इस सन्दर्भ में उसका आत्मविश्वास ऐसा प्रबल था कि कालेज में ही दावा किया करता था कि उसे कोई भी, दुनिया में कहीं का भी—टर्की का, कजाकिस्तान का, जर्मनी का, सउदी अरेबिया का—तारों वाला साज, जिस को बजाया होना तो दूर, कभी जिस की उसने सूरत न देखी हो उसे थमाया जाये और महज आधे घन्टे के लिये उसे उसके साथ अकेला छोड़ दिया जाये, फिर वो जो गाना कोई कहेगा वो उस पर बजा कर दिखायेगा।

अपने उस दावे पर उसने कई बार खरा उतर कर दिखाया।

उसके रिदम-ट्यून्ड कानों की एक दूसरी मिसाल प्रस्तुत है :

जैसा कि मैंने पहले अर्ज किया, वो साईंस स्टूडेंट था और साईंस के प्रैक्टीकल्स की क्लासें रिसैस के बाद लगती थीं जबकि अन्य विषयों के विद्यार्थियों की छुट्टी हो चुकी होती थी। फिजिक्स में एक रेजोनेंस (RESONANCE) का एक्सपैरिमेंट होता था जिसमें एक शिकंजे पर दो प्यानों की तारों जैसी तारें कोई तीन इंच के फासले पर समानान्तर तनी होती थीं और उन को एक ही फ्रीक्वेंसी पर रेजोनेट किया जाना, झंकृत किया जाना होता था। इस काम के लिये एक ट्यूनिंग फोर्क इस्तेमाल में लाया जाता था जो अपनी झंकार से दोनों तारों को एक समान झंकृत करता था।

जगजीत सिंह वो काम बिना ट्यूनिंग फोर्क की मदद से कर लेता था।

फिर वो इंस्ट्रक्टर को बुलाता था कि वो आकर उसके किये एक्सपेरिमेंट को चैक करे।

"ओये"—इंस्ट्रक्टर एतराज करता था—"कैसे किया? ट्यूनिंग फोर्क तो तूने इशु कराया ही नहीं!"

"मैनूं नईं पता।"—जगजीत सिंह का आत्मविश्वास से परिपूर्ण जवाब होता था—"तुसी चैक करो ऐ ठीक है कि नईं।"

इंस्ट्रक्टर दोनों तारों को एक फ्रीक्वेंसी पर रेसोनेट होती पाता था और हैरान होता था।

जगजीत सिंह को जितना गाने का शौक था, उतना ही गाना सुनाने का शौक था लेकिन उसके अच्छा गायक होने के बावजूद श्रोता अक्सर ही तो काबू में आ नहीं जाते थे! इस वजह से श्रोताओं की उपलब्धि सन्दिग्ध भी हो तो वो गाने से गुरेज नहीं करता था। कालेज में रिसैस के तुरन्त बाद प्रिंसीपल सूरज भान रोजाना पांच मिनट के लिये अपने आफिस से बाजरिया पब्लिक अड्रैस सिस्टम विद्यार्थियों से सम्बोधित होते थे। किसी ने संयोगवश रिसैस की घन्टी न भी सुनी हो तो पब्लिक अड्रैस सिस्टम पर 'हल्लो! हल्लो! दिस इज युअर प्रिंसीपल स्पीकिंग... सुनते ही समझ जाता था कि रिसैस हो गयी थी। पांच मिनट के पब्लिक अड्रैस के बाद प्रिंसीपल साहब लंच के लिये कालेज परिसर में ही स्थित अपने आवास का रुख करते थे और पीछे उनके आफिस से पब्लिक अड्रैस सिस्टम पर जगजीत सिंह काबिज हो जाता था और हारमोनियम बजाता पच्चीस मिनट वो माइक पर गाता था जब कि उसके पास ये जानने का कोई जरिया नहीं होता था कि उस का गायन कोई सुन भी रहा था या नहीं! वो यही जान कर गाता था कि हर कोई उसके गायन से आनन्दित हो रहा था जब कि हकीकतन ऐसा कुछ नहीं होता था।

लोहड़ी पंजाब का एक विशिष्ट त्योहार है जो पंजाब के अलावा कहीं नहीं होता। वो कोई बड़ा त्योहार नहीं माना जाता था इसलिये उस रोज कालेज में छुट्टी तक नहीं होती थी लेकिन शाम को वार्डन की ओर से बोर्डर्स के लिये लोहड़ी का विशिष्ट आयोजन होता था। सैंट्रल लान में बाकायदा अलाव जलाया जाता था और बोर्डर्स में मुंगफली रेवड़ी गजक बांटी जाती थी। साथ में कोई दो ढ़ाई घन्टे का रंगारंग प्रोग्राम होता था जिसके लिये खास तौर से आल इन्डिया रेडियो जालंधर से नामी, एंटरटेनमेट में सिद्धहस्त कलाकार बुलाये जाते थे जिस में बतौर लोकल टेलेंट हमेशा जगजीत सिंह की शिरकत होती थी अलबत्ता स्टेज पर उस की बारी तभी आती थी जब कि आमंत्रित नामी कलाकार अपने अपने हुनर की बानगी पेश कर चुके होते थे। तब तक काफी हद तक महफिल उखड़ चुकी होती थी और ओपन एयर की सर्दी से निजात पाने के लिये विद्यार्थी उतावले होने लग चुके होते थे। ऐसे अनमने माहौल में जगजीत सिंह को स्टेज पर आकर कुछ सुनाने को बोला जाता था।

होस्टल में मेरे स्टे के दौरान तीन साल में तीन बार लोहड़ी आयी और तीनों बार जगजीत सिंह ने लोहड़ी का एक स्वरचित गीत सुनाया।

पहली बार जब ऐसा हुआ तो जगजीत सिंह ने अभी पहली लाइन गायी थी कि ऊंघते उकताये सारे विद्यार्थी तत्काल सजग हो गये, अनमनापन पता नहीं कहां गायब हो गया, सब मन्त्रमुग्ध टेलएण्ड पर स्टेज पर अवतरित हुए जगजीत सिंह को सुनने लगे :

एह तां जग दियां लोहड़ियां,
साडी कादी लोहड़ी अक्खां सजना ने मोड़ियां।

जब तक गाना खत्म होता था तब तक वहां एक भी आंख ऐसी नहीं होती थी जो कि नम न हो। कितने ही विद्यार्थी तो बेकाबू होकर जार जार रो रहे होते थे।

फिर गगनभेदी करतल ध्वनि होती थी।

ऐसी जैसी कि उस शाम की किसी भी आइटम पर नहीं हुई होती थी।

और दो साल वो गाना जगजीत सिंह ने लोहड़ी के उपलक्ष्य में गाया। सबको पता होता था कि क्या आगे आने वाला है, फिर भी गाना शुरू होते ही श्रोताओं के गले रुंध जाते थे और हर कोई सुबकने लगता था। आवाज जगजीत सिंह की होती थी, दिल हर किसी का हूक मारता था—

साडी कादी लोहड़ी अक्खां सजना ने मोड़ियां

ऐसा ही करिश्माई किरदार था उस उम्र में भी गंगानगर से आये जगजीत सिंह नाम के सिख लड़के का।

आखिर में जगजीत सिंह से सम्बन्धित एक विशिष्ट संस्मरण :

सन् 1960 में जब मैं फाइनल ईयर में था, बहुप्रतीक्षित फिल्म मुगलेआजम रिलीज हुई। बड़ी फिल्म के बड़े इस्तकबाल का ये आलम था कि ज्योति सिनेमा पर उसके इतने होर्डिंग लगाये गये कि सिनेमा की बेसिक स्ट्रक्चर उन के पीछे गायब हो गयी और वो सिनेमा ही मुगलिया किला लगने लगा।

होस्टल में फिल्म के लिये इतना जोशोखरोश था कि हर कोई हर हाल में हर कीमत पर उसको देखने के लिये लालायित था और बड़ी बेसब्री के पांच अगस्त वाले शुक्रवार का इन्तजार हो रहा था जब कि वो भव्य फिल्म रिलीज होनी थी।

शुक्रवार आया।

सिनेमा के सामने फर्स्ट शो पर ही दर्शकों की—जिनमें तीन चौथाई स्टूडेंट्स थे—मारोमार थी, सड़क पर ट्रैफिक जाम का आलम था जब कि एक आदमी दौड़ता हुआ भीतर से निकला और उसने हुजूम को बताया कि बुकिंग आफिस पर नोटिस लगा हुआ था जिस पर मोटे मोटे शब्दों में लिखा था :

किन्हीं कारणों से इस हाल पर

मुगलेआज़म

नहीं दिखाई जायेगी।

पब्लिक में तहलका मच गया। रोष का ये आलम था कि गनीमत हुई कि भीड़ ने सिनेमा न तबाह कर डाला।

फिर अफवाह की तरह उड़ती उड़ती वजह सामने आयी :

उसी रोज अमृतसर में एक नये बने नन्दन नामक सिनेमा का उद्घाटन था और 'मुगलेआजम' का जालंधर के लिये इयरमार्क्ड प्रिंट हाइजैक हो कर अमृतसर पहुंच गया था। ऐसा इसलिये मुमकिन हो सका था क्योंकि अमृतसर के उस नये बने सिनेमा का मालिक पंजाब के तद्कालीन चीफ मिनिस्टर का लड़का था।

बहरहाल 'मुगलेआजम' पंजाब के हर बड़े शहर में दिखाई गयी, जालंधर में न दिखाई गयी। जालंधर से फासले के लिहाज से सबसे करीब लुधियाना था जहां कि 'मुगलेआजम' दिखाई जा रही थी। नतीजतन होस्टल से स्टुडेंट्स के जत्थे के जत्थे रोज 'मुगलेआजम' देखने के अहम काम के लिये लुधियाना जाने लगे।

ऐसा एक मुगलेआजम प्रेमी जगजीत सिंह भी था।

इतवार को वो स्पैशल 'मुगलेआजम' देखने के लिये लुधियाना गया।

लौटा तो होस्टलमेट्स ने उसे घेर लिया।

"की देखया?"—सब का एक ही सवाल था।

"ओये, फिल्म देखी, होर की देखया!"

"किद्दा लग्गी?" (कैसी लगी?)

"बौत वदिया! कमाल दी! दिलीप कुमार दा कम्म कमाल दा! तिन गजलां गाईयां।"

किसी को कोई हैरानी न हुई। फिल्म में ट्रेजेडी किंग दिलीप कुमार हो, और उस में कोई सैड सांग न हो, दर्दभरी गजल न हो, ऐसा नहीं हो सकता था! ऊपर से सलीम अनारकली की ट्रेजिक ऐंडिंग वाली लव स्टोरी! फिल्म में दिलीप कुमार की तीन गजलें होना क्या बड़ी बात थी!

"किन्ने गाईयां?"—सवाल हुआ।

"तलत महमूद ने।"—जगजीत सिंह ने शान से जवाब दिया।

"सुना कोई?"

"लै! हुन याद पई ए मैनूं!"

सब जगजीत सिंह की किस्मत पर रश्क करते अलग हुए जिसे कि 'मुगलेआजम' देखने का फख्र हासिल हुआ था।

अगले शुक्रवार 'मुगलेआजम' ज्योति पर लग गयी।

सारा होस्टल टूट कर पड़ा।

जिन को टिकट नसीब हुई उन्होंने फिल्म देखी।

फिल्म में तलत महमूद की दिलीप कुमार के लिये तीन गजलें तो क्या, उसका कोई गाना ही नहीं था।

जगजीत सिंह को थामा गया।

"ओये! ओये सरदारा! ओये कंजरा, तू तो कहता या दिलीप कुमार ने तीन गजलें गायीं थीं, फिल्म में तो उसका कोई गाना ही नहीं है!"

सरदार जी जरा हत्प्रभ नहीं हुए।

"काट दी होंगी।"—पूरे इत्मीनान के साथ बोले।

"क्या!"

"ओये, लम्बी फिल्म सी ना! कट्ट दित्ते तिन गाने। मैं तां वेखे सी। हुन तुहाडा तुसी जानो।"

हम कैसे साबित करते कि वो झूठ बोल रहा था। फिल्म लम्बी होने की वजह से तलत महमूद के दिलीप कुमार के लिये गाये तीन गाने काट दिये हुए बता रहा था। लम्बी फिल्म की लम्बाई घटाने के लिये ऐसी कटौती का रिवाज तो बराबर था लेकिन यूँ कैंची एकाध प्रिंट पर नहीं, हर प्रिंट पर चलती थी। लिहाजा उसे पकड़ कर लुधियाने फिल्म देखने ले जाना भी किसी काम नहीं आना था।

"अच्छा ये तो बता"—उस से पूछा जाता—"दिलीप कुमार के तीन गाने फिल्म में कहां थे?"

"एक तो"—वो बड़े इत्मीनान से जवाब देता—"'प्रेम जोगन बन गयी से' जरा पहले था। दूसरा तब था जब अनारकली गिरफ्तार कर ली जाती है।"

"और तीसरा?"

"तीसरे का मुझे अब ध्यान नहीं। इन्टरवल के बाद किसी वक्त था।"

"ये ठीक कह रहा है।"—कोई व्यंग्य में तरह देता—"'ए मुहब्बत जिन्दाबाद' पहले अकेला दिलीप कुमार गाता था, तलत महमूद के प्लेबैक में फिर जब हुजूम का सीन आता था तो संगतराश गाता था मुहम्मद रफी के प्लेबैक में। एक ही गाना जरा से वक्फे में दो बार होता ठीक नहीं लगता था, जरूर इसीलिये तलत महमूद वाला वर्शन काट दिया गया था। ठीक ए न, जगजीत सिंह!"

"हट माईयवा! तैनू की पता!"—जगजीतसिंह गर्माता—"तू माईंयवी फिल्म लुधियाने जा के वेखी सी?"

वो बात तो खैर आखिर आई गयी हो गयी लेकिन 'मुगलेआजम' ने लोकप्रियता के ऐसे झण्डे गाड़े कि क्या कॉलेज में, क्या होस्टल में, उसी के चर्चे रहते थे। सबने कई कई बार 'मुगलेआजम' देखी, उन लड़कों ने भी, फिल्म के उर्दू के डायलॉग समझना जिन के बस की बात नहीं थी।

यहां भी जगजीत सिंह की तमाशेबाजी, बल्कि मजमेबाजी का दखल था।

कैसे?

वो ऐसे उर्दू से अंजान लड़कों को फिल्म के मशहूर डायलॉग्स का पंजाबी में तर्जुमा करके सुनाता था जिसे सुन कर बाकी, उर्दू समझने वाले लड़के भी हँसी से लोट पोट हो जाते थे।

सिर्फ दो मिसाल गौर फरमाइये :

मूल सम्वाद :

"उन्हें मालूम था मेरे जख्मों को इस वक्त मलहम की जरूरत है फिर भी उन्होंने मेरे लिये नश्तर भेजा।"

जगजीत सिंह वर्शन :

"ओनू चेता सी फेरे फट्टां नूं ऐस वेले मलम दी लोड़ ए, फेर वी ओने मेरे लई ब्लेड भेजे।"

मूल सम्वाद :

"इंसाफ के इस मुकद्दस तराजू की कसम, अकबर से जिन्दगी में एक बार जो मांगोगी, अता किया जायेगा।"

जगजीत सिंह वर्शन :

"गुरां के ऐस अमृत छके होये तकड़े दी सौं, अकबर तो जिंद रैंदयां जो मंगेंगीं, तैनू दित्ता जावेगा। ऐ फड़, निशानी वास्ते मुन्दरी रख लै। वड्डी उंगल च पा, बादशयां दी उंगल वड्डी होंदी ए। ऐद्दां कर, अंगूठे च पा लै।"

'मुगलेआजम' का कोई गाना सुनाये जाने की फरमायश हो, उसका मूड न हो तो इंकार करने की जगह गाने की ऐसी जड़ मारता था कि तौबा भली। 'बेकस पै करम कीजिये सरकारेमदीना' को ठेठ पंजाबी लहजे में शंकर महादेवन के 'ब्रैथलैस' की तरह गाता था, गाता क्या था, कत्लेआम मचाता था!

"बकस प करम कीजिये सरकारेमदीना भंवर में सफीना कदी न कदी न गेसुओं वाले कश्ती बचा ले आयी मैं तेरे आले द्वाले पोशीदा रखाने दिल दे फसाने सौन मईना दुश्वार ए जीना सरकारेमदीना करम न कीना भंवर सफीना..."

यूँ अनाप शनाप वो तब तक बोलता था जब तक सांस नहीं चुक जाती थी। फिर कोढ़ में खाज की तरह कहता था—"होर सुनावां?"

पहले से हाहाकारी मोड में आये लड़कों में से किस की मजाल होती जो और सुनाने को कहता!

इतना करतबी, इतना हजरती, साथ ही इतना गुणी इतना जहीन, इतना गुणवान सिर्फ उसी काम को मुनासिब तौर पर अंजाम न दे सका जिस के लिये वो डीएवी में था।

बीएससी में वो फेल था।

वो बात दीगर है कि छः महीने बाद फिर इम्तिहान होता था और उस में वो पास हो गया था।

तदोपरान्त उसने कुरुक्षेत्र यूनीवर्सिटी से हिस्ट्री में एम.ए. किया।

□

बीएसी फाइनल में एक बार दशहरे की छुट्टियों में घर लौटने का इत्तफाक हुआ।

तब तक मेरी गैरहाजिरी में मेरे पिता ने भोलानाथ नगर के किराये के चालनुमा इमारत के पोर्शन को तिलांजलि दे दी थी और उससे कोई दो फर्लांग ही दूर बाबू राम स्कूल के बाजार की ओर के कोने के सामने एक नये बने मकान में उसकी पहली मंजिल पर एक दो कमरे का फ्लैट मुहैया कर लिया था। नयी बनी वो इमारत छोटी सी ली जिस में बाहर चार दुकानें थीं जिनके बीच में से भीतर को जाती लम्बी गलियारे जैसी ड्योढ़ी थी जिस के परले सिरे पर भी एक दरवाजा था जिसके आगे एक खुला आंगन था और दायें बायें दो फ्लैट थे। आंगन वाले दरवाजे के बाजू से गलियारे में से ऊपर सीढ़ियां जाती थीं जहां आंगन के वैल से विभाजित दायें बायें दो फ्लैट थे जिन में से दायां मेरे पिता के कब्जे में था। वहां जो दो कमरे थे वो एक दूसरे से कनैक्टिड नहीं थे। एक का रुख बाजार की तरफ था जिससे आगे संकरी लम्बी बाल्कनी थी। दूसरा पिछली दीवार के साथ था और दोनों के बीच में एक खुला यार्ड था, गर्मियों में जिस में चारपाईयां बिछा कर सोया जा सकता था। पिछले कमरे से जुड़ी एक मुश्किल से चार गुणा चार की रसोई थी। ऊपरले दोनों फ्लैटों के रसोई से भी छोटे बाथरूम नीचे गलियारे में थे जो कि अजीब बात थी। यानी कि हम रहते ऊपर थे लेकिन नहाने के लिये—मां को कपड़े धोने के लिये—नीचे ग्राउन्ड फ्लोर पर जाना पड़ता था।

फिर भी भोलानाथ नगर में जिस चाल में हम रहते आये थे, उससे वो कई दर्जा बेहतर था और काफी रौनक वाला था। रौनक में इजाफा ये बात भी करती थी कि परले कमरे की बाल्कनी का रुख बाजार की तरफ था जहां कि हर वक्त आवाजाही रहती थी।

गौरतलब बात है कि उस बार मैंने एक अंजान जगह पर पहुंचना था लेकिन फिर भी स्टेशन पर मुझे कोई लेने नहीं आया था। एक नया पता लिखा पोस्ट कार्ड मुझे होस्टल में मिला था जो न मिलता तो जरूर मुझे घर घर गली गली दरयाफ्त करना पड़ता कि 4/6, भोलानाथ नगर वाले पन्नालाल पाठक जी ने सपरिवार कहां शिफ्ट किया था।

बहरहाल उस शिफ्टिंग से मैं राजी था।

तब तक वेद प्रकाश काम्बोज से मेरी यारी इतनी मजबूत हो चुकी थी कि मैं जालंधर से घर लौटता था तो पहले अपने घर नहीं जाता था, अपने बिस्तर, ट्रंक समेत पहले काम्बोज के घर जाता था और बिछड़ों की मुलाकात का सुख पाता था।

ऐसे एक मौके पर उसने मुझे बताया कि मेरे पीछे उसकी एक लेखक से दोस्ती हुई थी जो कि बहुत ही सरलचित्त और मिलनसार व्यक्ति था और जिस का नाम ओमप्रकाश शर्मा था।

तब तक काम्बोज स्थायी रूप से जासूसी उपन्यास लेखक बन चुका था और उसके 15-16 उपन्यास प्रकाशित हो भी चुके थे।

ओम प्रकाश शर्मा से उसकी पहली मुलाकात महज इत्तफाक से खारी बावली में स्थित 'जासूस' कार्यालय में हुई थी। काम्बोज शर्मा जी का पहले से पाठक था इसलिये वो तो उनके साथ फैन की तरह मिला लेकिन शर्मा जी उससे फैलो राइटर की तरह मिले। जल्दी ही मुलाकात दोस्ती में तब्दील हो गयी, काम्बोज उन के घर आने जाने लगा। फिर आगे ऐसा इत्तफाक हुआ कि दोनों एक ही—कदरन नये—प्रकाशन में लिखने लगे। प्रकाशन का नाम नीलम जासूस कार्यालय था जो 'नीलम जासूस' नामक जासूसी उपन्यासों की मासिक पत्रिका पहले से छापता था और फिर ओमप्रकाश शर्मा को अकामोडेट करने के लिये उसने एक नयी पत्रिका 'राजेश' शुरू कर दी।

यूँ दोनों लेखकों का नया उपन्यास हर महीने नीलम जासूस कार्यालय से प्रकाशित होने लगा और दो लेखकों की दोस्ती मजबूत होने लगी।

काम्बोज ने मुझे बताया कि उसने शर्मा जी से मेरा जिक्र किया था और उन्होंने काम्बोज से फरमायश की थी कि वो मुझे उन से मिलवाये।

छुट्टियों में आये पहले मंगलवार मैं काम्बोज के साथ दोपहर से पहले ही शर्मा जी के घर पहुंच गया। मालूम पड़ा कि काम्बोज शर्मा जी के घर कभी खाली हाथ नहीं जाता था, वो पहले रास्ते में फतहपुरी पर एक छोटा सा पड़ाव करता था जहां से वो पूरी कचौड़ी जैसा कुछ सामान और दाल का हलवा खरीदता था।

गौरतलब है कि काम्बोज की ये आदत—या कर्टसी—जब तक शर्मा जी जीवित रहे, बरकरार रही थी।

शर्मा जी तब पहाड़ी धीरज की एक संकरी गली के एक मकान के एक नीमअन्धेरे किराये के पोर्शन में रहते थे। पोर्शन में आगे पीछे दो छोटे छोटे कमरे थे, अगले कमरे का इकलौता दरवाजा बाहर यार्ड में खुलता था और उसके अलावा दोनों कमरों में कोई खिड़की, रोशनदान, झरोखा तक नहीं था। अगले कमरे में तो बाजरिया दरवाजा थोड़ी बहुत दिन की रौशनी दाखिल होती थी,

पिछले में भरी दोपहर में भी अन्धेरा होता था और दिन हो या रात हर घड़ी बत्ती जलानी पड़ती थी। अगला कमरा बतौर रसोई भी इस्तेमाल होता था। टायलेट की मुझे खबर थी कि यार्ड से पहले की ड्योढ़ी में दो थे जो सब के लिये सांझा ते, नहाना कपड़े धोना कहां होता था, मैं कभी न जान सका।

शायद अगले कमरे में ही जो कि मैनी-इन-वन था।

काम्बोज के मिलाये शर्मा जी बहुत मुहब्बत से मेरे से मिले, जानकर खुश हुए कि मैं कालेज में पड़ता था और बड़े फख्र से उन्होंने मुझे बताया कि उन का छोटा भाई जयप्रकाश शर्मा भी कालेज ग्रैजुएट था।

वो मेरी ओम प्रकाश शर्मा से पहली मुलाकात थी जो आगे चल के दोस्ती में तब्दील हुई जब कि हमारी उम्र में सोलह साल का फर्क था। काम्बोज जैसी जिगरी दोस्ती तो मेरी उन से न हो सकी—किसी की भी न हो सकी—लेकिन उन से मेल मुलाकात, उन के साथ उठना बैठना, उन के घर आना जाना सालोंसाल बना रहा।

"नावल पढ़ते हो?"—उन्होंने सवाल किया।

"हां।"—मैंने अदब से जवाब दिया।

"कभी कभार या अक्सर?"

"अक्सर।"

"कभी मेरा नावल पढ़ा?"

"जी हां। कई बार।"

"कैसा लगा?"

"अच्छा।"

"वेद के? पढ़े?"

"जी हां। सारे।"

"कालेज की पढ़ाई में नावल पढ़ने का टाइम लग जाता है?"

"जी हां, लग जाता है।"

"कैसा लिखता है वेद?"

"अच्छा लिखता है।"

"हां। पाठकों को नयी चीज दे रहा है। तरक्की करेगा।"

काम्बोज फूल कर कुप्पा।

"पिता क्या करते हैं?"

"ब्रिटिश कम्पनी में स्टेनोग्राफर हैं।"

"ब्रिटिश कम्पनी में! फिर तो अच्छी तनखाह होगी!"

"मुझे इस बाबत कोई खबर नहीं।"

"भई, कॉलेज एजुकेशन के लिये तुम्हें जालंधर भेजा तो अच्छी ही होगी!"

"जी हां।"

"घर में और कौन कौन हैं?"

मैंने बताया।

फिर उन के बताये बिना ही मुझे खबर लगी कि उन के सात—पांच लड़के, दो लड़कियां—बच्चे थे। खुद वो दिल्ली क्लाथ मिल्स में बतौर लूम आपरेटर मुलाजिम थे।

मैं हैरान था। कैसे उन दो छोटी सी कोठरियों में नौ प्राणी रहते थे। कैसे वहां बच्चे पढ़ाई भी करते थे, बच्चों का बाप उपन्यास भी लिखता था और कोई आया गया भी समाता था!

थोड़ा और मेल जोल बढ़ा तो मालूम पड़ा कि रात को, जब सब जने सो चुके होते थे, बाइसिकल के आगे लगने वाली बैटरी वाली लाइट की रोशनी में नावल लिखते थे ताकि बत्ती जलाने से किसी की नींद डिस्टर्ब न हो।

'जासूस' में उपन्यास लिखने की उन की फीस सौ रुपया थी जिसमें कभी वो महज दस रुपये इजाफे की मांग करते थे तो प्रकाशक का शुष्क, घृष्ट जवाब होता था—"कोई गुंजायश नहीं। आप बेशक कहीं और ट्राई कर लें।"

जैसा कि लेखक नहीं कर पाता था।

□

अगले साल मैं बीएससी में पास हो गया और घर लौट आया।

मैं 50% नम्बरों से पास हुआ था जो कि आगे के किसी अच्छे कोर्स के लिये कतई नाकाफी थे।

फिर मेल ट्रेन की जगह पैसेंजर ट्रेन का जुगाड़ हुआ।

थापर इंस्टीच्यूट पटियाला में मुझे इलैक्ट्रिकल इंजीनियरिंग के डिप्लोमा कोर्स में दाखिला मिल गया।

पिता के हुक्म के तहत मुझे पटियाला जाना पड़ा।

कैसे पटियाला का सफर हुआ, वो जिक्र के काबिल है।

जान लिंडवाल नाम के एक अंग्रेज साहब इंगलिश इलैक्ट्रिक कम्पनी आफ इन्डिया के—जिस के कि मेरे पिता मुलाजिम थे—साउथ एशिया के जनरल मैनेजर थे जो कि राजपुर रोड पर सेवाय होटल में ठहरे हुए थे और उन का बाई रोड चण्डीगढ़ जाने का प्रोग्राम था। मेरे पिता ने उन से सविनय दरख्वास्त की कि वो मुझे अपने साथ पटियाला तक ले जायें। मिस्टर लिंडवाल उदार, खुशमिजाज अंग्रेज थे जिन्होंने तुरन्त, निसंकोच हामी भरी और निर्देश दिया कि अगली सुबह नौ बजे वो मुझे उन के होटल में पहुंचा दें।

अगले रोज अपने पिता के साथ और अपने सामान के साथ मैं होटल पहुंचा। पिता ने मेरा सामान लिंडवाल साहब के ड्राइवर के—जो कि कम्पनी के लोकल आफिस से था, इस लिये पिता को जानता पहचानता था—हवाले किया और हम भीतर होटल में दाखिल हुए।

वो पहला मौका था जब मैंने किसी फाइव स्टार होटल का भीतर से नजारा किया था। क्या बानगी थी, क्या शानोशौकत थी! भीतर कदम रखते झिझक होती थी।

तब मेरे मन में एक अनोखी अभिलाषा ने सिर उठाया कि आइन्दा जिन्दगी में नौकरी ऐसी मिले कि तनख्वाह बेशक कम हो लेकिन आफिस की रौनक जगमग हो, वाह वाह हो।

हकीकतन ताजिन्दगी नौकरी ऐसे आफिस में करनी पड़ी जो कि ट्रांसपोर्ट कम्पनी का माल गोदाम जान पड़ता था।

होटल के डायनिंग रूम में लिंडवाल साहब हमें ब्रेकफास्ट करते मिले। उन्होंने बड़ी सहृदयता से हमें भी ब्रेकफास्ट की पेशकश की जिस के जवाब में पिता ने अदब से कहा कि हम ब्रेकफास्ट कर के आये थे।

हमें नहीं मालूम था कि लिंडवाल साहब कब से वहां थे और ब्रेकफास्ट की किस स्टेज से गुजर रहे थे अलबत्ता हमारी आमद की घड़ी वो केला खा रहे थे।

वैसे नहीं जैसे कि खाया जाता है—एक हाथ में थाम कर, दूसरे हाथ से छील कर, छिले हिस्से को मुंह तक ले जा कर।

ओबराय के फाइव स्टार होटल के मिजाज से मेल खाती फैंसी, नक्काशीदार प्लेट में अनछिला केला पड़ा था और अंग्रेज साहब छुरी कांटे से उसे हैंडल करने की कोशिश कर रहे थे। बहरहाल किसी तरह से उन्होंने प्लेट में लेटे पड़े केले को छिलके से मुक्त किया और छुरी से टुकड़े कर कर के कांटे से उसे खाया।

फिर मैं अंग्रेज साहब के हवाले।

सफर शुरू हुआ।

साहब की और मेरी उम्र में कम से कम पैंतीस साल का फर्क था फिर भी वो सफर में पूरी आत्मीयता के साथ यूँ मेरे से बतियाते रहे जैसे मैं उन का हमउम्र था और पुराना वाकिफ था। दूसरे, जहां कहीं भी उन्होंने किसी को मेरा परिचय दिया तो कहा—"मिस्टर पाठक! माई फ्रेंड!"

मैं बहुत प्रभावित हुआ।

जीटी रोड पर उन दिनों आज जैसी रौनक नहीं होती थी; तब वो सिंगल, बेतहाशा बिजी रोड थी जिस पर आज की तरह चार-चार, पांच-पांच कोस पर फैंसी ढाबे नहीं थे। तब अभी हरियाणा नहीं बना था और ट्रकों का व्यस्ततम

रूट होने की वजह से उस सिंगल रोड पर बेतहाशा एक्सीडेंट होना रूटीन था। कभी भी गुजरो, कहीं न कहीं चार पांच ट्रक उलटे पड़े पाये जाते थे। फिर भी बाई रोड दिल्ली चण्डीगढ़ का सफर हैसियत वाले लोगों के बीच बहुत पापुलर था।

तब सिर्फ करनाल में हाइवे पर एक सलीके का रेस्टोरेंट होता था जहां क्या बसें, क्या कारें जर्नी ब्रेक करती थीं।

लंच के लिये लिंडवाल साहब वहां रुके।

गोरी चमड़ी का जहूरा था कि रेस्टोरेंट मैनेजर ने खुद, लपक कर उन की अगवानी की और एक कान से दूसरे कान तक मुस्कराते हुए कहा—"वैलकम, सर!"

"थैंक्यू!"—गोरा साहब बोला—"वुई वुड लाइक टु हैव लंच।"

"आफ कोर्स, सर। ऐवरीथिंग इज जस्ट रेडी।"

"गुड! बाई दि वे, ही इज माई फ्रेंड मिस्टर पाठक!"

"हल्लो, मिस्टर पाठक! वैलकम!"

मेरे से जवाब देते न बना, मैं सिर्फ मुस्कराया।

मैनेजर ने हमें एक केबिन में पहुंचाया।

"टू बीयर्स फर्स्ट।"—अंग्रेज साहब बोला।

मेरे छक्के छूट गये।

"नो, सर"—मैं हकलाता हुआ बोला—"आई डोंट टेक बीयर।"

"यू डोंट!"

"यस, सर।"

"हाउ ओल्ड आर यू?"

"ट्वेन्टी वन, सर।"

"ऐण्ड यू नैवर टुक ए बीयर?"

"नो, सर। नैवर, सर।"

"पन्नालाल मस्ट बी प्राउड आफ यू।"—फिर उसने आर्डर में संशोधन किया—"ए बीयर फार मी एण्ड ए कोल्ड ड्रिंक फार माई फ्रेंड मिस्टर पाठक।"

"यस, सर।"—मैनेजर बोला—"राइट अवे, सर।"

वेटर आर्डर सर्व कर गया।

फिर लंच आर्डर करने का वक्त आया तो वो मेरे लिये इम्तहान की घड़ी बन गया। हीन भावना से ग्रस्त मैं समझ नहीं पा रहा था कि कैसे मैं अंग्रेज साहब के सामने आर्डर करता, क्या मैं आर्डर करता।

तब अंग्रेज साहब ने ही मेरी लाज रखी।

उसने हम दोनों के लिये देसी खाने का आर्डर दिया और पूरी दक्षता से हाथ से खाया। आर्डर में दही भी था जो उसे इतना पसन्द आया कि एक प्लेट और मंगाया।

"दिस इज बटर।"—दही खाता, तृप्ति से होंठ चटकाता वो बोला— "ब्लडी योगट हैज नथिंग आन इट। शियर बटर इट इज।"

लंच का समापन हुआ।

बेटर ने मेज खाली की।

"थैंक्यू।"—अंग्रेज साहब कृतज्ञ भाव से बोला—"टू बिल्स!"

टू बिल्स!

मेरा दिल जूते में सरक गया।

मेरी जेब में दस रुपये थे। फीस के लिये पिता ने पांच सौ रुपये का ड्राफ्ट बनवा के दिया था जो कि मेरे ट्रंक में था। मैंने अंग्रेजी तौर तरीकों के बारे में विलायती नावलों में पढ़ा था कि वो लोग डच ट्रीट में—यानी अपना अपना बिल अदा करने में—बहुत आस्था रखते थे। अब उस महंगे रेस्टोरेंट का फिफ्टी फिफ्टी बिल मैं दस रुपये में कैसे अदा कर सकता था।

उस सन्दर्भ में मैं गोरे साहब से कुछ बोलने ही लगा था कि वहां मैनेजर पहुंचा।

"सर, यूं वांट टू बिल्स?"—वो उलझनपूर्ण भाव से बोला।

"वाट्स दैट!"—गोरा साहब सकपकाया।

"सर, दि वेटर सैड यू आस्क्ड फार टू बिल्स फार दि सर्विस रेंडर्ड।"

"ओ, नो ! नाट एट आल ! आई डिड नाट से टू बिल्स। आई सैड टू मील्स। गैट मी दि बिल फार टू मील्स, दि वन फार मी एंड वन फार माई फ्रेंड मिस्टर पाठक हेयर।"

"ओह ! राइट अवे, सर।"

तब जाकर मेरा दिल वापिस अपने मुकाम पर पहुंचा।

उसके बड़प्पन की ये भी मिसाल थी कि उसने मुझे पटियाला ही न पहुंचाया, खुद मेरे लिये मेरी हैसियत के काबिल एक होटल का पता किया और मुझे वहां लेकर गया। वहां भी वो मुझे ड्राप कर के न चल दिया, मुझे कमरा हासिल हो जाने तक वो वहां ठहरा और आखिर मैनेजर को तलब कर के उसे मेरे बारे में खास हिदायत देकर गया—"मिस्टर पाठक इज माई फ्रेंड। टेक गुड केयर आफ हिम व्हाइल ही इज हेयर।"

ज्ञातव्य है कि उस भलेमानस ने एक बार भी मुझे 'माई सबार्डिनेट्स सन' या 'माई फ्रेंड्स सन' कह कर न पुकारा, हमेशा हमेशा 'माई फ्रेंड' कहकर मेरा जिक्र किया।

लिहाजा ऐसे ही बर्तानवी तहजीब कभी सारी दुनिया में मशहूरोमकबूल नहीं थी।

यहां मैं कम से कम इस एक सिलसिले में फ्लैश फ्रंट में जाना चाहता हूं।

जैसा कि मैंने पहले अर्ज किया कि वेद प्रकाश काम्बोज प्रायमरी स्कूल से मेरा सहपाठी था और मेरा सबसे अजीज दोस्त था। उस की मेहनत थी या किस्मत थी कि करिश्माई तेजी से उसने उपन्यास लेखन में तरक्की की थी और जासूसी उपन्यासों की दुनिया में अपना मजबूत मुकाम बनाया था। मैंने भी तब तक जासूसी उपन्यास लिखना शुरू कर दिया था, बीसेक उपन्यास छप भी चुके थे लेकिन अभी मेरा दर्जा आल्सो रैन से बेहतर नहीं बन पाया था। लेकिन दोस्ती ऐसी थी कि काम्बोज से मेरा रिश्ता 'तू जहां जहां रहेगा मेरा साया साथ होगा' जैसा था। लिहाजा जहां वो होता था, वहां मेरा होना लाजमी होता था इसलिये जिससे काम्बोज मिलता था उससे मेरा तआरुफ भी लाजमी होता था।

तब वो हमेशा यूं मेरा तआरुफ कराता था—"और ये पाठक साहब हैं, नये लेखक।"

वो तआरुफ मेरा कलेजा फूंक देता था। लगता था जैसे मेरा खुद का दोस्त किसी गैर को मेरी जात औकात से वाकिफ करा रहा था। और कोढ़ में खाज ये कि अपनी बड़ी हैसियत को फुंदने टांकने के लिये जान बूझ कर ऐसा कहता था वर्ना वो मुझे अपना दोस्त बता सकता था, और नहीं तो सरकारी मुलाजिम बता सकता था जो कि मैं तब था।

लेकिन नहीं।

"ये पाठक साहब हैं सफाई कर्मचारी ! रिक्शा पुलर !"

ऐन यही मिजाज होता था वेद प्रकाश काम्बोज का मुझे 'नये लेखक' कहते वक्त !

मैं सुनता था और खून का घूंट पी कर रह जाता था।

इसके विपरीत जब रोल रिवर्सल में आये तो मैं काम्बोज का परिचय हमेशा ये कह कर देता था—"ही इज मिस्टर काम्बोज, माई चाइल्डहुड फ्रेंड। ये काम्बोज साहब है, मेरे बचपन के दोस्त।"

जब कि मैं भी कह सकता था—"ये काम्बोज साहब है, नब्बे के दशक तक फेमस राइटर हुआ करते थे।"

कैसी बिडम्बना है एक टॉप बॉस, एक वीआईपी, जो मुझे जानता तक नहीं था, जिस के और मेरे बीच में उम्र का चौंतीस साल का फर्क था, हर किसी को 'माई फ्रेंड' कह कर मेरा परिचय देता था और एक दूसरा शख्स जो कि मेरा लंगोटिया था, जिससे मेरी दांत काटी रोटी थी, अपरिचिति को मेरा परिचय 'नये लेखक' के तौर पर देता था।

जैसे नया लेखक होना और ओबीसी होना एक ही बात हो।

घर के कर्त्ता के शाम को घर में कदम पड़ने पर एक बालक आवाज देता है—"ममी, पापा आ गये।"

उसी स्थिति में दूसरा बालक आवाज देता है—"ममी, तेरा हसबैंड आ गया।"

क्या फर्क हुआ?

मिसाल मैंने दी, नतीजा आप खुद निकालिये।

थापर इंस्टीच्यूट में मेरा मैडीकल इस अन्दाज से हुआ जैसे मैं कालेज में नहीं, फौज में भरती होने आया था। डाक्टर साहब ने मुझे पूरी तरह से स्ट्रिप करके मेरा—मोटे तौर पर खड़खड़ाती सूखी हड्डियों का और चमड़ी का—मुआयना किया। कोई शारीरिक नुक्स उन्होंने मुझ में न पाया—सिवाय दाईं आंख में जिसे उन्होंने इतनी कमजोर पाया कि टोकन आंख करार दिया। सख्ती से मुझे समझाया कि अमली इस्तेमाल के लिहाज से मेरी एक ही आंख थी और इंजीनियरिंग की सख्त पढ़ाई उसका भी बुरा हाल कर सकती थी। साथ ही फरमाया कि वो मैडिकल एग्जामिनेशन में मुझे इस टिप्पणी के साथ पास कर रहे थे कि—आई हैड वैरी वीक विजन इन माई राइट आई विच कुड नाट बी करैक्टिड बाई रिफ्रैक्शन। और कहा कि उस बाबत मैं घर जाकर अपने माता

पिता को आंख की बाबत सूरतअहवाल बताऊं और फैसला करूं कि मुझे इन्जीनियरिंग की सख्त पढ़ाई करनी चाहिये थी या नहीं। अगर उन का जवाब हां में हो तो मैं लौट कर आ सकता था और दाखिला पा सकता था।

मेरे पिता ने उस बाबत फिर सिख डाक्टर से मशवरा किया तो उसने पटियाला के मैडीकल एग्जामिनर की राय से इत्तफाक जाहिर किया।

यूँ मेरा एक और लम्बा निर्वासन टला।

और रोज की आवारागर्दी का गुजरा दौर फिर लौटा।

इस फर्क के साथ कि अब मैं बालिग था, ग्रेजुएट था और छोटी मोटी टोका टाकी और डांट पुजार से मुक्त था।

पिता ने हिदायत जारी की थी कि मैं रोज सुबह के अखबार में गौर से, तवज्जो से सिचुएशन वेकेंट का कालम पढ़ूं और अपनी क्वालीफिकेशन से मैच करती नौकरी के लिये अर्जी लगाऊं।

मैंने आदेश का पालन शुरू किया लेकिन कहीं से कोई काल नहीं आती थी। कभी भूली भटकी एकाध आ भी गयी तो चुटकियों में रिजेक्ट कर दिया गया। मेरे से ज्यादा पढ़े लिखे, अच्छे घरों के, फैशन माडल्स जैसे स्मार्ट लड़के इन्टरव्यू के लिये आते थे, कौन मेरे जैसे लल्लू को उनके मुकाबले में खातिर में लाता जिसके पास एक जोड़ा ढंग के कपड़े तक नहीं होते थे।

पिता साफ कलपता था, अक्सर कलपता था, दोस्तों तक के सामने गिला करता था कि एक ही बेटा था और वो भी निकम्मा था, नालायक था।

नालायक तो कबूल, मैं अपनी खामियों की वजह से था, अपनी कमतरियों की वजह से था लेकिन एक जोड़ी ढंग के कपड़े नसीब न होने के पीछे मेरा क्या रोल था !

कहते हैं आवारागर्दों के आवारागर्द दोस्त बन ही जाते हैं, इसलिये इलाके में मेरे भी बन गये। कुछ इसलिये कि स्कूल में साथ पढ़े थे, कुछ इसलिये कि पड़ोसी थे और कुछ इसलिये कि दोस्त के दोस्त थे।

फर्श बाजार में चर्च के कोने में एक गली थी जो कि हमउम्र दोस्तों की मीटिंग प्लेस बन गयी थी, शाम को कभी भी वहां जाओ, कोई न कोई खड़ा तो मिल ही जाता था। कई बार तो वहां दस-पन्द्रह लड़कों का हुजूम बन जाता था, लोग बाग ऐतराज करने लगते थे और हमें बिखरना पड़ता था।

ऐसा एक हुजूम तब बना जब कि देवानन्द की फिल्म 'ज्वेल थीफ' रिलीज हुई। सारे टोले ने 'डिलाइट' की टिकट हासिल करने की कोशिश की लेकिन हर कोई नाकाम रहा—

सिवाय बैजू नाम के एक लड़के के जो पता नहीं कैसे मैटिनी की एक टिकट हासिल करने में कामयाब हो गया। फिल्म की पब्लिसिटी से ही सबको

मालूम था कि नाम में कोई मिस्ट्री थी जिसका खुल जाना फिल्म देखने का मजा बिगाड़ सकता था। अगले दिन की टिकट सब के पास थी, सब 'डिलाइट' पर पिक्चर देखने पहुंचने वाले थे इसलिये हर किसी ने बैजू को सख्त ताकीद की—"साले, तू सबसे पहले फिल्म देखेगा इसलिये बहुत उछलेगा लेकिन लौट के तूने किसी को फिल्म का कुछ नहीं बताना है। समझ गया?"

"हां।"

"क्या समझ गया?"

"कुछ नहीं बताना है। जब तक कि तुम सब भी फिल्म न देखा आओ तब तक फिल्म की कोई बात नहीं करनी है।"

"हां। याद रखना ये बात। भूल न जाना। साले, न बाज आया तो सारे जने मिल के मारेंगे।"

"निश्चिन्त रहो। कुछ नहीं होगा। मैं जो देख के आऊंगा, उसकी बाबत कुछ नहीं बोलूंगा।"

"शाबाश!"

सात बजे के करीब शो देख कर वो फर्श बाजार के उस अड्डे पर पहुंचा और फासले से ही चिल्लाता आया—"अब्बे! देवानन्द दो नहीं हैं और ज्वेल थीफ देवानन्द नहीं, अशोक कुमार है!"

तत्काल सब के मिजाज का पारा आसमान छूने लगा।

लेकिन इस से पहले कि वो भड़के हुए दोस्तों की पकड़ाई में आता, वो वहां से हवा हो गया।

अगले दिन फिल्म तो सबने देखी—क्योंकि फिल्म पर खर्चा हुआ हुआ था—लेकिन एक बद्मजा जिम्मेदारी की तरह देखी, बैजू को हजार हजार गालियां देते देखी।

फर्श बाजार में आकर मिलती कई गलियों में से एक में एक लड़की थी जो बहुत ही चंचल स्वभाव की थी, फितरत ही ऐसी पायी थी कि मेल अटेंशन से बाग बाग हो जाती थी। उसके उस मिजाज की वजह से गली के एक नहीं, दो नहीं चार लड़के उसके पीछे पड़े हुए थे और वो चारों को भाव देती थी। उन के साथ उसकी चिट्ठी पत्री भी चलती थी। वो चिट्ठी लिखते थे तो जहां दाव लगता था, उसे थमा जाते थे। ऐसा दांव अमूमन गली में स्थित कमेटी के नलके पर लगता था जहां शाम ढले बाल्टी लिये वो दिखाई देती ही रहती थी। वो लड़की सबको चिट्ठी का जवाब देती थी लेकिन अपने निराले अन्दाज से। 'माई डियर ए, बी सी डी' के सम्बोधन से शुरू करके चारों को एक ही चिट्ठी लिखती थी जिस में चारों की अलग अलग चिट्ठियों में लिखी बातों का जवाब तो होता ही था, खुद उसकी तरफ से कई रंगीली बातें होती थीं जिन के वो चारों शेयर

होल्डर होते थे। आखिर में ताकीद होती थी—चिट्ठी को चारों जने पढ़ना और चारों जवाब देना।

चारों लड़के नुक्कड़ क्लब में उसके साथ सीक्रेट मुलाकातों के अपने अलग अलग दावे पेश करते थे जो कि ज्यादातर झूठ का पुलन्दा होते थे। लेकिन श्रोता खुद को भरमाते थे और फिर भी एनजाय करते थे।

एक बार बाजरिया चिट्ठी उसने खबर आम की कि उस की मंगनी हो गयी थी और बहुत जल्द उसकी शादी होने वाली थी।

ये खबर चार चाहने वालों का दिल तोड़ने वाली साबित होती अगरचे कि साथ में ये तसल्ली न जुड़ी होती :

मेरी शादी दूर नहीं, गान्धी नगर में ही हो रही है। वहां दिन में घर में मेरे अलावा सिर्फ मेरी सास हुआ करेगी। तुम चारों वहां मेरे से मिलने आया करना। लेकिन खबरदार, इकट्ठे कभी न आना।

नीचे ससुराल का पता दर्ज था।

अगले महीने उस की शादी हो गयी।

तो क्या वो चारों गान्धी नगर उस से मिलने की जुगत करने जाते रहे?

हरगिज नहीं।

वो ठरकी थे लेकिन मूर्ख नहीं थे।

एक साल में वो बच्चा खिला रही थी।

वही लड़के जो पहले उसकी खातिर शाम ढले गली में मंडराते ही रहते थे, अब उसे गली में देखते थे तो रास्ता बदल लेते थे।

तभी तो किसी सयाने ने कहा है कि शादी करके औरत कई मर्दों की तवज्जो को दरकिनार करके एक मर्द की गफलत हासिल करती थी।

इससे ये नामुराद सबक मिलता है कि आशिकी के कारोबार में औरत इन डिमांड रहना चाहती है तो शादी न करे।

हमारे नये घर वाले इलाके में एक सिख लड़का था जिसका नाम रघुवीर सिंह था, दादागिरी पर जोर था इसलिये नाम के साथ 'दिलावर' खामखाह लगा लिया था। बाबू राम स्कूल के बाजू की एक गली में वो रहता था, लेकिन हमेशा बाबूराम स्कूल के सामने के चौक में पाया जाता था। स्कूल में वो मेरे और काम्बोज से एक क्लास आगे था, हम उसे सूरत से पहचानते थे लेकिन उसके सीनियर क्लास का होने की वजह से स्कूल में हमारी उससे कोई दोस्ती स्थापित नहीं थी, बस इतना जानते थे कि वे जो खूबसूरत सा सिख लड़का शरेआम नाई की कुर्सी पर बैठ कर दाढ़ी छंटवाता था, उसका नाम रघुवीर सिंह था, उसकी

मां—सौतेली—जामा मस्जिद के लड़कियों के एक स्कूल की प्रिंसीपल थी और टीचर्स सन होने की वजह से स्कूल में उसकी फीस आधी लगती थी। स्कूल में तो हमारी उससे दोस्ती हो न पायी लेकिन पढ़ाई के पटाक्षेप के बाद के खाली वक्फे ने हमें एक लैवल पर ला खड़ा किया। खुशमिजाज तफरीहबाज सरदार था और शायद ही कभी घर में बैठता था। सर्दियों की रातों में घर से बाहर होता था तो उसकी मां शाल लिये उसे ढूंढ़ती फिरती होती थी कि लड़के को ठण्ड लग रही होगी।

उसकी दूसरी खूबी थी कि इलाके का हर हमउम्र ही नहीं, उससे उम्र में बड़ा हर शख्स भी उसका वाकिफ था। वो मेरे से वाकिफ था, मेरे पिता से भी वाकिफ था लेकिन नहीं जानता था कि हम पिता पुत्र थे। इतवार के एक रोज उसने हम पिता पुत्र को एक ट्रंक उठाये बाज़ार में जाते देखा जिसको कि मरम्मत की जरूरत थी। सामने से रघुवीर सिंह आता मिल गया तो उसने बड़ी आत्मीयता से कहा—"बाउ पन्नालाल जी, नमस्ते!"

"नमस्ते, भई।"

फिर उसकी निगाह दूसरे सिरे पर ट्रंक थामे मेरे पर पड़ी।

"मेरा लड़का है।"—पिता ने बताया—"सुरिन्दर।"

"आप का लड़का है!"

"हां, भई। क्यों?"

"कुछ नहीं।"

वो खामोशी से वहां से टल गया। बाद में मुझे मिला तो गुस्से से बोला—"ओये, तूने मुझे बताया क्यों नहीं कि तू पन्नालाल का लड़का है?"

"क्योंकि तूने पूछा नहीं।"—मैंने जवाब दिया—"मेरे को सपना आना था कि तू मेरे पिता से वाकिफ था!"

"पुराना! तेरे से ज्यादा पुराना! अब क्या करूं मैं?"

"तू खुद सोच।"

खुद ही सोचा उसने।

पुत्र से दोस्ती को तरजीह दी। पिता के पास फटकना छोड़ दिया।

स्कूल के सामने एक कोर्स की नयी पुरानी किताबों की दुकान थी। जिस शख्स ने वो दुकान खोली थी, वो जल्दी ही स्वर्ग सिधार गया था जिसके बाद दुकान उसके लड़कों ने सम्भाली थी जो कि कई थे। उन में से दो मानकचन्द और देवीचन्द हमारे हमउम्र थे—मानक मेरे से जरा बड़ा था और देवी जरा छोटा था। अपनी दबंगई की आदत के तहत रघुवीर सिंह का शगल था मानक से पंगे लेना। मानक सिर पर लम्बी चोटी रखता था जिससे सब वाकिफ थे। दुकान की हिफाजत के इरादे से वो रात को दुकान के सामने के चबूतरे पर चारपाई डाल

कर सोता था। रघुवीर सिंह की जब कभी भी मानक से झैं झैं होती थी—जो कि होती ही रहती थी—तो वो शरेआम घोषणा करता था कि रात को जब मानक दुकान के आगे सोया पड़ा होगा, वो उसकी चोटी काट देगा।

ऐसा उसने कई बार घोषित किया लेकिन चोटी सलामत रही, बरकरार रही।

इलाके में सरदार की दबंगई का इतना रौब था कि कमउम्र लड़के अक्सर कहते सुने जाते थे कि सरदार ढील दे रहा था, मानक के साथ चूहे बिल्ली का खेल खेल रहा था, चोटी आखिर काट के ही मानेगा।

एक सुबह लोगों ने देखा कि मानक के सिर पर चोटी नहीं थी।

चौतरफा पुकार हुई :

"तो सरदार ने आखिर वो कर ही डाला जो वो कहता था करके रहूँगा।"

मानक बहुत कलपा, बहुत तड़पा, बहुत हलकान हुआ लेकिन किसी को यकीन न दिला पाया कि असल में ऐसा नहीं हुआ था।

"अबे, सालो ! चोटी मैंने खुद कटवाई है। चाहो तो नाई से पूछ लो।"

"रघुवीर सिंह ने काटी। अपने चैलेंज पर उसने खरा उतर कर दिखाया।"

"वो साला तो मेरे करीब भी न फटका। मैंने खुद आज सुबह...."

"सरदार ने काटी।"

"अरे, मैंने खुद नाई से कटवाई। पूछो जा कर।"

"नाई का क्या है, वो तो तेरे कहे से कुछ भी कह देगा।"

रघुवीर सिंह वो वार्तालाप सुनता था और मूछों को ताव देता मुस्कराता था। मानक कभी किसी को यकीन न दिला पाया कि उस की चोटी रघुवीर सिंह ने नहीं काटी थी, उसने खुद काटी थी।

सरदार को शेरोशायरी का शौक था लेकिन वो शेरोशायरी ऐसी थी जो किसी भले आदमी के सामने दोहराई नहीं जा सकती थी। दो कदरन वाटर्ड डाउन मिसाल पेशेखिद्‌मत है :

खुद अपने बारे में कहता था :

सीन सिफ्त करां की मैं आपणी
मैं हां शहर शहदरे दा रहन वाला।
लुच्चयां लफंगया दा मैं गाहक नई,
भलया मानसां विच मैं बैन वाला।
जिन्नू चम्बड़ जावां, ओदा चम्म लावां,
मगरों नहीं मैं किसे दे लैन वाला।
जेड़ा हस्स बोले, ओहदा हां साथी,
सड़े बले दी भैन नू यैन वाला।

डरते, झिझकते, खता बख्शवाते सरदार की शायरी की एक मिसाल और:

धी दी** अंग्रेज दी, जिन्ने रेल बनाई नाले जहाज वखरा।
दूजी ऐना बानियां दी, जेडे मूल लैंदे नाले ब्याज वखरा।
तीजी ऐन्ना आशिकां दी, जेड़े इश्क करदे नाले लिहाज वखरा।
ते चौथी ऐन्ना पंजाबियां दी, जेड़े धी देंदे नाले दाज वखरा।

खाली वक्त गुजारने के लिये रघुवीर सिंह का दूसरा शगल था कि बाबू राम स्कूल के सामने उसकी दीवार के साथ ही चारपाई बिछा कर चोटी-फेम मानक के छोटे भाई देवी से लस्सी की शर्त लगा कर ताश खेलता था। उस शर्त में एक शर्त ये होती थी कि एक निर्धारित वक्फे की हारजीत कैंसिल नहीं होगी। हर बाजी की हारजीत का निपटारा हाथ के हाथ होगा। यानी एक जना एक बाजी हारा तो दूसरी बाजी शुरू होने से पहले उसे जीतने वाले के लिये लस्सी मंगवानी पड़ती थी। अगली बार वो जीत जाता था तो लस्सी वो पीता था। यानी दो बार में हुई एक हार और एक जीत आपस में एडजस्ट नहीं की जाती थीं। यूं कई बार दोनों छः छः गिलास लस्सी पी जाते थे और खेल इसलिये बन्द करना पड़ता था क्योंकि दोनों के ही पेट में और लस्सी के लिये जगह नहीं होती थी।

रघुबीर सिंह अक्सर कन्ट्रीब्यूशन में मुर्गा बनाने की पेशकश करता था। यानी मुर्गा वो पकायेगा और तमाम खर्चा चार जने बराबर कन्ट्रीब्यूट करेंगे। चार में खुद रघुबीर सिंह, मैं, देवीलाल और चौथा कोई भी दोस्त होता था जो हाथ के हाथ उपलब्ध हो और कन्ट्रीब्यूशन के लिये तैयार हो। तब अभी तक मैं ड्रिंक करना नहीं सीखा था लेकिन बाकी जने वो शौक करने लग चुके हुए थे। स्कूल के सामने एक चाय की दुकान थी जिस के भीतर बैठकर वो चाय की केतली में अद्धा पलट कर, पानी डाल कर, कप प्लेट में विस्की पीते थे ताकि देखने वाले अन्य ग्राहकों को लगे कि चाय पी रहे थे। दुकानदार वो सुविधा इसलिये देता था कि उस चायनोशी के दौरान चार जने दस अंडों का आमलेट खा जाते थे।

फिर मुर्गे की बारी आती थी।

रघुबीर सिंह जिन्दा मुर्गा खरीद कर लाता था और अपने घर पर खुद काटता था। मुर्गे के अलावा लहसुन, प्याज, टमाटर, अदरक, हरी मिर्च, घी का खर्चा तो वो कन्ट्रीब्यूट्री प्रॉजेक्ट के तौर पर चार्ज करता ही था, नमक, मिर्च, मसाला, हल्दी, धनिया, जीरा भी चार्ज करता था जो कि घर की किचन से निकालता था।

एक बार बतौर हैल्पर वो मुझे अपने साथ अपने घर ले गया जहां मुर्गा अभी काटा जाना था जो कि बाहर आंगन में नलके के पाइप के साथ रस्सी से बन्धा था। रघुवीर सिंह ने मुर्गे को खोला, छुरी सम्भाली और बोला—"फड़ ऐनू।"

"क्या बोला?"—मैं अचकचाया।

"ओये गर्दन दबोच इसकी, ताकि मैं गर्दन पकड़ू और काटूं।"

"मैं ! नहीं नहीं !"—मैं घबरा कर बोला।

"कमला माईंयवा। बंदा बनन नूं फिरदा ए। फड़ ऐनूं।"

"नहीं।"

"ओये अख बन्द करके फड़। मिनट की बात है।"

मैंने हिम्मत करके, जैसे मुझे समझाया गया, मुर्गे को दोनों हाथों से उसकी बाडी से दबोचा।

सरदार ने एक हाथ से मुर्गे की गर्दन थामी और दूसरे से छुरी का वार किया।

खून के छींटे उछले और मेरी बाहों पर कोहनियों तक पड़े।

मैंने घबरा के मुर्गे को छोड़ दिया।

सिर कटा मुर्गा लम्बे आंगन के सिरे तक दौड़ गया और दीवार के पास जा कर गिरा।

मैं वहां से सरपट भागा।

एक घन्टे बाद पके हुए मुर्गे के पतीले के साथ सरदार चौक में पहुंचा और चार जनों ने स्कूल की दीवार के साथ जमीन पर पतीला रख कर उसके गिर्द बैठ कर अन्धेरे में हाथों को पतीले में घुमा फिरा कर मुर्गा खाया और खत्म किया।

मुर्गे की ऐसी फकीरी—बल्कि यतीमी—दावत बाबूराम स्कूल की दीवार के साथ एक लम्बा अरसा अक्सर हुई।

सारा दिन की आवारागर्दी से आजिज आया रघुवीर सिंह एक बार बोला—"टाइप सीखते हैं।"

"क्या फायदा?"—मैं बोला।

"ओये कमलया, नुकसान भी क्या है ! थोड़ा टाइम कट जायेगा, थोड़ा हुनर आ जायेगा। मरे माईंयवा हुनर, काम आये या न आये। पांच रुपये की तो बात है ! बतरा मेरा दोस्त है, उसमें रियायत कर देगा।"

"मेरे पास रियायती फीस भी नहीं है।"

"मैं भर दूंगा।"

टाइपिंग स्कूल के संचालक बतरा ने रघुबीर सिंह के मुलाहजे में हमारी फीस पांच की जगह तीन रुपये मुकर्रर की और हम टाइप सीखने जाने लगे।

दो महीने हमने वो रूटीन जारी रखी।

बाद में यूँ मजाक के तौर पर सीखी टाइप ही रघुवीर सिंह को पुनर्वास मन्त्रालय में क्लर्क की नौकरी दिलाने के काम आयी।

नौकरी आखिर मेरी भी लगी लेकिन उसमें टाइप का कोई रोल नहीं था। अलबत्ता तकदीर ने लेखक बना दिया तो उसमें निकल आया। आज भी मुझे खुशी होती है कि मैं हंट एण्ड पैक सिस्टम से नहीं—जो कि बिना सीखे आ जाता है—टच सिस्टम से टाइप करता हूं जो कि बाकायदा सीखना पड़ता है।

टाइप के उस सिलसिले से मैंने एक और प्रेरणा पायी।

मैंने एमए में एडमिशन ले लिया।

अकेला मैं ही नहीं था जिसने ऐसा किया था। शाहदरा में मेरे वाकिफ नावाकिफ कितने ही लड़के थे जो पक्की नौकरियां पा चुके थे लेकिन भविष्य में कोई सुधार लाने के लिये एमए करने गाजियाबाद जाते थे। गाजियाबाद में एमएमएच कॉलेज नाम का एक कॉलेज था जिस में एडमिशन मिलना आसान था और जिस की पोस्टग्रेजुएट क्लासिज डे टाइम की जगह मार्निंग में लगती थीं। सुबह सात से सवा नौ तक पैंतालीस-पैंतालीस मिनट के तीन पीरियड होते थे जिनके बाद गाजियाबाद शटल के सदके नौकरीपेशा विद्यार्थी आराम से वक्त रहते आफिस पहुंच सकते थे।

एमए जायन करने के पीछे हर किसी का अपना मिशन था, जब कि मेरा मिशन ये था कि अब कोई सवाल करता 'क्या करता है?' तो मुझे ये न कहना पड़ता कि नौकरी की तलाश में हूं, अब मैं फेस सेविंग जवाब दे सकता था कि एमए करता था।

दूसरे मार्निंग क्लासिज की वजह से दस बजे तक मैं घर भी पहुंच गया होता था। यानी आवारागर्दी फिर भी बरकरार थी, वेदप्रकाश काम्बोज की वीकली सोहबत—जो इत्तफाकन कभी कभी बाई वीकली भी हो जाती थी—तब भी कायम थी।

हमारी उस तफरीह में रघुवीर सिंह और देवीचन्द बाकायदा घुसपैठ करने की कोशिश करते थे लेकिन ऐसा करने में कामयाब नहीं हो पाते थे।

तब देवीचन्द ने नया पैंतरा बदला। वो काम्बोज के उस वक्त के लाइफ स्टाइल को इमीटेट करने की कोशिश करने लगा और मेरी वैसी रूटीन में काम्बोज की जगह खुद को जबरन ठूँसने की कोशिश करने लगा। उसकी किताबों की दुकान मेरे घर से सिर्फ दस इमारतें दूर थी। वो दुकान को अपने किसी भाई के हवाले—कई थे—सौंपता था और मेरे घर आकर मुझे मजबूर करने लगता था कि मैं पिक्चर के लिये, तफरीह के लिये उसके साथ चलूँ। उसकी वैसी सोहबत का मेरा कोई दिल नहीं होता था लेकिन मेरी विल पावर कमजोर थी, उसकी मनुहार स्ट्रांग थी, मुझे जाना पड़ता था।

ग्यारह बजे उसके साथ निकला कोई छः बजे मैं घर वापिस लौट पाता था।

तमाम खर्चा काम्बोज की तरह वो ही करता था क्योंकि मेरे पास तो ऐसी शाहखर्ची के लिये पैसा होता नहीं था।

फिर एक काम ऐसा करता था जिस को करने का काम्बोज सपने में भी खयाल नहीं कर सकता था।

तफरीह का दिन गुजर जाने के तीन चार दिन के बाद वो मुझे तफरीह का मेरे हिस्से का आइटमाइज्ड बिल थमा देता था।

मेरा खून खौल जाता था। मैं रघुवीर सिंह से बात करता था कि ये कैसा आदमी था जो मेरी मर्जी के बिना जबरदस्ती मुझे घर से उखाड़ कर साथ ले कर जाता था और फिर चार्ज करता था।

"मत दे।"—सरदार की राय होती थी—"उसके साथ जाना मंजूर करके तूने उस पर अहसान किया है, उसने कोई अहसान नहीं किया तेरे पर।"

लेकिन आदतन दब्बू मैं ऐसा नहीं कर पाता था और वो रकम उसे चुकता करता था।

और आदतन गायबखयाल फिर फंसता था।

बहरहाल मेरी और काम्बोज की उस जुगलबन्दी में कोई तीसरा कभी दाखिला न पा सका।

रघुवीर सिंह भी नहीं, जो कि औरों से कहीं बेहतर और दिलदार था, हम दोनों का पसन्दीदा दोस्त था लेकिन इस मामले में उसे भी कोई छूट हासिल नहीं थी।

अब मैं थोड़ा फ्लैश फ्रंट में जा कर रघुवीर सिंह का जिक्र फिर करना चाहता हूँ।

रघुवीर सिंह की शादी कानपुर में हुई थी जहां बारात बाई रोड बस से गयी थी। लम्बा सफर था जो ताश और बीयर के आसरे कटा था। कानपुर पहुंच कर मालूम पड़ा कि सरदारों में घुड़चढ़ी रात को होती थी लेकिन शादी दिन में गुरुद्वारे में होती थी। रात को सारे दोस्त घुड़चढ़ी में शामिल हुए, साथ में घूंट लगाये, फिर डेरे पर खाना खाया और फिर सारे के सारे चुपचाप रिक्शाओं में बैठ कर करीबी, लोकल रैडलाइट एरिया पहुंच गये। सरदार की शादी की मजबूरी न होती तो उस अभियान में वो सबसे आगे होता।

रात के ग्यारह बजे जिन्दगी में पहली बार मैंने बाइयों का बाजार देखा।

कोई चबूतरे पर बैठी थी, कोई सीढ़ियों में बैठी थी, कोई पोज बना कर किसी खम्बे से लगी खड़ी थी। कई चौड़े अहाते में खड़ी बतिया रही थीं।

सीढ़ियों में बैठी एक ने हाथ बढ़ा कर मेरी कमीज की आस्तीन थामी, मुझे अपनी तरफ खींचा और फुसफुसाई—"तू इधर आ जा। याद करेगा।"

मेरे छक्के छूट गये।

मैंने झटके से आस्तीन छुड़ाई और ग्रुप में से सरकता सरकता सबसे पीछे पहुंच गया।

किसी की तवज्जो मेरी तरफ नहीं थी। सब का जुदा ही मशगला था।

एकाएक मैं घूमा और वहां से भाग खड़ा हुआ। सड़क पर आकर मैं एक रिक्शा में तो सवार हो गया लेकिन अब मुझे ये पता नहीं था मैंने जाना कहां था। बड़ी मुश्किल से मैंने रिक्शावाले को समझाया कि मैं शादी में आया था, सरदारों की शादी थी, हम जिस डेरे में ठहरे हुए थे, उसके करीब गुरुद्वारा था।

रिक्शावाला समझदार था, उसने मुझे मेरे मुकाम पर पहुंचा दिया।

डेरे पर पहुंचकर मैंने कपड़े बदले और बैड पर ढेर हो गया। तत्काल मुझे नींद आ गयी।

फिर एकाएक जैसे भूचाल आ गया।

"ऐ रया माईंयवा कंजर!"—कोई कहरबरपा लहजे से बोला।

कई हाथों ने मुझे झिंझोड़ कर जगाया।

"उठ, भूतनीदया!"

"क-क-क्या हुआ?"—मैं हकलाया।

"पूछता है क्या हुआ!"

"बहन..., आना ही था तो बता कर क्यों नहीं आया? तू वहां न दिखा तो हमने समझा किसी कोठे वाली ने तुझे अन्दर बन्द कर लिया था। एक एक कोठे पर जा कर, तरले कर कर के कहा हमारा बन्दा ढुंढ़वा दो और तू सौरीदा यहां आराम से सोया पड़ा है।"

"सारा मजा मिट्टी कर दिया।"

"कुट्टो माईंयवे नू।"

बड़ी मुश्किल से, खुद रघुवीर सिंह के दखल से, जानबख्शी हुई।

वापिसी के सारे रास्ते सब—काम्बोज भी—मेरे साथ ऐसे पेश आये जैसे मैं अछूत था। लम्बे सफर में कहीं किसी ने मुझे ताश में शरीफ न किया, बीयर को न पूछा। यहां तक कि चाय पानी को, खाने तक को न पूछा।

सिर्फ इसलिये कि बाइयों के बाजार में मैंने उन का साथ न दिया, गंगा गये तो गंगादास, जमना गये तो जमनादास न बना।

बाद में जब मेरी भी शादी हो गयी थी तो रघुवीर सिंह मुझे ये कह के गरियाया करता था—"ओये तेरा की ए! अठन्नी में ससुराल (बाराटूटी) पहुंच जाता है। मैंनू माईंयवे एक साइड के अड़तालीस रुपये खर्चने पड़ते हैं। फिर वापिसी में मैं ते जनानी दो नग।"

बीवी का मायके जाने का प्रोग्राम होता था तो सरदार को उस को छोड़ने भी जाना पड़ता था और लेने भी जाना पड़ता था। छोड़ने जाना तो कभी कभार कोई कानपुर से आ जाता था तो टल जाता था लेकिन लेने उसे ही जाना पड़ता था। रोज का मुलाकाती यार था इसलिये लौटने के प्रोग्राम की खबर करके जाता था।

वापिस आया दिखाई देता था तो हम उससे पूछते थे—"रघुवीर सिंह, जनानी लै आयां एं?"

"जनानी नहीं आयी।"—वो इतमीनान से जवाब देता था—"लै आयां वां।"

एक बार उसे कोई ऐसी अलामत हुई कि तीन चार महीने के लिये घूंट लगाने पर बड़ी सख्त पाबन्दी लागू हो गयी।

"रघुवीर सिंह"—दोस्तों ने नकली हमदर्दी जताते पूछा—"सुनया ए पीना पाना छड़ ता ए तू!"

"चल ओये!"—जवाब मिला—"पीना छड्डया ए। पाना नहीं छड्डया।"

ऐसे द्विअर्थी डायलॉग्स का वो माहिर था, बिना एफर्ट के सहज स्वाभाविक उसके मुंह से निकलते थे।

इतवार को कभी कभार दिन में मेरे घर आता था तो मैं रूटीन में पूछता था—"रघुवीर सिंह, चा पियेंगा?"

मजाल है कि जवाब हां या न में मिल जाये।

"ओये, दिस्सेगी तो पियांगा न!"—झल्ला के कहता था।

ऐसे मे विस्की का इशारा हो जाये तो चाय में ही डाल लेता था।

उसकी नौकरी का भी एक दिलचस्प वाकया है बाई चांस मैं जिसका जामिन बना।

वो पुनर्वास मन्त्रालय में क्लर्क था जो कि इन्डिया गेट के करीब जामनगर हाउस में था। वहां बड़ा स्टाफ कार्यरत होता था जिस की वजह से वहां की कैन्टीन बहुत बड़ी थी और बहुत बड़े एरिया में फैली हुई थी। ऐंट्रेंस पर ठेकेदार खुद बैठता था जो कि बतौर कैशियर पेमेंट्स क्लैक्ट करता था और बदले में खाद्य पदार्थों के टोकन जारी करता था। आमलेट के आर्डर का सिस्टम अनूठा था, दिलचस्प था। कोई आमलेट का आर्डर करे तो काउन्टर पर पड़ी अंडों की ट्रेज की टॉप ट्रे में से दो अंडे उठाता था, उसे एक खाली प्लेट में रखता था और ग्राहक को प्लेट पकड़ा देता था जो जानता था कि उस ने भीतर कुक के पास जाना था जिसने कि उन अंडों का आमलेट बना देना था।

एक बार मैं लंच के दौरान उसके आफिस में गया तो उसने पूछा— "आमलेट खायेगा?"

"हां।"—मैं निसंकोच बोला, आखिर जिगरी दोस्त था।

"और क्या खायेगा?"

"और बस चाय।"

"टोस्ट नहीं?"

"नहीं।"

"मैं तेरे साथ चाय पिऊंगा। कोई प्राब्लम है जिस की वजह से आमलेट तू ही खायेगा। कोई ऐतराज?

"नहीं।"

"ज्यूंदा रह।"

उसने काउन्टर पर पहुंच कर दो चाय के टोकन लिये।

"आमलेट!"—काउन्टर पर पड़े अंडों की ट्रेज के पहाड़ को देखते मैंने याद दिलाया।

"चुप कर।"—वो बोला।

"लेकिन..."

"ओये, सब्र ते कर।"

हम आगे बढ़ गये।

मैं हैरान था कि अंडे तो पीछे रह गये थे।

कैंटीन के एल शेप्ड मोड पर जा कर उसने वहां के काउन्टर पर से एक खाली प्लेट उठाई और चुपचाप जेब से दो अंडे निकाल कर उस प्लेट पर रख लिये।

मैं भौंचक्का सा उसका मुंह देखने लगा।

उसने आंख दबाई और लम्बे डग भरता कुक के पास पहुंचा। कुक ने खामोशी से उसके हाथ से प्लेट थामी और फ्राईंग पैन में प्याज, टमाटर, हरीमिर्च वगैरह डाल कर दो अंडों का बढ़िया आमलेट बना कर उसके हवाले किया।

जो आगे मेरे हवाले हुआ।

तब खुलासा हुआ कि शातिर सरदार जी ने वहां आमलेट बनने के सिस्टम के लूप होल को ताड़ा हुआ था जिसका फायदा उठाने के लिये वो अंडे घर से लाते थे—जो उन की खुद की मुर्गियां देती थीं—और फ्री में वहां से आमलेट बनवा के खाते थे।

"क्या पता और लोग भी ये ट्रिक आजमाते हों!"—मैंने शंका जाहिर की।

"नहीं।"—वो पूरे इत्मीनान से बोला—"कोई ऐसा करता कभी दिखाई दे गया तो मैं करना छोड़ दूंगा।"

"फिर क्या करेगा?"

"नया कुछ सोच लूंगा।"

नया कुछ सोच लेगा। यानी बाज नहीं आयेगा।

मोटे तौर पर वो निहायत तन्दुरुस्त आदमी था। मैंने कभी उसे बीमार पड़ते नहीं देखा था। एक बार डाक्टर के पास अपनी विजिट के बारे में उसने खुद ही बताया।

उसी के शब्दों में :

मैं डाक्टर के वेटिंग रूम में बैठा था। मरीजों का काफी रश था।

"सरदार जी"—एकाएक मेरे पहलू में बैठा एक मरीज उत्सुक भाव से बोला—"आप को क्या है?"

"मैंनू ते कुछ नहीं ए।"—सरदार जी का जवाब था—"ऐइयो कंजर (डाक्टर) कैंदा ए बीपी ए।"

लिहाजा डाक्टर के क्लीनिक में बैठा था फिर भी हाई ब्लड प्रेशर की अलामत को गम्भीरता से नहीं ले रहा था।

बाद में पुनर्वास मन्त्रालय की जरूरत खत्म हो गयी थी तो उसका विघटन हो गया था। तब उस की नौकरी जनपथ पर टेलीफोन के महकमे में लग गयी थी। शाहदरा से वो बाइसिकल पर आफिस जाता था लेकिन बाद में उसने बस पकड़नी शुरू कर दी थी। वो मेरे भी रूट की बस थी इसलिये शाम को कई बार मेरी बस में उससे मुलाकात हो जाती थी और फिर उस की लनतरानियों में सफर अच्छा कटता था।

बस रूट के टेल ऐण्ड पर मेरा स्टाप उससे पहले आता था। मैं उतरने की तैयारी में उठ कर खड़ा होता था तो वो कहता था—"की होया?"

"होना की ए! मेरा स्टाप आ गया है। उतरना है।"

"जल्दी कादी ए? रोटी-शोटी खा के जाईं।"

लोकल बस में वो मुझे रोटी खा के जाने को बोलता था।

ऐसा ही क्विकविटिड शख्स था वो।

पर साहबान, इस किरदार से कुछ याद आया? कोई याद आया?

आना तो चाहिये था!

सुनील सीरीज में रमाकान्त का किरदार मैंने रघुवीर सिंह को आइडियल बना के गढ़ा था।

शेर जैसा सरदार था, नौकरी से रिटायर होने के बाद अल्कोहलिक हो गया।

दोस्ती के नाते अपने एक दोस्त के कारखाने में काम करता था जहां से कि अभी नौ ही बजे होते थे तो उसका फोन आता था। मकसद हालचाल की बाबत नोट्स एक्सचेंज करना होता था लेकिन आवाज अपनी कहानी अलग ही कह रही होती थी।

"घूंट लगा भी लिया?"—मैं पूछता था।

"आहो, यार।"

"सरदारा, बाज आ जा वर्ना पछतायेगा।"

"ओये काका बल्ली, वारिसशाह न आदतां जांदियां ने, भावें कट्टिये पोरिया पोरिया जी।"

काल कट जाती थी लेकिन शिव कुमार बटालवी के अल्फाज़ में वो मुझे कहता जान पड़ता था :

किन्नी पीती ते किन्नी बाकी ए,
मैं नू ऐहो हिसाब लै बैठा,
मैं नू जद वी तुसी ओ याद आये,
दिन दहाड़े शराब लै बैठा।

आखिरी बार मैं उस के घर अपने पोते के मुंडन का कार्ड देने गया था तो उसके रूबरू हुआ था। जो दिखाई दिया था उसने मेरे छक्के छुड़ा दिये थे। हमेशा सूरज जैसा चमकता चेहरा यूँ लगता था जैसे राख पुती हो। नंगे पांव कुर्सी पर मेरे सामने बैठा था और दोनों पांव बुरी तरह से सूजे साफ दिखाई दे रहे थे। आंखें बेहिस थीं और बोलने से पहले उसे चार बार सांस लेना पड़ता था।

मैं कार्ड देना भूल गया।

"की होया तैनू?"—मैंने व्याकुल भाव से पूछा।

"मैंनू की हो या ए!"—सरदार दिलेरी से बोला।

"तुझे नहीं पता?"

"नहीं।"

"घर वालों को भी नहीं पता ?"

"ओये, कुछ हुआ हो तो पता हो न !"

मैं उसके जवान लड़के से मिला।

"तेरे पिता का लिवर खराब है।"—मैं चिन्तित भाव से बोला—"फौरन कुछ करो।"

उसने सहमति में सिर हिलाया।

अगले दिन पता चला कि सरदार नर्सिंग होम में था।

और दो दिन बाद पता चला कि वाहेगुरु को प्यारा हो गया।

सिरोसिज आफ लिवर मौत की वजह बना।

कितना ही अरसा जब कभी भी उस का अक्स मेरे जेहन पर उबरा, वो मुझे कहता लगा :

मेरे डूब जाने का बायस न पूछो,
किनारे से टकरा गया था सफीना,
मुझे याद है अपना अंजाम नासेह,
मैं इक रोज मर जाऊंगा, यही न !

उन्हीं दिनों एक दोस्त की शादी में जाने का इत्तफाक हुआ जो दो वजह से काबिलेजिक्र है :

एक नानवैज की वजह से।

और दूसरे आइसक्रीम की वजह से।

उन दिनों शादियों में नानवैज सर्विस से वो लोगबाग भी परहेज करते थे जो कि रेगुलर नानवैजिटेरियन होते थे। वजह यही होती थी कि उन के शुद्ध शाकाहारी मेहमान नानवैज सर्विस से असहज महसूस करते और सम्भव था कि इसी वजह से खाना खाते ही नहीं।

वो सरदारों की शादी थी और सरदारों की शादी में शरीक होने का दुर्लभ इत्तफाक पहले कभी मेरे साथ हुआ था—जैसे रघुवीर सिंह की शादी में—तो वहां शुद्ध शाकाहारी भोजन ही सर्व किया गया था। उस शादी में नानवेज की खुल्ली बहार थी।

दुल्हा क्योंकि फर्श बाजार की नुक्कड़ क्लब का चार्टर्ड मेम्बर था इसलिये नुक्कड़ क्लब की वहां मुकम्मल हाजिरी थी।

खाने का वक्त आया तो सर्विस टेबल्स की शुरुआत में ही मेम्बरान को मटन दिखाई दिया। सब खुश हो गये, सबने लपक कर प्लेटें भर लीं। आगे बढ़े तो चिकन दिखाई दिया। अब वो बाग बाग ही हो गये। सबने मटन की अनछुई प्लेटें मेजों के नीचे सरकाईं, नयी प्लेट काबू में कीं और अब उन्हें चिकन से भर लिया।

पता नहीं वहां सर्विस की क्या टर्म थीं! वो पर हैड सर्विस थी तो यूं सर्विस हैड्स के प्लेटों के काउन्ट में खामखाह का इजाफा हो गया और जो इतना मटन जाया हुआ, वो अलग।

लेकिन ऐसी बातों की बारातियों को भला क्यों परवाह होती?

सब खाने से निपटे और स्वीट डिश की चाहत में आगे बढ़े तो ये देख कर बाग बाग ही न हुए, हैरान भी हुए कि आइसक्रीम सर्व हो रही थी।

तब से पहले किसी मेजबान ने बारातियों के लिये आइसक्रीम की सर्विस नहीं रखी थी। कोई बड़ी बात नहीं थी कि आइसक्रीम का उस आयोजन में किसी को कभी खयाल ही नहीं आया था।

आइसक्रीम के स्टाल पर एक झक सफेद खुली दाढ़ी वाले देवता स्वरूप सिख बुजुर्गवार मौजूद थे जो कि आइसक्रीम सर्व कर रहे थे। आइसक्रीम शादी की दावत में कभी औरों ने भी नहीं देखी थी इसलिये उस स्टाल पर आइसक्रीम हासिल करने के लिये मारामार मची हुई थी।

उस दौरान एक बार प्लेटें खत्म हो गयीं तो बुजुर्ग सरदार साहब ने सब को थोड़ा इन्तजार करने को कहा। एक औरत को इन्तजार इतना नागवार गुजरा कि उसने अपनी खुली हथेली आइसक्रीम के लिये आगे बढ़ा दी।

सरदार जी को हथेली पर आइसक्रीम न रखनी पड़ी क्योंकि तभी प्लेटें आ गयीं।

हम चार जनों का ग्रुप था जिसने बड़ी मुश्किल से आइसक्रीम हासिल की और भीड़ से परे एक टेबल पर बैठ कर खाई। सब को आइसक्रीम खाना इतना रास आया कि सर्वसम्मति से प्रस्ताव पारित हुआ कि एक एक प्लेट और हासिल की जाये और उस काम को अंजाम देने के लिये मुझे चुना गया।

यानी मेरे को जाकर फिर भीड़ में शामिल होना था और चार प्लेट आइसक्रीम ले कर आना था।

मैं जा कर भीड़ में शामिल हुआ।

जैसे तैसे बारी भी आयी।

देवतास्वरूप सरदार जी ने आइसक्रीम की एक प्लेट मेरी तरफ बढ़ाई, मेरी सूरत पर निगाह दौड़ाई तो तत्काल प्लेट वाला हाथ वापिस खींच लिया।

"बाउ जी"—वो कड़क कर बोले—"तुसी लै चुक्के ओ।"

जो अप्रत्याशित फटकार मुझे पड़ी थी, उसे सबसे सुना। सब ने यूं मुझे देखा जैसे कोई मंगता वहां घुस आया था।

मैं शर्म से पानी पानी हो गया। इतनी ग्लानि हुई कि जी चाहा कि धरती फटे और मैं उसमें समा जाऊं।

भारी कदमों से मैं पीछे हटा।

मैं मटन चार बार ले सकता था, चिकन छः बार खा सकता था लेकिन आइसक्रीम दो बार नहीं ले सकता था।

ये बात मुझे पुरजोर लहजे से सरदार जी को बोलनी चाहिये थी, और यूँ टोके जाने पर उन्हें... उन्हें शर्मिन्दा करना चाहिये था लेकिन अपनी स्थापित दब्बू प्रवृत्ति के तहत न बोल सका।

मुझे मालूम होता कि उस दावत में आइसक्रीम पर राशन था तो मैं पहली बार भी न लेता।

मैं वापिस दोस्तों के पास पहुंचा तो स्वाभाविक सवाल हुआ कि आइसक्रीम क्यों नहीं लाया था।

"खत्म हो गयी।"—डूबते लहजे में मैंने संक्षिप्त जवाब दिया।

किसी ने बात को आगे न खींचा।

उस के बाद से मैंने न सिर्फ शादी ब्याह का खाना खाना छोड़ दिया, ऐसे मौकों पर अपनी हाजिरी इतनी मुख्तसर कर ली जैसे हवा का झोंका आया और गुजर गया।

अपने उस संकल्प के तहत लड़की की शादी में जाना मुझे सबसे आसान लगता था। लड़की के पिता को तलाश करो, उसे शगुन का लिफाफा थमाओ

सुशील की शादी के मौके पर (लेखक मध्य में)

और निकल लो। शादी की अतिव्यस्तता में कौन नोट करता था कि कौन आया और कौन चला गया!

दोस्त की शादी हो तो कोई कोई बाद में गिला करता था कि मैं रुका क्यों नहीं था तो मेरा जवाब होता था—"वहीं था। जरा सी देर के लिये बाहर गया था, फिर लौट आया था।"

वो जवाब कबूल कर लेता था।

"बाउजी!"—जैसे किसी ने ईंट फेंक कर मारी हो—"तुसी लै चुक्के ओ।"

□

आवारागर्दी के दौर में मेरे साथ एक नया वाकया हुआ।

एकाएक। बिना किसी वार्निंग के।

एक शाम पिता ने मुझे बुलाया।

"अनाज मंडी में पंजाब नेशनल बैंक है।"—सवाल हुआ—"देखा है?"

"हां।"—मैं बोला—"नीचे साइकलों की दुकान है, ऊपर है।"

"वही। कल सुबह पौने दस बजे वहां पहुंचना है।"

"किसलिये?"

"तेरी वहां क्लर्क की टैम्परेरी जॉब लगी है। लीव वैकेंसी के अगेंस्ट। वहां एक क्लर्क तीन महीने की छुट्टी पर गया है, उस की जगह।

"लेकिन"—मैं घबराया—"मुझे क्या आता है बैंकिग का?"

"ये बात तुझे जॉब पर रखने वालों को भी मालूम है। वो बोलेंगे कुछ। जाना कल सुबह। समझ गया?"

"हां।"

तब बैंक प्राइवेट थे, अभी नैशनेलाइज नहीं हुए थे, ब्रांच मैनेजर को लीव वैकेंसी के अगेंस्ट टैम्परेरी भरती का अख्तियार होता था। उस ब्रांच का एकाउन्टेंट मेरे पिता का तबसे दोस्त था जब हम भोलानाथ नगर में रहते थे। उसकी सिफारिश पर वो तीन महीने की टैम्परेरी जॉब मुझे मिली थी।

अगले दिन डरता झिझकता मैं बैंक पहुंचा।

जा कर मालूम हुआ कि डिस्पैच क्लर्क छुट्टी पर गया था और उस काम के लिये बैंकिग का कोई तजुर्बा होना जरूरी नहीं होता था।

फिर भी सुपरवाइजर ने मुझे समझाया कि मैंने क्या करना था, कैसे करना था!

"रोज की डाक के पते लिख कर लिफाफे बनाने होते हैं और डाक को कालमवाइज डिस्पैच रजिस्टर पर चढ़ाना होता है। दो बजे मैं चेक करने आऊंगा।"

"क्या?"—मेरे मुंह से निकल गया।

"अरे, देखूँगा कि कोई लिफाफा डुप्लीकेट तो नहीं बना दिया, ट्रिप्लीकेट तो नहीं बना दिया।"

"ओह!"

"एक ब्रांच का एक ही लिफाफा बनाना है, चिट्ठियां भले ही कितनी हों।"

मामूली काम था। मैंने बड़े मनोयोग से उसे करना शुरू किया।

जिस कमरे में मेरी डिस्पैच की सीट थी, वहां पांच क्लर्क और बैठते थे जो गाहे बगाहे चपरासी को आवाजें देते रहते थे—"कन्हैया, पानी पिला दे।"

दोपहर के करीब मुझे भी प्यास लगी तो मैंने भी कहा—"कन्हैया, पानी पिला दे।"

चपरासी मेरे करीब आया। मैंने सिर उठाया तो वो बोला—"ये गिलास है। वो परे घड़ा है। जाओ और पी के आओ।"

मैं पानी पानी हो गया। व्याकुल भाव से जानने के लिये मैंने आजूबाजू निगाह दौड़ाई कि किसी ने सुना तो नहीं था।

सबने सुना था—कैसे न सुनते? छोटा सा तो कमरा था—लेकिन मेरा लिहाज करके जाहिर यही किया कि नहीं सुना था। किसी ने सिर न उठाया।

मैं गिलास उठा के घड़े तक न गया। शर्म में मैंने पानी न पिया।

दो बजे तक मेज पर डाक के लिफाफों का पहाड़ खड़ा था।

सुपरवाइजर आया, मेज पर निगाह पड़ते ही वो हकबकाया।

"इतनी डाक !"—उसके मुंह से निकला—"कहां से आयी?"

"यहीं से आयी।"—मैं सहज भाव से बोला—"मेज के दराजों में से। सारे दराज पैंडिग डाक से भरे पड़े थे।"

"सच कह रहे हो?"

"जनाब, बैंक की डाक है और कहां से आयेगी !"

उसने सहमति से सिर हिलाया और सारी डाक चैक की।

कोई लिफाफा उसे डुप्लीकेट न मिला।

"अब लिफाफे बन्द करने हैं और वजन के मुताबिक टिकटें लगानी हैं।"

"करता हूँ।"—मैं बोला।

"अरे, तुमने नहीं करना। ये काम चपरासी का है। वो लिफाफे बन्द करेगा और तुम्हारे कहे के मुताबिक टिकटें लगायेगा। वो करेगा ये काम।"

"करेगा?"—मैं सन्दिग्ध भाव से बोला।

"क्यों नहीं करेगा? रोज करता है। कन्हैया ! चल डाक तैयार कर।"

जो मुझे पानी पिलाने को तैयार नहीं था, उसने बड़ी खामोशी से, बड़ी मुस्तैदी से उस काम को अंजाम दिया।

अलबत्ता डाक के बल्क पर उसने भी सख्त हैरानी जताई।

"सक्सेना जी तो बीसेक चिट्ठियां रोज बनाते थे"—काम करता वो बड़बड़ाया—"ये तो अस्सी नब्बे जान पड़ती हैं।"

मुझे हैरानी थी कि सुपरवाइजर ने न आन लीव डिस्पैच क्लर्क की उस बेजा हरकत पर कोई कमेंट किया था और न मेरी कोई तारीफ की थी कि मैंने इतने कम वक्त में इतना ढेर काम किया था।

अगली सुबह मैं काम कर रहा था तो चपरासी खुद ही मेरे लिये पानी का गिलास ले आया।

मैंने हैरानी से उसकी तरफ देखा।

"कल की सोच रहे हो?"—वो धीरे से बोला।

मेरा सिर स्वयंमेव सहमति में हिला।

"कल तुमने मुझे 'तू' कह के बुलाया था।"

मैं सकपकाया।

"कहा था—'कन्हैया पानी पिला दे'।"

"वो...वो...सब...सब कह रहे थे।"

"वो पुराने मुलाजिम हैं। उम्रदराज हैं। तुम अभी कल आये थे। फिर मैं तुम्हारे पिता की उम्र का हूं। मुझे ऐसे आवाज देना ठीक था?"

"नहीं। म-मैं शर्मिन्दा हूं। स-सॉरी बोलता हूं।"

"परवाह नहीं। अब बोलो, चाय पियोगे?"

मैंने अनिश्चित भाव से उस की तरफ देखा।

"अरे, नीचे से लानी होती है। मैं बार बार तो नीचे नहीं जाऊंगा न!"

"पियूंगा।"

लंच के बाद जब डिस्पैच निपट गया तो मुझे कल के बढ़िया काम का 'ईनाम' मिला।

मुझे ब्रांच मैनेजर ने अपने कमरे में तलब किया।

"ओये, मिस्टर पाठक"—वो बोला—"अब तू पासबुकें बना।"

"जी!"

"तीन बजे से ले कर छुट्टी होने तक रोज तू लैजर में से देख कर ग्राहकों की पासबुक अपटुडेट किया कर। काउन्टर पर जा के बैठ, कोई समझा देगा तुझे क्या करना है, कैसे करना है।"

उन दिनों बैंक के एकाउन्ट होल्डर पासबुक बैंक में छोड़ जाते थे जिसे बाद में चपरासी डाकिये की तरह घर घर पहुंचा कर आता था।

शाम तब मैं पास बुक्स अपटुडेट करता रहा।

मैं घर पहुंचता था तो मेरी ये हालत होती थी कि मैं खाना खाता था और आठ बजे ही सो जाता था। काम की थकान की वजह से सोता भी ऐसा था जैसे मुर्दों से शर्त हो।

कोल्हू में पिसने जैसी नौकरी थी। कैसे कोई दिन भर इतना काम करने के बाद कोई दूसरा—जैसे कि लेखन—काम कर सकता था!

मैनेजर फिर भी मेरे से नाखुश हो कर दिखाता था। गाहे बगाहे अपने केबिन से ही हांक लगाता रहता था—"ओये, मिस्टर पाठक! यार, तू जरा फुर्ती से काम कर।"

हफ्ता गुजर गया तो एक दिन हिम्मत करके मैं मैनेजर के केबिन में गया।

"सर"—मैं विनीत भाव से बोला—"आप से एक प्रार्थना है।"

"क्या?"—वो झुँझलाया सा बोला।

"आप मुझे या तो 'तू' न कहा करें या 'मिस्टर' न कहा करें।"

उसके चेहरे पर उलझन के भाव आये, फिर बोला—"जा, काम कर जा के अपना।"

दो दिन बाद मेरे बैंक में पहुंचते ही मैनेजर ने मुझे अपने कमरे में तलब किया।

"मिस्टर पाठक"—वो बोला— "तू कल से मत आना।"

"जी !"—मैं चौंका।

"आज भी छुट्टी कर। आज तुझे हाजिर माना जायेगा। आज का पैसा तुझे मिल जायेगा। जा, शावाशे।"

यूँ मेरी नौ दिन की मगज निचोड़ बैंक जॉब का समापन हुआ।

मैंने यही समझा कि मैनेजर मेरी दो दिन पहले की 'पाठक' और 'तू' वाली बद्ज़ुबानी से खफा हो गया था इसलिये मुझे डिसमिस किया गया था।

मेरे पिता का खयाल था कि लड़के की सदा की नालायकी उस हादसे की वजह थी।

लेकिन बाद में पता चला कि दोनों ही बातें गलत थीं।

पिता के दोस्त बैंक एकाउन्टेंट ने—जिसकी सिफारिश पर मुझे वो जॉब मिली थी—बताया कि मैनेजर ने मुझे तो डिसमिस कर दिया था और कहा था कि लड़का बिना कोई वजह बताये खुद काम छोड़ गया था जब कि असल वजह यह थी कि मैनेजर उस लीव वैकेंसी पर अपने किसी नजदीकी रिश्तेदार के लड़के को रखना चाहता था।

उन दिनों दस्तूर कुछ ऐसा था कि लीव वेकेंसी पर अगर कोई किसी ब्रांच में छः महीने काम कर लेता था तो उसे पक्की नौकरी मिल जाती थी। मेरे पिता ने भी इसी उम्मीद में मुझे बैंक में लगवाया था कि मैं वहीं पक्का हो जाऊंगा क्योंकि लांग लीव पर तो स्टाफ में से कोई न कोई जाता ही रहता था।

अगर पिता का अरमान पूरा हो जाता तो नावल लिखने लायक तो मैं हरगिज न बचा होता। बैंक की नौकरी में इंसान इंसान ही नहीं रहता, मशीन बन जाता है। और मशीन कहीं नावल लिखती है? वो महज अगली प्रोमोशन पर निगाह रखती है। मेरी वहां नौकरी पक्की हो जाती तो हो सकता था मैं वहां से बहुत सीनियर अफसर रिटायर होता लेकिन बैंकर की जॉब मुझे चिट्ठी लिखने के काबिल न छोड़ती , नावल तो बहुत दूर का सपना था।

बैंक एग्जीक्यूटिव एस.एम. पाठक को किसने जाना होता?

वो भी रिटायरमेंट के बाद !

जब कि डाक्टर, वकील की तरह लेखन के कारोबार में रिटायरमेंट का कोई दखल नहीं।

लिहाजा जो होता है, भले के लिये होता है।

ये अच्छा खुदाई इन्तज़ाम है कि मुस्तबिल आदमजात के अपने हाथ में नहीं होता।

जो रहीम भावी कतौ, होत आपुने हाथ,
राम न जाते हिरण संग, सिया न रावण साथ।

□

पीछे मैंने अर्ज किया कि गाजियाबाद के एमएमएच कालेज में मैंने एडमिशन लिया। ऐसा करने वाला मैं अकेला नहीं था। शाहदरा से कम से कम सत्तर-अस्सी लड़के लड़कियां वहां एमए पढ़ने जाते थे और दिल्ली से भी दूर दूर से लड़के लड़कियां आते थे। आइन्दा पढ़ाई में मेरी कोई रुचि नहीं थी लेकिन मेरे कुछ दोस्तों ने मुझे बताया कि एमएमएच कालेज से इकानमिक्स में एमए कर लेना बिल्कुल आसान था। वहां इम्तहान का वक्त आने पर गैस में पन्द्रह सवाल बताये जाते थे जिन में से पांच शर्तिया पेपर में आ जाते थे। अब इम्तहान से पहले क्या कोई पन्द्रह सवाल भी तैयार नहीं कर सकता था!

मुझे वो बात जंची। मैंने इकानमिक्स में एमए के लिये फार्म भर दिया। वक्त पर वाइस प्रिंसीपल का बुलावा आया जिसने पहला सवाल यहीं खड़ा किया कि साईंस स्टूडेंट होते मैं इकानमिक्स में दाखिला क्यों चाहता था? मेरे से माकूल जवाब देते न बना, कोई उलटा सीधा जवाब दिया जिससे वाइस प्रिंसीपल मुतमईन न हुआ। साथ ही उसने बताया कि एम ए प्रिवियस में इकानिमक्स में दाखिला उपलब्ध ही नहीं था, मैं चाहता तो मुझे मैथ्स में दाखिला मिल सकता था। जवाब के लिये मैंने एक दिन की मोहलत मांगी और दोस्तों से मशवरा किया। सबने राय दी कि मैं अभी एमएससी प्रीवियस मैथ्स में एडमिशन का मौका न छोडूं, बाद में सब्जेक्ट चेंज भी हो जाता था क्योंकि बाद में कोई इकानमिक्स वाला सब्जेक्ट चेंज करा लेता था या कोई एडमिशन मिल जाने पर भी बीच में छोड़ कर चला जाता था।

मैंने मैथ्स में एडमिशन ले लिया।

और मैथ्स में ही फंसा रहा। बहुत कोशिश के बाद भी मेरा इकानमिक्स में दाखिला न हो सका।

यहां एक बात मेरे हक में बहुत कारगर हुई।

डीएवी कालेज जालंधर में बीएससी का मैथ्स का सिलेबस पैराबोला, हाइपरबोला तक था जब कि यूपी के कालेजों में वो सब्जेक्ट बीएससी में सिर्फ सर्कल तक पढ़ाया जाता था। यानी जो कुछ मैंने एमएमएच में एमएससी प्रीवियस में पढ़ना था वो मैं डीएवी में बीएससी में पहले ही पढ़ चुका था और बाकायदा पास हो चुका था।

नतीजतन एमए प्रीवियस में मैं आराम से पास हो गया।

सुशील नाम के जिस लड़के का मैंने पहले जिक्र किया—जिस का नाना बाबूराम था, दादा भोलानाथ था, नानी—या दादी—चान्दनी थी, वो संयोगवश एमएमएच में एमएससी प्रीवियस में मेरा क्लासफैलो था। वो उसी क्लास में वहां एक बार पहले भी फेल हो चुका था। जिस दिन रिजल्ट आना था, मैं उसके घर

गया क्योंकि उसके घर डेली अखबार भी आता था और रिजल्ट जानने के उसके और भी साधन थे। वो फर्श बाजार की एक गली में स्थित एक हवेलीनुमा मकान में रहता था, उस सुबह वो उसके कम्पाउन्ड में ही मुझे मिल गया। मुझे देखते ही मेरे जुबान भी खोल पाने से पहले वो जल्दी से, लापरवाही से बोला—"यू हैव पास्ड युअर एग्जाम, बट इन माई केस हिस्ट्री हैज रिपीटिड इटसैल्फ।"

फैंसी और हरिड स्टाइल में कही उस की बात मुझे देर से समझ में आयी कि मैं पास हो गया था, वो फिर फेल था।

एसएससी प्रीवियस में उसके दो बार फेल होने से उसका पिता बहुत खफा हुआ। वो उसकी इकलौती औलाद था और उसका खफा होना जायज था। बीएससी में वो अच्छे नम्बरों से पास हुआ था और उन दिनों टीचर लगने के लिये बीएससी का बीएड होना जरूरी नहीं होता था। उसके पिता ने सख्ती से उसे समझाया कि आइन्दा पढ़ाई उसके बस की नहीं थी इसलिये वो पढ़ाई का खयाल छोड़ के टीचर बनने की तरफ तवज्जो दे। जवाब में लड़के ने भड़क कर टीचर्स को और टीचिंग के प्रोफेशन को सौ गालियां दीं और टीचर की जात औकात को चपरासी की जात औकात से भी कम साबित करने की कसर न छोड़ी।

तब आगे चल कर उस पर ये मसल चरितार्थ हुई :

"नाई नाई बाल कितने?"

"जजमान, आगे आ जायंगे।"

उसके साथ एक सुखद संयोग हुआ कि उसे इंस्टीच्यूट आफ होटल मैनेजमेंट में, जिस को वजूद में आये अभी एक ही साल हुआ था, एडमिशन मिल गया और उसने वहां से डिप्लोमा हासिल कर लिया। दिल्ली में तब वो नया नया कोर्स चला था इसलिये वहां के स्नातकों की होटल इंडस्ट्री में बहुत मांग थी। इतनी कि अप्लाई करने पर तो तत्काल नौकरी लग ही जाती थी, बड़े होटलों वाले विद्यार्थियों को कालेज से ही बुला के ले जाते थे।

उसके पिता खुश थे कि उस डिप्लोमा कोर्स में पास हो जाने ने उनके फरजन्द के सारे पाप धो दिये थे लेकिन सुशील तो सुशील था, कैसे कोई काम सीधे सीधे हो जाने देता ! जो भी नौकरी लगती थी, उसमें नुक्स निकालने लगता था और असंतोष जाहिर करने लगता था : दूसरी नौकरी फट मिल जाती थी क्योंकि भारी डिमांड वाला कोर्स किया था। यूं आधी दर्जन नौकरियां उसने आनन फानन तब्दील कर डाली।

नौकरियों की नुक्सों की किस्में मुलाहजा फरमाइये :

☐ बहुत अर्ली शिफ्ट है, सवेरे पांच बजे घर से निकलना पड़ता है। मेरे बस का नहीं।

□ बहुत लेट ऑफ होने वाली शिफ्ट है, रात को बारह बजे घर जा के लगता हूं। मेरे नहीं बस का।

□ फ्रंट डैस्क पर सूट पहन कर खड़े रहना पड़ता है, डेकोरेटिड क्लर्क की नौकरी है।

□ डायनिंग हाल का इंचार्ज हूं पर काहे का इंचार्ज हूं! काला सूट पहन कर लंच के दौरान वहां खड़ा रहता हूं, साला पता लगता है कि स्टीवार्ड खड़ा है कि मैनेजर खड़ा है!

गौरतलब है कि अपरोक्त तमाम नौकरियां फाईव स्टार एस्टेब्लिशमेंट्स की थीं जिनमें तीसरी और चौथी अशोका होटल और इन्डिया इन्टरनेशनल सेंटर की थी।

फिर पूसा में नौकरी मिली जिसमें पर्क्स में तीन कमरों का फ्लैट भी शामिल था और वहां रहना नौकरी की शर्त था।

"मैं कैसे रह सकता हूं। मैंने पैट्रोल पम्प पर भी जाना होता है, पूसा से वहां कैसे जाया करूंगा!"

जीटी रोड पर उसके पिता का एक पैट्रोल पम्प था जिस में दो पार्टनर और भी थे और जहां वो शाम को थोड़ी देर के लिये गाहेबगाहे —रोज नहीं—जाता था।

तब तक उसके पिता की मृत्यु ही चुकी थी इसलिये कोई उससे सवाल करने वाला नहीं था कि जब वो शाहदरा रहता पूसा जा सकता था तो पूसा के फ्लैट में रहता पैट्रोल पम्प पर शाहदरा क्यों नहीं आ सकता था!

जिस नौकरी में आखिर रिटायरमेंट तक वो टिका वो होटल मैनेजमेंट की ही थी जहां से कि उसने डिप्लोमा किया था और जहां उसे लैक्चरर की नौकरी हासिल हुई थी।

टीचरों को एक सांस में सौ बार कोसने वाले की, उन्हें हिकारत की निगाह से देखने वाले की सारी जिन्दगी टीचिंग में गुजरी।

ऐसे ही मुर्दा कफन फाड़ कर एक बार और भी बोला था लेकिन खुदाई इंसाफ के तौर पर आखिर उसके लिये भी उसे खता खानी पड़ी थी :

पंजाबियों को नापसन्द करता था और अपनी नापसन्दगी छुपाता भी नहीं था। अक्सर बड़े तल्ख लहजे में कहता था—"इन पंजाबियों ने आके हमारी कल्चर बिगाड़ दी।"

और ये बात मेरे मुंह पर कहता था जब कि बाखूबी जानता था कि मैं पंजाबी था। कोई सवाल करे कौन सी कल्चर बिगाड़ दी तो जवाब नहीं दे पाता था।

पंजाबियों के खिलाफ ऐसा विषवमण करने वाले के चार में से दो दामाद पंजाबी हैं।

लेकिन ये किस्सा अभी आगे।

अभी मैं एमएमएच कालेज का जिक्र आगे बढ़ाना चाहता हूं।

देहरादून एक्सप्रैस करके एक गाड़ी थी जो सुबह वक्त पर कालेज पहुंचने के लिये बिल्कुल फिट थी। मैं सुबह छः बजे शाहदरा स्टेशन से उस पर सवार होता था और सर्दियों में ये सिलसिला मुझ पर बहुत भारी पड़ता था। सुबह कभी कभी तो कोट और जूते हाथ में लेकर स्टेशन को भागता था फिर भी गाड़ी निकल जाती थी। आगे गाजियाबाद स्टेशन से कालेज तक भी पन्द्रह मिनट की वाक थी जो जब इतने स्टूडेंट इकट्ठे करते थे तो जुलूस की सूरत अख्तियार करती थी। एक बड़ी नेकबख्त लड़की रीगल बिल्डिंग पर खादी ग्रामोद्योग में नौकरी करती थी, लोधी कालोनी में रहती थी और गाजियाबाद पढ़ने आती थी। खादी के साड़ी ब्लाउज में आती थी क्योंकि वापिसी में उसने सीधा अपनी ड्यूटी पर एम्पोरियम पहुंचना होता था जहां के कर्मचारियों की कि वो ड्रैस थी। इस बात को कोई खातिर में नहीं लाता था कि वो ड्रैस पहन कर आना उसकी मजबूरी थी। कम्बख्त लड़के कालेज के सारे रास्ते उसके पीछे नारे लगाते चलते थे—

"भारत माता की !"

"जय !"

"भारत माता की !"

"जय !"

कालेज में जब पहली क्लास शुरू होती थी तो अभी सूरज निकलने का टाइम नहीं हुआ होता था, लिहाजा ट्यूब लाइट्स में पढ़ाई होती थी।

एमए इकानमिक्स का एक लड़का चान्दनी चौक के एक बैंक में क्लर्क था और इत्तफाक से उस बैंक में वाइस प्रिंसीपल साहब का एकाउन्ट था।

एक बार भरी क्लास में वाइस प्रिंसीपल साहब उस लड़के पर बुरी तरह बरसे।

वजह?

पिछले रोज बैंक में वो उसी काउन्टर के सामने लाइन में खड़े थे जिस पर उस लड़के की ड्यूटी थी। उन का गिला ये था। कि लड़के ने अपने वाइस प्रिंसीपल की जरा कद्र नहीं की थी, उन्हें पहचान कर भी नजरअन्दाज कर दिया था और अपने वाइस प्रिंसीपल को बिना लाइन सर्विस प्रोवाइड नहीं की थी।

लड़के ने दर्जनों कसमें खाके कहा कि उस ने उन को लाइन में खड़ा नहीं देखा था वर्ना करीब बुलाना तो क्या वो खुद उठ कर उसके पास पहुंचता और

टॉप प्रायर्टी पर उन की हर खिदमत करता लेकिन प्रिंसीपल साहब उसकी बात पर एतबार लाने को तैयार नहीं थे।

अपने विषय का उन्होंने एक ग्रंथ लिखा तो प्रकाशित हुआ तो क्लास में हुक्म जारी किया कि हर विद्यार्थी वो पुस्तक खरीदे, उसका अध्ययन करे और फिर अपनी राय से वाइस प्रिंसीपल साहब को अवगत कराये। वो पुस्तक अभी टैक्स्ट बुक तो प्रस्तावित हुई नहीं थी, यानी कोर्स में तो अभी लगी नहीं थी इसलिये उन की क्लास का कोई भी लड़का उस पर पैसे खर्चने को तैयार नहीं था लेकिन पुस्तक न खरीद कर वाइस प्रिंसीपल को नाराज करना भी अफोर्ड नहीं कर सकता था।

फिर स्टूडेंट्स ने तरकीब निकाली।

उन्होंने बुकसैलर से सिक्योरिटी के बदले में और छोटे मोटे नजराने की एवज में दो दिन में बिना जरा भी बिगाड़े वापिस कर देने की शर्त पर किताब मुहैया की, पैंसिल से—रिपीट, पेंसिल से—पहले वरके के राइट हैंट टॉप पर अपना नाम सैक्शन वगैरह लिखा और क्लास में बड़े गर्व से लेखक को किताब दिखाई जिस पर दर्ज नाम जाहिर करता था कि स्टूडेंट ने खरीद ली हुई थी, पहले से तैयार लच्छेदार जुबान में उसकी तारीफ की और लेखक को साधुवाद से नवाजा जो ऐसी विद्वतापूर्ण किताब लिखने में सफल हुए थे।

वाइस प्रिंसीपल फूल कर कुप्पा।

"सर, दिस इज माई प्राइड पोजेशन!"—स्टूडेंट कहता—"दिस विल आलवेज रिमेन विद मी।"

"गुड! गुड!"

विद्यार्थी का सिंथेटिक एफर्ट पास, वो वाइस प्रिंसीपल की तारीफी निगाहों का मरकज और पैंसिल का लिखा रबड़ से मिटा कर किताब वापिस बुकसैलर के हवाले।

सब राजी।

एक लड़का बहुत मामूली स्टूडेंट था फिर भी खुशकिस्मत था कि ग्रेजुएशन के फौरन बाद उस की ठीक ठाक नौकरी लग गयी थी। एमए में दाखिला लेने के पीछे उसका एक ही मिशन था :

"यार, लड़का एमए हो तो शादी अच्छी हो जाती थी।"

शादी तो उस की पता नहीं कैसी हुई लेकिन मजाक में की एमए के सदके दिल्ली यूनीवर्सिटी से डिप्टी रजिस्टार रिटायर हुआ।

ऐसे ही नाहक एमए में भरती एक लड़का मोहन लाल था जो कि एल आई सी में क्लर्क था। उसके साथ एक ऐसा इत्तफाक हुआ जिसने खुद उसे भौंचक्का कर दिया।

वो एमए इकानमिक्स में फर्स्ट डिवीजन में पास हुआ।

उस नतीजे ने उसमें ऐसी महत्त्वाकांक्षा जगायी कि उसने अखबार में शिक्षा के क्षेत्र में वैकेंसीज देखनी शुरू कर दीं। आगे और बड़ा संयोग हुआ कि पंजाब के एक कालेज से लैक्चरर की पोस्ट के लिये उसे काल आ गयी।

मैं ! कालेज में लैक्चरर ! क्लर्क से सीधा लैक्चरर !

खुशी ने उसे दीवाना बना दिया।

अपने एक रेगुलर कोट को उसने दर्जी से बन्द गले का बनवाया और यूं लैक्चरर लायक पोशाक के साथ जा कर नयी नौकरी जायन की। उस कालेज में इकानमिक्स के डिपार्डमेंट में दो ही प्रोफेसर थे—एक हैड आफ डिपार्टमेंट था और दूसरा खुद वो था। इत्तफाक ऐसा हुआ कि छः महीने में हैड आफ डिपार्टमेंट इन्तकाल फरमा गया। तदोपरान्त कालेज मैनेजमेंट ने—जो कि मोहनलाल से पूर्णतया सन्तुष्ट था—मोहनलाल को हैड आफ डिपार्टमेंट बना दिया और उसकी जगह एक नया लैक्चरर भरती कर लिया।

कल का एलआईसी क्लर्क आज डिग्री कालेज में हैड आफ इकानमिक्स डिपार्टमेंट।

शिक्षा के क्षेत्र में उसने बहुत तरक्की की और बाद में दिल्ली यूनीवर्सिटी में पहुंचा।

उसकी एक बात और जो यादगार थी, वो थी किसी बात से इंकार करने का उस का स्टाइल। कोई उससे पूछता था—"मोहन लाल, चाय पियेगा?"

जो न इच्छा होने की सूरत से जवाब 'नहीं पिऊंगा' या सिर्फ 'नहीं' नहीं होता था। जवाब होता था—"कोई इच्छा नहीं, कोई अभिलाषा नहीं, कोई ख्वाहिश नहीं, कोई आरजू नहीं, कोई तमन्ना नहीं, कोई अरमान नहीं।"

किसी बात से उस का इंकार हमेशा इतना ही पसरा हुआ होता था।

ट्रेन में मेरी तरह वो शाहदरा से सवार होता था और कई सीटें खाली होने के बावजूद ट्रेन के खुले दरवाजे पर खड़ा हो कर सफर करता था। एक बार हम दोनों गेट पर खड़े बतिया रहे थे कि ट्रेन के साहिबाबाद आउटर सिग्नल से निकलते ही उसकी एक चप्पल उसके पांव से निकल गयी और उसके सम्भालते सम्भालते हिलती ट्रेन में फर्श पर से सरक कर बाहर जा गिरी।

वो बहुत कलपा, इतना कि गुस्से में उसने दूसरी चप्पल भी फेंक दी—क्योंकि एक चप्पल तो अब उसके किसी काम की नहीं थी।

ट्रेन गाजियाबाद स्टेशन पर जा कर रुकी।

उसने प्लेटफार्म पर कदम रखा तो पाया कि पहले वाली चप्पल पायेदान पर पड़ी थी।

गुलशन कुमार खानीजू, जिसका मैंने बहुत पीछे जिक्र किया, भी मेरे साथ एमएमएच कालेज में पढ़ता था अलबत्ता उसका फील्ड जुदा था—अंग्रेजी था। मेहनती लड़का था, ट्यूशनों से अच्छी कमाई कर लेता था इसलिये उसने गाजियाबाद में एक कमरा किराये पर लिया हुआ था जिसमें वो बेरोकटोक अपनी बहन—भावी पत्नी—के साथ वक्त गुजार सकता था। अलबत्ता बीच बीच वो शाहदरा वाले घर भी जाता रहता था। जब ऐसा होता या तो गाजियाबाद वाले कमरे की चाबी उससे मैं मांग लेता था जो पहले तो उसने झिझक के दी लेकिन बाद में निसंकोच देने लगा था।

जब तक मैं एमएमएच कालेज में पढ़ा, बिल्ली वाइल्डर की फिल्म 'द अपार्टमेंट' के स्टाइल से मैंने उस कमरे का अक्सर, भरपूर फायदा उठाया।

उपरोक्त सुविधा मुझे उपलब्ध नहीं होती थी तो उसका एक कदरन कमजोर विकल्प भी मेरे पास था जो कि मेरे तब के खुराफाती दिमाग की उपज था।

इतवार को बाबू लोगों की दफ्तर से, दुकानदारों की दुकानों से छुट्टी होती थी लेकिन खास उन के लिये चलाई गयी गाजियाबाद शटल और मेरठ शटल तो बदस्तूर इतवार को चलती थीं भले ही इतवार को उनमें पैंसेजर इक्का दुक्का ही होता था।

इस सिनेरियो को मैंने अपने हक में इस्तेमाल करना शुरू किया था।

अपनी साथिन के साथ इतवार सवेरे में शाहदरा से गाजियाबाद गाजियाबाद शटल के वहां से रवाना होने के टाइम से पहले पहुंचता था और बुकिंग विंडो पर जाकर नयी दिल्ली की फर्स्ट क्लास की दो टिकटें खरीदता था। हम दोनों फर्स्ट क्लास के सुनसान पड़े—इतवार को खाली जाती गाड़ी की कौन फर्स्ट क्लास की टिकट ले कर सफर करता—कम्पार्टमेंट में सवार होते थे। गाड़ी वहां से रवाना होती थी तो वो कम्पार्टमेंट हमारे और सिर्फ हमारे हवाले होता था।

दौड़ती ट्रेन में कैसे कोई उस में आ सकता था।

नयी दिल्ली तक कोई नहीं आता था।

एक बार गाजियाबाद से ट्रेन के सरकते ही एक सवारी उसमें आ बैठी थी तो जब ट्रेन साहिबाबाद जा कर रुकी थी तो हमने उतर कर कम्पार्टमेंट बदल लिया था।

अजल से हुस्नपरस्ती लिखी थी किस्मत में,
मेरा मिजाज लड़कपन से आशिकाना है।

इसी सन्दर्भ में बटाला का एक वाकया याद आता है।

तब मैं अभी जालंधर में था और बीएससी फाइनल के आखिरी दौर में था जब कि दिल्ली से पिता का हुक्म जारी हुआ कि ताया रौशनलाल की पुत्री की शादी थी, मैं वहां जा कर पिता की तरफ से हाजिरी भरूं क्योंकि उस की तबीयत नासाज थी, नहीं आ सकते थे।

मैंने वहां की हाजिरी भरी।

बारात का स्वागतस्थल हमारी दादी के घर से एक फरलांग परे एक बड़ी इमारत में था जिस का ग्राउन्ड फ्लोर का हाल इतना बड़ा था कि वहां बारात के खाना खाने के लिये बाकायदा मेज कुर्सियां लगाई गयी थीं।

वहां मौजूद मौहल्ले की एक नौजवान, मेरी हमउम्र लड़की से बार बार मेरी निगाह मिलती थी और जब भी ऐसा होता था, वो बड़ी अदा से, बड़े चित्ताकर्षक भाव से मुस्कुराती थी। मैं उस लड़की को पहचानता था, वो उन में से एक थी जिसको मेरा कजन नन्द सीढ़ियों के अन्धेरे में थाम लेता था तो जो ऐतराज नहीं करती थी।

मुझे एक खुराफात सूझी।

मैं अपने बड़े ताये हीरालाल के करीब पहुंचा और कदरन ऐसे ऊंचे स्वर में बोला कि वो लड़की को भी सुनाई दे जाता—"ताया जी, सारे दिन की भागदौड़ से मैं बहुत थक गया हूँ, सिर भी दुख रहा है, मुझे अपने कमरे की चाबी दो न, मैं थोड़ी देर वहां कमर सीधी करके आऊं?"

ताये ने निसंकोच मुझे चाबी थमाई लेकिन पूछा—"ओये, सो ही तो नहीं जायेगा?"

"नहीं, जी। खाना भी तो खाना है ! लौटूंगा न आधे पौने घन्टे में !"

"ठीक है।"

लड़की की तरफ एक अर्थपूर्ण निगाह डाल के मैं विवाह स्थल से रुखसत हुआ और सुनसान गली में चलता अपने चौक में पहुंचा। रात की उस घड़ी चौक भी सुनसान था क्योंकि सारे मौहल्ले वाले तो—खास तौर से हमारे घर के तमाम लोग—शादी में हाजिरी भरने गये थे।

मैं ताया हीरालाल के दरवाजे पर ठिठका।

वो लड़की प्रेत की तरह मेरे करीब आ खड़ी हुई।

फतह !

मैंने खामोशी से ताला खोला, दरवाजे के एक पल्ले को भीतर धकेला और उसे भीतर दाखिल होने का इशारा किया।

वो निसंकोच घुप्प अन्धेरे कमरे में चला गयी।

मैंने भी भीतर कदम रखा, दरवाजा भिड़काया और लड़की के बाजू से गुजरता पिछले दरवाजे पर पहुंचा। उस दरवाजे की सांकल अन्दर से हमेशा चढ़ी रहती थी क्योंकि, मैं जानता था कि, वो कभी नहीं खोला जाता था—रहन सहन के सिलसिले में ताया हीरालाल का बाकी परिवार से कोई वास्ता जो नहीं था।

मैंने वो सांकल हटाई और धीरे से दरवाजा खोल कर बाहर कदम रखा।

आगे नलके वाली जगह थी, जहां घुप्प अन्धेरा था, उससे आगे वैसी ही अन्धेरी ड्योढ़ी थी और उस हिस्से का प्रवेशद्वार था जिसको, मैं बाखूबी जानता

था कि कभी ताला नहीं लगाया जाता था, सारे जने भी थोड़ी देर को कहीं गये हों तो दरवाजे को महज भिड़का दिया जाता था क्योंकि उसकी बाहर की सांकल स्थायी रूप से टूटी हुई थी।

मैं उस दरवाजे से बाहर निकला, वापिस ताया हीरालाल के कमरे के दरवाजे पर पहुंचा, उसको बाहर से ताला लगाया और जैसे वहां तक पहुंचा था वैसे वापिस कमरे में लौटा जहां, लड़की प्रत्याशा में, बल्कि सस्पेंस में बुत बनी खड़ी थी।

मैंने व्यग्र भाव से उसे अंक में भरा।

वो लता की तरह मेरे से लिपट गयी।

"कोई यकायक आ तो नहीं आयेगा?"—फिर वो व्याकुल भाव से मेरे कान में फुसफुसाई।

"कैसे आ जायेगा? बाहर तो ताला लगा है!"

"ओह!"

वो आश्वस्त हुई तो उसने अपना शरीर ढीला छोड़ दिया।

मैंने थोड़ी देर मनमानी की जिस का उसने औना पौना जवाब भी दिया।

मुझे मालूम था वहां गोल लपेट कर दीवार के साथ खड़ी की गयी एक चटाई होती थी। मैंने अन्धेरे में इधर उधर हाथ डाल कर उसे ढूंढ़ा और फर्श पर डाल कर पांव की ठोकर से उसे फर्श पर बिछाया। फिर मैंने उसके जिस्म को इस इशारे के साथ खम दिया कि हमने उस चटाई पर लेटना था।

उसने कोई एतराज न किया।

"ऐत्थे तां जंदरा लग्गा होया ए! कित्थे गया मुंडा!"

मेरे प्राण कांप गये।

यहां तो ताला लगा हुआ है! कहां गया लड़का!

मेरे से ज्यादा बुरा हाल लड़की का था। वो अभी भी अपने पैरों पर खड़ी मेरे आगोश में थी और पत्ते की तरह कांप रही थी।

वो ताया हीरालाल की आवाज थी जो पता नहीं क्योंकर लौट आया था।

"अब क्या होगा?"—वो मेरे कान में फुसफुसायी।

मैं क्या जवाब देता! मेरे तो होश फना थे।

"अगर... पकड़े गये तो... तो मेरा क्या होगा?"

"अरे, तेरा कुछ नहीं होगा, जो होगा मेरा होगा।"

"हां। मैं तो कह दूंगी कि तू मुझे जबरदस्ती यहां ले आया था।"

"पता नईं कित्थे चला गया ए नालायक पिच्छे जंदरा मार के!"

बाहर खड़ा ताया बराबर कलप रहा था।

"जबरदस्ती!"—उस हाल में भी मैं हकबकाया।

"बहला, फुसला कर। हाय मैं मर गयी! हुन की होयेगा।"

"चुप कर!"—मैं उसके कान में फुंफकारा—"कुछ नहीं होगा। चुप कर एक मिनट। खबरदार जो अब बोली तो!"

मैंने उसे परे धकेला, चटाई को गोल लपेट कर वापिस दीवार के साथ लगाया, उसे अपने आगे धकेलता दबे पांव पिछले दरवाजे पर पहुंचा और उसके साथ वहां से बाहर निकल गया।

"यहीं ठहरना"—ड्योढ़ी में पहुंच कर मैं फुसफुसाया—"तभी बाहर निकलना जब पक्का हो कि बाहर कोई नहीं है।"

"कोई आ गया तो?"

"मर माईंयवी! यहां अकेली होगी, यहां की भी कोई वजह बताना मुश्किल होगा! कह देना नल के पास.... समझी?"

"हां।"

"तो टिक यहां चुपचाप।"

मैंने इंच इंच करके दरवाजा खोला और अपने कमरे के दरवाजे पर मेरी तरफ पीठ किये ताया हीरालाल के करीब जा खड़ा हुआ।

"कहां चला गया था?"—वो मुझे झिड़कता पूर्ववत् पंजाबी में बोला—"मैं कब से यहां खड़ा हूं।"

"चला नहीं गया था, ताया जी।"—मैं अदब से बोला—"आया ही अभी हूं।"

"अच्छा!"

"हां,जी। मैं वहां से चला था तो वहां मुझे नन्द मिल गया था और मेरे से बातें करने लगा था। वो भीतर गया था तो मैं अब इधर आया था।"

"मुझे तो तुम दोनों दिखाई नहीं दिये थे!"

"हम दोनों गली के परली तरफ थे। हलवाई की भट्ठी की ओट में।"

"ओह! तो तू यहां आया ही नहीं! ताला खोला ही नहीं!"

"आहो जी।"

"चाबी दे।"

मैंने चाबी लौटाई। ताया ताला खोलने लगा।

"अब क्या मर्जी है? लेटेगा अन्दर?" उसने पूछा।

"नहीं।"—मैं बोला—"अब दिल नहीं रहा। बाहर की ठण्डी हवा लगी न, तो वैसे ही तबीयत सुधर गयी।"

"ओह! तो जा वापिस अब।"

कैसे चला जाता! भीतरी दरवाजे की सांकल हटी हुई थी, जैसा कि कभी नहीं होता था। ताया वो सांकल हटी देख लेता तो....

तो बुरा होता। आखिर इतना भी तो नादान नहीं था ताया हीरालाल ! न समझता भी कुछ, बल्कि काफी कुछ समझ सकता था।

वो सांकल बन्द होनी जरूरी थी। उस अहमतरीन काम को अंजाम दिये बिना मैं वहां से नहीं जा सकता था।

"मैं रुकता हूं न आप के पास थोड़ी देर !"—मैं बोला—"अच्छा लगता है मुझे।"

"ठीक है रुक।"

हम दोनों भीतर दाखिल हुए।

"तू परे हट, लैम्प जलाता हूं।"

बाकी घर में बिजली आ गयी हुई थी लेकिन वो अलग रहन सहन कायम किये ताया हीरालाल के लिये नहीं थी।

मिट्टी के तेल का लैम्प जलाने के लिये उन की मेरी तरफ पीठ हुई तो मैं दबे पांव पिछले दरवाजे पर पहुंचा और मैंने खामोशी से उस की सांकल चढ़ा दी।

तभी कमरे में मद्धम सी पीली सी रौशनी फैली।

"ओये, वहां क्या कर रहा है?"—ताया तनिक झुंझलाया।

"कुछ नहीं।"—मैं जल्दी से बोला—"यूँ ही इस दरवाजे को देख रहा था। ये हमेशा बन्द ही रहता है?"

"हां। अब हट वहां से।"

मेरा काम हो गया था, मैं हटा।

"आप कैसे लौट आये?"—मैंने उत्सुक भाव से पूछा—"बताया नहीं आपने !"

"तेरी तायी ने कुछ मंगवाया था, वही लेने आया हूं।"

न उन्होंने बताया क्या मंगवाया था, न मैंने पूछा।

"मैं जाता हूं !"—मैं बोला।

"ओये, क्या बन्दा है तू ! अभी कहे से नहीं जाता था, अब जाता हूं।"

"भूख लग आयी है।"

"ठीक है, जा।"

मैं वापिस विवाहस्थल पर पहुंचा।

तब तक बारात खाने से निबट चुकी थी और सब लोग मेन डोर से बाहर निकल रहे थे।

तब के बारातियों की खिद्मत के रिवाज के तौर पर मेन डोर के बाजू में एक व्यक्ति एक थाल लिये खड़ा था जिसमें ढेरों लूज सिग्रेट थे और माचिस की तीलियां थीं।

तब बारातियों की दावत का समापन ऐसे ही होता था। दो जने निकास द्वार पर उन के लिये सिग्रेट और पान के थाल ले कर खड़े होते थे।

पान !

हे भगवान ! हे भगवान !

"ऐ रया पपन"—मेरी छोटी तायी, जिसकी पुत्री की शादी थी, भड़के लहजे में बोली—"ओये, पान कित्थे ने?"

पनवाड़ी से कैवेंडर के बीस पैकेट सिग्रेट और दो सौ पान लाने की जिम्मेदारी मुझे मिली थी। सिग्रेट मैं हाथ के हाथ ले आया था लेकिन दो सौ पान लगाये जाने में टाइम लगना था। मैंने पान बाद में कलैक्ट करने जाना था लेकिन लड़की के साथ अपने फेल्ड मिशन कामसूत्र के जेरेसाया अपनी वो जिम्मेदारी मुझे याद ही नहीं रही थी।

"मैं... मैं अभी ले कर आता हूं..."

"अब क्या फायदा?"—तायी कलप कर बोली—"जब तक तू लौटेगा तब तक पान खाने वाला यहां एक भी बन्दा नहीं होगा। रैन दे हुन।"

वो बड़ी बंगलिंग थी जो अपने मौजमेल में व्यस्त मेरे से हुई थी।

दो सौ मीठे पान। बचे सिग्रेट तो उसे बोला जाता तो वो वापिस ले लेता लेकिन दो सौ लगे हुए पानों का वो क्या करता।

चान्दी का वर्क लगा मीठा पान चार आने का एक।

लड़की के पिता का नकद पचास रुपये का नुकसान।

ताया रोशनलाल ने तो मुझे कुछ नहीं कहा लेकिन तायी ने अगले से अगले दिन मेरे लौटने तक मेरी निरन्तर झाड़ पुजार की—इसलिये नहीं कि पचास रुपये का नुकसान हो गया था, बल्कि इसलिये कि उसकी लाडली बेटी की बारात दावत से पूरी तरह से तृप्त हो कर नहीं गयी थी, बारात को पान खाने को नहीं मिला था।

और जिम्मेदार मोया पप सी।

उस दौरान गली में, अपने घर में वो लड़की मुझे कई बार दिखाई दी लेकिन उसने मेरे से यूं विरक्ति दिखाई जैसी एकाएक मुझे छूत की कोई गम्भीर बीमारी हो गयी थी।

बाद में मैंने उस बाबत सोचा तो मेरी अक्ल ने यही गवाही दी कि उस रात हालात उतने खतरनाक नहीं थे जितने हम दोनों ने सोच लिये थे। खतरा सिर्फ पिछले दरवाजे से बाहर निकलते देखे जाने में था और ये स्थापित तथ्य था कि ताया हीरालाल उधर के हिस्से की ड्योढ़ी में भी कभी कदम नहीं रखता था।

त्रिया चारेत्रमः पुरुषस्य भाग्यमः दैवो न जानयेत् कुतो मनुष्यः

गुलशन की संगिनी—लेकिन कथित बहन—एमएमएच कालेज में ही पढ़ती थी और उसके साथ डेली पैसेंजर थी, अलबत्ता एक क्लास पीछे थी।

एक बार एक सुबह गाजियाबाद स्टेशन पर मैंने उसे परेशानहाल ओवरब्रिज की सीढ़ियों में बैठी पाया।

"यहां क्यों बैठी है?"—मैंने पूछा—"कॉलेज क्यों नहीं जाती?"

"भ्राजी नहीं आये।"—उसने रुआंसे लहजे में जवाब दिया।

"आज छुट्टी कर ली होगी!"

"नहीं, शाहदरा स्टेशन पर मैंने उन्हें देखा था।"

"तो क्यों नहीं आया? ट्रेन में क्यों नहीं सवार हुआ?"

"यही बात तो परेशान कर रही है। समझ में नहीं आ रहा कि पता करने वापिस जाऊं या यहीं रुकूं।

"यहीं रुक। मैं भी रुकता हूं।"

गुलशन अगली ट्रेन में आया।

तब मालूम पड़ा कि शाहदरा स्टेशन पर कुछ कम्बख्त लड़के 'बहन का यार' कह कर उस पर फब्तियां कसने लगे थे। उसने विरोध किया था तो विरोध से गुस्साये लड़कों ने उसे ट्रेन में नहीं चढ़ने दिया था।

गनीमत थी कि वो बेहूदा वाकया फिर कभी न दोहराया गया।

पोस्टग्रेजुएट डिग्री हासिल होते ही टाइम्स आफ इन्डिया में बतौर ट्रेनी जर्नलिस्ट उस का चयन हो गया था और वो मुम्बई चला गया था। दो तीन बार दिल्ली लौटा, फिर उसी लड़की से शादी कर ली, उसको भी मुम्बई ले गया और मुम्बई का ही हो के रह गया।

परिवार से वो तब भी विरक्त था जब कि साथ रहता था, मुम्बई का हो चुकने बाद तो क्या उसकी परवाह करता।

एक बार उसके दिल्ली छोड़ जाने के बाद मैंने फिर कभी उसकी सूरत न देखी, अलबत्ता कुछ अरसा खतोकिताबत से सम्पर्क बना रहा जिसके दौरान पता लगा कि अब उसका नाम 'सुदीप' था।

खातोकिताबत का सिलसिला टूटा तो जैसे हमारा एक दूसरे के लिये वजूद ही खत्म हो गया।

स्वतन्त्र लेखन में और पत्रकारिता के क्षेत्र में बड़ी हैसियत बना लेने वाले उस शख्स ने भी वेद प्रकाश काम्बोज की देखादेखी सन 1959 में एक जासूसी उपन्यास लिखा था जिसे लेकर वो उसी प्रकाशक के पास गया था जिसने कि काम्बोज का पहला उपन्यास कंगूरा छापा था। वो खुद को काम्बोज से कहीं काबिल समझता था—आखिर उस उम्र में कविता करता था—इसलिये उसे पूरा

यकीन था कि उस का उपन्यास पसन्द किया जाने वाला था, प्रकाशित किया जाने वाला था।

प्रकाशक ने उपन्यास रिजेक्ट कर दिया।

उस अप्रत्याशित रिजेक्शन ने उसको ऐसा पस्त किया कि उसने स्क्रिप्ट को किसी दूसरे प्रकाशन को दिखाने की कोई कोशिश न की, तभी वो रास्ता उसने हमेशा के लिये छोड़ दिया जिस पर वो संयोगवश भटक पड़ा था।

एक लड़का श्रीराम विद्यार्थी था जो गाजियाबाद का ही था और कालेज में हमारे से एक क्लास आगे थे। जहीन था, स्कालर था, कालेज की मैगजीन का सम्पादक था, और भी कई गुण थे उसमें जिन की वजह से कालेज में उसकी धाक थी। बड़ा गुण ये था कि उसी उम्र में लेखक था, शशिबन्धुभ के नाम से विभिन्न पत्रिकाओं में प्रकाशित होने वाला लेखक था। मूलरूप से वो गुलशन का दोस्त था लेकिन क्योंकि गुलशन मेरा बचपन का दोस्त था इसलिये विद्यार्थी का दोस्त होने का फख्र मुझे सहज ही हासिल हो गया था। बाद में उस का चयन भी टाइम्स आफ इन्डिया में बतौर ट्रेनिंग जर्नलिस्ट हो गया था, लिहाजा गुलशन का और उसका साथ मुम्बई में भी बना रहा था, इस फर्क के साथ कि गुलशन वहां टिका रहा था, वो दो साल बाद ही टाइम्स आफ इन्डिया के साथ अपना कान्ट्रैक्ट ब्रीच करके लन्दन खिसक गया था। वजह ये थी कि वहां पत्रकारिता के क्षेत्र में ही उसे कोई बड़ा—वंस इन ए लाइफ टाइम वाली किस्म का—ब्रेक मिला था जो कि कायम नहीं रह सका था और मजबूरन उसे भारत वापिस लौटना पड़ा था जहां टाइम्स आफ इन्डिया से ब्रीच आफ कान्ट्रैक्ट का फन्दा उस का इन्तजार कर रहा था। पता नहीं कैसे उसने उस दुश्वारी से निजात पायी और उस कोशिश में एक साल भटकन में गुजारा, बर्बाद किया। जो हरकत उसने टाइम्स आफ इन्डिया के साथ की थी, उस की वजह से उस क्षेत्र में उसका क्रेडिट खराब था; जमा, लन्दन प्रवास का ऐसा चस्का लगा था कि भुलाये नहीं भूलता था।

हिम्मती आदमी था, साधन न होने के बावजूद उसने लन्दन पर ही फोकस कायम किया और उस मिशन को पाने के लिये जैसे तैसे जुगाड़ लगाया।

उसने किसी तरह से इतनी रकम मुहैया की कि बीवी के सफर का इन्तजाम हो जाता और उसे पहले, अकेले लन्दन भेज दिया जहां कि वो अपने लिये नौकरी का जुगाड़ करती और उसके वहां पहुंचने तक रिहायश के मामले में कोई आटा दलिया करके रखती।

अपनी एयर ट्रिप को फाइनेंस करने का कोई साधन उसके पास नहीं था, फिर भी बीवी के पीछे जैसे वो लन्दन पहुंचा, कोई बहुत ही जीवट का व्यक्ति ही पहुंच सकता था। मुम्बई ट्रेन से गया, वहां से डैक पैसेंजर के तौर पर बसरा तक शिप पर गया और आगे लन्दन तक सारा रास्ता हिचहाइक करते—लिफ्ट

मांगते—तय किया। जहां भी पहुंचा, वहां से उसने मुझे पिक्चर पोस्टकार्ड भेजा जिस पर बस इतना दर्ज होता था :

यहां तक पहुंच गया हूं।

जो पल्ले पैसा था, वो बसरा पहुंचने तक चुक गया था, आगे बढ़ते रहने की खातिर रास्ते में जो काम मिला, किया—रेस्टोरेंट्स में प्लेटें धोईं, बोझा उठाया, कारों को पटका मारा, चौकीदारी की, क्या न किया!

बाई प्लेन नौ घन्टे के सफर को डेढ़ महीने में तय करके आखिर बीवी के पास लन्दन पहुंच गया।

ये सन् 1966 के आसपास की बात है, लेकिन आज भी वो लन्दन के उपनगर कैंट में स्थापित है, साहबेजायदाद है, कारोबारी है, सन्तुष्ट है और पक्का यूके वासी है।

लन्दन में हर लिहाज से पांव जम जाने के बाद, 'बुक्स फ्राम इन्डिया' के नाम से कुतुबफरोशी का वहां धन्धा जमा लेने के बाद इसी सिलसिले में दिल्ली उसका सालाना फेरा लगता था। दिल्ली में यहां के तकरीबन बड़े प्रकाशकों के दफ्तर अंसारी रोड पर थे जहां कि इन्डियन टेलीफोन इन्डस्ट्रीज का भी आफिस था जिस में मैं नौकरी करता था। विद्यार्थी तब घन्टों मेरे पास बैठ कर जाता था और अपना कितना ही बिजनेस तो मेरे आफिस से ही कन्डक्ट कर लेता था। हर विजिट पर दोहराता था कि मैं लन्दन आऊं तो उससे जरूर मिलूँ। इसीलिये उसके घर की लैंडलाइन का नम्बर भी मेरे पास था।

साहबान, आप को खुद ही याद न आ गया हो तो मैं याद दिलाता हूं कि ये वही महानुभाव है जिन का मैंने अपने उपन्यास निशानी की भूमिका में जिक्र किया था कि अपने लन्दन प्रवास के दौरान जब मैंने उन को उन के घर फोन किया और कहा—"मैं पाठक बोल रहा हूं।" तो उनका रुखाईभरा जवाब, जिसने मेरी पालिश उतार दी थी, था—"कौन पाठक! ऐसे बात नहीं होती। पहले अपना पूरा परिचय दो।"

सालों का दोस्त कालेज का सहपाठी 'पूरा परिचय' मांगता था बात करने को तैयार होने से पहले उस शख्स से दिल्ली आकर हमेशा जिस की छाती पर मूंग दलता था, इतनी तवज्जो मांगता था कि 'मैने कोई रोज आना है' कह कर नौकरी नहीं करने देता था, वो मेरे से पूछता था कौन पाठक! मैं उससे सवाल नहीं कर सकता था कि और कितने पाठकों से वो लन्दन में वाकिफ था जो उसको लैंडलाइन पर फोन करते थे।

यहां ये भी गौरतलब है कि रात नौ बजे जब मैंने उसके घर की लैंडलाइन खड़काई थी तो फोन उसकी बीवी ने उठाया था जिसे मैंने हिन्दोस्तानी में कहा

था—"मैं एसएम पाठक बोल रहा हूं, दिल्ली से आया हूं, विद्यार्थी जी का दोस्त हूं, बात करा दीजिये।"

उसने तत्काल फोन पति को हस्तांतरित किया था।

क्या कोई उससे पूछ सकता था कि जब परिचय प्राप्त किये बिना, 'कौन पाठक' जाने बिना उसे बात करना नागवार गुजरता था तो उसने बीवी से फोन क्यों थामा! बीवी ने 'कौन पाठक' जानना क्यों जरूरी न समझा।

मैंने सविनय जवाब दिया—"भई, मुझे गायबखयाली की अलामत है, कई बार मुझे खुद अपना परिचय याद नहीं रहता, फैमिली से मशवरा करके मैं अपने परिचय को तरतीब देता हूं और कालबैक करता हूं।"

मैंने फोन बन्द कर दिया और पुत्री रीमा से कहा—"अभी इसका फोन आयेगा। मेरे से बात नहीं करानी। कुछ भी वजह बोलना, मेरे से बात मत कराना।"

मैं कह के नहीं हटा था कि फोन आ गया।

जाहिर था कि जो जवाब मैंने उसको दिया था, उसकी अपेक्षा वो नहीं कर रहा था। वो शायद फरियाद की उम्मीद कर रहा था—"यार, यार को नहीं पहचानता! अरे, मैं तेरा एमएमएच कालेज का सहपाठी हूं", वगैरह। तब उसके अहम की तुष्टि होती और वो मेरी सात पुश्तों पर अहसान करता मुझे खातिर में लाता। ऐसा कुछ नहीं हुआ था इसलिये पशेमान था और फोन कर रहा था।

रीमा ने हर बार कहा :

"वो अभी वाक के लिये चले गये हैं।"

"अभी लौटे नहीं हैं।"

"अभी भी नहीं लौटे हैं।"

"सो गये हैं।"

तब जा कर काल दर काल का सिलसिला बन्द हुआ।

लेकिन अगली सुबह सिलसिला गड़बड़ा गया।

उसने सुबह छः बजे से भी पहले फोन कर दिया और हम पांच जनों में से आफत के मारे मैंने फोन उठाया।

मुझे लाइन पर पा कर उसने खेदप्रकाश के स्टैण्डर्ड फिकरे बोलने शुरू कर दिये। मैंने उसे टोका और तसल्ली दी कि कुछ नहीं हुआ था, मैंने आटा मांगने आने के लिये फोन किया था, वो मुझे दूसरी जगह से मिल गया था।

न जाने क्यों परदेस में स्थायी रूप से सैटल्ड हर किसी को यही अन्देशा सताता है कि कोई हमवतनी आ गया है तो कोई मांग ही खड़ी करेगा।

तदोपरान्त कोई आठ महीने बाद पति पत्नी दोनों हमारे घर पधारे तो पति की जगह पत्नी ने डैमेज कन्ट्रोल की कार्यवाही की।

"आप को फोन करने की जरूरत नहीं है।"—पत्नी ने फरमाया—"आइन्दा लन्दन आना हो तो सीधे हमारे घर आइये। ये कौन होता है कुछ बोलने वाला! वो घर मेरा है। वहां वो होगा जो मैं चाहूंगी। आप जरूर जरूर एक बार हमारे यहां आइये और हमें मेजबानी का मौका दीजिये।"

जैसे पड़ोस में जाना हो।

ये सन 2003 की बात है, उसके बाद फिर कभी मेरा श्रीराम विद्यार्थी आलसो नोन ऐज शशिबन्धुभ, साकिन कैंट, लन्दन, यूके से वास्ता न पड़ा।

गो जरा सी बात पर बरसों के याराने गये,
लो चलो अच्छा हुआ, कुछ लोग पहचाने गये।

उपरोक्त के विपरीत डाक्टर रणजीत कौर मिलीं जो कि मूल रूप से लुधियाना की रहने वाली हैं और अब स्थायी रूप से इंगलैंड में बसी हैं। मेरा उनसे वाकफियत पर बस इतना ही दावा है कि वो जब लुधियाना में थीं तो मेरे उपन्यास पढ़ती थीं और अक्सर मुझे तारीफी चिट्ठियों से भी नवाजती थीं। एक दो बार अपने दिल्ली प्रवास के दौरान उन्होंने मुझे मेरे घर आ कर मुलाकात का मौका भी दिया। बस, इतना ही वास्ता था उन से मेरा। लन्दन पहुंच कर सिर्फ 'हल्लो' बोलने के लिये मैंने उन्हें फोन किया तो 'कौन पाठक' सवाल होना तो दूर की बात थी, उन्होंने मुझे बताने ही न दिया कि मैं कौन बोल रहा था, खाली ये पूछा कि लन्दन में हम कहां ठहरे हुए थे।

अगली सुबह हम अभी सो के उठे थे कि वो हमारे होटल में मौजूद थीं और ऐसे प्रेमभाव से सारे परिवार से मिलीं जैसे अपने पसन्दीदा लेखक के परिवार से

नहीं, अपने परिवार से मिल रही थीं। वो न सिर्फ मिलीं, उन्होंने परिवार के हम पांच सदस्यों को अलग अलग कीमती तोहफों से नवाजा।

अपने अतिव्यस्त शिड्यूल में से पूरे दो दिन उन्होंने हमारे लिये निकाले और परछाईं की तरह हमारे साथ रहीं। दोनों दिन हमारे सो कर उठने से पहले होटल पहुचीं और रात को हमें होटल पहुंचा कर अपने घर लौटीं जो कि तब लंदन के एक उपनगर हौंसलो (HOUNSLOW) में था।

जिनकी नवाजिशों पर हमारा कोई दावा नहीं था, उन्होंने हमें ऐसा रायल ट्रीटमेंट दिया जो जीवनपर्यन्त भुलाया नहीं जा सकता और जो जिगरी दोस्त होने का दम भरता था, उसने पूछा 'कौन पाठक'।

बहरहाल नासिर काजमी की ज़ुबान में :

ऐ दोस्त हमने तर्कमुहब्बत के बावजूद,
महसूस की है तेरी जरूरत कभी कभी।

एमएमएच कालेज में एक लड़का पाण्डेय था, जो मेरी तरह मैथ्स में ही एमएसी कर रहा था लेकिन वो फाइनल में था। हैसियत के हवाले से, घरबार के लिहाज से बहुत मामूली था लेकिन इतना जहीन था कि खुद एमएसी फाइनल में था और एमएससी फाइनल के लड़कों को मैथ्स की ट्यूशन पढ़ाता था। नशे का इतना दीवाना था कि जेब साथ न दे रही हो तो लैबोरेट्री में बुनसन बर्नर में जलाई जानेवाली स्पिरिट पी जाता था जो कि जहर का दर्जा रखती थी। सख्तजान था, जान से तो न गया लेकिन नशे के आधिक्य में कई बार राह चलती सड़क किनारे ही बेसुध लुढ़क जाता था।

उसका कोई कद्रदान कभी—कभी ही—उसे ड्रिंक्स के लिये इनवाइट करता था तो खाना भी खिला कर ही भेजता था। खाना सर्व होता था तो वो कर्टसी में पूछ लेता था—"पाण्डे, और पियेगा?" तो पाण्डे कभी हां या न में जवाब नहीं देता था, हमेशा उसका जवाब होता था—"और है?"

शाहदरा में छोटी लाइन के फाटक के पास खेड़ा नाम का एक छोटा सा, खस्ताहाल गांव था जिसमें एक प्रायमरी स्कूल था जिसका हैडमास्टर पाण्डे का कोई करीबी रिश्तेदार था और रिश्तेदार की शह पर वो स्कूल ही पाण्डे का आवास था।

जब तक वो कालेज से लौटता था, स्कूल की छुट्टी हो चुकी होती थी और फिर उस पर पाण्डे का कब्जा होता था। बैठकबाजी के चक्कर में हम स्पेशल वहां जाते थे और खूब रौनक लगा कर आते थे।

एक बार मैं कालेज से पाण्डेय के साथ ही वहां चला गया। तब कोई तेरह या चौदह साल की बड़े सुथरे नयन नक्श वाली एक लड़की स्कूल में झाड़ू लगा रही थी।

"स्कूल की माई की लड़की है।"—पांडे ने धीमे स्वर में मुझे बताया—"ये काम माई का है लेकिन ये कर देती है।"

"ओह !"

"कैसी है?"

"कैसी है क्या मतलब?"

"वही मतलब।"

मैं हड़बड़ाया।

"अच्छी है।"—फिर बोला—"लेकिन छोटी है।"

"हां, यार।"—वो आह सी भरता बोला—"यही प्राब्लम है। बहुत दिनों से मेरी इस पर निगाह है लेकिन अभी बनी नहीं है...छोटी है। वैसे बहुत बढ़िया हँसती बोलती है मेरे साथ लेकिन प्राब्लम है...छोटी है।"

"बड़ी भी तो होगी !"

"हां, यार। उसी इन्तजार में तो हूं! एक दो महीने और देखता हूं, फिर... थामता हूं।"

"कोई बखेड़ा खड़ा हो गया तो?"

"नहीं होगा। राजी है मेरे से। बस...छोटी है।"

दो हफ्ते गुजरे।

तब एक रोज छुट्टी के दिन पाण्डे से मिलने की गरज से मैं खेड़ा गांव गया तो पाण्डे, जैसा कि अपेक्षित था, मुझे स्कूल में न मिला।

गांव पर भी मैंने बोझल सा सन्नाटा हावी पाया।

तभी मुझे एक लड़का दिखाई दिया जिसे वहां से निवासी के तौर पर मैं पहचानता था। मैंने उसे करीब बुलाया और पूछा गांव में सन्नाटा क्यों था।

"पंचायत बैठी है।"—लड़के ने बताया—"सब लोग चौपले पर हैं।"

"पंचायत बैठी है? क्यों?"

"वो...वो शिवकली माई है न स्कूल की?"

"हां। उसे क्या हुआ?"

"उसे कुछ नहीं हुआ, उसकी छोटी को हुआ।"

"क्या?"

"दो महीना के पेट से है।"

मैं आसमान से गिरा।

"माली के छोरे पर शक है। उसके लिये पंचायत बैठी है।"

"ओह ! भाग जा।"

वो चला गया।

मेरे जेहन पर पाण्डे की सूरत उबरी, उसकी हसरतभरी आवाज मेरे कान में गूंजी :

"अभी बनी नहीं है। छोटी है। बड़ी होने के इन्तजार में हूं..."

□

वेद प्रकाश काम्बोज तब तक—जैसा कि मैंने पहले कहा—गम्भीरता से बतौर व्यवसाय लेखन को अख्तियार कर चुका था और 'नीलम जासूस' मासिक में उसके उपन्यास नियमित रूप से प्रकाशित होने लगे थे। वही प्रकाशक एक दूसरी मासिक पत्रिका 'राजेश' भी छापता था जिस की शुरुआत उसने खास तौर से ओम प्रकाश शर्मा को अकामोडेट करने के लिये की थी जो कि 'जासूस' के अपने स्थायी प्रकाशक से उन दिनों नाखुश थे।

नये प्रकाशक का नाम सत्यपाल वार्ष्णेय था जो कि मूलरूप से खारी बावली में स्टेशनरी का—मुख्यतः बही खातों का—व्यापारी था और देवनगर में अपने आवास के बाजू में एक छोटी सी प्रिंटिग प्रैस भी चलाता था। उसकी—लेखकद्वय की भी—खुशकिस्मती थी कि गुरु चेला की जुगलबन्दी उसे बहुत रास आई थी और 'नीलम जासूस' और 'राजेश' की सर्कुलेशन में उत्तरोत्तर इजाफा हुआ था।

वार्ष्णेय जी इतने खुशमिजाज, इतने मेहरबान शख्स थे कि दुकान पर कोई भी उन से मिलने आता था तो पहले वो उसे उम्दा चाय से नवाजते थे। यूं सारे दिन में कम से कम दस बारह बार तो चाय का हाफ सैट उन्हें मंगाना ही पड़ता था।

उन के यहां का एक दूसरा दस्तूर और था जो कि अनोखा था इसलिये काबिलेजिक्र है :

हर अगला नावल लिखने के लिये वो काम्बोज को एक दस्ता कागज और एक स्याही की छोटी दावात देते थे। दस्ता कागज शायद खत्म हो जाते हों लेकिन एक नावल लिखने में स्याही की एक दावात तो खत्म नहीं होती थी, फिर भी नयी दावात हर बार काम्बोज को मिलती थी।

नावल की उजरत से जुड़ा ये एक अनोखा पर्क था जो जब तक काम्बोज ने नीलम जासूस में लिखा, उसे मिलता रहा।

मैं तो काम्बोज की साइड किक था इसलिये काम्बोज के साथ मैं वहां भी जाता था और वार्ष्णेय जी का बड़प्पन था कि वो मुझे वही इज्जत और तवज्जो देते थे जो कि वो अपने लेखक को देते थे।

ऐसे ही काम्बोज के साथ मेरा आना जाना ओमप्रकाश शर्मा के यहां होता था जहां काम्बोज की आमद एक बड़ा वाकया होती थी और शर्मा जी का वो मुकम्मल दिन काम्बोज के हवाले होता था। लगभग ग्यारह बजे मैं और काम्बोज वहां पहुंचते थे, कुछ अरसा यारबाशी, गप्पबाजी में गुजरता था, फिर घर से निकलते थे और खारी बावली जा कर प्रकाशक की सोहबत करते थे। दरीबे में कई प्रकाशक थे, वहां, उन दोनों को कोई काम होता था तो वहां भी जाते थे। उन दिनों वो सारा ट्राम का रूट था—बाड़ा हिन्दूराव से जामा मस्जिद तक ट्राम चलती थी जो सदर, कुतुब रोड, खारी बावली, चान्दनी चौक होते जामा मस्जिद पहुंचती थी—लेकिन शर्मा जी हमें कभी ट्राम पर नहीं बैठने देते थे, सारा रास्ता पैदल चलाते ही लाते थे क्यों कि ट्राम इतनी स्लो चलती थी कि पैसेंजर पैदल चल कर मंजिल पर पहले पहुंच सकता था। जगह जगह ट्रैक पर ब्लाकेड होती थी जिसके हटने का इन्तजार करना पड़ता था, ट्रैक पर गाय भैंस आ बैठती थीं जिन को ट्राम से उतर कर कन्डक्टर को वहां से उठाना पड़ता था।

आज परांठे वाली गली में शायद दो या तीन ही परांठे वाले बचे हैं लेकिन तब वैसी दुकानें दर्जन से ज्यादा थीं और सब पर रश होता था। दिन का हमारा खाना या परांठे वाली गली में होता था या फतहपुरी के एक खास रेस्टोरेंट में होता था।

फिर मैटिनी शो की बारी आती थी।

शो की टिकट हासिल करना काम्बोज का जिम्मा होता था जो कि वो कर ही लेता था भले ही ब्लैक में कितना भी फालतू पैसा देना पड़े।

शो के बाद वापिसी फिर शर्मा जी के घर होती थी जहां दोनों लेखकों में विस्की का दौर चलता था जिसमें मेरी शिरकत नहीं होती थी क्योंकि तब तक उस कारोबार में मेरा ताल्लुक नहीं बना था।

न कभी उन्होंने मुझे शिरकत की दावत दी थी।

मैं या तो मैटिनी के बाद घर लौट आता था, या उन के साथ जाता था—अमूमन तो साथ ही जाता था—तो मयनोशी के दौरान उन की बातों का खामोश श्रोता होता था।

बाद में मैं और काम्बोज सदर चौक से तांगे पर बैठ कर फव्वारे आते थे और वहां से फोर सीटर पकड़ कर शाहदरा पहुंचते थे।

ऐसी एक शाम की बैठक के दौरान शर्मा जी के बच्चों की पढ़ाई का जिक्र आया तो बड़े चिन्तित भाव से शर्मा जी ने बताया कि बड़े लड़के महेन्द्र की पढ़ाई

में कोई रुचि बाकी नहीं रही थी, वो दसवीं में किसी तरह से पहुंच गया था लेकिन तब साफ कहता था, अक्सर कहता था कि वो पढ़ाई जारी नहीं रखना चाहता था, स्कूल नहीं जाना चाहता था।

दूसरा, उससे छोटा लड़का, नरेन्द्र नौवीं में था, स्कूल में ठीक ठाक चल रहा था लेकिन हिसाब में बहुत कमजोर था। हिसाब का ट्यूटर इतने पैसे मांगता था जितने वो अफोर्ड नहीं कर सकते थे। तब उन्होंने बड़े अरमान से मुझे कहा—"भाई पाठक जी, तुम तो मैथ्स में एमए कर रहे हो, हमारे कहीं करीब रहते होते तो लड़के को एकाध घन्टा हिसाब ही पढ़ा दिया करते!"

"मैं पढ़ा दिया करूंगा।"—बरबस मेरे मुंह से निकल गया।

अवाक् उन्होंने मेरी तरफ देखा।

"गाजियाबाद से जिस ट्रेन से मैं वापिसी में शाहदरा आता हूं, वो आगे नयी दिल्ली तक जाती है। नयी दिल्ली स्टेशन से कुतब रोड तक का तांगा मिलता है, आगे कोई ज्यादा फासला नहीं बचता, मैं पैदल चल कर आ जाया करूंगा।"

"भई, तुम ऐसा कर सको तो ये तुम्हारा मेरे पर बहुत अहसान होगा।"

"मैं करूंगा।"

वो बहुत खुश हुए।

ऐसा मैंने क्यों कहा?

वो जहमत उठाना मैंने क्यों गंवारा किया?

वेद प्रकाश काम्बोज की उस घर में तूती बोलती थी क्योंकि वो कभी खाली हाथ वहां नहीं पहुंचता था। सांता क्लास तो साल में एक बार आता था, वहां उस घर बार में उसका दर्जा ऐसे सान्ता क्लास का था जो अक्सर आता था, आया ही रहता था। वो कभी खाली हाथ वहां नहीं जाता था, मैं हमेशा खाली हाथ जाता था, क्योंकि हाथ भरकर जाने के साधन उसके थे, मेरे नहीं थे। मैंने सोचा था कि लड़के को पढ़ाने आऊंगा तो वो लोग मेरा अहसान मानेंगे और फिर काम्बोज के मुकाबले में मुझे भी वहां कोई मुअज्जिज़ मुकाम हासिल होगा।

जो कि न हुआ।

काम्बोज की साइड किक से—बल्कि चमचे से—बेहतर दर्जा मेरा न बन सका।

अलबत्ता नरेन्द्र हिसाब में बहुत अच्छे नम्बर लाया और उसने आगे ग्रेजुएशन तक पढ़ाई की।

उन दिनों मेरी मां मेरे से बहुत नाराज़गी से अक्सर सवाल करती थी कि मैं इतनी देर से घर क्यों आता था? पहले तो मैं दस बजे घर होता था, अब एक-डेढ़ क्यों बज जाता था।

मैंने वजह बताई।

मां ने मुझे एक नम्बर का मूर्ख करार दिया।

जो कि कम से कम उस मामले में तो मैं बराबर साबित हुआ।

काम्बोज की शर्मा जी के घर साप्ताहिक विजिट के सिलसिले में एक बार ऐसा हुआ कि हम इकट्ठे पहाड़ी धीरज न जा सके। मुझे कहीं कोई काम था जिसकी वजह से मैं कोई तीन बजे शर्मा जी के घर पहुंचा। काम्बोज वहां पहले से मौजूद था और ये जानकर मुझे बहुत हैरानी हुई कि उस रोज वो वहां साइकल पर पहुंचा था। उनके बीच वार्तालाप का मुद्दा कोई फिल्मी प्रोग्राम था जो कि ताल कटोरा गार्डन में होना था। प्रोग्राम ऐसा था कि वो सूरज डूबे के बाद ही शुरू होना था और लम्बा चलना था।

उस सिलसिले में काम्बोज की साइकल आड़े आ रही थी। प्रोग्राम काफी लेट खत्म होना था, लेट नाइट में साइकल चला कर वो घर नहीं जाना चाहता था, साइकल शर्मा जी के घर छोड़ता तो उसे अगले दिन लौट के आना पड़ना था जो कि वो नहीं कर सकता था।

तब मैंने राय पेश की।

मैं साइकल पर घर चला जाता था।

यूं साइकल घर पहुंच जाती और मैं घर पर खबर करके आ पाता कि रात को मैंने लेट आना था।

वो बात दोनों लेखकों को जंची।

पहाड़ी धीरज से दरिया पार घर तक मैंने साइकल चलाई और बस से, तांगे से वापिस लौटा।

इस तमाम अफरा तफरी में वापिसी के आधे रास्ते में मुझे याद आया कि वो काम तो मैंने किया ही नहीं था जो कि खास मेरा था और मेरे लिये अहमतरीन था।

रात को लेट वापिसी के बारे में मैं घर पर खबर करना भूल गया था।

यानी मैंने दस किलोमीटर दूर काम्बोज की साइकल पहुंचाने की मजदूरी ही की।

उस रात मैं घर लौटा तो पिता ने मुझे ऐसी यादगार फटकार लगाई कि आइन्दा कई दिन मेरी लेट घर लौटने की हिम्मत न हुई।

शर्मा जी के घर रोज का आना जाना काम्बोज चाहता भी तो नहीं हो सकता था क्यों पिता के सख्त हुक्म के जेरेसाया लाल किले की अपनी दुकान पर वो तब भी जाता था। शर्मा जी के घर जाने का निश्चित तौर से एक दिन मंगलवार

मुकर्रर था जब कि लाल किले के बाजार की साप्ताहिक छुट्टी होती थी या कभी कभार वो किसी बहाने से छुट्टी कर लेता था। बाकी के दिन दुकान से लौट कर घर शक्ल दिखाते ही वो बाबूराम स्कूल के सामने पहुंच जाता था जहां मैं और रघुवीर सिंह पहले से मौजूद होते थे। दो तीन दोस्त और भी थे लेकिन उन की शाम की रोजाना की हाजिरी सुनिश्चित नहीं थी। किसी एकाध खास दोस्त को कभी वो अपना शाम का मौजमेला दिखा कर इम्प्रैस करने के लिये बुला लेता था।

आठ बजे के करीब स्कूल के सामने के रेस्टोरेंट में—जो कि रेस्टोरेंट क्या, टी स्टाल था—उसकी फड़ जमती थी। एक कोने की मेज पर सब जने बैठते थे रेस्टोरेंट के मालिक की इजाजत से चाय की केतली में विस्की उंढेल कर, उसे चाय की तरह कपों में डाल डाल कर पीते थे। वो इजाजत देने में रेस्टोरेंट वाले की दिलचस्पी ये थी काम्बोज जैसा खर्चा करने वाला ग्राहक उसके यहां दूसरा कोई आता ही नहीं था।

यहां इस बात का जिक्र आप को अजीब भी लगेगा और दिलचस्प भी लगेगा कि शाहदरा में क्या, पूरे जमनापार में कोई शराब का ठेका नहीं था। शाहदरा से सबसे नजदीकी ठेका चान्दनी चौक पर मोती सिनेमा के पास था। दूसरी जगह दिल्ली-यूपी बार्डर थी लेकिन वहां से बोतल खरीद कर लौटते वक्त पकड़े जाने का और भारी फजीहत होने का खतरा होता था इसलिये वो रिस्क कोई नहीं लेता था।

काम्बोज जब शाम को दुकान से लौटता था तो अपनी जरूरत का सामान मोती वाले ठेके से साथ ले कर ही लौटता था। उतने से तलब पूरी नहीं होती थी तो रोज के लॉज ब्रदर आपस में नोट एक्सचेंज करते थे कि किसी के घर कुछ था। जवाब 'न' में मिले तो किसी को बतौर आफिसर आन स्पैशल ड्यूटी चान्दनी चौक दौड़ाया जाता था।

अक्सर इस काम के लिये ऑड मैन आउट को, मुझे, चुना जाता था। मैं वापिसी में लेट हो जाता था तो काम्बोज ऐसे खफा हो के दिखाता था जैसे किसी मुलाजिम को भेजा हो। वापिस आ के ये जवाब देता था कि पहुंचने तक ठेका बन्द हो गया था, तो गुस्से से ज्यादा उसकी बेबसी का हाल देखने वाला होता था।

ऐसा ही शैदाई था वो बोतल का कमउम्री में ही जब कि तब तक उसकी शादी भी हो चुकी थी। उसके पिता ने खड़े पैर, आनन फानन शामली में उसकी शादी की थी और उस हड़बड़ी की काम्बोज ने भी कोई वजह नहीं बताई थी।

तरंग के बाद काम्बोज को कभी नानवैज खाने का जोश आता था तो सब स्टेशन के पास के किसी ढाबे में खाना—रोगनजोश और तन्दूरी रोटी, उन दिनों, चिकन कोई नहीं खाता था—खाने चले जाते थे।

यूं मुझे घर लौटने में अक्सर इतनी देर हो जाती थी कि कोई मुझे दरवाजा नहीं खोलता था। इमारत में चार किरायेदार थे और चार काल बैल थीं। मेन डोर बाजार में सड़क पर था, मैं अपनी काल बैल बजाता था तो कोई प्रतिक्रिया सामने नहीं आती थी। मैं यही समझता था कि कालबैल खराब हो गयी थी और घर वालों की अपने तरफ तवज्जो दिलाने के लिये बाजार से ऊपर बाल्कनी पर पत्थर फेंकने लगता था। उस का भी असर नहीं होता था तो रुंआसा सा सीढ़ियों में बैठ जाता था।

आखिर ऊपर सामने के कमरे में बत्ती जलती थी, दरवाजा खुलता था और बाल्कनी पर पिता प्रकट होता था।

"क्या है?"—ऊपर से सवाल होता था

"अन्दर आना है।"—मैं नीचे से दबा सा जवाब देता था।

"पत्थर क्यों फेंक रहा था?"

"घन्टी का जवाब नहीं मिल रहा था।"

"पत्थर खत्म हो गये?"

मैं खामोश।

"कल टाइम पर आयेगा?"

"हां, जी।"

तब मेरी मां या कोई बहन नीचे आ कर दरवाजा खोलती थी और मैं घर मैं दाखिला पाने का अधिकारी बन पाता था।

दरअसल मेरे पिता की अपनी हैल्थ प्राब्लम थी, अपनी नालायकी या नासमझी में जिसको मैं खातिर में नहीं लाता था।

पिता को मासिव हार्ट अटैक हो कर हटा था।

ऐसी उन के साथ उस जमाने में गुजरी थी जब कि स्ट्रोक के आज जैसे फैंसी, आधुनिकतम इलाज नहीं थे। ईसीजी के अलावा कोई टैस्ट नहीं था जिसके बारे में आज कल कहा जाता है कि खास कुछ भी नहीं बताता। परहेज, खून पतला करने की गोली और नींद का। इंजैक्शन ही इलाज थे। स्टेंटिंग का, बाई पास सर्जरी का, ओपन हार्ट सर्जरी वगैरह का तब अभी तक किसी को सपना भी नहीं आया था। पिता रोज शाम पैथाडीन का इंजेक्शन ले कर सोते थे, नींद डिस्टर्ब हो जाये तो बहुत देर बाद नींद आती थी। मेरे लेट आने से उन की नींद डिस्टर्ब होती थी और इस बात की अहमियत को मैं समझता नहीं था।

एक बाद काम्बोज को पिता ने कहा था :

"रात अगर दस से ऊपर बज जाया करें तो इसे अपने घर ले जाया कर।"

ये तो खैर कहने की बात थी लेकिन मेरी लेट कमिंग की प्राब्लम का एक हल आखिर निकला।

किराये की उस इमारत के नीचे वाले दो फ्लैटों में से एक में एक मेरी हमउम्र लड़की रहती थी जिस को मेरे से बतियाना अच्छा लगता था। अक्सर बाहरले दरवाजे पर या छत पर खड़े हम बातें करते थे और वो सिलसिला इतना निर्दोष था कि कभी एतराज या टोकाटाकी का सामना नहीं करना पड़ा था।

"सुना है"—एक बार वो मेरे से बोली—"तू रात को घर आता है तो कोई तेरे को दरवाजा नहीं खोलता?"

"हां, है तो ऐसा ही!"

"जल्दी आया कर।"

"क्या करने जल्दी आके? घर में मक्खियां मारूं? तेरे घर में रेडियो तो है, हमारे तो वो भी नहीं है!"

"हूं। ठीक है, मैं तुझे दरवाजा खोला करूंगी।"

"तू! तू दरवाजा खोला करेगी?"

"हां।"

"कैसे! मैं तुम्हारी घन्टी बजाया करूं?"

"पागल!"

"तो!"

"घन्टी नहीं बजानी। दरवाजा खटखटाना। धीरे से। बस एक बार।"

"तू सुन लेगी?"

"हां। मेरे कान बहुत पतले हैं। मैं आके तुझे दरवाजा खोल दिया करूंगी।"

"तू सो गई हुई तो?"

"तेरे आ चुकने तक नहीं सोऊंगी।"

"कमाल है!"

"ठीक है फिर?"

"ठीक है।"

अगले रोज शाम को जब मैं लौटा तो टाइम का मेरा पौने ग्यारह से ऊपर का अन्दाजा था।

अन्दाजा था।

क्योंकि जिन्दगी में कभी—कभी भी—मैंने घड़ी नहीं पहनी।

झिझकते हुए मैंने दरवाजे पर दस्तक दी।

आधे मिनट में दरवाजा खुला।

उसी लड़की ने दरवाजा खोला था।

मैंने भीतर कदम रखा, अपने पीछे दरवाजा भिड़काया तो पाया कि लम्बी राहदारी में अन्धेरा था और उसके परले सिरे पर का दरवाजा बन्द था।

"बत्ती को क्या हुआ?"—मैं दबे स्वर में बोला।

"तेरे को तकलीफ है बिना बत्ती के?"—वो भुनभुनाई।

"नहीं।"

"तो फिर?"

"लेकिन..."

"क्या लेकिन?"

"तू जा, मैं बन्द कर दूंगा।"

वो खड़ी रही।

मैंने दरवाजे को अच्छी तरह से बन्द करके अन्दर से चिटकनी चढ़ाई और कुंडा सरकाया।

वो तब भी खड़ी रही।

मैं उसके बाजू की तरफ से गुजरता सीढ़ियों की तरफ बढ़ चला।

वो तब भी पीछे खड़ी रही।

दरवाजा उसने मुझे अगले रोज भी खोला लेकिन उस रोज पिछला दरवाजा खुला था, राहदारी की बत्ती जल रही थी और दरवाजा खोलने के बाद वो एक सैकेंड भी वहां नहीं ठहरी थी।

अपनी कमअक्ली मुझे कभी तो सूझनी ही थी, आखिर सूझी।

ऐसा ही अक्ल का अन्धा था मैं उस उम्र में।

फिर मैंने बात को संवारने की कोशिश की तो वो और बिगड़ी।

एक बार वो मुझे छत पर खड़ी मिली तो मैं उस के करीब गया।

"क्या है?"—वो रूखाई से बोली।

"वो...वो...सॉरी।"

"किस बात की सॉरी!"

"वो जो उस रोज..."

"क्या उस रोज?"

"जब पहली बार तूने दरवाजा खोला था..."

"तो!"

"तब मैं... मैं..."

अरे, क्या मैं मैं? खोला था न दरवाजा! बोला था खोलूंगी इसलिये खोला था। तो?"

मुझे जवाब न सूझा।

"जा, मां ढूंढ़ती होगी दूध की बोतल लिये।"

मैं गया।

दोबारा कभी मैंने उसके करीब फटकने की कोशिश न की।

उसने भी मुझे दरवाजा खोलना बन्द कर दिया।

दरवाजा खटखटा कर कई बार तो मैं ठण्ड में ठिठुरता खड़ा दस बारह मिनट इन्तजार करता रहा लेकिन दरवाजा खोलने वो कभी न आयी।

आखिर घन्टी बजा कर झाड़ पुजार की प्रॉसेस से गुजर कर ही दाखिला पाया।

जिन्दगी में बहुत आगे आ कर मैंने ये कहावत सुनी :

हैल हैथ नो फ्यूरी लाइक ए वूमेन स्कार्न्ड।

और तरीके से उस का मतलब समझा।

पर 'देर आयद' को दुरुस्त आयद न कह सका।

□

ड्राईंग का मेरे को कमउम्री से शौक था। स्कूल में ड्राईंग मेरा सबजेक्ट भी था। मेरा ड्राईंग का टीचर मेरे से उम्मीद करता था कि फाइनल में उस के सब्जेक्ट में मैं डिस्टिंक्शन लाऊंगा, कलास में, स्कूल के इम्तहानों में हमेशा अच्छा अच्छा करने वाला मैं जो कि न ला पाया।

टीचर को बहुत नाउम्मीदी हुई।

मेरे डीएवी जालंधर के टाइम में भैरों बाजार में एक किताबों की दुकान थी जिसके पास इंगलिंश की विदेशी पुरानी मैगजींस बहुत होती थीं। 'नीलम जासूस' के तहत वेदप्रकाश काम्बोज के लिखे नावल उस की दुकान पर आते थे। मैंने उसे बताया कि काम्बोज मेरा बचपन का दोस्त था तो वो बहुत खुश हुआ। मेरे से मनुहार करने लगा कि मैं उसे 'नीलम जासूस' की यानी वेद प्रकाश काम्बोज और ओमप्रकाश शर्मा के नावलों की जालंधर की सोल एजेन्सी दिलवा दूं। छुट्टियों में मैं दिल्ली गया तो मैंने प्रकाशन के मालिक वार्ष्णेय से इस बाबत दरख्वास्त की। प्रकाशक ने मुझे समझाया कि क्यों ऐसा करना व्यवसायिक तौर पर ठीक नहीं था लेकिन फिर मेरी लाज रखी और उस दुकानदार को सोल एजेन्सी दे दी। उस वजह से दुकानदार से मेरी दोस्ती इतनी पक्की हो गयी कि मैं पढ़ने के लिये उसके यहां से मैगजीन लाता था तो वो मेरे से किराया नहीं चार्ज करता था, मैं कोई मैगजीन खरीदना चाहता था तो वो मेरे से मिनीमम चार्ज करता था। यूं जान बुल, मैन ओनली, कोरोनेट, पेजेंट जैसी कितनी ही मैगजीनें हमेशा के लिये जालंधर छोड़ते वक्त मैं दिल्ली अपने साथ ले आया।

एक रोज खाली बैठे पता नहीं मुझे क्या सूझी कि 'जान बुल' में छपी एक इलस्ट्रेशन को आधार बना कर मैंने वैसी जासूसी मैगजीनों जैसा एक टाइटल बनाया जैसी उन दिनों छपती थीं। अपना करतब मैंने काम्बोज को दिखाया तो उसने भी उसे पसन्द किया और ये कह कर मेरे से ले लिया कि किसी प्रकाशक को दिखायेगा।

उसने वो टाइटल 'जासूस' के मालिक को दिखाया।

लौट कर काम्बोज ने रिपोर्ट पेश की :

"टाइटल उसे बहुत पसन्द आया। देखकर उछल पड़ा। लेकिन कहा कि प्रिंटिंग टैक्नीक के हिसाब से गलत था।"

"मतलब?"—मैंने पूछा।

"जैसा तूने टाइटल पेंट किया है, वो कहता है ये ऐसे का ऐसा ऑफसेट प्रणाली से छप सकता है जो बहुत महंगी होने की वजह से उन के धन्धे में इस्तेमाल में नहीं लायी जाती। वो लोग लाइन ब्लाक छापते हैं जिसके लिये जो फिगर तूने बनाई हैं, काले रंग से उन की सिर्फ आउट लाइन उकेरनी होती है और साथ में एक कलर चार्ट देना पड़ता है कि कौन सी जगह कौन सा रंग लगना है। बाकी सब करतब ब्लॉक मेकर करता है। अब तू अपनी ड्राईंग पर बटर पेपर रख और काले रंग से आउट लाइन उकेर। ध्यान रखना ब्लाक काली आउट लाइन से बनना है, कलर चार्ट से नहीं। कलर चार्ट में कमी भी होगी तो चलेगा क्यों कि उस कमी को ब्लॉक मेकर सम्भाल लेता है।"

मैंने जो समझाया गया, वो किया।

प्रकाशक ने टाइटल कबूल किया और मुझे बीस रुपये उजरत मिली।

मैं फूला न समाया।

आखिर जिन्दगी में पहली बार मैंने कमाई की थी, भले ही वो बीस रुपये थी।

'जासूस' पर छपा टाइटल नीलम जासूस के प्रकाशक ने देखा तो वो काम्बोज से टाइटल की तारीफ करने लगा और कहने लगा कि वो इस आर्टिस्ट का पता निकालेगा और उसे अपने पास बुलायेगा।

काम्बोज ने बताया कि टाइटल मैंने बनाया था।

लाला बहुत हैरान हुआ। उसने मुझे हुक्म सुनाया—"कहीं नहीं जाना। जो बनाये यहां ले कर आना।"

यूँ मैं नियमित रूप से काम्बोज के 'नीलम जासूस' के तहत छपने वाले नावलों के टाइटल बनाने लगा।

जब कि एमएमएच कालेज में मेरी एमएससी फाइनल की पढ़ाई अभी जारी थी।

'राजेश' के टाइटल उन दिनों ओम प्रकाश शर्मा की फरमायश पर, बल्कि जिद पर, एक बड़ा आर्टिस्ट बनाता था जिस का नाम इन्द्रजीत था और अपने बड़प्पन की बिना पर ट्रेड में स्थापित रेट से चार गुणा चार्ज करता था। यानी 'राजेश' के लिये इन्द्रजीत द्वारा बनाये गये टाइटल की फीस अस्सी रुपये थी जो 'राजेश' का प्रकाशक वार्ष्णेय बहुत ही मुश्किल से अदा करने के लिये तैयार हुआ था।

जब पहला टाइटल बन कर आया था तो वो एक छोटे साइज के लिफाफे में से चिट्ठी की तरह तह किया हुआ निकला था। तभी ओम प्रकाश शर्मा वहां पहुंच गये थे। बाद का वाकया शर्मा जी ने खुद बयान किया :

"लाला माथे पर हाथ रखे टाइटल को देख रहा था और समझ नहीं पा रहा था कि सीधा किधर से था! मुझे देखते ही भड़क पड़ा और कहने लगा—'शर्मा जी, ये क्या कबाड़ बनवा दिया। अस्सी रुपये भट्टे खाते में गये, इतने में तो मैं कहीं बढ़िया चार टाइटल बनवा लेता।' मैंने उसे समझाया—'लाला, इस टैक्नीक को तुम नहीं समझते हो, ब्लॉक मेकर समझता है। ब्लॉक बनने दो और प्रूफ आने दो। उसके बाद जो कहना हो, कहना।"

जब प्रूफ आया तो रिजल्ट देखकर लाला की बांछें खिल गयीं। वैसा कमाल का टाइटल उस ट्रेड की हिस्ट्री में पहले कभी नहीं छपा था। उस टाइटल के साथ 'राजेश' का पहला अंक छप कर बाजार में आया तो टाइटल की नयी बानगी की वजह से ही हाथों-हाथ बिक गया।

ज्ञातव्य है कि जिक्र उस इन्द्रजीत उर्फ इमरोज का है जो कि सालों 'शमा' का स्टाफ आर्टिस्ट रहा, न्यूफील्ड एडवरटाइजिंग एजेन्सी का आर्ट डायेक्टर रहा, जिसने अमृता प्रीतम की हर पुस्तक का टाइटल बनाया, हिन्द पॉकेट बुक्स और कालान्तर में जनप्रिय लेखक और आरती पॉकेट बुक्स के लिये कई टाइटल बनाये, धर्मेन्द्र मीना कुमारी की फिल्म 'बहारों की मंजिल' का आर्ट डायरेक्टर बना, उसके बेमिसाल पोस्टर डिजाइन किये, फिर ओपी रल्हन की फिल्म 'तलाश' के लिये भी साइन किया गया लेकिन काम बीच में छोड़ कर दिल्ली लौट आया।

बतौर लेखक छोटा मोटा नाम कमा लेने से पहले आप के खादिम ने भी सौ के करीब टाइटल बनाये और 'फिल्मी दुनिया' की रचनाओं की इलेस्ट्रेशंस बनायीं।

लेकिन टाइटल पेंटर बनना तो मेरी मंजिल न था।

मेरे को लिखने का शौक था, इतना कि जब काम्बोज के सात आठ नावल छप चुके तो बीएससी फाइनल के दौरान मैंने कालेज में एक जासूसी नावल लिखने की कोशिश की, चालीस पचास पेज लिख भी लिये लेकिन फिर कनफ्यूज हो गया और आगे उसे चलाये न रख सका। छुट्टियों में दिल्ली लौटा तो वो पेज मैंने काम्बोज को ये कह कर सौंपे कि अगर वो उतनी कहानी को किसी तरीके से खुद इस्तेमाल कर सकता था हो तो कर ले।

काम्बोज ने उसे कचरा करार दिया और फाड़ के फेंक देने की हिदायत के साथ मुझे पेज लौटा दिये जिन्हें मैंने सच में ही फाड़ के फेंक दिया।

लेकिन लिखने की ख्वाहिश न गयी।

तब मैंने कहानी लेखन पर हाथ आजमाने का फैसला किया।

कलम को रवां करने के लिये, लिखने का अभ्यास बनाने के लिये मैंने कृशन चन्दर की 'शमां' में छपी एक कहानी पढ़ी और फिर 'शमां' को दरकिनार करके उस कहानी को खुद लिखना शुरू किया। लिख चुका तो मैंने उसे मूल कथ्य से मिला कर देखा तो पाया मैंने कुछ भी मिस नहीं किया था, जो ओरीजिनल टैक्स्ट में था, सब मेरे लिखे में था।

वो प्रयोग मैंने कोई दर्जन बार दोहराया।

यूं जब मेरा कंफीडेंस बन गया कि मुझे कामा, फुल स्टाफ की तमीज आ गयी थी, डायलाग्स की, पैरा बनाने की समझ आ गयी थी तो मैंने एक कहानी लिखी जिसे सुधारने, और संवारने के लिये मैंने तीन बार रीराइट किया, जब लगा कि वो किसी काबिल बन गयी थी तो उस का उनवान 'सत्तावन साल पुराना आदमी' रखा और उसे प्रकाशनार्थ 'मनोहर कहानियां' को भेज दिया।

मैंने सुना था कि बड़ी पत्रिका में कहानी अप्रूव भी हो जाये तो उसे छपने में पांच छः महीने लग जाते थे क्योंकि अप्रूव्ड कहानियों का भी एक बड़ा बफर स्टॉक ऐसी पत्रिकाओं के पास होता था और 'आप कतार में हैं, प्रतीक्षा कीजिये' के अन्दाज में कहानी छपने की बारी आती थी।

ऊपर से मैं नया लेखक, जिसकी पहले कभी कोई रचना छपी ही नहीं थी।

मेरे आश्चर्य का पारावार न रहा जबकि मेरी कहानी अगले ही अंक में छपी और शुरुआती पृष्ठों में छपी।

'मनोहर कहानियां' के उस अंक को बगल में दबा कर मैं कई दिन उछला, कई दिन डांस किया। और भी आपे से बाहर हुआ जब बतौर नजराना पचास रुपये का मनीआर्डर भी आया।

मेरी मां भी हैरान थी कि लड़के ने ऐसा क्या किया था कि घर बैठे पचास रुपये कमा लिये थे।

मेरा दिल था कि मैं ओमप्रकाश शर्मा के घर जाऊं और उन्हें बताऊं कि 'मनोहर कहानियां' में मेरी कहानी छपी थी।

ऐसा करना मुझे ओछापन लगा, मैंने न किया।

फिर एक बार शर्मा जी से मुलाकात हुई तो उन्होंने खुद ही जिक्र किया। कहानी अच्छी बुरी का जिक्र न किया, कुछ और ही कहा :

> "मनोहर कहानियां बड़ी पत्रिका है, वहां तो सम्पादकीय विभाग में दर्जन भर काबिल सहसम्पादक होते हैं जो रीराइट करके कहानी की औकात ही बदल देते हैं।"

"लेकिन शर्मा जी"—मैंने प्रतिवाद किया—"मेरी कहानी तो हरूफ-ब-हरूफ वैसी ही छपी है जैसी मैंने भेजी थी, कहीं एक लफ्ज की भी काट छांट नहीं की गयी।"

उन्होंने मेरी बात का कोई नोटिस नहीं लिया। बड़े लेखक के लिये अहम वही था जो वो कह चुका था।

पहली हासिल कामयाबी के जोश में मैंने और कहानियां लिखीं जिन में से तीन 'नयी सदी' में एक 'नीहारिका' में और तीन चार 'फिल्मी दुनिया' में छपीं।

वेद प्रकाश काम्बोज के लेखन में एक प्राब्लम थी जिससे हर दौर के हर प्रकाशक ने प्राब्लम महसूस की और हमेशा शिकायत की लेकिन ऐसा शायद ही कभी हुआ कि उसने प्रकाशक की शिकायत पर कान दिया हो।

शिकायत ये थी कि उसका नावल कलेवर में हमेशा छोटा रह जाता था। प्रकाशक ने उपन्यास की कीमत के मुताबिक प्रकाशित पृष्ठों की संख्या मुकर्रर की होती थी और उसको उस पर खरा उतर कर दिखाना होता था। शुरुआती दौर को छोड़कर काम्बोज का नावल हमेशा कोरम काल से शार्ट पाया जाता था। प्रकाशक कलेवर को बढ़ाने को बोलता था, तो काम्बोज कभी आनाकानी करता था, कभी असमर्थता प्रकट करता था तो कभी उस काम के लिये इतना टाइम मांगता था जितना कि प्रकाशक देना अफोर्ड नहीं कर सकता था। आखिर उसने उपन्यास को बतौर मासिक पत्रिका प्रकाशित करना होता था। तब ऐसी एक मर्तबा की परेशानी में उसे मेरा खयाल आया।

"तू कहानी लिखता है।"—वो बोला—"जासूसी कहानी लिख लेगा?"

"हां।"—मैंने निसंकोच जवाब दिया।

"फटाफट?"

"कितना फटाफट?"

"दो दिन में। परसों कहानी मेरे पास हो।"

"लिख लूँगा।"

"लिख। बीस रुपये मिलेंगे।"

" 'मनोहर कहानियां' से मुझे पचास रुपये मिले थे?"

"वो बड़ी पत्रिका है। लाख से ऊपर सर्कुलेशन है। नीलम जासूस लाख छपती हो तो मैं तुझे सौ रुपये दूं। लेकिन ग्यारह हजार छपती है। इसलिये बीस रुपये ठीक हैं।"

मैंने कहानी लिखी और बीस रुपये हासिल किये।

अगली बार काम्बोज का नावल फिर छोटा था।

मैंने फिर कहानी लिखी और बीस रुपये पाये।

आइन्दा तो जैसे रवायत ही बन गयी कि काम्बोज के नावल के साथ मेरी कहानी छपनी ही छपनी थी।

वो व्यवहारिक तौर पर नाजायज बात थी जिसे प्रकाशक मजबूरी में करता था और लेखक को उस बाबत कोई परवाह नहीं थी। तब तक उस की और प्रकाशनों में भी पूछ होने लगी थी इसलिये वो थोड़ा पसरने भी लगा था।

ऐसे में एक बार ओम प्रकाश शर्मा बोले—"तुम्हारी कहानी तो 'नीलम जासूस' का अनिवार्य अंग बन गयी है!"

"ऐसा तो नहीं है, जी।"—मैं संकोचपूर्ण स्वर में बोला—"वेद पूरा मैटर लिखने लगेगा तो ये सिलसिला अपने आप ही बन्द हो जायेगा।"

"हूं।"

"मेरी कहानी के लिये तो वार्ष्णेय जी 'नीलम जासूस' में गुंजायश निकालने नहीं लगे।"

"तुम उपन्यास क्यों नहीं लिखते?"

मेरा दिल जोर से उछला।

"कोशिश कर सकता हूं।"—मैं बोला—"लेकिन छपेगा कैसे?"

"तुम लिखो, मैं कोशिश करूंगा छपवाने की।"

आनन फानन, दिन रात एक कर के—शायद एक हफ्ते में—अन्देशा जो था कि कहीं सीनियर लेखक का मिजाज न बदल जाये—मैंने एक उपन्यास लिखा और जाकर शर्मा जी को गुड न्यूज दी।

"लिख भी लिया?"—वो हैरानी से बोले।

"जी हां।"

"इतनी जल्दी।"

"आपने प्रेरणा पायी, आपने जोश दिलाया, इसलिये।"

"कहीं से अनुवाद तो नहीं कर डाला?"

"जी नहीं।"

"छोटी मोटी नकल भी नहीं मारी?"

"वेद से ज्यादा नहीं मारी।"

उन्हें वो बात हज्म हो गयी। क्योंकि सब जानते थे, काम्बोज खुद ही नहीं छुपाता था, कि वो उपन्यास कैसे लिखता था।

"हीरो किस जैसा बनाया?"

"किसी जैसा नहीं। अपना बनाया।"

"कौन?"

"प्रैस रिपोर्टर।"

"क्या! जासूसी उपन्यास का हीरो प्रैस रिपोर्टर?"

"जी हां।"

"गलती की। कोई चालू किरदार पकड़ना था। कोई पुलिस इस्पेक्टर या सीआईडी जासूस जैसा हीरो बनाना था। अभी भी वक्त है। हीरो बदल कर नावल को फिर से लिख डालो।"

मैंने इंकार में सिर हिलाया।

"भई, जासूसी नावल का हीरो प्रैस रिपोर्टर नहीं चलने का।"

"मैंने उसे इनवैस्टिगेटिव जर्नलिस्ट बनाया है, ऐसा जर्नलिस्ट जासूस जैसा ही काम करता है।"

"क्या बनाया है?"

"इनवैस्टिगेटिव जर्नलिस्ट।"

"वो कौन होता है?"

"खोजी पत्रकार।"

"वो कौन होता है?"

मेरे से जवाब देते न बना।

"ठीक है। देखते हैं।"

'देखते हैं' के खाते में मुझे स्वाभाविक लगा कि वो सत्यपाल वार्ष्णेय से ही बात करते क्योंकि मैं अपने आवरण चित्र बनाने वाले के तौर पर और काम्बोज के शार्ट कोरम काल वाले नावल के फिलर के तौर पर कहानी लिखने वाले के तौर पर वो मेरे से पहले से परिचित था और शर्मा जी का नियमित प्रकाशक था।

बकौल शर्मा जी, लाला ने पूरी बात भी न सुनी कि इंकार कर दिया।

"अरे, काबिल पढ़ा लिखा लेखक है, कहानी में पहले ही तुम्हारे पास अपनी धाक जमा चुका है, नावल अच्छा लिखा होगा।"

"होगा ! अच्छा लिखा होगा ! यानी पढ़ा भी नहीं !"

"यार, काम्बोज का नावल पढ़ के छापते हो ! हमारा नावल पढ़ के छापते हो !"

"आप की बात और है। काम्बोज की बात और है।"

"क्या बात और है ? अभी कल तो उसने लिखना शुरू किया है। अभी कल तो वो खुद नया लेखक था।"

"नहीं, शर्मा जी।"

"अरे, नावल को देख तो लो !"

"नहीं। मेरे पास नावल देखने लायक न टाइम है, न सब्र है।"

"टाइम निकालो, भई, लड़का इतनी खिदमत करता है तुम्हारी, उसकी खातिर..."

"उसकी कोई और खातिर कर देंगे, इस मामले में मैं माफी चाहता हूं।"

मजबूरन शर्मा जी को खामोश हो जाना पड़ा।

बाद में उन्होंने मुझे वो वाकया सुनाया और आश्वासन दिया कि वो किसी और प्रकाशक से बात करेंगे।

मेरा मन बहुत मसोसा।

लेकिन जब कुछ अच्छा अच्छा होना होता है तो हो के रहता है।

फिरंगियों की ज़ुबान में कहा जाये तो मैन प्रोपोजिज, गॉड डिस्पोजिज।

उस महीने काम्बोज नावल न लिख सका। नावल की डिलीवरी की तारीख पर उसने अपने प्रकाशक वार्ष्णेय को बताया कि अभी तो वो एक तिहाई नावल ही लिख पाया था।

तब प्रकाशक आज की तरह हर नयी रिलीज पर बुकसैलर्स को सर्कुलर नहीं जारी करता था, उसके पास अपनी हर मैगजीन के बुकसैलर्स के स्टैंडिंग आर्डर होते थे जिन के मुताबिक प्रकाशक उन्हें माल डिस्पैच करता था। आर्डर में कोई घट बढ़ हो तो उस बाबत प्रकाशक को खबर करने का जिम्मा पुस्तक विक्रेता का होता था। वार्ष्णेय ने जबसे 'नीलम जासूस' और 'राजेश' प्रकाशित करने शुरू किये थे, कभी कोई महीना मिस नहीं हुआ था जबकि काम्बोज के वक्त पर नावल न लिख पाने की वजह से वो नौबत आती जान पड़ रही थी। 'नीलम जासूस' न छपता तो उसे 'राजेश' को भी रोकना पड़ता जो कि और भी बुरा होता।

तब उसे मेरे नावल की याद आयी जिसे छापने से वो इंकार कर चुका था। उसने पता लगवाया तो मालूम पड़ा कि नावल अभी शर्मा जी के पास ही था। उसने नावल कब्जाया और 'नीलम जासूस' के उस महीने के अंक में वैकल्पिक तौर पर मेरा नावल छाप दिया।

यूं 'पुराने गुनाह नये गुनहगार' को दिन का उजाला देखना नसीब हुआ जो कि सुनील सीरीज का—मेरा भी—पहला उपन्यास था जो सन 1963 में नीलम जासूस के अक्टूबर के अंक में पिचहत्तर पैसा कीमत में छपा था। उपन्यास के साथ वेद प्रकाश काम्बोज की लिखी दो पेज की इन्ट्रोडक्शन थी जो वो बिल्कुल नहीं लिखना चाहता था लेकिन शर्मा जी ने डंडे से लिखवाई थी। वो तो इसी बात से प्रकाशक से खफा था कि उसने उसकी जगह किसी दूसरे का उपन्यास छापा ही क्यों था।

जब कि कोई दूसरा उसका लंगोटिया यार था।

लेकिन यार अपनी जगह था, कारोबार अपनी जगह था।

बतौर उजरत मुझे सौ रुपये मिले।

उपन्यास का टाइटल भी क्योंकि मैंने ही बनाया था इसलिये असल में तो उजरत अस्सी रुपये ही थी।

जब कि तब काम्बोज को दो सौ रुपये और शर्मा जी को ढ़ाई सौ रुपये मिलते थे।

घर पर मैंने बड़े उत्साह से पिता को बताया कि मेरा लिखा नावल छपा था और मुझे उसकी एवज में सौ रुपये मिले थे।

"मुझे क्या फायदा?"—उन्होंने उदासीन भाव से कहा।

मैं हक्का बक्का सा उन का मुंह देखने लगा। नावल की शक्ल देखने तक की ख्वाहिश उन्होंने जाहिर नहीं की थी।

"कालेज में पढ़ाया तुझे। वो तो किसी काम न आया न!"

मैंने मां के पास पनाह पायी।

मैं ने वही बात उसे सुनायी और सौ रुपये उसे सौंपे तो उसने मेरी हजार बलायें लीं।

एक उपन्यास प्रकाशित हो जाने के जोश में मैंने दो और लिख डाले।

शर्मा जी ने फिर वार्ष्णेय से बात की तो इस बार तो वो बिल्कुल ही भड़क गया। बड़ी सख्ती से बोला उसने एक बार शर्मा जी का कहना मान लिया था, बार बार ऐसा नहीं होने वाला था।

सत्यप्रकाश वार्ष्णेय (प्रकाशक : नीलम जासूस) और ओम प्रकाश शर्मा

तब तक काम्बोज ने भी प्रकाशक को ताकत दिखा दी थी कि अगर 'नीलम जासूस' में उसके अलावा किसी और लेखक का—किसी का भी, लंगोटिया या कालाचोर—उपन्यास छपा तो वो वहां लिखना बन्द कर देगा।

शर्मा जी ने फिर मुझे आश्वासन दिया कि वो किसी और प्रकाशक से बात करेंगे।

□

मेरी याददाश्त में ओमप्रकाश शर्मा सिर्फ एक बार वेद प्रकाश काम्बोज के शाहदरा, संयुक्त परिवार वाले घर गये थे। शायद काम्बोज की फरमायश थी कि उन के चरण कमल कम से कम एक बार तो उसके घर पड़ें, खुद वो तो उन के घर पहुंचा ही रहता था, कभी वो भी तो ऐसी कर्टसी काल रेसीप्रोकेट करें।

एक शाम शर्मा जी ने काम्बोज की वो ख्वाहिश पूरी की।

हमेशा की तरह पुछल्ला, यानी कि मैं, उन दोनों के साथ था।

तब शाम के साढ़े सात बजे का टाइम था और इत्तफाक से काम्बोज के पिता, सीनियर काम्बोज साहब घर में थे। वेद ने शर्मा जी का परिचय अपने पिता से कराया जो कि बड़े प्रेम भाव से शर्मा जी से मिले। दोनों चाय पान के लिये बैठे और उन दोनों महानुभावों में हल्की फुल्की बातचीत की शुरुआत हुई।

यहां एक बात गौरतलब है कि शर्मा जी न पुत्र के हमउम्र थे और न पिता के हमउम्र थे। शर्मा जी उम्र में वेद से सोलह साल बड़े थे और थोड़ी कमी बेशी के साथ इतने ही साल वेद के पिता से छोटे थे। लिहाजा पुत्र की मौजूदगी में पिता की सोहबत में वो सहज महसूस नहीं कर रहे थे।

लेकिन जल्दी ही शर्मा जी और सीनियर काम्बोज साहब की बातचीत ज्ञानवार्ता में तब्दील होने लगी। शर्मा जी लेखक थे इसलिये स्वाभाविक तौर पर अपने आप को नॉलेजेबल पर्सन मानते थे, वेद के पिता ऐसे दुनियादार थे कि अपने से सयाना किसी को तसलीम ही नहीं करते थे। कई मुद्दों पर उन दोनों में दिलचस्प बहस मुबाहसे का माहौल बना जिसमें मैं और वेद खामोश श्रोता थे।

"इंसान को"—एक बार वेद के पिता बोले—"तन से संसारी होते हुए भी मन से बैरागी होना चाहिए।"

"कैसे होगा?"—अनायास मेरे मुंह से निकल गया—"ये तो ये कहने के समान हुआ कि नंगे को कपड़े पहनकर भी नंगा होना चाहिये।"

वेद के पिता ने आग्नेय नेत्रों से मेरी तरफ देखा।

मैं सहम कर चुप हो गया और बेचैनी से पहलू बदलता निगाह चुराने लगा।

"ये तो आपने बड़ी अक्ल की बात कह दी..."

उनका लहजा सहज और सन्तुलित था लेकिन निगाह मेरे पर भाले बर्छियां बरसाती जान पड़ती थीं।

"...इतनी अकल की बात कहने की उम्र तो नहीं है आप की..."

यानी अक्ल की बात करने का अख्तियार सिर्फ बुड्ढों को होता था।

"...पता नहीं कैसे कह दी ! पता नहीं कैसे..."

जनाब की मेरे पेंदे में छतरी डाल के ही तसल्ली नहीं हो रही थी, उसे खोल के भी रहना था।

मैंने खुद को इतना ह्यूमीलियेटिड महसूस किया कि मैं वहां से उठा और सीढ़ियों के दहाने पर जा खड़ा हुआ।

वेद मेरे पीछे आया।

"मैं चलता हूँ।"—मैं धीरे से बोला।

"शर्मा जी भी चल रहे हैं।"—वो बोला—"तू नीचे जा, मैं उन्हें ले के आता हूं और फिर उन्हें कहीं तक छोड़ के आते हैं।"

मैं नीचे जा के चौक में खड़ा हो गया।

उस शाम ऐसा इत्तफाक हुआ कि शर्मा जी से बतियाते हम आजू बाजू चलते रहे और इतनी देर, इतना वक्फा चले कि जमना के पुराने पुल तक पहुंच गये। वहां से शर्मा जी फव्वारे तक के लिये, रिक्शा पर सवार हो गये जहां से बाकी का घर का सफर वो आराम से तांगे पर कर सकते थे।

वापिस मैं और वेद भी रिक्शा पर लौटे।

घर वापिसी के सारे रास्ते एक ही फिकरा नगाड़े की तरह मेरे कान में बजता रहा :

"पता नहीं इतनी अक्ल की बात आपने कैसे कह दी !"

एक मंगलवार मैं और काम्बोज शर्मा जी के घर गये तो उम्मीद के खिलाफ शर्मा जी को घर पर मौजूद न पाया। मंगलवार को ऐसा कभी नहीं होता था क्योंकि अब ये स्थापित था कि उस रोज काम्बोज ने आना था। वैसे भी तब तक वो डीसीएम की नौकरी कब की छोड़ चुके थे और अमूमन घर पर होते थे।

भाभी जी ने बताया कि किसी पब्लिशर से मिलने दरीबे गये थे।

हम इन्तजार में बैठ गये।

कोई एक घन्टे बाद शर्मा जी घर लौटे तो इतने खुश थे कि पांव जमीन पर नहीं पड़ रहे थे और चेहरा हजार वाट के बल्ब की तरह दमक रहा था।

हमें घर में मौजूद देख कर वो और भी खुश हो गये, आखिर बड़ी खबर के साथ लौटे थे, किसी को सुनानी भी तो थी, बड़ा मोर्चा मारा था, कामयाबी किसी के साथ शेयर भी तो करनी थी !

मालूम पड़ा कि पंजाबी पुस्तक भंडार से हो कर आये थे जो कि उस वक्त का बड़ा प्रकाशक था। 'जासूसी पंजा' के अन्तर्गत प्रतिमास उपन्यास लिखने का अनुबन्ध करके आये थे, उजरत चार सौ रुपये मुकर्रर हुई थी और पहले नावल की पूरी एडवांस पेमेंट मिल भी गयी थी।

ढ़ाई सौ से दो सौ साठ होने की गुंजायश नहीं थी, अब फीस सीधे चार सौ हो गयी थी।

"पहला नावल वहां कब छपेगा?"—काम्बोज ने उत्सुक भाव से पूछा।

"उसमें टाइम लगेगा।"

"क्यों?"

"उन लोगों ने एक शर्त रखी है कि चार स्क्रिप्ट वो अपने पास रखेंगे और पांचवीं से मुझे 'जासूसी पंजा' में छापना शुरू करेंगे। चार स्क्रिप्ट का बैंक बना कर रखना इसलिये जरूरी बताते थे ताकि लेखक के कभी न लिख पाने की वजह से प्रकाशन की माहाना रूटीन में विघ्न न आये।"

अब ये बात दीगर है कि प्रकाशक का शर्माजी की चार स्क्रिप्ट्स का बैंक कभी न बना। ट्रेड में ये अफवाह बहुत जल्दी और बहुत तेजी से फैली थी कि शर्मा जी का बड़े प्रकाशक पंजाबी पुस्तक भण्डार से बड़ी उजरत वाला अनुबन्ध हो गया था, नतीजतन कोई कोई प्रकाशक शर्मा जी को चार सौ रुपये से भी ज्यादा की उजरत आफर करने लगा। लेखक को ऐसे प्रॉस्प्रैक्ट्स दिखाई दिये तो वो चकरा गया, बल्कि बौरा गया, वो दायें बायें लेखन की कमिटमेंट्स परोसने लगा और एडवांस कलैक्ट करने लगा।

शर्मा जी ने उसी रवानगी में मूल प्रकाशक वार्ष्णेय को—जिसने उन की छोटी मोटी शुरुआती औकात बनाई थी, 'राजेश' के माध्यम से उन पर फोकस बनने के हालात पैदा किये थे—भी नोटिस दे दिया कि कि वो उनकी उजरत उन के अब स्थापित हो चुके बाजार भाव के मुताबिक बढ़ाये, जो कि वार्ष्णेय को मंजूर न हुआ, और फिर लेखक और प्रकाशन के बीच माहौल तल्ख होने लगा। शर्मा जी ने जहां जहां से भी नयी एडवांस फीस हासिल की थी, वहां वो स्क्रिप्ट सौंपनी शुरू कर दीं जो कि कायदे से उन्हें पंजाबी पुस्तक भण्डार को पहुंचानी चाहिये थीं। नतीजतन जहां उन्होंने चार महीने में चार उपन्यास देने थे, वहां दस महीने में तीन ही दे पाये। इन्तजार से आजिज आकर उक्त प्रकाशक ने एक के बाद एक वो तीन उपन्यास अपनी मासिक पत्रिका 'जासूसी पंजा' में छाप लिये और लेखक से आइन्दा उम्मीद छोड़ दी।

जो कि छूटी ही रही।

लेकिन उक्त प्रकाशक की शर्मा जी को हासिल इतनी तवज्जो ही उन के लिये वरदान बन गयी और उन की आइन्दा उत्तरोत्तर तरक्की के लिये स्टैपिंग स्टोन बन गयी।

शर्मा जी की कमाई में वो बड़ा इजाफा हुआ तो उन के मन में उस चाल जैसे रहन सहन से निकलने की इच्छा जागी। दिल्ली में बेहतर रहन सहन उस बेहतर कमाई में भी मुमकिन नहीं था इसलिये मेरठ शिफ्ट कर जाने की बाबत गम्भीर विचार करने लगे जहां वो जानते थे कि दिल्ली के मुकाबले में कास्ट आफ लिविंग बहुत कम थी—आखिर मूल रूप से मेरठ के ही थे।

उस दौरान मेरे खुद के दो नये लिखे नावलों का सस्पेंस मेरे जेहन में बराबर बना रहा। शर्मा जी से पूछते संकोच होता था कि कहीं खफा न हो जायें और उस बाबत खुद वो कुछ बताते नहीं थे। छः महीने होने को आ रहे थे, पता नहीं उन्होंने कहीं बात की नहीं थी या बात बनी नहीं थी।

फिर एक रोज उन्होंने खुद ही खबर दी कि 'जासूस' के प्रकाशक महेन्द्र प्रताप गर्ग ने मेरे नावल के प्रकाशन में रुचि दिखाई थी, उन्होंने एक नावल की स्क्रिप्ट परखने के लिये उसे सौंप दी थी।

दूसरी स्क्रिप्ट भी खारी बावली के ही एक अन्य प्रकाशक के हवाले कर दी थी।

उस सिलसिले में अब मुझे कोई नतीजा निकलने का, कोई गुड न्यूज मिलने का इन्तजार था।

आखिर मेरा पहला उपन्यास भी तो शर्मा जी के प्रयत्नों से ही छपा था।

कोई नतीजा न निकला, इन्तजार की घड़ियां कभी खत्म न हुईं।

मैन प्रोपोजिज, ओम प्रकाश शर्मा डिस्पोजिज।

युवावस्था (जारी)

(विज्ञापन एक महत्त्वपूर्ण आर्थिक पहलू है क्योंकि
ये माल की बिक्री का सब से बढ़िया जरिया है,
खास तौर से तब जब कि माल एक दम घटिया हो।
—सिंक्लेयर लेविस)

फिर एक अप्रत्याशित घटना घटी।

इन्डियन टेलीफोन इन्डस्ट्रीज में मेरी नौकरी लग गयी।

कोई ढ़ाई-तीन महीने पहले अखबार के सिचुएशन वेकेंट के कालम से पढ़ कर मैंने वहां अर्जी भेजी थी जिस के कोई डेढ़ महीने बाद मुझे वहां से इन्टरव्यू का बुलावा भी आया था। मैनेजर ने इन्टरव्यू लिया था जिस में खास कुछ भी नहीं पूछा था, बस वही कुछ पूछा था जो मेरी अर्जी में पहले से दर्ज था।

और पन्द्रह दिन बाद मुझे चिट्ठी मिल गयी थी कि अप्लाइड पोस्ट के लिये मेरा चयन नहीं हुआ था।

मैं उस सिलसिले को पूरी तरह से भूल चुका था कि एक रोज एक और चिट्ठी आ गयी कि वो नौकरी मुझे आफर की जा रही थी, मैं फौरन आ कर जायन करूं।

मुझे हैरानी हुई। कनफ्यूजन भी हुआ।

एक पोस्ट के लिये रिजेक्ट कर दिये जाने के बाद वो मुझे फिर आफर हो रही थी।

क्या माजरा था।

मैंने पिता को चिट्ठी दिखाई।

"जा।"—उन्होंने एक लफ्ज का जवाब दिया।

अगले रोज सुबह डरता झिझकता मैं दरियागंज मेन रोड पर स्थित आईटीआई के आफिस में पहुंचा और एक कर्मचारी को चिट्ठी दिखाई। उसने मुझे एडमिनिस्ट्रेशन में शर्मा नाम के डीलिंग असिंस्टेंट के हवाले कर दिया।

"जायनिंग लैटर लिखो।"—वो बोला।

"क्या लिखूँ?"

"भई, इस चिट्ठी के हवाले से मैनेजर के नाम नोट लिखो कि तुम्हें नौकरी मंजूर है और तुम आज से जायन कर रहे हो।"

मैंने वो चिट्ठी लिखी।

हाजिरी रजिस्टर में मेरा नाम दर्ज हो गया, मैंने हाजिरी लगा दी और मैं इन्डियन टेलिफोन इन्डस्ट्रीज नाम की पब्लिक अन्डरटेकिंग के दिल्ली रिजनल आफिस में इन्स्पेक्टर ग्रेड बी भरती हो गया।

तनख्वाह दो सौ रुपये माहवार।

फिर मैंने ये भी पूछा कि रिजैक्ट हो जाने के बाद सलैक्ट कैसे हो गया था।

मालूम पड़ा कि जिस लड़के को सलैक्ट किया गया था, उसे डिफेंस के किसी महकमे से भी जॉब आफर मिल गयी थी और वो आफर उसे ज्यादा प्रास्पैक्टिव लगी थी इसलिये उसने आईटीआई की नौकरी जायन नहीं की थी और फिर से वैकेंसी निकाल कर भरती की सारी प्रक्रिया दोहराने की जगह आईटीआई में ये बेहतर माना गया था कि नैक्स्ट कैंडीडेट को बुला लिया जाता।

जो कि मैं था।

मैं, जिसे मूल रूप से उस फटीचर नौकरी के भी काबिल नहीं समझा गया था।

मेरा पिता अपने दोस्तों को, कलीग्स को बताता था कि आखिर—रिपीट, आखिर—लड़के की नौकरी लग गयी थी जो कि वैसी ही माशाअल्लाह थी, जैसा वो खुद था।

पिता का वो मिजाज मेरे लिये कोई नयी बात नहीं थी, गाहे बगाहे वो मुझे मेरी औकात बताते ही रहते थे। एक बार तो बांह पकड़ कर जबरन मुझे बाल्कनी में ले गये थे और मेरी गर्दन थाम कर नीचे चलते बाजार की तरफ घुमाते सख्ती से बोले थे—"उस लड़के को देख!"

जो दिखाया जा रहा था, मैंने देखा।

"तेरी उम्र का है। लेकिन कितनी रौनक है उसकी शक्ल पर! कैसा स्मार्ट लग रहा है, इंटेलीजेंट लग रहा है! और उसी की उम्र का एक तू है जो..."

वगैरह, वगैरह!

"क्यों है तू ऐसा? क्या करता है?"

मैं क्या जवाब देता?

ये कि उस के मां बाप को उसकी कद्र थी, वो लाड प्यार दुलार के जेरे साया पला था। फटकार से, तिरस्कार से उसका कोई वास्ता नहीं था, वो अपने घर में आदर मान सम्मान का अधिकारी था, कोई उसे ये नहीं कहता था कि रात दस बजे घर न आये तो आया ही मत करे।

बहरहाल बात नयी मिली नौकरी की हो रही थी।

आफिस में मैंने अपने जैसे एक कर्मचारी से सवाल किया कि मेरा, इंस्पेक्टर ग्रेड बी का, काम क्या था।

"आईटीआई"—जवाब मिला—"प्राइवेट टेलीफोन एक्सचेंज बनाती है, जो दस लाइन से कई हजार लाइन तक के हो सकते हैं, और टेलीफोन बनाती है। इंस्पेक्टर का काम एक्सचेंज को इंस्टाल करना, मेनटेन करना, टेलीफोन ठीक करना होता है।"

"लेकिन"—मैं घबरा कर बोला—"मुझे ये सब कहां आता है?"

"सीखेगा न ! ट्रेनिंग मिलेगी न !"

"ओह ! ट्रेनिंग मिलेगी।"

लंच के बाद मेरे पर जैसे वज्रपात हुआ।

मुझे बैंगलोर का मूवमेंट आर्डर थमा दिया गया जहां कि कम्पनी का हैड आफिस था और बड़ा कारखाना था जहां मैंने छः महीने उस काम की ट्रेनिंग लेनी थी जो आइन्दा मैंने करना था।

यानी टेलीफोन एक्सचेंज की मशीन को, टेलीफोनों को रिपेयर करना, मेनटेन करना सीखना था।

यानी वो मिस्त्री की नौकरी थी जिस का ग्लोरीफाइड नाम 'इन्स्पेक्टर ग्रेड बी' था।

मेरा जी चाहा मैं हाजिरी रजिस्टर से अपनी हाजिरी काटूं, जायनिंग लैटर वापिस लेकर फाड़ के फेकूं और घर की राह लूं।

मेरी मजाल न हुई।

मैं ऐसा कुछ करता तो मुझ पर पिता का ऐसा कहर टूटता जैसा पहले कभी नहीं टूटा था।

एक ही लड़का, रजिस्टर्ड नालायक, रो धो के नौकरी मिली तो की नहीं।

कैसी विडम्बना थी।

जो नौकरी मैं करना ही नहीं चाहता था, वो मैंने चौंतीस साल की।

मेरी पहली और आखिरी नौकरी।

मैं बैंगलोर चला गया जो कि जालंधर से पांच गुणा लम्बा सफर था।

वहां एक सौ अस्सी दिन मैंने ऐसे काटे जैसे कैदी कैद में अपनी कोठरी की दीवार पर गिनती की लकीरें खींच खींच कर काटता है।

इंगलिश इलैक्ट्रिक कम्पनी में मेरे पिता के प्रभू नाम के एक साउथ इन्डियन उच्चाधिकारी थे जो कि आईटीआई के तद्कालीन जनरल मैनेजर के रिश्तेदार थे। मेरे पिता ने मिस्टर प्रभू से जीएम साहब के नाम मेरे लिये एक सिफारिशी चिट्ठी हासिल की जो मेरे पिता ने इस हिदायत के साथ मुझे सौंपी कि बैंगलौर पहुंच कर, वहां आईटीआई में जायन कर चुकने के बाद मैं जीएम साहब से मिलूं, मिस्टर प्रभु के मुलाहजे से हो सकता था वो मुलाकात मेरे किसी काम आ जाती।

मेरी मजाल न हुई।

जीएम इतनी बड़ी कम्पनी का टॉप बॉस और मैं चपरासी से जरा बेहतर हैसियत वाला मुलाजिम। कैसे वो जुर्रत करता।

दो हफ्ते गुजर गये।

फिर दिल्ली से मेरे साथ गये गर्ग नाम के मेरे जैसे एक ट्रेनी को मैंने उस चिट्ठी के बारे में बताया और ये भी बताया कि फैक्ट्री परिसर में जीएम के आफिस के करीब भी फटकने से मेरा दम निकलता था।

"तू उन के घर चला जा।"—कलीग ने राय दी।

"क्या बोला?"

"अरे, कालोनी में ही उन की सरकारी कोठी है। होस्टल से फैक्ट्री के रास्ते में। शाम को वहां चला जाना। बड़ी हद यही तो होगा कि जीएम साहब मिलने से मना कर देंगे!"

"उन के भतीजे की चिट्ठी है मेरे पास।"

"तो नहीं करेंगे।"

वो बात मुझे जंची।

उस शाम फैक्ट्री से छुट्टी हो जाने के कोई दो घन्टे बाद मैं जीएम साहब की कोठी पर पहुंचा।

जीएम साहब की मिसेज मुझे मिलीं।

मैंने उन्हें अपना नाम बताया और बताया कि मेरे पास साहब के लिये चिट्ठी थी। मेरे मुंह से सीधे ये न निकल पाया कि मैं साहब से मिलने का तमन्नाई बन कर आया था।

मालूम पड़ा कि साहब घर पर नहीं थे।

नाउम्मीद होने की जगह उस खबर से मुझे राहत महसूस हुई।

मैंने चिट्ठी मैडम को सौंपी और खुद को ये समझाते वहां से रुखसत पायी कि जीएम साहब चाहेंगे तो कल अपने आफिस में मुझे बुला भेजेंगे।

ऐसा कोई बुलावा न आया।

न अगले रोज, न फिर कभी।

अलबत्ता सीलबन्द चिट्ठी का सस्पैंस मुझे जरूर रहा कि आखिर उसमें जीएम साहब की तवज्जो के लिये मेरे बारे में क्या दर्ज था।

ट्रेनिंग का—वनवास का—एक महीना गुजरा था कि मुझे अपने पिता की एक चिट्ठी मिली, मिस्टर प्रभू के हवाले से जिसमें दर्ज था कि अगर मैं इंस्पेक्टर ग्रेड बी की छः महीने की अपनी मौजूदा ट्रेनिंग की जगह डेढ़ साल की ट्रेनिंग के लिये वहां रुकना कबूल करूं तो मैं सीधा मौजूदा ग्रेड से दो पायदान ऊपर टैक्नीकल असिस्टेंट ग्रेड बी भरती हो सकता था।

जरूर वो जीएम साहब वाली उस चिट्ठी का असर था जो मैं उन की गैर हाजिरी में उनकी कोठी पर छोड़ कर आया था। मुझे तलब करने की जगह उन्होंने अपने भतीजे मिस्टर प्रभू से सम्पर्क किया था और आईटीआई में मेरे करियर की बाबत वो मशवरा दिया था।

गिन गिन के दिन काटते मैंने सरासर इंकार कर दिया।

और तरक्की का एक नायाब मौका खो दिया।

आईटीआई में मैं सीधा टीएबी भरती हुआ होता तो आफिसर कैडर में बहुत जल्द पहुंच गया होता और फिर आगे तरक्की का कोई ओर छोर ही न होता। अभी मैं परचेज मैनेजर रिटायर हुआ था जो कि ग्रेड थ्री आफिसर होता था, तब कम से कम ग्रेड फाइव तक तो यकीनन पहुंचा होता और मुमकिन था कि रिजनल हैड बन जाता।

ट्रेनिंग खत्म होने के बाद मैं वापिस दिल्ली आफिस पहुंचा और वहां मैंने बताया कि मुझे टीएबी ट्रेनी बनने का मौका मिला था तो हर किसी ने—ब्रांच मैनेजर ने भी—मुझे एक नम्बर का ईडियट करार दिया।

बैंगलोर प्रवास के शुरुआती दौर में लोकल—साउथ इन्डियन—खाने ने मुझे बहुत सताया—वैसे खाने से मैं पूरी तरह से नावाकिफ जो था—इतना कि पहले सात-आठ दिन मैंने तीन टाइम—ब्रेकफास्ट, लंच, डिनर—मक्खन डबल रोटी खाकर गुजारे। चाय की जगह कॉफी का मिजाज बनाने में भी मुझे बहुत टाइम लगा। फिर मजबूरी में धीरे धीरे मैंने कुछ आइटमों की आदत डाली। मैं होस्टल में रहता था जहां का सुबह का नाश्ता डोसा उपमा और काफी होता था। बोर्डर बिना मसाला बारह बारह डोसे ब्रेकफास्ट में खाते थे, मैं दो खाता था और उपमा को हाथ लगाने को राजी नहीं था।

एक बार महाराज ने किचन से बाहर डायनिंग हाल में आ के मेरे को टोका—"उपमा क्यों नहीं खाता?"

मैंने मजबूती से इंकार में सिर हिलाया।

"एक बार खाओ। अच्छा लगेगा।"

मैंने न खाया। आज तक न खाया। प्याज वाला, मीठे की जगह सूजी का नमकीन हलवा। नो!

"डोसा भी खाली दो खाता है! पेट कैसे भरता है?"

"भरता है।"

वहां के खाने के ढंग की एक खास बात की तरफ शुरू में मेरी तवज्जो ही न गयी। वो लोग एक हाथ से खाना खाते थे, दूसरे को झण्डे की तरह खड़ा रखते थे, जब कि मुझे तो दोनों हाथों से खाना खाने की आदत थी।

फिर एक बार होस्टल के प्रॉक्टर ने मुझे टोक ही दिया।

"वाट, सर! यू यूज बोथ हैंड्स!"

"सो?"

"इट लुक्स सो बैड टु अस।"

"वाई ?"

तब वजह मुझे समझाई गयी। उन के यहां खाना एक हाथ से खाया जाता था और दूसरे को सुच्चा रखा जाता था ताकि बाद में सुच्चे हाथ से जूठे हाथ को धोया जा सके। मैं दो हाथ से खाना खाता था तो दोनों हाथों को जूठा कर लेता था। फिर जूठे हाथ धोने के लिये सुच्चा हाथ कहां से आता !

जूठ-सुच की वो नयी व्याख्या थी मेरे लिये।

फिर उन लोगों को राजी रखने के लिये मैंने भी एक हाथ से खाना शुरू किया।

सत्ताइस मई सन् 1964 को, जब कि बैंगलोर रहते अभी मुझे, मुश्किल से तीन हफ्ते हुए थे, भारत के प्रथम प्रधानमन्त्री की हृदयगति रुक जाने से हुई मृत्यु की खबर आयी। तत्काल सारे बैंगलोर शहर में मातम छा गया, दुकानें बन्द हो गयीं, हर काम काज ठप्प हो गया और जल्दी ही ऐसा माहौल बन गया जैसे शहर में कर्फ्यू लगा हो।

तीन दिन वो मातमी सिलसिला चला।

आईटीआई में भी ब्रेकफास्ट, लंच, डिनर का ही इन्तजाम होता था, कोई चाय-कॉफी या सनैक्स की दरकार हो तो बाहर का रुख करना पड़ता था और बाहर सब कुछ मुकम्मल तौर पर बन्द था। कोई जगह थी जो बन्द नहीं थी, व्यावहारिक तौर पर बन्द नहीं हो सकती थी, तो वो रेलवे स्टेशन था। लिहाजा बिटविन मील्स कुछ पीने या कुछ खाने की तलब पूरी करने के लिए तीन दिन मैं नजदीकी कृष्णराजपुरम रेलवे स्टेशन पर जाता रहा।

फिर, जैसा कि अपेक्षित था, सब नार्मल हो गया।

उन तीन दिनों में शिद्दत से मुझे अहसास हुआ कि आखिर साउथ इन्डियन खाना इतना बुरा नहीं था और फिर आगे चल कर वो बाकायदा मुझे पसन्द आने लगा।

बाद में शहर में मैंने कई ऐसी जगह ढूंढ़ ली थीं जहां पंजाबी स्टाइल खाना बमय तंदूर की रोटी मिलता था लेकिन तब तक साउथ इन्डियन खाना ही मुझे इतना अच्छा लगने लगा था कि दाल-सब्जी-रोटी मिल भी रही हो तो मैं रसम-सांभर-चावल को तरजीह देता था।

लेकिन वो चावल मैं कभी न खा सका जो कभी कभार ओवर कुक हो जाता था तो पेस्ट बन जाता था। कैंटीन में जब कभी वैसा चावल परोसा जाता था तो मैं बिना खाये उठ के आ जाता था।

स्टीमिंग हॉट कॉफी को उन दिनों यूं पीना पड़ता था कि बर्तन को मुंह न लगे। रेस्टोरेंट में आप गिलास को मुंह लगा के कॉफी पियेंगे तो गिलास के भी पैसे देने पड़ेंगे।

कहीं ब्राह्मणंस रेस्टोरेंट लिखा हो तो जूठे बर्तन उठा कर धुलाई की जगह कस्टमर को खुद रखने होते थे।

ये सब सन 1964 की बातें हैं। शुक्र है बैंगलौर अब ऐसा नहीं है।

अपने बैंगलौर प्रवास के दौरान मैं अपने दो नावलों की बाबत दरयाफ्त करने की कोशिश में शर्मा जी को कई चिट्ठियां लिखीं लेकिन उन्होंने एक का भी जवाब न दिया। इतना मुझे मालूम पड़ चुका था कि वो मेरठ शिफ्ट कर गये हुए थे जहां छीपी टैंक के इलाके में एक काफी बड़ा किराये का मकान ले कर रह रहे थे।

आखिर बैंगलौर में मेरा ट्रेनिंग शिड्यूल खत्म हुआ और मुझे दिल्ली लौटने का परवाना मिला और मेरा वो बनवास भी खत्म हुआ।

बैंगलौर आने के काफी पहले से शाहदरा के करीब की एक नयी बसती कालोनी कृष्णा नगर में हमारे मकान की तामीर शुरू हो चुकी थी और मेरी गैरहाजिरी में मुकम्मल भी हो चुकी थी लेकिन मेरे घर वाले अभी शाहदरा में ही रह रहे थे क्योंकि मेरे आने पर नये आवास में शिफ्ट करना चाहते थे।

नवम्बर 1964 को दीवाली के दिन से हमने उस नये घर में रहना शुरू किया और यूं शाहदरा से हमारा सोलह साल का नाता टूटा।

मैं काम्बोज से मिला तो मालूम पड़ा कि उसने लाल किला दुकान पर जाना बन्द कर दिया हुआ था और अब होल टाइम राइटर बन गया हुआ था। नावल की उस की फीस काफी बढ़ गयी थी और अब वो किसी एक प्रकाशक का मोहताज नहीं रहा था। वैसे नियमित रूप से 'जासूसी फंदा' में लिखता था लेकिन अन्य प्रकाशनों में भी उस के उपन्यास अक्सर छपते थे।

सत्यपाल वार्ष्णेय के प्रकाशन को ओम प्रकाश शर्मा भी छोड़ चुके थे और वो भी 'जासूसी फंदा' की सहयोगी पत्रिका 'तारा' में लिखते थे। प्रकाशन का नाम रतन एण्ड कम्पनी था और मालिक का नाम नरेन्द्र गुप्ता था जो कि 'फिल्मी दुनिया' नाम की एक फिल्म मैगजीन भी छापता था। नौजवान था, कालेज ग्रेजुएट था और वैसे प्रकाशन ट्रेड के दुर्लभ प्राणियों में से था जो कि पढ़े लिखे थे। दोनों लेखक उसके लिये नियमित रूप से लिखते थे और अपनी क्षमता के अनुसार दांये बायें, जहां दांव लगता था, भी लिखते थे।

मैंने शर्मा जी से मिलने की इच्छा प्रकट की तो काम्बोज फौरन मेरे साथ मेरठ चलने को तैयार हो गया। उसी ने बताया कि वो तो मेरठ जाता ही रहता था, बल्कि जितना पहाड़ी धीरज जाता था उस से ज्यादा मेरठ जाता था।

दोपहर के करीब हम मेरठ, शर्मा जी के घर पहुंचे।

अपने पुराने दस्तूर के मुताबिक वहां भी काम्बोज खाली हाथ नहीं गया था।

मालूम पड़ा कि शर्मा जी तो दिल्ली गये हुए थे।

"इन्तजार कर लेते हैं उन के लौटने का।"—काम्बोज ने मेरी खातिर कहा।

मुझे क्या एतराज होता! मैंने तो नयी नयी नौकरी से छुट्टी ही इसी काम के लिये ली थी।

इन्तजार हमने शर्मा जी के घर में न किया, काम्बोज की सलाह पर बेगम पुल पर स्थित एक बार में किया।

चार घन्टे हमने कहां गुजारे जिस दौरान काम्बोज ने पांच लार्ज पैग विस्की पी। पुरइसरार उसने मुझे कहा कि मैं विस्की नहीं तो बीयर ही पी लूं लेकिन मैं तैयार न हुआ।

तब मुझे मालूम हुआ कि मेरे पीछे काम्बोज और भी हैवी ड्रिंकर, हैवी स्मोकर बन चुका था और ड्रिंक्स के मामले में उसे दिन में दो या तीन शिफ्ट लगाने से भी कोई गुरेज नहीं था।

उसका वो लाइफ स्टाइल ही इस बात की तरफ पर्याप्त इशारा था कि लेखन से वो बहुत अच्छे पैसे कमाने लगा था।

उस रोज शर्मा जी से हमारी मुलाकात न हो सकी।

मेरठ जाने का मुझे इतना ही फायदा हुआ कि मैं शर्मा जी के नये आवास से वाकिफ हो गया और परिवार से राम सलाम हो गयी।

बाद में शर्मा जी से मुलाकात हुई, स्क्रिप्ट्स की बात हुई तो उन्होंने भी चिन्ता व्यक्त की और कहा कि अगली बार जब भी दिल्ली जायेंगे उस बाबत वो दोनों प्रकाशकों से जरूरत बात करेंगे।

अगली बार क्या, वो कई बार दिल्ली गये, लेकिन किसी भी बार उन्होंने उस बाबत कुछ न किया।

आखिर 'जासूस' कार्यालय में मैं खुद गया और प्रकाशक से मिला।

"स्क्रिप्ट हमारे पास कहां है!"—उसका टका सा जवाब था—"वो तो शर्मा जी ले गये थे?"

मैंने वो बात शर्मा जी को बताई।

उन्होंने उस बात को झूठ करार तो दिया लेकिन कभी उस प्रकाशक का मुंह पकड़ने की कोशिश न की।

दूसरा प्रकाशक मेरे साथ यूं पेश आया जैसे मैं गऊशाला से चन्दा मांगने आया था। डांट कर बोला—"जो कहता है स्क्रिप्ट दी थी, उसी को बोलो आ कर बात करे।"

उसको और कितना बोलता !

आज इस बात को पचास साल से ऊपर हो चुके हैं, उन दोनों स्क्रिप्ट्स की सूरत देखना मेरे को कभी नसीब न हुआ। अलबत्ता 'जासूस' कार्यालय वाली स्क्रिप्ट ने कई बार सिर उठाया और ये साबित किया कि मालिक गर्ग झूठ बोलता था, उसने न सिर्फ स्क्रिप्ट लौटाई नहीं थी, वो सही सलामत उसके पास मौजूद थी। सबूत ये था कि जब बतौर लेखक मेरा नाम हो गया था तो उसने स्क्रिप्ट को अपनी प्रापर्टी बता कर बेचने की कोशिश की थी। कोई भी प्रकाशक उसको खरीदने को फौरन तैयार हो जाता था लेकिन जब उसे पता चलता था कि कापीराइट अधिकारों से सम्बन्धित लेखक का कोई रसीद पर्चा उपलब्ध नहीं था तो वो पीछे हट जाता था। गर्ग का ज्यादा चतुर सुजान बेटा कहता था कि वो लिख के देने को तैयार था कि वो कापीराइट होल्डर था लेकिन उसकी भरपूर कोशिशों के बावजूद कोई प्रकाशक न फंसा।

लोग उस के पिता से—महेन्द्र प्रताप गर्ग से, जो कि धन्धे से रिटायर हो चुका था—सवाल करते थे तो वो रुखाई से जवाब देता था—"मेरे को याद पड़ा है इतने साल पहले क्या हुआ था ! जब स्क्रिप्ट हमारे पास है तो जाहिर है कि पेमेंट भी हुई होगी ! इतने सालों में रसीद इधर उधर हो गयी तो क्या करें?"

बेशर्मी की हद तो तब हो गयी जब कि सुपुत्र ने मेरी स्क्रिप्ट, जो कि चोरी की आइटम का दर्जा रखती थी, स्टोलन प्रापर्टी का दर्जा रखती थी, मुझे ही बेचने की कोशिश की।

दूसरी स्क्रिप्ट का तो कोई अता पता नहीं, वो स्थायी रूप से गायब है लेकिन ये, 'जासूस' कार्यालय वाली न मुझे मिलने वाली है, न मेरा पीछा छोड़ने वाली है। जिसके कब्जे में है, उसे मेरे मरने का इन्तजार है, तब एतराज करने वाला कोई न होगा और कोई न कोई प्रकाशक उस नावल को छाप लेगा।

ये सारा बखेड़ा किस लिये?

खुदा उन्हें जन्नतनशीन करे, क्योंकि शर्मा जी को इस बाबत कुछ करना कुबूल न हुआ। उन्हें इस बारे में प्रकाशक से रूबरू बात करना कबूल न हुआ, उसका मुंह पकड़ना कबूल न हुआ जो 'स्क्रिप्ट शर्मा जी ले गये थे' कहता था।

ऐसा ही एक वाकया उन दिनों और भी गुजरा था लेकिन उसमें ओम प्रकाश शर्मा का नहीं, वेद प्रकाश काम्बोज का दखल था। काम्बोज वैसे तो हमेशा ही

मेरे उस धन्धे में कदम पड़ने के खिलाफ था लेकिन एक बार पता नहीं कैसे उस का मिजाज बदला था और उसने एक प्रकाशक से मेरा उपन्यास छापने के लिये सिफारिश की थी। ये बात दीगर थी कि प्रकाशक न तीन में था, न तेरह में। धन्धे में उस की खुद की ही कोई हैसियत नहीं थी, वो मेरा नावल छापता तो मेरी क्या हैसियत बनाता ! लेकिन वो कहते हैं न कि बैगर्स आर नाट चूजर्स। लिहाजा काम्बोज की मार्फत उस प्रकाशक को मैंने अपनी एक स्क्रिप्ट बिना कोई उजरत हासिल किये, बिना कोई उजरत मुकर्रर किये सौंपी।

प्रकाशक का नाम दुआ था, बर्मा शैल में पक्की नौकरी करता था, बावजूद इसके प्रकाशक भी था और कमल अरोड़ा के छद्म नाम से लेखक भी था। गुटबाजी का शौकीन था इसलिये साधना प्रतापी, एस.एन. कंबल, राज भारती, जैसे तब के लेखकों के साथ उसका रेगुलर उठना बैठना था।

उन दिनों स्क्रिप्ट का जो कुछ होना होता था, एक महीने में हो जाता था लिहाजा जब ढ़ाई महीने में भी वहां से मेरी स्क्रिप्ट का कुछ न हुआ तो मैं चिन्तित हो उठा। मैंने काम्बोज से बात की तो वो बोला कि नये लेखक के साथ ऐसा हो जाना आम बात थी इसलिये मैं और इंतजार करूं।

एक महीना और गुजर गया।

मेरी चिन्ता दोबाला होने लगी, अन्देशों में तब्दील होने लगी।

मुझे मालूम था कि बर्मा शैल का रेगुलर मुलाजिम होने की वजह से प्रकाशक—दुआ—सारा दिन कनाट प्लेस स्थित अपने आफिस में होता था। एक बार मैंने उसे वहां फोन किया तो काल तो लगी लेकिन वो बात न हुई जो मैं करना चाहता था, पहले ही उसने मुझे जता दिया कि आफिस में ऐसी काल्स रिसीव करना वो पसन्द नहीं करता था और फोन बन्द कर दिया।

मैंने बहुत तौहीन महसूस की।

उस शख्स से मेरी कोई बाकायदा वाकफियत तो थी नहीं, बस नाम सुना था और एकाध बार कभी कहीं सूरत देखी थी। स्क्रिप्ट भी मैंने काम्बोज को सौंपी थी और मुझे खबर नहीं थी कि वो आगे प्रकाशक तक कैसे पहुंची थी।

मेरे धीरज का प्याला छलकने लगा तो आखिर मैंने काम्बोज से बात की और निर्णायक भाव से उससे कहा कि वो मेरी स्क्रिप्ट वापिस दिलवा दे।

यहां काबिलेगौर, काबिलेजिक्र बात यही है कि जवाब में काम्बोज ने मुझे 'देखूंगा', 'पता करूंगा', 'मिलेगा तो पूछूंगा' जैसे वैसे टालू जवाब न दिये जैसे मुझे ओम प्रकाश शर्मा से हासिल होते थे।

"कल इतवार है"—पूरी जिम्मेदारी के साथ काम्बोज बोला—"दुआ के घर चलते हैं।"

"घर मालूम है?"—मैंने सन्दिग्ध भाव से पूछा।

"हां। सब्जी मंडी में घंटाघर के पास है। नम्बर-वम्बर याद नहीं लेकिन रास्ता याद है। सुबह सवेरे ही पहुंच लेंगे ताकि कहीं चल न दे।"

अगले दिन सुबह नौ बजे के करीब हम दुआ के घर पहुंच गये।

दुआ बड़े प्रेमभाव से, बगलगीर हो कर काम्बोज से मिला, आमद पर हैरानी जाहिर की, खुशी जाहिर की, मेहमान के लिये और भी जो लिफाफेबाजी की जा सकती थी, की और उस दौरान मेरी तरफ झांका भी नहीं।

काम्बोज को भी उस बात का अहसास हुआ, उसने अर्थपूर्ण भाव से उसे जताया—"ये पाठक साहब हैं।"

"हां। हां।"—प्रकाशक ने एक जहमतभरी निगाह मेरे पर डाली और बोला—"तुम भी बैठो, भई।"

मैं 'भी' बैठूं! यानी काम्बोज ने मेरी बाबत खास न जताया होता तो उसने वो भी कहना जरूरी न समझा होता।

फिर 'कैसे आये' जैसे सवाल हुए।

"पाठक की स्क्रिप्ट तुम्हारे पास है।"—काम्बोज बोला—"काफी टाइम से है। अगर छापने का मन नहीं बन रहा तो लौटा दो।"

"स्क्रिप्ट!"

"हां। मेरी मार्फत पहुंची थी न तीन-चार महीने पहले!"

"हां, याद तो पड़ रहा है। होगी तो यहीं कहीं होगी। देखता हूं।"

उसने इधर उधर हाथ मारे और आखिर रद्दी अखबारों में ढेर में से—जो कबाड़ी के फेरे के इन्तजार में पड़े होते हैं—स्क्रिप्ट बरामद की।

"देखो, ये तो नहीं है?"—वो मेरे से बोला।

"यही है।"—मैंने तसदीक की।

"ले लो।"

मैंने ये सोचते हुए ले ली कि हमारे से पहले कबाड़ी का फेरा लग गया होता तो स्क्रिप्ट का क्या होता!

बारह आने किलो के भाव अखबारों के साथ तुल के कबाड़ी के कबाड़ के साथ कबाड़ बन गयी होती।

ये कद्र की नवोदित लेखक सुरेन्द्र मोहन पाठक की उस से भी खस्ताहाल प्रकाशक-कम-लेखक दुआ उर्फ कमल अरोड़ा ने।

कोई सॉरी नहीं, कोई रिग्रेट नहीं, न छापी होने की कोई वजह नहीं, सफाई नहीं।

मालेमुफ्त दिलेबेरहम।

फिर भी मैंने खैर मनाई कि इतिहास ने अपने आप को न दोहराया; काम्बोज ने जिम्मेदारी दिखाई, निभाई, स्क्रिप्ट मिल गयी।

अन्त भला सो भला।

□

बंगलौर से दिल्ली आ कर मैं नौकरी की रूटीन में पड़ा तो मुझे अहसास हुआ कि वो उतनी खराब नहीं थी जितनी मैं उसे मान कर चल रहा था। तनखाह चिड़िया का चुग्गा थी जिस पर मेरा जोर नहीं था लेकिन जॉब रिक्वायरमेंट ऐसी थी कि काम कम था, इत्मीनान ज्यादा था। सारे दिन में एकाध फाल्ट देखने को जाना पड़ता था जो कई बार तो पांच मिनट में दुरुस्त हो जाता था और फिर बाकी दिन की मौज थी। कुछ ट्रिक्स आफ ट्रेड मैं जल्दी सीख गया था। मसलन एक्सचेंज का फाल्ट कई बार सिर्फ इतना होता था कि कोई फ्यूज उड़ा होता था लेकिन फाल्ट डॉकेट पर कहानी यही बनाई जाती थी कि फाल्ट तीन घन्टे में पकड़ में आया था और दो घन्टे मशीन को अन्डर आब्जर्वेशन रखना पड़ा था ताकि सुनिश्चित हो कि पीठ फेरते ही वो फिर नहीं बिगड़ जाने वाली थी। नतीजतन मेरे पास इतना काफी टाइम होता था कि मैं 'फिल्मी दुनिया' में 'बात की बात' शीर्षक एक माहाना कालम लिखने लगा था और उपन्यास लिखने की तरफ भी फिर तवज्जो देने लगा था। 'फिल्मी दुनिया' में लिखता होने की वजह से नरेन्द्र गुप्ता से ताल्लुकात तो बन ही गये थे, लिहाजा उससे मैं नावल छापने

को बोलता था तो वो दो टूक इंकार नहीं करता था, अनमना सा जवाब दे देता था—"लिखो। देखेंगे।"

कामबोज से मेरी यारी बरकरार थी इसलिये उसका साथ भी बरकरार था। नरेन्द्र गुप्ता को थोड़ा सा लिहाज इस बात का भी था कि पाठक उसके स्थायी लेखक का दोस्त था।

तब तक मेरठ का फिर चक्कर लग गया था और शर्मा जी से भेंट हो गयी थी। वो मेरठ शिफ्ट करके बहुत खुश थे। उन की पत्नी भी अपनी ज़ुबानी कबूल करती थी कि मेरठ आने से तो उन के भाग ही बदल गये थे।

शर्मा जी के पांच पुत्र और दो पुत्रियां थीं जिनमें से सबसे बड़ा पुत्र महेन्द्र दिल्ली में ही स्कूल ड्रॉप-आउट था, बाकी सब मेरठ में पढ़ने लगे थे। महेन्द्र के लिये शर्मा जी ने ये इन्तजाम किया था कि उसे कबाड़ी बाजार में एक दुकान ले दी थी और वो पुस्तक विक्रेता बन गया था। अपने रसूख से शर्मा जी ने दिल्ली के कुछ प्रकाशनों की उसे मेरठ की सोल एजेन्सी दिलवा दी थी और वो उन प्रकाशनों का सारे मेरठ और मेरठ कैंट के दुकानदारों का सप्लायर बन गया था।

तब मेरठ में एक जैन फैमिली थी जिन का मेन धन्धा रोडवेज के बुक स्टालों का ठेका लेना था। उनके पास मेरठ, दिल्ली, हापुड़, बुलन्दशहर के रोडवेज के बुकस्टाल थे, वे सात आठ भाई थे जो उन बुक स्टाल्स को चलाते थे। उन्हीं के एक रिश्तेदार नरेश चन्द जैन थे जिन का शर्मा जी के यहां आना जाना बन गया था और उन की वजह से और भी कई लोकल लोग शाम को शर्मा जी की हाजिरी भरने लगे थे।

शर्मा जी उन लोगों को इसलिये मुंह लगाते थे क्योंकि उन की नैक्स्ट मूव ये थी कि मेरठ में कोई वैसे लुग्दी पेपर पर छपने वाले उपन्यासों का प्रकाशन शुरू करता जैसे कि वो लिखते थे। ऐसा कुछ हो जाता तो प्रकाशन के लिये उन की दिल्ली की दौड़ बन्द न हो जाती तो कम जरूर हो जाती।

तब तक काम्बोज की उन से यारी और, इतनी मजबूत हो गयी थी कि काम्बोज उन से मिलने मेरठ जाता था तो कई कई दिन वहीं रहता था। शाम को बोतल खुलती थी जिसमें शरीक होने और लोग भी जमा हो जाते थे और रोज ही बाकायदा जश्न का माहौल बन जाता था जिस में दिल्ली का कोई लेखक या प्रक।शक भी शामिल होने पहुंच जाता था। उन दिनों बसों की आज जैसी आल नाइट सर्विस नहीं होती थी, रात नौ बजे के बाद बस मिलना मुहाल होता था इसलिये अक्सर ऐसा होता था कि दिल्ली के मेहमान अगली सुबह ही वापिस लौटते थे।

ऐसे माहौल में शर्मा जी ने एक जैन बन्धु को आखिर प्रकाशक बनने के लिये तैयार कर ही लिया।

शर्मा जी की सदारत में—या यूं कहें कि उन की बातों में आकर—नरेश चन्द जैन ने 'जासूसी खोज' का प्रकाशन शुरू किया।

यूं शर्मा जी की ये मूव भी कामयाब हुई।

और आने वाले दिनों में ऐसी मल्टीप्लाई हुई कि एक वक्त ऐसा आया कि मेरठ में दिल्ली से पांच गुणा ज्यादा पल्प लिटरेचर के प्रकाशक पैदा हो गये।

दिल्ली में जासूसी उपन्यास लेखक बनने की मेरी स्ट्रगल जारी थी जिसमें शर्मा जी से मदद की कोई उम्मीद करना तो बेकार था क्योंकि वो दिल्ली के वासी नहीं रहे थे, काम्बोज से भी मुझे कोई मदद हासिल नहीं थी।

नाम होते ही काम्बोज में जो खास तब्दीली आयी थी वो ये थी कि अपने प्रकाशक का वो कोई अहसान नहीं मानता था, उलटे प्रकाशक पर अहसान जताता था कि वो खुद को खुशकिस्मत माने की वो उसके लिये लिख रहा था वर्ना दूसरे प्रकाशक तो ज्यादा फीस भरकर उसका उपन्यास छापने को तैयार थे।

ऐसा एक प्रकाशन बुद्धिमान प्रकाशन था जिसके मालिक चुन्नी लाल पाहवा थे और जिन का करोलबाग में आफिस था। वहां काम्बोज का एकाध नावल ही छपा था कि वो 'जासूसी फन्दा' के प्रकाशक नरेन्द्र गुप्ता को हूल देने लग गया था कि दूसरी जगह उसे ज्यादा पैसे मिलते थे, वो भी उसकी फीस बढ़ाये।

काम्बोज की यही आदत, यही ढ़िठाई आखिर उसका वाटरलू बनी थी लेकिन वो किस्सा अभी आगे।

काम्बोज से फीस को लेकर तनातनी के दौर में एक बार नरेन्द्र गुप्ता ने मेरे से पूछा कि क्या मैं जासूसी उपन्यासों की ऐसी सीरीज तैयार कर सकता था जिसके उपन्यासों को एक सूत्रों में पिरोने वाली कोई चौंका देने वाली, कोई चमत्कारी बात हो!

वो क्या चाहता था, मेरी समझ में भी नहीं आया था लेकिन मैंने हामी भर दी। जवाब मिला कि उपन्यास मैं तैयार करूं लेकिन ये सोच के तैयार करूं कि छपने की कोई गारन्टी नहीं थी।

वाह!

क्या किस्मत पायी थी एसएम पाठक नाम के स्ट्रगलिंग लेखक ने!

पहला नावल यूं छपा जैसे प्रकाशक की बांह मरोड़ कर छपवाया गया हो।

अगले दो छपे ही नहीं। न सिर्फ छपे नहीं, स्क्रिप्ट भी हाथ से निकल गयी।

अब इस ताकीद के साथ नावल लिखने की पेशकश थी कि छपने की कोई गारन्टी नहीं थी।

फिर भी नावल मैंने लिखा जो कि सुनील का ही दूसरा कारनामा था, नाम 'समुद्र में खून' रखा और स्क्रिप्ट प्रकाशक को सौंपी।

यहां यूअर्स ट्रूली पर 'वन मैंस फूड इज अदर मैंस प्वायजन' वाली मसल चरितार्थ हुई।

'जासूसी फंदा' के स्थायी लेखक वेद प्रकाश काम्बोज का प्रकाशन से इतना ज्यादा मतभेद खड़े पैर हो गया कि उसने उसके लिये नावल लिखने से इंकार कर दिया।

तब प्रकाशक की मासिक पत्रिका की साइकल न टूटने देने की मजबूरी के तहत 'जासूसी फंदा' के मई 1965 के अंक में मेरा दूसरा उपन्यास 'समुद्र में खून' छपा जिसके लेखक को 125 रुपये मिले और टाइटल भी न बनाना पड़ा।

यानी मेरे दो प्रकाशित नावलों के बीच उन्नीस महीने का गैप था।

लेकिन किसी मुकाम तक पहुंचने के मामले में एसएम पाठक के लिये दिल्ली अभी दूर थी।

काम्बोज तो प्रकाशक को अपना मोहताज मान कर चल रहा था, उसने जब देखा कि प्रकाशक ने तो उसकी डिमांड के आगे झुकने की जगह अपना नया इन्तजाम कर लिया था तो वो बौखला गया। नतीजतन उसने आनन फानन प्रकाशक से सुलह कर ली।

तब मेरा अगला नावल प्रकाशक के हवाले था और वो जोर शोर से प्रिंटिंग की प्रक्रिया से गुजर रहा था। उसके चार फार्म कम्पोज हो चुके थे और मैं उसके प्रूफ भी पढ़ चुका था जब कि प्रकाशक ने मुझे फोन करके बुलाया। प्रकाशक का आफिस भी दरियागंज में ही था इसलिये पांच मिनट में मैं उसके पास ये सोचता पहुंच गया कि वो कोई गुड न्यूज मुझे सुनाना चाहता था, कोई नयी पेशकश मेरी नजर करना चाहता था लेकिन उसने तो मनहूस खबर दी, कहा कि वो मेरा नावल—जो आधा कम्पोज हो चुका था—छापने में असमर्थ था क्योंकि उसके पास काम्बोज की स्क्रिप्ट आ गयी थी।

यानी उसकी काम्बोज से सुलह हो गयी थी।

मैंने वही कहा जो कहना बनता था। कहा कि खुशी कि बात थी कि उसका रूठा लेखक मान गया था, वो बाखुशी उसका नावल छापे लेकिन मेरा नावल जो प्रिंटिंग प्रॉसेस में था, प्रकाशन की राह पर था, उसको तो छप जाने दे।

उसे वो बात कबूल न हुई। बोला—"हम तुम्हारे एक नावल के लिये काम्बोज से नहीं बिगाड़ सकते, उसे नाराज नहीं कर सकते।"

मैं और हैरान हुआ।

"मेरा एक, सिर्फ एक नावल छपने से वो नाराज होगा?"—मैंने पूछा।

"हां। साफ बोला वो ऐसा। बोला, सुलह की शर्त के तौर पर बोला, पाठक का नावल छापोगे तो मैं तुम्हारे लिये नहीं लिखूंगा।"

कानों पर विश्वास न हुआ कि मेरे जिगरी दोस्त ने ऐसा कहा था।

जिन पे तकिया था, वही पत्ते हवा देने लगे।

मेरी छपती स्क्रिप्ट मुझे वापिस मिल गयी और उसकी जगह काम्बोज का नावल छपा।

मैंने काम्बोज से इस बाबत सवाल किया तो वो साफ मुकर गया। बोला, उसका नावल मिल जाने की वजह से वो ही मेरा नावल छापने का इच्छुक नहीं रहा था इसलिये उसने बात उस पर थोप दी थी ताकि खुद उस को बुरा न बनना पड़े।

यार था, उस की बात पर विश्वास करना मेरा फर्ज था, फिर बात यकीन में आने के काबिल थी, लिहाजा मैंने यकीन किया कि प्रकाशक ने ही सजती सी कहानी कर दी थी, काम्बोज ने ऐसा कुछ नहीं कहा था।

फिर काम्बोज ने मुझे और तरीके से आश्वासन दिया।

कहा कि मैं टाइटल बनाने पर ही जोर रखूँ, वो ही मेरे को इतना काम दिलवा देगा कि मेरे से हैंडल नहीं हो पायेगा।

यानी मैं लेखक बनने का खयाल छोड़ दूं और आर्टिस्ट बनने पर जोर दूँ।

वो सच में ही मुझे टाइटल पेंटिंग का काम दिलाने लगा। अपने अन्य प्रकाशकों के आगे बाकायदा शर्त रखने लगा कि उसका नावल छापें तो टाइटल पाठक से बनवायें।

तदोपरान्त लेखक प्रकाशक में—वेद प्रकाश काम्बोज में और 'जासूसी फंदा' के प्रकाशन नरेन्द्र गुप्ता में—फिर गाढ़ी छनने लगी। प्रकाशक बाकायदा लेखक को पैम्पर करने लगा, मस्का मारने लगा।

'फिल्मी दुनिया' का सम्पादक होने की अपनी हैसियत में वो प्रैस क्लब का मेम्बर था जहां कि बार था। बार उन दिनों दिल्ली में दुर्लभ शै थी। आज अकेले क्नाट प्लेस में दो सौ से ज्यादा बार हैं तब बार या क्लबों में होते थे या फाइव स्टार होटलों में जो कि तब दिल्ली में गिनती के ही थे।

एक शाम नरेन्द्र गुप्ता काम्बोज को प्रैस क्लब के बार में ले कर गया तो काम्बोज का पुछल्ला होने की अपनी हैसियत में मैं भी उनके साथ था। तब पहली बार मैंने प्रैस क्लब की—किसी भी क्लब की—शक्ल देखी थी। नरेन्द्र गुप्ता प्रैस क्लब का मेम्बर तो था लेकिन वहां जाने पर ही हमें अहसास हुआ कि वो वहां के तौर तरीकों से पूरी तरह से वाकिफ नहीं था।

जैसे तब सामने आया कि सिवाय शानिवार के, यानी हफ्ते में एक बार के, बार सर्विस मेहमान को हासिल नहीं थी। हम जाकर बाहर नीमअन्धेरे लान के एक कोने में बैठे, वेटर आया, नरेन्द्र गुप्ता ने उसे दो ड्रिंक्स का आर्डर दिया क्यों कि तब अभी मैं इस नियामत (!) से दूर था। वेटर ने सविनय बताया कि वो दो

ड्रिंक्स नहीं ला सकता था क्योंकि गैस्ट के लिये बार सर्विस सिर्फ शनिवार को उपलब्ध थी और उस रोज शनिवार नहीं था।

हमारे होस्ट ने वेटर को 'अच्छी टिप' का लालच दिया लेकिन वेटर सविनय उस विषय में अपनी असमर्थता जताता रहा।

"मेरे लिये तो ला सकता है न !"—नरेन्द्र गुप्ता ने झुंझला कर पूछा।

"जी हां। जरूर। फौरन। आप तो मेम्बर हैं ! आपके लिये क्यों नहीं !"

नरेन्द्र गुप्ता ने उसे एडवांस टिप दी और कहा—"ठीक है, एक ड्रिंक मेरे लिये ले कर आ। उसके बाद इतना तो कर सकता है कि यहां जल्दी जल्दी फेरा लगाये?"

"जी हां। जरूर।"

"शुक्रिया। ले के आ।"

हम दो घन्टे वहां बैठे। वेटर हर बार में एक ड्रिंक लाया जो उन दो जनों ने शेयर कर के पी। यानी पहला ड्रिंक काम्बोज ने पिया तो प्रकाशक मुंह देख रहा था, दूसरा प्रकाशक ने, मेजबान ने पिया तो काम्बोज उसका मुंह देख रहा था।

ये सन् 1965 की बात है, तब शनिवार को बार सर्विस के लिये गैस्ट से फीस चार्ज होती थी जो कि तब दो रुपये थी। अब वो फीस साठ रुपये है और हर रोज शाम को गैस्ट इतने होते हैं जितने कि मेम्बर नहीं होते।

यानी प्रैस क्लब खुल्ला दरबार है, बस, आप का खाली किसी एक मेम्बर का वाकिफ होना काफी है, भले ही वो साथ न हो।

वेटर जब छः ड्रिंक्स सर्व कर चुका तो उसने और ड्रिंक्स ला पाने में असमर्थता जताई। वजह ये बताई कि बारमैन पहले ही शक करने लगा था कि ऐसा कौन सा मेम्बर था जो दो घन्टे में छः पैग पी चुका था। वेटर का कहना था कि अब आगे बारमैन इस बाबत मैनेजमेंट से शिकायत कर सकता था। लिहाजा उन दोनों को उस ड्रिंकिंग सैशन का समापन करना पड़ा।

तब तक जो छः लार्ज पैग सर्व हुए थे उस में से दो प्रकाशक ने पिये थे और चार उसके स्टार लेखक ने पिये थे। लेखक अभी और पीना चाहता था लेकिन सामने आयी मजबूरी के तहत उसे मन मार कर क्विट करना पड़ा था।

जल्दी अच्छे पैसे कमाने लगने से ये खास लानत काम्बोज के पल्ले पड़ी थी कि उसे डे ड्रिंकिंग से कोई परहेज नहीं था। तफरीहन घर से बाहर होता था तो दोपहर से पहले ही घूंट लगा लेने का जुगाड़ करने लगता था। पूरे दिन की तफरीह के इरादे से घर से निकला हो तो मेरी आफिस से जबरन छुट्टी कराता था और मैं सारा दिन पतंग के साथ डोर की तरह उसके साथ होता था।

ऐसे एक दिन उसका—हमारा—पहला पड़ाव करोलबाग में बुद्धिमान प्रकाशन का दफ्तर था जहां कि 'बुद्धिमान जासूस' के तहत उसके नावल छपते

थे। मालिक चुन्नीलाल पाहवा खुशमिजाज थे, काम्बोज के कद्रदान थे लेकिन उम्रदराज शख्स थे और नानड्रिंकर थे जबकि नरेन्द्र गुप्ता हमारा हमउम्र था। ऐसे शख्स के यहां वेद का ड्रिंक करना बनता नहीं था लेकिन वो बाज नहीं आता था। वो खुद प्रकाशक के पास बैठता था और मुझे ब्रांड बता कर पव्वा लेने कनाट प्लेस भेजता था जहां के लिये कि फोर सीटर आराम से उपलब्ध होता था।

तब सर्दियों के दिन थे और ठेके सुबह ग्यारह बजे खुलते थे। मद्रास होटल के सामने की एक दुकान पर जब मैं पहुंचा तो अभी वहां ग्राहकों की आमदरफ्त शुरू नहीं हुई थी और सूटबूटधारी मालिक बाहर खड़ा धूप का आनन्द ले रहा था। ग्राहक आया जान कर वो खुद मेरे से मुखातिब हुआ—"यस, सर!"

सर! सर बोला वो मेरे को। शायद उस अप्रत्याशित सम्मान ने ही एक क्षण के लिये मेरा भेजा हिला दिया और मेरे मुंह से निकला—"क्वार्टर, ब्लैक एण्ड वाइट।"

तत्काल मालिक के चेहरे पर सम्मानसूचक भाव आये—आखिर सुबह सवेरे स्कॉच विस्की का ग्राहक आ गया था—वो बोला—"सेवेंटी टू रूपीज, प्लीज।"

बहत्तर रुपये!

तौबा! क्या निकल गया था मेरे मुंह से! ब्लैकनाइट बोलना था, ब्लैक एण्ड वाइट बोल दिया था।

"सॉरी!"—मैं खिसियाता सा बोला—"ब्लैक नाइट का क्वार्टर!"

तत्काल मालिक के चेहरे से सम्मान के भाव गायब हुए।

"पीना सीख लिया इतनी जल्दी!"—वो कर्कश स्वर में बोला—"जबकि अभी विस्की का ठीक से नाम लेना भी नहीं सीखा!"

"मैं नहीं पीता, जनाब, मैं तो...मैं तो बस..."

उसे न मेरी बात पर यकीन आया, न मेरी पूरी बात उसने सुनी। उसने घूम कर उच्च स्वर में सेल्समैन को आवाज लगाई—"ओये फलाने! ब्लैक नाइट का पव्वा दे बाउ को। साढ़े आठ रुपये!"

पव्वा काबू में करके मैं यूं वहां से खिसका जैसे कोई चोर चोरी करके खिसकता है।

वो पव्वा काम्बोज ने अपने प्रकाशक पाहवा साहब के सामने बैठ कर पिया। काम्बोज की उस हरकत से पाहवा साहब साफ साफ अनकम्फर्टेबल लग रहे थे लेकिन नहीं टोक सकते थे, नहीं नाराज कर सकते थे अपने लेखक को। रह रह कर वो सारस की तरह गर्दन निकाल कर हमारी—मेरी और काम्बोज की—पीठ पीछे खुले शटर के पार सड़क पर झांकते थे जिस की वजह मुझे बाद

गों मालूम हुई—वो मनीआर्डर्स ले कर पोस्टमैन के आने का वक्त होता था, वो नहीं चाहते थे कि पोस्टमैन वो नजारा करता।

पाहवा साहब की परेशानी से बेपरवाह काम्बोज ने इत्मीनान से पव्वा खत्म किया और फिर उन से विदा ली।

गनीमत हुई कि तब पोस्टमैन—या कोई भी और—नहीं आया था।

वो इकलौता वाकया नहीं था जब कि वो अपनी दिन दहाड़े की बादाखोरी की वजह से किसी की परेशानी का बायस बना था।

यूं उसने खुद भी कई मर्तबा अपने लिये परेशानी मोल ली थी।

पर वो जिक्र भी अभी आगे।

□

आदत से मजबूर काम्बोज की नरेन्द्र गुप्ता से नयी हुई सुलह भी लम्बी न चली। जून से अक्टूबर 1965 तक पांच नावल उसने 'जासूसी फंदा' के लिये लिखे और ताल्लुकात में फिर पंगा पड़ गया। प्रकाशक को फिर मेरी याद आयी। मैं मिलने तो गया लेकिन पहले जैसे जोशोखरोश के साथ नहीं। मैंने अपनी शंका जाहिर की कि उसकी काम्बोज से फिर सुलह हो जाती और वो फिर बीच राह मुझे दरकिनार कर देता। उसने मुझे भरपूर आश्वासन दिया कि अब ऐसा नहीं होने वाला था। अपनी सदाशयता दर्शाने के लिये उसने सवा सौ रुपये की पेमेंट भी मुझे एडवांस में कर दी जब कि वो आदतन हर पेमेंट—किसी की भी हो—लेट करता था।

नतीजतन 'जासूसी फंदा' की सहयोगी पत्रिका 'तारा' के नवम्बर 1965 अंक में मेरा सुनील सीरीज का तीसरा उपन्यास 'होटल में खून' छपा जिसे पढ़ कर काम्बोज ने कहा—"ये तो तूने अच्छा लिख लिया !"

कहने का ढंग ऐसा था जैसे किसी गावदी ने कोई करतबी काम कर दिखाया हो।

तदोपरान्त दिसम्बर 1965 और फरवरी 1966 के 'जासूसी फन्दा' के दो अंकों में मेरे दो और उपन्यास 'बद्सूरत चेहरे' और 'ब्लैकमेलर की हत्या' छपे और यूं सुनील सीरीज के प्रकाशित उपन्यासों का स्कोर पांच हो गया।

तब प्रकाशक नरेन्द्र गुप्ता ने मुझे एक बहुत दिलचस्प बात कही—"मैं जो चाहता था, वो तूने कर ही दिखाया।"

"मैं समझा नहीं।"—मैं उलझनपूर्ण भाव से बोला।

"अरे, भई, मैं चाहता था न कि तू कोई ऐसी सीरीज लिखे जिस के उपन्यासों को एक सूत्र में पिरोने वाली, कोई चौंका देने वाली बात हो !"

"तो?"

"तो है न मेरे छापे तेरी सुनील सीरीज के चार उपन्यासों में वो बात !"

"क्या बात?"

"अरे, सब में हीरो सुनील गिरफ्तार होता है।"

"ओह, वो ! हां, वो तो है बराबर !"

जब कि उसके जिक्र करने से पहले मुझे खबर ही नहीं थी कि सुनील को मैंने उसके लिये लिखे हर नावल में गिरफ्तार दिखाया था। वो इत्तफाकन, गैरइरादतन हुआ एक काम था जिस की प्रकाशक मुझे बधाई दे रहा था।

बढ़िया ! बढ़िया !

यानी उसके प्रकाशन के जरिये मेरी पूछ में इज़ाफा हो रहा था।

उन दिनों 'फिल्मी दुनिया' कार्यालय के चक्कर लगाना मेरा रेगुलर शगल था। नावल के प्रकाशन के अलावा वहां और भी काम होते थे जो मुझे मिल सकते थे। जैसे :

फिल्मी दुनिया के लिये इलस्ट्रेशन बनाना। (20/-)

तसवीरों का कोई पेज सैट करना। (10/-)

नरेन्द्र गुप्ता के पिता की फर्म रतन एण्ड कम्पनी से प्रकाशित किसी पुस्तक का टाइटल बनाना। (30/-)

कहानी लिखना। (25/-)

जमा नरेन्द्र गुप्ता पढ़ा लिखा था, खुशमिजाज था, हमउम्र था, कभी किसी की आमद का बुरा नहीं मानता था। कोई पसन्द का मुलाकाती हो तो काम छोड़ कर उससे बात करता था, चाय-वाय भी पिला देता था; ऐसे ही आन टपका हो तो उसकी बातें सुनता उन्हें अपनी हां, हूं से पंक्चुण्ट करता रहता था और अपना काम करता रहता था।

जब 'फिल्मी दुनिया' का दफ्तर दरीबे की कुंजस स्ट्रीट में था तो एक बार मुझे तब के मशहूर सामाजिक उपन्यासकार दत्त भारती के दर्शन पाने का सौभाग्य प्राप्त हुआ। मैं दत्त भारती का पाठक था और प्रशंसक था इसलिये जब मुझे उसके पहलू में एक कुर्सी पर बैठने को बोला गया तो मुझे बड़ी इज्जत महसूस हुई वर्ना नरेन्द्र गुप्ता मुझे थोड़ी देर बाद आने को भी कह सकता था।

दत्त भारती बहुत फूं फां वाला लेखक था और पहला ऐसा लेखक था जिसने आसिफ अली रोड पर अपना दफ्तर बनाया हुआ था। वो वहां बैठ कर लिखता था या उसने उसे यारबाशी का, बादाखोरी का ठीया बनाया हुआ था, मुझे कभी मालूम न हो सका।

तभी गली के टी स्टाल का छोकरा चाय ले कर आया।

उन दिनों चाय का स्टाइल था कि शीशे का चाय का गिलास एक कप में रखा होता था। कप चाय को एक बटा दो करने के काम आता था ताकि उसे दो जने पी सकें। और वो दो जने जाहिर था कि प्रकाशक और बड़ा लेखक थे।

छोकरा मेज पर चाय रख कर चला गया तो दत्त भारती ने चाय को अपने अधिकार में कर लिया, उसने गिलास में से कप में चाय डाली, कप खुद लिया और गिलास मेरे आगे रख दिया।

मैं हड़बड़ाया, जानता था कि उस चाय में शेयरहोल्डर प्रकाशक था, लिहाजा मैंने अदब से इंकार किया।

दत्त भारती ने गिलास उठाया और यूं वापिस मेरे सामने रखा कि पेंदा खड़क गया।

"दत्त भारती पिला रहा है।"—वो रौब से बोला।

"यस, सर। थैंक्यू, सर।"—मैंने फौरन गिलास को काबू में किया।

प्रकाशक ने जो चाय अपने और बड़े लेखक के लिये मंगाई थी, वो मैंने और बड़े लेखक ने पी।

नरेन्द्र गुप्ता चाहता तो चुटकियों में और चाय मंगा सकता था लेकिन उसने ऐसा न किया।

मैं दत्त भारती के व्यवहार से मन्त्रमुग्ध था।

कैसा मिजाजी आदमी था !

या रोबीला कहना ठीक होगा !

तब मैंने अपने प्रिय लेखक के दर्शन पाये, उसके साथ चाय शेयर की लेकिन एक अक्खर भी हम दोनों के बीच में स्थानान्तरित न हुआ। प्रकाशन से अपना वार्तालाप समाप्त करके बिना मुझ पर एक निगाह भी डाले वो वहां से रुखसत हो गया।

यूं ही एक शाम 'फिल्मी दुनिया' के दफ्तर में मैंने गुलशन नन्दा के दर्शन पाये थे।

फर्क सिर्फ इतना था कि तब पहले मैं नरेन्द्र गुप्ता के आफिस में उसके साथ मौजूद था।

गुलशन नन्दा का मैं दत्त भारती से भी बड़ा एडमायरर था। मैं ग्यारहवीं जमात में था जब कि मैंने उन का उपन्यास 'घाट का पत्थर' पढ़ा था। उपन्यास ने अपने सम्मोहन में मुझे ऐसा बान्धा था जैसे कि मैं उपन्यास नहीं पढ़ रहा था, उस समय के हिट पेयर दिलीप कुमार कामिनी कौशल और हिट विलेन के.एन. सिंह की फिल्म देख रहा था।

उसी रोज मैंने लैंडिंग लायब्रेरी से ला कर 'जलती चट्टान' पढ़ा था। फिर जितने नावल मुझे उपलब्ध हुए, मैंने एक के बाद एक, तमाम पढ़ डाले।

अब मैं इतने बड़े लेखक के रूबरू था, तब तक जो मुम्बई में भी अपने पांव जमा चुका था और जिसकी तीन चार फिल्में हिट हो भी चुकी थीं।

तब भी मुझे यकीन था कि मुझे डिसमिस कर दिया जायेगा लेकिन तब भी ऐसा न हुआ। नरेन्द्र गुप्ता के इशारे पर मैंने अपनी कुर्सी गुलशन नन्दा के लिये खाली कर दी और खुद एक कुर्सी तनिक परे सरका कर उस पर बैठ गया।

लेखक प्रकाशक में औपचारिकताओं का आदान प्रदान हुआ, फिर वार्तालाप ने व्यापारिक रुख अख्तियार कर लिया।

तब जो मैं समझ पाया वो ये था कि नरेन्द्र गुप्ता सुमन पॉकेट बुक्स में गुलशन नन्दा का नया नावल छापना चाहता था, उसने लेखक से सम्पर्क स्थापित किया था तो लेखक ने उसे आश्वासन दिया था कि वो जब भी दिल्ली आयेगा, उस सिलसिले में प्रकाशक से बात करने के लिये उससे मिलेगा।

वो मुलाकात मेरी मौजूदगी में हो रही थी।

डेढ़ घन्टा वो वार्तालाप चला जिसका मैं मूक दर्शक था।

प्रकाशक उपन्यास छापने को व्यग्र था, लेखक उसके लिये लिखने को तैयार था लेकिन जो लम्बी बहस का मुद्दा बन गया था, वो लेखक की फीस थी।

आखिरकार जिस पर फैसला हुआ।

बीस हजार रुपये।

मेरी तब की अधिकतम फीस : दो सौ रुपये।

गुलशन नन्दा की सूरत से साफ जाहिर होता था कि वो उस फीस से पूरी तरह से सन्तुष्ट नहीं थे लेकिन आखिर उन्होंने प्रकाशक की वाकपटुता के आगे, परसुएसिव पावर के आगे, हथियार डाल दिये थे।

डील को मोहरबन्द करने के लिये फौरन घन्टे वाले से मिठाई मंगवाई गयी और प्रकाशक ने गुलशन नन्दा का मुंह मीठा कराया।

मेरा भी।

मैंने नरेन्द्र गुप्ता को बधाई दी, जो उसने खुशी से दमकते हुए स्वीकार की, और रात के दस बजे, जबकि दरीबे का बाजार सुनसान पड़ा था, वहां से विदा ली।

अगले रोज खुद नरेन्द्र गुप्ता के बताये उस सिलसिले से ताल्लुक रखती जो बात मुझे मालूम हुई, वो हैरान करने वाली थी।

करार के मुताबिक अगले रोज गुलशन नन्दा पेमेंट लेने के लिये आये तो नरेन्द्र गुप्ता ने उन्हें अत्यन्त विनयशील जवाब दिया—"मेरे पिता कहते हैं कि एक स्क्रिप्ट पर इतनी बड़ी रकम खर्च करने की कोई तुक नहीं है। इसलिये..."

मुझे यकीन है कि वो जवाब सुन कर गुलशन नन्दा ने, जो पिछली रात मुलाहजे में नावल के लिये हां बोल गये थे, चैन की मील लम्बी सांस ली होगी।

□

मेरठ में शर्मा जी के यहां मेरा आना जाना जारी था। कोई फर्क पड़ा था तो ये कि अब मैं काम्बोज के बिना अकेला भी उन के दौलतखाने पर हाजिरी भरने पहुंच जाता था। तब तक नौकरी में मुझे दो साल होने को आ रहे थे और उसमें नयी तब्दीली ये जुड़ी थी कि अब मुझे टेलीफोन एक्सचेंजों की सर्विस और मेनटेनेंस के लिये दिल्ली से बाहर भी जाना पड़ता था। यूं कभी मेरठ के आसपास मोदीनगर, दौराला, मवाना, खतौली, मुजफ्फर नगर जाना होता था तो मैं नौकरी की जरूरियात से फारिग हो कर शर्मा जी के दरबार में हाजिरी भरने पहुंच जाता था।

ऐसी एक विजिट के दौरान उन्होंने मुझे नरेश चन्द जैन नाम के उस शख्स से मिलवाया जिसका मैंने पीछे जिक्र किया है और जो शर्मा जी के प्रोत्साहन से लुग्दी साहित्य का प्रकाशक बन बैठा था। शर्मा जी की मध्यस्थता में मुझे 'जासूसी खोज' में लिखने की पेशकश हुई और फीस दो सौ रुपये मुकर्रर हुई जो कि मुझे एडवांस में हासिल भी हो गयी।

खुशी से फूला न समाता मैं घर लौटा और मैंने अपने पिता को भी ये गुड न्यूज दी।

उन्होंने मुझे अपने हमेशा वाले उदासीन जवाब से नवाजा :

"मुझे क्या फायदा !"

बहरहाल मार्च 1966 के 'जासूसी खोज' के अंक में मेरा नया नावल 'हांग कांग में हंगामा' छपा जिसकी एक विशेषता ये थी कि वो ट्रेडीशनल लुग्दी कागज से बेहतर कागज पर छपा था।

नरेन्द्र गुप्ता ने वो नावल देखा तो उसने मेरे से कोई शिकायत तो न की लेकिन ये जरूर जाहिर किया कि दो जगह टांग फंसा कर मैं गलती कर रहा था जब कि मैं फुल टाइम जॉब भी करता था।

मैंने उसे आश्वासन दिया कि वो कभी कभार का सिलसिला था जो कि मेरे उसके लिये लिखते रहने में विघ्न नहीं बनने वाला था।

वो बात उसे जंची।

'जासूसी खोज' में मेरे उपन्यासों के प्रकाशन का कभी कभार का सिलसिला बिल्कुल ही कभी कभार का सिलसिला न बना। सन 1966 में मेरे कुल जमा नौ नये उपन्यास छपे जिन में से पांच 'जासूसी फंदा' में और चार 'जासूसी खोज' में छपे।

आज के लिहाज से साल में नौ नये उपन्यास एक बहुत बड़ा स्कोर है, जब कि सन् 1981 तक मैंने चार बार (सन् 1966, 1969, 1677, 1981) साल में

नौ नये उपन्यास लिखे थे और तीन बार (सन् 1968, 1970, 1980) दस नये उपन्यास लिखे थे।

ऐसा दो वजहों से मुमकिन हो पाता था।

एक तो प्रकाशक बढ़ते जा रहे थे इसलिये छापने लायक स्क्रिप्ट्स की डिमांड बढ़ती जा रही थी। जरूरतमन्द प्रकाशक जब स्क्रिप्ट के लिये किसी लेखक से सम्पर्क करता था तो उसका ज्यादा फीस की लेखक को पेशकश करना स्वाभाविक होता था। वर्ना क्यों कोई लेखक अपना स्थायी ठीया छोड़ कर उसके लिये लिखेगा! यूं लेखक को अपने स्थापित हासिल से सवाया या डेढ़ गुणा पैसा मिल जाता आम बात थी। यूं उसकी फीस में इजाफा होता था तो वो अपने मूल प्रकाशक से भी इसरार करता था कि वो भी उसकी फीस बढ़ाये और अमूमन बढ़ोत्तरी पाने में कामयाब होता था। तब लेखक को नये प्रकाशक को—ज्यादा फीस भरने वाले प्रकाशक को—अकामोडेट करने के लिये अपनी राइटिंग कपैसिटी बढ़ानी पड़ती थी, चाहे फांसी लग के बढ़ाये, बढ़ानी पड़ती थी।

ओम प्रकाश शर्मा तो इस सिलसिले के बारे में स्पष्ट कहा करते थे कि उजरत के मामले में लेखक की औकात तो वही प्रकाशक बनाते थे जो स्क्रिप्ट के तमन्नाई बन के बीच में आ टपकते थे। वही ये भाषा बोल सकते थे—"मेरे लिये लिखो, इतना दूंगा।"

वो 'इतना' कई बार तो आम हासिल से लगभग दुगना होता था।

उन का तब का एक और रवैया भी काबिलेजिक्र है कि ऐसा कोई प्रकाशक नया हो—नया धन्धा शुरू कर रहा हो—तो वो उसे नाउम्मीद नहीं करते थे। उसके धन्धे में प्रथम प्रवेशी सैट की शोभा खुद वो जरूर बनते थे और आगे वो सैट छप जाता था, प्रकाशित हो जाता था तो प्रकाशक अपने अगले सैट के लिये नावल हासिल करने की नीयत से उनके पास आता था तो वो ऐसा कर पाने में असमर्थता जता देते थे।

ऐसा करने में उन की एक स्ट्रेटेजी थी जिसको वो यूं बयान करते थे :

"नया प्रकाशक जब पहली बार अपना सैट प्लान करता है तो सैट में आकर्षण पैदा करने के लिये बतौर लेखक उसे किसी चले हुए नाम की दरकार होती है जो कि सैट का घोड़ा बन सके और उसे हांक ले जाये। वो घोड़ा उसे मैं दिखाई देता हूं तो वो फीस सम्बन्धी मेरी कोई भी जायज-नाजायज मांग स्वीकार कर लेता है क्योंकि जरूरतमन्द होता है। मैं उसे नावल इसलिये जरूर देता हूं क्योंकि यूं एक नया प्रकाशक खड़ा होता है। अगली बार मैं उसे नावल नहीं दूंगा तो वो एक ही सैट छाप कर तो

लेखक के बनाये आवरण चित्र

अपने धन्धे से किनारा कर नहीं लेगा, वैकल्पिक तौर पर मजबूरन किसी और लेखक को छापेगा। लिहाजा यूं किसी लेखक का तो भला होगा।"

और ऐसा सच में होता था।

कई बार तो वो खुद ही प्रस्तावित कर देते थे कि नया प्रकाशक फलां लेखक का नावल छाप ले, ठीक ठीक चलेगा।

अफसोस कि उन्होंने कभी किसी नये बने प्रकाशक बन्धु को सुरेन्द्र मोहन पाठक का नावल छापने को न कहा। वो उसे दुनिया जहान के नाम सुझाते थे, मेरा नहीं।

शायद इसलिये कि उन की मेरे बारे में मजबूत राय बनी हुई थी :

"लड़का अनुवाद करता है।"

ये राय तब थी जब कि उन्होंने कभी मेरा कोई उपन्यास नहीं पढ़ा था। एक मेरे पहले उपन्यास 'पुराने गुनाह नये गुनहगार' की स्क्रिप्ट को थोड़ा आगे, पीछे, बीच से टटोला था वर्ना मेरे लेखन से वो कतई नावाकिफ थे।

सन् 1964 की जनवरी में मैंने एक कहानी लिखी थी जिसकी बाबत मेरी हार्दिक अभिलाषा थी कि वो किसी साहित्यिक पत्रिका में प्रकाशित होती क्योंकि कहानी जासूसी नहीं थी, सामाजिक थी, मध्यवर्गीय समाज की रोजमर्रा की दुश्वारियों पर आधारित थी। मैंने शर्मा जी से सादर प्रार्थना की कि वो कहानी को पढ़ कर उसकी बाबत अपनी अमूल्य राय दें क्यों कि उन्हें हर तरह के लेखन का तजुर्बा था। आखिर शर्गिद उस्ताद से इसलाह की दरख्वास्त करते ही हैं।

तीन महीने उन्होंने वो कहानी न पढ़ी। कई बार मैंने उन्हें याद दिलाया, हर बार जवाब मिला—"देखूंगा।"

आखिर मैंने उन्हें कहा कि मेरी नौकरी लग गयी थी और मैं छः महीने के लिये बैंगलौर जा रहा था।

तब उन्होंने कहानी पढ़ी।

लेकिन कोई हौसलाअफजाह राय उन्होंने न दी।

बल्कि कहा कि वो कहानी थी ही नहीं, एक फुल लैंग्थ उपन्यास की भूमिका जान पड़ती थी।

बस, इतनी ही वाकफियत थी उन की मेरे लेखन से।

लेकिन ये बराबर मालूम था कि मैं लिखता नहीं था, अनुवाद करता था।

आखिर वो कहानी 'नयी सदी' में प्रकाशित हुई थी।

लेकिन वो जुदा मसला है, अभी जिक्र इस बात का है कि शर्मा जी का नया नावल हासिल करने के तमन्नाई प्रकाशक आम उन्हें हासिल रकम से सवाया, डेढ़ गुणा—बल्कि दो गुणा भी—देने को तैयार हो जाते थे।

अपना सैट हांकने के लिये आखिर उन्हें घोड़ा चाहिये होता था।

ऐसी एक सनसनीखेज आफर शर्मा जी को लखनऊ के एक प्रकाशक से तहरीरी तौर पर मिली थी। उपन्यास तो शर्मा जी ने उस प्रकाशक के लिये कभी न लिखा लेकिन उसकी तहरीरी पेशकश का भरपूर फायदा उठाया। उन्होंने प्रकाशक की शानदार पेशकश वाली वो चिट्ठी अपने दौलतखाने के प्रवेशद्वार पर अपने इस नोट के साथ चिपका दी कि उपन्यास के लिये वही प्रकाशक उन से बात करे जो उन्हें चिट्ठी में दर्ज रकम से ज्यादा फीस अदा कर सकता हो।

इसके विपरीत वेद प्रकाश काम्बोज नाहक मुंह फाड़ता था। तब तक वो मेरठ से प्रकाशित होने वाली उपन्यास पत्रिका 'सीक्रेट सर्विस' के माध्यम से बहुत पापुलर हो गया था और सहज ही अपना मुकाम शर्मा जी के बराबर में— बल्कि उन से आगे—आंकने लगा था। लिहाजा शर्मा जी की फीस में बढ़ोत्तरी होती थी तो वो भी अपने प्रकाशक से बढ़ोत्तरी की मांग खड़ी कर देता था, भले ही बढ़ोत्तरी हाल में ही हो कर हटी हो। और तो और, कई बार तो जो नावल वो लिख रहा होता था, जिस की पूरी फीस वो एडवांस में हासिल कर चुका होता था, उसी के लिये अतिरिक्त राशि की मांग खड़ी कर देता था। प्रकाशक विनीत भाव से कहता था भई, जिस नावल का पैसा ले चुके हो, वो तो लिखो, आगे बात करेंगे। लेकिन वो अपनी नाजायज मांग नहीं छोड़ता था।

कैसे छोड़ता! ऐसे तो मुद्राउपार्जन के मामले में उस्ताद आगे निकल जाता!

प्रकाशक उसकी मांग के आगे झुक तो जाता था लेकिन लेखक की वो हरकत उस तिनके जैसी साबित हो के रहती थी जो आखिर ऊंट की कमर तोड़ देता है।

मैं फिर दोहराता हूं कि काम्बोज की ये अदूरदर्शिता, बल्कि उसका लालच, ही उसका वाटरलू बना था।

ढेर लिख पाने की दूसरी वजह ये होती थी कि उपन्यास पत्रिका के तौर पर छपने वाले उस दौर के उपन्यास अमूमन सवा सौ पेज के करीब होते थे और एक पेज पर मुश्किल बाइस या तेइस लाइन होती थीं। ऐसा उपन्यास एक रुपया कीमत में छपता था इसलिये पृष्ठों में इजाफा हो जाये तो फौरन प्रकाशक का लेखक को हुक्म होता था—काटो।

क्यों कि तब ये टाइमबाउन्ड कारोबार था, हर महीने नावल आना जरूरी होता था इसलिये लेखक तत्काल कार्यवाही में कोई हुज्जत करता था तो प्रकाशक खुद ही उपन्यास को काट लेता था।

तब के उपन्यासों का कलेवर—रीडिंग मैटर—कम होने की वजह से ही तब के तकरीबन लेखक मजे से हर महीने एक उपन्यास लिख लेते थे।

कई उस से भी ज्यादा—कहीं ज्यादा—लिख लेते थे।

मिसाल तब के फारूख अर्गली नाम के एक लेखक की है जिस की एक खास खूबी तो ये थी कि लिखने में उसके दोनों हाथ चलते थे, यानी एम्बीडेक्सट्रस (Ambidextrous) था, एक हाथ थक जाता था तो दूसरे हाथ से लिखने लगता था, हिन्दी लिखता थक जाता था तो उर्दू लिखने लगता था। वो कहता था कि वो हर महीने चार उपन्यास लिखता था और ऐसा करना, करते रहना, उस की मजबूरी था।

"मेरे चार साहबजादे हैं।"—वो कहता था—"मैं महीने में एक नावल कम लिखूंगा तो एक लड़का भूखा मर जायेगा।"

एक लेखक गोविन्द सिंह थे जिनके बारे में मशहूर था कि वो एक सिटिंग में उपन्यास पूरा कर लेते थे। यानी स्याहीभरे दस पैन सामने रख कर उपन्यास लिखने बैठते थे और उसे मुकम्मल करके ही उठते थे।

दस पैन क्यों?

ताकि बीच में पैन में स्याही भरने में भी वक्त जाया न हो। रिदम न टूटे।

बावजूद इसके उन का हैण्डराइटिंग इतना बढ़िया था कि कैलीग्राफिस्ट को शर्मसार कर सकता था।

गोविन्द सिंह की एक 'खूबी' और थी।

कानपुर में रहते थे, दिल्ली के प्रकाशक से उपन्यास लिखने का करार होता था, उसे खबर करते थे कि पाण्डुलिपि को वीपीपी से भेज रहे थे, छुड़ा ले। प्रकाशक उजरत की रकम अदा करके वीपीपी छुड़ाता था तो पैकेट में से पुराने अखबार निकलते थे।

तिलमिला कर वो इस सिलसिले में लेखक की जब तक खबर लेता था, तब तक लेखक जैसे तैसे उपन्यास लिख लेता था और प्रकाशक को अरसाल कर देता था।

ओम प्रकाश शर्मा की खूबी थी कि आज शाम को नावल खत्म करके हटे हों तो अगली सुबह ही नया नावल लिखना शुरू कर सकते थे—करते थे।

काम्बोज से कभी किसी से 'काटो' वाली शिकायत नहीं हुई थी। उसका नावल कलेवर में हमेशा शार्ट होता था, उस के लिये प्रकाशक को 'बढ़ाओ' कहना पड़ता था।

जो कि वो कभी नहीं करता था।

इसके विपरीत ओम प्रकाश शर्मा इतने अकामोडेटिव थे कि उन के नावल का मैटर कम पड़ जाये तो वो प्रकाशक को हिदायत देते थे कि वो स्क्रिप्ट के आखिरी दो पृष्ठ लेकर उनके पास आ जाये, और मैटर लिख देंगे।

कैसे वो ये करतब कर पाते थे, कैसे समाप्त हो चुके नावल को फिर आगे चला ले जाते थे, तफ्तीश का मुद्दा है।

बल्कि हैरान कर देने वाला करतब है।

'जासूसी खोज' मेरठ से बस एक ही बार—पहली बार—मुझे उजरत एडवांस मिली थी, तदोपरान्त स्क्रिप्ट प्रकाशक के पास पहुंचा देने के बाद प्रकाशक का दिल्ली का फेरा लगने का—जो कि लगता ही रहता था—इन्तजार करना पड़ता था जब कि वो दरियागंज मेरे आफिस में आकर मुझे दो सौ रुपये थमा जाता था।

'रैड सर्कल सोसायटी' की प्रकाशन प्रक्रिया के दौरान ऐसा न हुआ। मेरे को खबर लगी कि वो दो बार दिल्ली आ चुका था लेकिन मेरे से नहीं मिला था।

मेरे को बहुत गुस्सा आया।

जब कि गुस्सा करने वाली मेरी हैसियत अभी नहीं बनी थी।

तभी एक सुबह मुझे सोनीपत का काम मिला। संयोग ऐसा हुआ कि सोनीपत पहुंच कर मैं एक बजे तक काम से फारिग हो गया। अभी काफी दिन बाकी था और दफ्तर वापिस जाने का कोई मतलब ही नहीं था। लिहाजा मैंने मेरठ जाने का फैसला किया। सोनीपत से बस पर मैं दिल्ली पहुंचा और इन्टरस्टेट बस टर्मिनल से ही आगे की बस पकड़ कर मेरठ और आगे प्रकाशक के आफिस में पहुंचा। वहां से मुझे मालूम हुआ कि प्रकाशक दिल्ली गया हुआ था।

जहां से वो पता नहीं कब वापिस लौटता।

नाउम्मीद मैं दिल्ली वापिस लौटा। अगले रोज आफिस में एक कलीग से मैंने गुजरे दिन की अपनी गर्दिश का जिक्र किया तो उससे मुझे मालूम हुआ कि सोनीपत से मेरठ जाने के लिये दिल्ली आने की तो जरूरत ही नहीं थी, सोनीपत से बारास्ता बागपत मेरठ की सीधी सर्विस थी।

यानी कोढ़ में खाज!

मैं और भी कलपा।

दो सौ रुपये तो आखिर प्रकाशक से मुझे हासिल हो गये लेकिन 'रैड सर्कल सोसायटी' 'जासूसी खोज' मेरठ से छपा मेरा आखिरी उपन्यास था।

□

तब तक आईटीआई में मेरी नौकरी को दो साल से ऊपर हो गये थे और कम्पनी की किसी नवाजिश के तहत मेरी प्रोमोशन हो गयी थी, मैं इन्स्पेक्टर ग्रेड बी से इन्स्पेक्टर ग्रेड ए बन गया था और मेरी तनखाह भी लगभग तीन सौ रुपये हो गयी थी।

पिता के हुक्म के तहत तनखाह—पूरी की पूरी—मैं हमेशा मां के हवाले करता था—तब भी ऐसा करता था जब कि मेरा नावल अभी नहीं छपता था और जो छिटपुट काम मैं करता था, उन से हासिल रकम न होने जैसी होती थी—जैसे 'बात की बात' लिखने के पच्चीस रुपये मिलते थे, टाइटल बनाने के बीस रुपये मिलते थे, कोई इलस्ट्रेशन बनाने के दस पन्द्रह रुपये मिलते थे वगैरह। फिर भी घर पर कभी सवाल नहीं होता था कि जब सारी तनखाह तो मैं घर में दे देता था तो मेरा खुद का गुजारा कैसे चलता था !

जवाब था कि नहीं चलता था।

कई बार मैं घर में खाली जेब जैसे तैसे दफ्तर पहुंच जाता था और जा कर कैशियर से दो रुपये—रिपीट, दो रुपये—उधार मांगता था जो तब दिन भर बसों में भटकने के लिये और छोटे मोटे चायपानी के लिये काफी होते थे।

जमा, किसी वजह से पहली की शाम को घर आ कर मां को तनखाह नहीं सौंप पाता था तो दो तारीख को पिता कड़क पर पड़ता था—"ओये ! मां को पैसे क्यों नहीं दिये?"

"रात को लेट आया था, अब देता हूं।"

"क्यों लेट आया था?"

"दफ्तर के काम में देर हो गयी थी।"

"अब दे।"

बाद में जब तनखाह भी कदरन सुधर गयी थी और नावल भी नियमित रूप से छपने लगा था तो पैसे के मामले में ही पिता पुत्र का डायलॉग यूं होता था :

"बैंक में कितने पैसे हैं?"

"तीन हजार के करीब होंगे।"

"करीब का क्या मतलब है? होंगे का क्या मतलब है?"

"तीन हजार से ऊपर हैं, ठीक से शाम को बता दूंगा।"

"जरूरत नहीं। ऊपर के पैसे छोड़ कर बाकी निकाल के ला और ला कर मां को दे।"

मैं तीन हजार रुपये बैंक से निकलवा के लाता था और मां को सौंपता था।

जो पिता को सौंपती थी।

पिता की वो सर्विस लखनऊ वाया सहारनपुर क्यों होती थी, मैं कभी न समझ सका।

हर पांच छः महीने बाद ये ड्रामा स्टेज होता था।

"ऊपर के पैसे छोड़ कर बाकी निकाल के ला और मां को दे।"

मैं कभी न समझ सका कि इस सिलसिले में पिता की स्ट्रेटेजी क्या थी !

ये तो न होगी कि लड़का इतना बालिग नहीं हुआ था कि उसका कदरन बड़ी रकम का भरोसा किया जाता!

फिर एक बार औना पौना खुलासा हुआ।

मां पिता को कहने लगी कि लड़के की शादी करो, सत्ताइस का होने को आ रहा था।

"मेरी तीन बेटियां हैं।"—पिता का जवाब था—"पहले कम से कम दो की तो शादी हो जाये! इसकी क्या जल्दी है?"

लिहाजा वो बेटियों की शादी के लिये पैसा जमा कर रहे थे।

और उन को निहाल करने के लिये मुझे कंगाल रखना जरूरी था।

यहां मैं उन दिनों की अपनी एक खास आदत—या हरकत—का जिक्र करना चाहता हूं।

मेरे घर से लोकल बस स्टैण्ड कोई आधा किलोमीटर दूर अगले चौक में था जहां से हर डेस्टीनेशन की—जाहिर है कि दरियागंज की भी—बस शुरू होती थी। मैं घर से निकलता था, चल कर बस स्टैण्ड पर पहुंचता था, जाकर दरियागंज की बस की लाइन में खड़ा होता था लेकिन अभी पांच मिनट भी नहीं बीते होते थे कि उतावला होने लगता था—इसलिये नहीं कि आफिस पहुंचने में देर हो रही थी बल्कि इसलिये कि बस स्टैण्ड का वो उतावलापन आदत बन गया हुआ था। नतीजतन मैं लाइन छोड़ता था और ऑटो में बैठ जाता था।

दरियांगज तक ऑटो के तब पौने दो रुपये के करीब मीटर में बनते थे लेकिन ऑटोवाला कभी दो रुपये में से छुट्टा वापिस नहीं करता था और मैं भी हुज्जत नहीं करता था।

हफ्ते में छः दिन दफ्तर जाना होता था, चार दिन मैं ऑटो से जाता था—तब भी जब कि मेरी जेब में कुल जमा दो रुपये ही होते थे।

मेरे वाकिफ मेरे से अक्सर पूछते थे कि जब मैंने ऑटो से ही जाना होता था तो बस स्टैण्ड पर क्यों आता था, ऑटो तो मेरे घर के करीब वाले चौक से भी मिलता था! क्यों मैं आधा किलोमिटर पैदल चलने में टाइम जाया करके अगले चौक पर ऑटो पकड़ने आता था!

मेरा जवाब—जो उन्हें बिल्कुल आश्वस्त नहीं करता था—यही होता था कि मैंने बस में ही जाना होता था, बस मिलती नहीं थी तो ऑटो पर सवार होता था।

सन् 1966 ही शायद वो साल था जब कि ओमप्रकाश शर्मा ने घर का प्रकाशन शुरू करने का फैसला किया था, अपने न्यूजपेपर-मैगजीन ऐजेंट हाई स्कूल ड्रॉप

आउट बड़े लड़के की औकात सुधारने के लिये उसे प्रकाशक बनाने का फैसला किया था।

यूं 'जनप्रिय लेखक' नामक उपन्यास पत्रिका का प्रकाशन शुरू हुआ जिसमें हर महीने जनप्रिय लेखक ओम प्रकाश शर्मा का नया उपन्यास प्रकाशित किये जाने का आयोजन था।

'जनप्रिय लेखक' इन्स्टेंट हिट साबित हुआ।

उससे उत्साहित होकर उन्होंने 'लोकप्रिय लेखक' नाम से एक और उपन्यास पत्रिका निकालने का फैसला किया और मेरे को बोला कि अगर मैं हामी भरूं तो जैसे 'जनप्रिय लेखक' में उन के उपन्यास नियमित रूप से छपते थे, वैसे 'लोकप्रिय लेखक' में मेरे उपन्यास छपना शुरू हो सकते थे।

'जनप्रिय लेखक' की कामयाबी मेरे सामने थी, मैं भला क्यों न हामी भरता !

फिर उस पेशकश का एक पेंच सामने आया, प्रोपोजल का राइडर सामने आया।

'लोकप्रिय लेखक' में नियमित रूप से छपने के लिये मुझे अन्यत्र छपना बन्द करना होगा।

अग्रज के, बड़े खलीफा के, सम्मान के तौर पर मैंने वो बात कबूल की—तब कबूल की जब कि मेरी उजरत में कोई इजाफा नहीं होने वाला था। तब तक 'जासूसी फन्दा' से भी मुझे सवा सौ की जगह दो सौ रुपये मिलने लगे थे—और वहां मुकर्रर हुई दो सौ रुपये उजरत कबूल की।

इस आयोजन के तहत मेरा पहला उपन्यास 'ये आदमी खतरनाक है' के नाम से जनवरी 1967 में 'लोकप्रिय लेखक' के अन्तर्गत एक रुपया मूल्य में प्रकाशित हुआ।

जमा, उपन्यास के नाम की—मेरी पीठ पीछे ही नहीं, सामने भी—खूब खिल्ली उड़ाई गयी।

"क्यों, भई?"—शर्मा जी ने बाकायदा अपनी महफिल में मेरे से सवाल किया—"उपन्यास का नाम 'खतरनाक आदमी' नहीं हो सकता था ?"

तत्काल मुसाहिबों ने फरमायशी अट्टहास लगाया।

मैंने कोई जवाब न दिया लेकिन अपमानित भरपूर महसूस किया। कहते न बना कि जो बात जनाब अब कह रहे थे, उपन्यास के प्रकाशन से पहले क्यों न कही? क्यों न कहा कि उपयुक्त नाम 'खतरनाक आदमी' था, न कि 'ये आदमी खतरनाक है' था। न कह सका कि नाम में—जिसे जनाब ने खुद पास किया था—मेरे पहले उपन्यास 'पुराने गुनाह नये गुनहगार' जैसी नवीनता थी वर्ना उसका नाम भी तो 'बैंक डकैती' सुझा सकते थे।

बहरहाल उसी के साथ ओम प्रकाश शर्मा के निजी प्रकाशन के तहत मेरे तथाकथित उज्ज्वल भविष्य की इतिश्री हो गयी।

तब जा कर सुरेन्द्र मोहन पाठक नाम के नवोदित ईडियट की समझ में आया कि वो भी मुझे खूंटे से उखाड़ने की एक शातिर चाल थी ताकि उस्ताद शागिर्द को खुश कर पाता।

शागिर्द मुझे आर्टिस्ट बनाने पर तुला था ताकि मैं उपन्यास लिखने का खयाल ही न करूं, उसकी जरूरत ही महसूस न करूं और उस्ताद छुप कर वार कर रहा था कि मैं उपन्यास लिखूं तो वो छपने न पाये। जहां से लिखना छोड़ा वहां वापिस जा कर कहने का मेरा मुंह नहीं बनता था कि मुझे वापिस शरण की जरूरत थी और जिस आसरे लिखना छोड़ा था वो आसरा न निकला, षड्यन्त्र निकला।

'लोकप्रिय लेखक' के आगामी अंक में किन्हीं अग्रवाल साहब का उपन्यास छपा जो वस्तुतः सरकारी अफसर थे जिन का लेखन से कुछ लेना देना नहीं था और जिन्हें ओम प्रकाश शर्मा के प्रोत्साहन ने खड़े पैर जासूसी उपन्यासकार बनाया था वर्ना पहले उन का लेखन से कभी भी कोई वास्ता नहीं रहा था।

आने वाले दिनों में उपरोक्त लेखक के उपन्यास कई महीने नियमित रूप से हर मास 'लोकप्रिय लेखक' के अन्तर्गत छपे लेकिन न लेखक चला और न उस लेखक के सदके 'लोकप्रिय लेखक' 'जनप्रिय लेखक' की परछाईं भी बन सका।

'लोकप्रिय लेखक' के फरवरी 1967 अंक में उपरोक्त लेखक का पहला उपन्यास छपा तो मैंने अपने साथ हुए अन्याय की—बल्कि धोखे की—हाजिरी लगाने के लिये शर्मा जी को एक लम्बा पत्र लिखा जो इस बात को रेखांकित करता था कि उन की वजह से मैं न इधर का रहा था और न उधर का रहा था। यानी पन्द्रह उपन्यास प्रकाशित हो चुकने के बाद मैं फिर बेरोजगार था।

बाद में शर्मा जी ने जो मुख्तसर सी चिट्ठी मुझे लिखी, वो थी :

प्रिय पाठक,

तुम्हारे साथ कोई गलत व्यवहार नहीं हुआ। तुम्हारे जैसे नये लेखक के लिये जो किया गया था, वो काफी था। तुम्हारा इस बाबत कुछ कहना नहीं बनता कि अपने प्रकाशनों में हम किसे छापें, किसे न छापें।

ओम प्रकाश शर्मा

यानी उन के प्रकाशन में छपना तो गया ही, उन के साथ हस्स-दन्दां-दी-प्रीत भी गयी।

वो एक फटकार, तिरस्कारभरी चिट्ठी थी जिसे पढ़ कर मेरा भी दिल चाहा कि मैं विरोधप्रदर्शन के लिये एक धृष्ठ जवाब लिखूं।

मैंने जवाब ही न लिखा।

कुछ महीने बाद ही वेद प्रकाश काम्बोज के छोटे भाई की शादी थी, बारात पटियाला गयी थी जिस में कई लेखक प्रकाशक शामिल थे।

वहां शर्मा जी ने मेरे को थामा और शिकायती चिट्ठी लिखने की गुस्ताखी करने की एवज में मुझे फिर फटकार लगा दी जो कि उन की संक्षिप्त चिट्ठी का ही अतिविस्तृत रूप था।

मैंने खामोशी से, अदब से सब सुना।

तदोपरान्त कुछ और भी सुना।

लेखक-प्रकाशक सम्वाद सुना।

ओमप्रकाश शर्मा को नरेन्द्र गुप्ता से अपने नावल के बारे में बात करते सुना।

तब शर्मा जी नरेन्द्र गुप्ता के प्रकाशन 'तारा' में सामाजिक उपन्यास लिखते थे और तब के चले हुए सामाजिक उपन्यास लेखकों के बीच—दत्त भारती, आदिल रशीद, प्यारे लाल आवारा, प्रेम वाजपेयी, गुलशन नन्दा, रानू—अपना कोई मुकाम बनाने के तमन्नाई थे। तब तक ऐसे दो या तीन उपन्यास उन के 'तारा' में छप चुके थे, बतौर उजरत जिनके कोई आठ सौ रुपये प्रति उपन्यास हासिल हुए थे और उन्हें ये खुशफहमी थी—जिसको प्रकाशक ने भी तरह दी थी—कि उनके वो उपन्यास बहुत पसन्द किये गये थे। नतीजतन आइन्दा लिखते रहने के लिये उन्होंने फीस डबल किये जाने की मांग की, यानी अगले उपन्यास के सोलह सौ रुपये मांगे।

प्रकाशक ने बहुत मजबूती से कहा कि वो मुमकिन नहीं था, उजरत में यकायक इतने बड़े इजाफे की मांग करना नाजायज ही नहीं, नासमझी भी था।

शर्मा जी अपनी जिद पर अड़े रहे।

नतीजतन 'तारा' मैगजीन, जो निकाली ही उन के सामाजिक उपन्यासों के लिये गयी थी, खड़े पैर संकट में आ गयी।

उसी रात नरेन्द्र गुप्ता मेरे से बोला—" 'तारा' के लिये लिखेगा?"

"मुझे सामाजिक उपन्यास लिखना नहीं आता।"—मैं बोला।

"अरे, मैं उसे जासूसी कर दूंगा।"

" 'तारा' में जासूसी उपन्यास ! यानी मैगजीन का नाम जासूसी तारा कर दोगे?"

"नहीं। 'तारा' रजिस्टर्ड नाम है। उसी के तहत मैं तेरा जासूसी उपन्यास छापूंगा।"

"चलेगा?"

"बराबर चलेगा। मैं चलाऊंगा न !"

"पैसा?"

"वही।"

"बड़ा उस्ताद डबल मांगता था।"

"मिल गया डबल?"

"तुम्हारे से नहीं मिला तो इस का मतलब ये नहीं कि..."

"यही मतलब है। कहीं से नहीं मिलेगा। कहीं से जितना मिलता है, उतना भी नहीं मिलेगा। मैं ही हूं जो उन के सामाजिक उपन्यास लेखन का कद्रदान था, दूसरा सामाजिक छापेगा ही नहीं।"

"ये बात?"

"पक्की ये बात। देख लेना।"

"फिर भी कुछ तो इजाफा..."

"ठीक है, ढ़ाई सौ।"

"मुझे मंजूर है लेकिन अभी एक फच्चर और भी तो है !"

"नहीं है। अब काम्बोज की नहीं चलेगी। जब उस्ताद की नहीं चली तो शार्गिद की कैसे चलेगी।"

"ये भी पक्की बात?"

"हां।"

"ठीक है। कल शाम तक हम वापिस दिल्ली पहुंचेंगे। परसों सुबह चैक लेने आऊंगा।"

मुझे पूरी उम्मीद थी कि वो भड़क उठेगा, लेकिन अप्रत्याशित जवाब मिला—"ठीक है। आना।"

यूं छः महीने का सूखा खत्म हुआ और 'तारा' के अगस्त 1967 के अंक में मेरा उपन्यास 'आधी रात के बाद' छपा।

प्रकाशक का कयास ठीक निकला। किसी ने नोटिस तक न लिया कि 'तारा' पत्रिका में, जो सामाजिक उपन्यास छापती थी, जासूसी उपन्यास छपा था।

प्रकाशक का दूसरा कयास भी ठीक निकला।

कोई भी दूसरा प्रकाशक ओम प्रकाश शर्मा का सामाजिक उपन्यास छापने को तैयार न हुआ। जहां तक मुझे याद पड़ता है, उन के खुद के प्रकाशन में भी कोई सामाजिक उपन्यास नहीं छपा था।

अक्टूबर को छोड़ कर मार्च 1968 तक 'तारा' के हर अंक में मेरा जासूसी उपन्यास छपा।

ये वो दौर था जब कि सिने दर्शकों में जेम्सबांड की फिल्मों की बहुत धूम थी। 'डाक्टर नो' के बाद से तब तक जेम्स बांड की पांच फिल्में रिलीज हो चुकी थीं, पांचों ने धुंआधार, ग्लोबल बिजनेस किया था और भारतीय दर्शक बड़ी आतुरता से उसकी अगली फिल्म की रिलीज की प्रतीक्षा कर रहे थे।

ऐसे में नरेन्द्र गुप्ता नाम के खुराफाती प्रकाशक के खुराफाती दिमाग में जेम्स बांड के नाम को कैश करने का खयाल आया।

उसने मुझे तलब किया।

"जेम्स बांड का उपन्यास लिख लोगे?"—उसने सीधा, दो टूक सवाल किया।

"तुम्हारा मतलब है इयान फ्लेमिंग के किसी उपन्यास का अनुवाद कर लूंगा?"

"अरे, नहीं। कहानी तुम्हारी अपनी, हीरो जेम्स बांड।"

"ये तो नाजायज हरकत होगी !"

"होगी तो मैं भुगतूंगा न !"

"लेखक भी तो भुगतेगा !"

"लेखक का नाम नहीं छापेंगे।"

"क्या ! मैं उपन्यास लिखूंगा, पर बतौर लेखक उस पर मेरा नाम नहीं छपेगा?"

"क्योंकि तुम्हारे को कोई बखेड़ा खड़ा होने का खौफ है।"

"लेकिन मेरा नाम नहीं..."

"सोच लो। उपन्यास मैं लुग्दी पेपर वाले फारमैट में नहीं, सुमन पॉकेट बुक्स में कदरन अच्छे कागज पर छापूंगा। कीमत दो रुपये होगी। इसलिये तुम्हें भी ज्यादा उजरत मिलेगी?"

"कितनी?"

"तीन सौ।"

"बस ! सिर्फ पचास रुपये ज्यादा !"

"हां।"

"पॉकेट बुक में ज्यादा वरके छपते है, मुझे ज्यादा लिखना पड़ेगा !"

"अरे, थोड़ा ही तो ज्यादा लिखना पड़ेगा !"

"थोड़ी ही सही, लिखना तो पड़ेगा ! जब कीमत डबल होगी तो..."

"क्या तो? डबल तो नहीं लिखना पड़ेगा?"

"ज्यादा तो लिखना पड़ेगा !"

"फिर वहीं बात ! ठीक है, पड़ेगा लिखना ज्यादा। इसलिये साढ़े तीन सौ। अब हां बोलो और बताओ, कब स्क्रिप्ट दोगे?"

"बतौर लेखक मेरा नाम भी तो नहीं छपेगा !"

"अरे, बोला न, तुम्हारी ही भलाई के लिये।"

"फिर भी..."

"ठीक है। चार सौ रुपये। अब कुछ बोला तो..."

"मंजूर तो बोलूं या वो भी नहीं?"

"गुड ! अब फटाफट नावल लिख के लाओ, मैंने सुमन पॉकेट बुक्स के अगले ही सैट में छापना है।"

"नजराना?"

"स्क्रिप्ट सौंपते ही तुम्हारी हथेली पर होगा।"

"कैश !"

"क्या बोला?"

"अरे, जब नावल मैंने न लिखा, काले चोर ने लिखा तो चैक किसे दोगे?"

"तुम्हें ही देंगे।"

"ताकि चैक के सदके कभी भी साबित कर दिखाओ कि नावल मैंने लिखा था और मुझे बदनाम कराओ।"

"ऐसा नहीं होगा।"

"ताकि कोई कानूनी पचड़ा पड़े तो मैं भी उसमें शामिल।"

"अरे, ऐसा नहीं होगा।"

"क्या पता लगता है !"

उसने उस बात पर विचार किया।

"ठीक है, नकद।"—फिर बोला।

दो हफ्ते में मैंने जेम्स ब्रांड का नावल लिख लिया जिस का नाम 'हंगरी में हंगामा' था।

तब तो क्या, मैंने आज तक भी इयान फ्लेमिंग का कोई नावल नहीं पढ़ा। एक 'फ्राम रशिया विद लव' पढ़ने की कोशिश एक मर्तबा की थी जो कि मुझे इतना बोर लगा था कि मैंने बीसेक पेज पढ़ के छोड़ दिया था। मैंने तब तक

रिलीज हुई जेम्स बांड की पांचों फिल्में देखी थीं और जेम्स बांड के किरदार की जो औनी पौनी नालेज मुझे थी उसके सदके मैं जानता था कि :

- ☐ जेम्स बांड रंगीला राजा था, यानी औरतों का रसिया था, उसके ताल्लुक में आने वाली हर औरत—दोस्त या दुश्मन—पहली मुलाकात में ही उस पर जान छिड़कने लगती थी।
- ☐ मार्टिनी नाम की काकटेल पीता था जो कि तैयार करते वक्त 'शेकन' हो, 'स्टर्ड' न हो। यानी हिला कर बनाई गयी हो, मथी न गयी हो।
- ☐ उस का पसन्दीदा भोज्य पदार्थ स्क्रैम्बल्ड ऐग्ज—अंडे की भुर्जी—था।
- ☐ धूम्रपान करता था।
- ☐ अपना परिचय हमेशा 'बांड, जेम्स बांड' कह कर देता था।
- ☐ वो एमआई-6 नामक खुफिया विभाग का मुलाजिम था, उसका रैंक कमांडर का था और उस का बॉस 'एम' के नाम से जाना जाता था।
- ☐ 'एम' की सैक्रेट्री का नाम मिस मनीपैनी था।
- ☐ उस को फैंसी औजार-हथियार मुहैया कराने वाला शख्स 'क्यू' के नाम से जाना जाता था।
- ☐ वो रूस विरोधी था और उसका मुकाबला हमेशा रूसी खुफिया संस्थान SMERSH के जासूसों से होता था।

इतनी जानकारी के दम पर मैंने एक कहानी गढ़ी जिसमें मौलिकता का सर्वदा अभाव था, उसमें कमांडर जेम्स बांड फिट किया, स्क्रिप्ट प्रकाशक को सौंपी और तब तक की सब से बड़ी उजरत चार सौ रुपये हासिल की।

ज्ञातव्य है कि तब मेरी आईटीआई में तनखाह सवा तीन सौ रुपये थी।

यानी चार साल में वो पहला मौका था जब कि मेरी लिखी स्क्रिप्ट का हासिल मेरी एक महीने की तनखाह से ज्यादा था।

मेरे यूं लिखे जेम्स बांड के पहले उपन्यास 'हंगरी में हंगामा' पर क्यों कि मेरा नाम नहीं था इसलिये एक तरह से वो भूत लेखन ही था जो कि मैंने अपने लेखकीय जीवन में पहली और आखिरी बार किया था, अलबत्ता ऐसा करने की पेशकश मुझे कई बार हुई थीं जिन में सबसे लुभावनी सन् 1974 में गाइड पॉकेट बुक्स द्वारा हुई थी जब कि तब तक मेरे 70 से ज्यादा उपन्यास छप चुके थे।

मैं 'गाइड' के लिये चेज के उपन्यासों के अनुवाद करता था जिस की मुझे बहुत ही आकर्षक—मेरे खुद के लिखे उपन्यास से भी ज्यादा—उजरत मिलती थी। 'गाइड' का प्रकाशक याकूब भाई छीपा मेरे अनुवाद से बहुत खुश था, वो अक्सर अहमदाबाद से दिल्ली आता था और मैं इस उम्मीद में उससे मिलता था कि कभी वो मेरा लिखा उपन्यास गाइड' में छापने में भी रुचि लेगा।

उस वक्त तक भूत लेखन की लानत काफी जोर पकड़ चुकी थी और हर छोटा बड़ा प्रकाशक एक या एक से ज्यादा भूत लेखक अपने हर सैट में छापने लगा था।

एक बात का मैं यहीं जिक्र करना चाहता हूं कि आगे चल कर—अस्सी के दशक के उत्तरार्ध में और नब्बे के दशक के पूर्वार्द्ध में—इस रवायत ने इतना जोर पकड़ा था कि एक एक स्थापित प्रकाशक के छः किताबों के सैट में चार चार भूत लेखक होने लगे थे। एक ज्यादा सूरमा प्रकाशक ने तो पूरा सैट ही भूत लेखकों का निकालना शुरू कर दिया था, यानी उसके प्रकाशक में जेनुईन लेखकों का—जिन्हें वो 'फोटो वाला लेखक' कहता था—टोटल बाईकाट हो गया था। तब सब बड़े प्रकाशकों ने जेनुएन लेखकों के खिलाफ जैसे एका कर लिया था, ऐसा संयुक्त मोर्चा खड़ा किया था कि जेनुइन लेखक का अपनी किताब छपवाना दूभर हो गया।

एक प्रकाशक तो अपने सहयोगी प्रकाशकों को बाकायदा सबक देता था—"अपने राइटर प्रमोट करो भाई जी, थोड़ा सब्र दिखाने की जरूरत है कि एक दिन ऐसा आयेगा कि यही फोटो वाले राइटर हाथ में कटोरा लिये फिरेंगे और तुम्हारे द्वारे आकर कहेंगे, हमारा नावल अपने किसी भी घोस्ट नाम से छाप लो, हमें कोई ऐतराज नहीं।"

ऊपर वाले ने इंसाफ किया कि वो नौबत न आयी; भ्रष्ट, गुमराह, शरारती, तिगड़मी प्रकाशकों का वो सपना पूरा न हुआ। थोक में छापे गये उन के घोस्ट राइटर तो चले ही नहीं, उन्होंने अच्छे भले मकबूल, दमदार प्रकाशकों की ऐसी साख बिगाड़ी कि पॉकेट बुक्स के धन्धे में तदोपरान्त आज तक न संवरी। जो फूली फूली हर प्रकाशक ने अस्सी और नब्बे के दशक में चुगी, वो सपना बन गयी। बड़ा प्रिंट आर्डर किस्से कहानियों की बात बन गया। प्रकाशकों ने अपने ही गेम में मात खायी।

गेम क्या था?

नावल को साबुन, टुथपेस्ट जैसी कन्ज्यूमर प्रॉडक्ट बना दो और साबुन, टुथपेस्ट की तरह ही पब्लिसिटी से उसकी हाइप बना कर बेचो। जो बड़ी रकम बतौर उजरत बड़े लेखक को देने से बचेगी उसको पब्लिसिटी पर खर्च करो। आप का भूत नाम मशहूर होगा और लाखों की तादाद में बिकेगा।

उन प्रकाशकों की बद्किस्मती कहिये या खुदाई इंसाफ कहिये, ऐसा न हुआ।

आखिर विज्ञापन कनज्यूमर को एक बार ही तो उत्पाद की तरफ आकर्षित कर सकता है, अगर वो उत्पाद में गुण नहीं पाता तो वो आकर्षित हुआ तो नहीं रह सकता! वो एक बार ठगा गया महसूस करेगा तो आगे खासतौर से उस

आइटम से परहेज करेगा, फिर प्रकाशक जितना मर्जी उसके गुणगान का ढोल पीट ले, वो नहीं काबू में आने वाला।

बड़े उत्पाद का बड़ा विज्ञापन होता है तो उत्पाद की गुणवत्ता की गारन्टी भी तो होती है जो कनज्यूर को उत्पाद से हुक करके रखती है। प्रकाशक ने पुस्तक को उत्पाद बनाया तो गुणवत्ता की गारन्टी तो वो कर ही न सका। कैसे कर पाता? जिन लेखकों से वो भूत लेखन करवाता था, वो किसी काबिल होते तो उन में अपने बलबूते पर कुछ कर दिखाने का, कुछ बन दिखाने का जुनून होता। भूत लेखन करके तो ऐसे लेखकों ने कागज ही रंगने थे जो वो रंग देते थे। क्यों वो मेहनत करते, जब कि उन की मेहनत का सेहरा किसी और के सिर—भूत नाम के सिर—बंधना था।

यानी अच्छा लिखने से बतौर लेखक उन की कोई तारीफ नहीं होनी थी तो बुरा लिखने पर तौहीन का हिस्सेदार भी तो उन्होंने नहीं होना था! उनको भूत नाम के चलने पिटने से क्या फर्क पड़ना था।

जमा, फरेबी प्रकाशक का वो सपना पूरा न हुआ कि जेनुइन लेखक ही मजबूर हो कर भूत लेखन करने लगेंगे। नतीजा ये हुआ कि ऐसे प्रकाशक जिस मुकाम पर थे, उससे दो कदम आगे बढ़ने की जगह दस कदम पीछे सरक गये।

इस सन्दर्भ में साहित्य में नोबल पुरुस्कार विजेता (सन् 1930 में) अमरीकी उपन्यासकार हैरी सिंक्लेयर लेविस (HARRY SINCLAIR LEWIS—1885-1951) का एक उद्धरण मुलाहजा फरमाइये :

> Advertising is a valuable economic factor because it is the cheapest way of selling goods particularly if the goods are worthless.
>
> (विज्ञापन एक महत्वपूर्ण आर्थिक पहलू है क्योंकि ये माल की बिक्री का सब से बढ़िया जरिया है, खास तौर से तब जब कि माल एक दम घटिया हो।)

तब के भूत लेखकों के फैंसी, तन्दुरुस्त, सजीले उपन्यासों के प्रकाशक की अपेक्षानुसार न बिकने की यही वजह साबित हुई। प्रकाशक कबूलने को कैसे तैयार होता कि जब कहानी ही किसी काम की नहीं तो इस कमतरी को ये खूबियां कैसे ढकेंगी कि कागज उम्दा है, छपाई कमाल की है, टाइटल मुम्बई से छप कर आया है, वगैरह! आइटम बढ़िया हो तो बढ़िया पैकिंग की भी कोई कीमत है, जब आइटम ही किसी काम की नहीं तो बढ़िया पैकिंग उसकी सेलेबलिटी में क्या इजाफा करेगी? हलवाई की बनाई मिठाई ही घटिया है तो कैसे उस पर लगा बढ़िया वर्क उस खामी को छुपा पायेगा? बाज लोग तो वर्क हटा कर मिठाई खाते है, उसकी लज्जत पर वाह वाह करते हैं, उन के लिये वर्क

की क्या अहमियत हुई ! जब कीमत मिठाई की अदा की जानी है तो वर्क कैसे प्रधान हो सकता है ! ऐसे फुंदने बेहतरीन शै की बेहतरी में इजाफा कर सकते हैं, बेहतरी की वजह नहीं बन सकते।

ये बात दौलत के कलफ से ऐंठे हुए प्रकाशक की समझ में नहीं आती, नहीं आयी, इसलिये कालांतर में उस मुकाम से भी गया जिस पर वो मजबूती से कायम था।

उस दौर के भूत लेखकों ने भी प्रकाशकों को खूब उल्लू बनाया और खुद चान्दी काटी। एक ही कथानक को थोड़ी हेरफेर के साथ कई बार लिख कर कई प्रकाशकों को चेप दिया। एक ज्यादा हेंकड भूत लेखक ने तो हद ही कर दी। एक ही उपन्यास की दो प्रतियां तैयार कीं और विभिन्न नामों से दो विभिन्न प्रकाशकों को सौंप कर मोटी फीस खड़ी कर ली। कोढ में खाज कि दोनों प्रकाशकों के यहां से वो उपन्यास एक ही महीने में मार्केट में आ गये जिन के सिर्फ नाम मुख्तलिफ थे, टाइटल मुख्तलिफ थे, भीतर टैक्स्ट में कामा फुल स्टाप तक का फर्क नहीं था।

तब प्रकाशकों ने क्या उस भूत लेखक को सूली पर टांग दिया?

कुछ भी न किया।

वो अपनी कोई माली मजबूरी जता कर सॉरी कह कर छूट गया।

वो इम्पार्टेंट भूत लेखक था, सब से बढ़िया नकली आइटम था, इसलिये दोनों ही प्रकाशक उससे बिगाड़ना अफोर्ड नहीं कर सकते थे। लिहाजा इतने बड़े फर्जीवाड़े के बावजूद वो दोनों के लिये ही भूत लेखन करता रहा।

उन दिनों आगरा के एक लेखक थे जिन के नाम से, खुद के नाम से, डेढ़ सौ उपन्यास छप चुके थे और पॉकेट बुक्स ट्रेड में उन की शिनाख्त एक स्थापित लेखक के तौर पर थी। लिहाजा भूत लेखन उन की कतई कोई मजबूरी नहीं थी लेकिन फिर भी स्वेच्छा से भूत लेखन करते थे।

वजह?

बतौर भूत लेखक लिखने पर उन्हें अपने नाम से छपने वाले उपन्यास से ज्यादा उजरत मिलती थी।

उस दौर में प्रकाशकों ने सौ-डेढ़ सौ भूत लेखक खड़े कर लिये—यादगार के तौर पर तीन-चार अभी भी जारी हैं—लेकिन अपने इरादों के मुताबिक अपनी पुरजोर कोशिशों के बावजूद वो अपने किसी भूत लेखक को ऐसा स्थापित न कर पाये कि वो जेनुएन—फोटो वाले—लेखक का मुंह चिढ़ा पाता।

उपरोक्त के बावजूद भूत लेखन में फिनामिनल तरक्की के दो अपवाद है :

एक तो—आप समझ ही गये होंगे—कर्नल रणजीत

और दूसरा मनोज।

यही दो लेखक हैं जिन्होंने अपने सुनहरे दिनों में सेल में लाख का आंकड़ा पार किया और ये जिक्र के काबिल इसलिये भी हैं कि एक लम्बा अरसा किसी को—क्या प्रकाशकों को, क्या पाठकों को—शक तक नहीं हुआ था कि ये छद्म नाम थे। इन की दूसरी खासियत ये थी कि इन दो नामों के पीछे जो असली साहबान थे, उन की बतौर भूत लेखक भी काबिलेरश्क फीस थी।

उपरोक्त दो भूत लेखकों में निहित एक विशेषता ये भी थी कि जब तक वो छपे, उन को एक ही भूत लेखक ने लिखा। जब कि बाकी प्रकाशक अपने भूत लेखकों के नाम से छापने के लिये स्क्रिप्ट्स का बैंक बना के रखते थे, जब भूत लेखक को छापने का वक्त आता था तो जो स्क्रिप्ट बैंक में से हाथ में आती थी, उसे प्रैस में लगा देते थे। लिहाजा उन की कोशिश ही नहीं होती थी कि भूत नाम के पीछे एक ही लिखने वाला हो। नतीजा ये होता था कि पढ़ने वाले को एक ही भूत लेखक का नावल हर बार जुदा मिजाज का मिलता था। यूं न उसमें कंसिस्टेंसी पैदा हो पाती थी और न लेखन शैली की कन्टीन्यूटी बरकरार रह पाती थी।

ये भी प्रकाशकों की उस मूव के पिटने की एक प्रमुख वजह थी।

□

बहरहाल मैं उस दौर का जिक्र कर रहा था जब भूत लेखन एक बड़ी लानत के तौर पर पॉकेट बुक्स के व्यवसाय में उबरा था और हर छोटा बड़ा प्रकाशक एक या एक से ज्यादा भूत लेखक अपने हर सैट में छापने लगा था। गाइड पॉकेट बुक्स का मालिक याकूब भाई भी उस रवायत से नावाकिफ नहीं था इसलिये अपने एक दिल्ली के फेरे में, जब कि वो कनॉट प्लेस के एक होटल में ठहरा हुआ था, उसने भूत लेखन की पेशकश मेरे सामने रखी।

मैंने तत्काल इंकार कर दिया।

उसने मुझे कहा कि साथ में हर बार वो मेरे नाम से भी मेरा उपन्यास छापेगा।

मैं इंकार पर कायम रहा।

उसने एक आकर्षक, ललचाने वाली, उजरत की पेशकश की।

मैं न हिला। हालांकि वो उजरत मेरी तब की अपनी स्क्रिप्ट की प्राप्ति से तकरीबन डबल थी।

इंकार के जवाब में उसने ये कह कर भी मुझे चेताया कि नीचे रिसैप्शन पर मखमूर जालंधरी मुलाकात के लिये अपनी बारी का इन्तजार कर रहा था, मेरे इंकार करने पर वही आफर वो उसे देने वाला था।

यानी 'कर्नल रणजीत' का भूत लेखक 'गाइड' के लिये भूत लेखन करवाने के मामले में उसकी सैकण्ड चायस था।

आखिर उसने ये कह कर मुझे हिलाने की कोशिश की कि एक तरह से 'गाइड' का भूत लेखक भूत लेखक होगा ही नहीं क्योंकि उपन्यास पर उसकी—मेरी—तसवीर भी छपेगी—जो कि भूत लेखक की कभी नहीं छपती थी, छप सकती ही नहीं थी, जब उस नाम के किसी शख्स का कोई वजूद ही नहीं था तो तसवीर कहां से आती—और लेखक का नाम 'पाठक' होगा।

मेरे बैटर जजमेंट ने मेरा साथ दिया, मैं लालच में न आया और यूँ मैं भूत लेखन से बचा।

बाद में मखमूर जालंधरी ने 'गाइड' के लिये भूत लेखन किया जो कि किसी मुकाम पर न पहुंच पाया। कर्नल रणजीत के प्रकाशक के बाद वो चौथी जगह थी जहां उसने भूतलेखन करना कबूल किया था। कैसे एक भूत लेखक एक वक्त में चार प्रकाशकों की खिदमत कर सकता था, ये किसी अजूबे से कम नहीं था लेकिन उस शख्स के लिये कोई अजूबा नहीं था क्योंकि भूत लेखक आगे भूत लेखन करवाता था और अपनी रचना बता कर प्रकाशकों को ठोकता था। कोई शिकायत करता था कि स्क्रिप्ट का हैण्डराइटिंग पिछली बार से जुदा था तो उसका जवाब होता था कि वो तो उर्दू में लिखता था, हिन्दी में तर्जुमा करने वाला हर बार जुदा होता था इसलिये हर बार स्क्रिप्ट का हैण्डराइटिंग जुदा होता था।

शायद इसी को कहते हैं चोरों को मोर पड़ना।

बहरहाल दो जहां के मालिक ने मेरी लाज रखी, वक्त पर मेरे बैटर जजमेंट ने मेरा साथ न छोड़ा और मैं याकूब भाई छीपा की बातों में आ कर भूत लेखक बनने से बच गया।

उसके लिये चेज के अनुवाद मैं बदस्तूर करता रहा और बेहतरीन उजरत हासिल करता रहा।

फिर मेरे अनुवाद की क्वालिटी से प्रभावित उसने मुझे लेखकद्वय लॉरी कॉलिंस और डोमिनिक लेपियर के उपन्यास 'फ्रीडम ऐट मिडनाइट' का—जो उन दिनों का टॉप बैस्टसैलर था—अनुवाद करने की पेशकश की।

मैंने वो उपन्यास कभी पढ़ा नहीं था लेकिन उस की असाधारण मकबूलियत की वजह से उसका नाम बराबर सुना था। मैंने बुकस्टाल पर जा कर उस का मुआयना किया तो पाया कि वो बहुत मोटा—कोई साढ़े चार सौ पृष्ठों का—उपन्यास था, उस की अंग्रेजी भी मुझे अपेक्षाकृत जटिल लगी। यानी वो मुझे बहुत वक्तखाऊ और सिरखपाऊ काम लगा। मैंने पंगा न लेने का फैसला किया।

मैंने प्रकाशक को फोन कर अपनी असमर्थता जता दी।

याकूब भाई अनुवाद मेरे से ही कराना चाहता था इसलिये फीस के मामले में उसने मुझे बहुत आकर्षक, ललचाने वाली आफर दी।

मैंने जी कड़ा करके खेदप्रकाश के साथ उसे नाकबूल किया।

दो दिन बाद उसका फिर फोन आया और वो बोला उसने उस लाइन पर कुछ काम दिया था जिसका नतीजा ये सामने आया था कि मनहर चौहान वो काम करने को तैयार हो सकता था।

मैंने मनहर चौहान की कभी शक्ल नहीं देखी थी लेकिन उसके नाम से वाकिफ था। हिन्दी का उभरता लेखक था जो साहित्य साधना के क्षेत्र में तब तक अपना काफी मुकाम बना चुका था। हाल ही में 'सारिका' द्वारा प्रायोजित एक आल इण्डिया कहानी प्रतियोगिता में उसकी कहानी ने पहला स्थान पाया था और एक बड़ा ईनाम उसने जीता था।

लेकिन डाक्टर जैकिल और मिस्टर हाइड की तरह उसके व्यक्तित्व के भी परस्पर विरोधी दो पहलू थे। वस्तुतः वो खालिस साहित्यकार था लेकिन लालसाभरे अरमान उसे किसी दूसरी ही राह पर धकेलते थे। मेरे जैसे लोकप्रिय साहित्य के तमाम लेखकों के बारे में वो खुल्ला विषवमन करता था और उन की, उन की किस्म के लेखन की भर्त्सना करने का कोई मौका नहीं छोड़ता था। लेकिन पॉकेट बुक के धन्धे में जो पैसे की चकाचौंध थी, वो उसको चुम्बक की तरह अपनी तरफ खींचती थी इसलिये उस धन्धे में सेंध लगाने को तैयार था ताकि गुलशन नन्दा जैसों की उम्दा कमाई की बहती गंगा में वो भी हाथ धो पाता। नतीजतन मीना सरकार के फर्जीनाम से मयूर पेपरबैक्स के लिये जासूसी उपन्यास लिखे जो कई छप जाने के बाद भी चलना तो दूर, सरक कर न दिये। फिर अमेरिका, ब्रिटेन की पापुलर 'मिस्ट्री मैगजीन' जैसी 'भेदभरी पत्रिका' खुद निकाली, उस 'भ्रष्ट' धन्धे में और भी जो कुछ करना था, किया और जब कहीं पेश न चली तो जैसे उस धन्धे से सम्बन्धित सबको सामूहिक गाली दे दी, 'कादम्बिनी' में एक लेख लिखा जिस में लोकप्रिय साहित्य के लेखकों, प्रकाशकों को जी भर के कोसा। किसी को न बख्शा। सुलग कर लिखा कि कुछ पॉकेट बुक्स के राइटरों की हैसियत तो फिल्म स्टार्स जैसी हो गयी थी जो कि नहीं होनी चाहिये थी। पॉकेट बुक्स के तकरीबन प्रकाशकों को अल्पशिक्षा प्राप्त बताया और उन जैसों प्रकाशकों के लिये कोई लाइसेंस जारी किये जाने की कानूनी बन्दिश तजवीज की। और पता नहीं क्या क्या बुरा-भला लिखा जो अब इतने सालों बाद मुझे याद नहीं लेकिन अपनी उसी धन्धे में नाकामी पर मन की जो भड़ास निकाली, उसको ऐसी आक्रामक भाषा में पिरोया कि यही हैरानी होती थी कि 'कादम्बिनी' जैसी प्रतिष्ठित साहित्यिक पत्रिका ने, जो कि हिन्दोस्तान टाइम्स का प्रकाशन था और जिस का फॉरमैट मोटे तौर पर रीडर्स

डाइजेस्ट जैसा था, उस व्यक्तिगत विद्वेष को प्रतिबिम्बित करने वाले लेख को छापना कबूल किया।

बहरहाल मिस्टर हाइड का बाजरिया 'मीना सरकार' गुलशन नन्दा, कर्नल रणजीत, इब्ने सफी के समकक्ष पहुंचने का सपना चकनाचूर हुआ।

प्रकाशक ने मुझे कीर्तिनगर में स्थित उसके आवास का पता बताया और कहा कि वो तो खड़े पैर अहमदाबाद से आ नहीं सकता था इसलिये मैं जा कर मनहर चौहान से मिलूं और गाइड पॉकेट बुक्स अहमदाबाद के लिये 'फ्रीडम एट मिडनाइट' का अनुवाद करने का उससे अनुरोध करूं।

मैं लेखक से मिलने गया।

दोपहर के करीब मुझे बताये गये उसके कीर्तिनगर के पते पर मैं पहुंचा तो ग्राउन्ड फ्लोर से मुझे खबर लगी कि वो इमारत के टॉप फ्लोर पर बरसाती में रहता था।

सीढ़ियां चढ़ कर मैं टॉप फ्लोर पर पहुंचा और आगे के एक बन्द दरवाजे की काल बैल बजाई जिस के जवाब में दरवाजा खुला और चौखट पर निकर बनियान पहने लेखक प्रकट हुआ जो मुझे राह चलते दिखाई दिया होता तो जरूर मैंने उसे रिक्शापुलर समझ लिया होता।

मैंने उसे प्रकाशक का परिचय दिया, अपना परिचय दिया—केवल नाम बता कर, अपने सरकारी मुलाजिम होने का या जासूसी उपन्यासों का लेखक होने का जिक्र मैंने न किया।

उसने परिचय कबूल किया लेकिन चौखट से न हटा। प्रत्यक्ष था कि मुझे भीतर बुलाने की उस की कोई मंशा नहीं थी। मेरा जो वार्तालाप हुआ, उसकी नाहक चढ़ी त्योरी के जेरेसाया हुआ और सीढ़ियों में खड़े खड़े हुआ।

बहरहाल जिस काम मैं आया था, उस का खुलासा मैंने उसके सामने किया।

उसने मेरे पर ये भी अहसान किया कि मैंने जो कहना था, मुझे कह लेने दिया, बीच में न टोका। मैं खामोश हुआ तो उसने वो काम करना कबूल करने से दो टूक इंकार कर दिया।

मैंने मोटी फीस का जिक्र किया।

उस का इंकार बरकरार रहा।

मैंने कहा फीस और बढ़ाई जा सकती थी।

उसने मेरे मुंह पर दरवाजा बन्द कर दिया।

बाद में गाइड में अनुवाद तो छपा लेकिन मुझे नहीं मालूम कि आखिर अनुवाद किस ने किया। अलबत्ता इतना याद है कि हिन्दी में उसकी कोई पूछ नहीं हुई थी और आखिर में प्रकाशक ने सारा अनसोल्ड कौडियों के मोल

दिल्ली के एक बड़े डिस्ट्रीब्यूटर को दे दिया था। डिस्ट्रीब्यूटर उस को—पब्लिक को मूलरूप से नाकबूल पुस्तक को—कैसे ठिकाने लगा पाया, मुझे कभी मालूम न हो सका।

बाद में सुनने में आया था कि मनहर चौहान ने किसी और प्रकाशक के लिये आखिर 'फ्रीडम एट मिडनाइट' का 'आजादी आधी रात को' के नाम से अनुवाद किया था, प्रकाशक कौन था, मुझे नहीं मालूम।

मैं भूत लेखक बनने से बाल बाल बचा, इसके अलावा एक दूसरी, पहली से कई दर्जा बड़ी, जो रहमत ऊपर वाले ने मेरी झोली में टपकाई, वो ये थी कि अपने लिखे तमाम उपन्यासों का कापीराइट होल्डर मैं हूं। शुरुआती दौर में इस मामले में मेरे पर बहुत दबाव था लेकिन येन केन प्रकारेण मैंने उस दबाव को झेल लिया था और उस दौर में बार बार हाथ से सरका जाता कापीराइट का दामन मैंने नहीं छोड़ा था।

अन्य मकबूल लेखकों में गुलशन नन्दा तक के शुरुआती उपन्यासों के कापीराइट प्रकाशक के पास थे। काम्बोज के कापीराइट सत्यपाल वार्ष्णेय के पास थे जिन के लिये उसने प्रकाशक से झगड़ा करके ओम प्रकाश शर्मा की आर्बिट्रेशन के तहत फिफ्टी फिफ्टी में फैसला कर लिया था। यानी जितने उपन्यास काम्बोज के 'नीलम के जासूस' में छपे थे, उन में से आधों का कापीराइट होल्डर प्रकाशक और बाकी आधों का वेद प्रकाश काम्बोज।

दोनों को ही कापीराइट से चिपकने का कोई खास फायदा कभी न पहुंचा। काम्बोज का सितारा गुरुब होता जा रहा था, उसका नया नावल ही औना पौना चलता था तो रीप्रिंट कौन छापता? वार्ष्णेय का प्रकाशन ही बन्द हो गया था इसलिये काम्बोज के अपने पास सुरक्षित कापीराइट उसने आगे किसी प्रकाशक को बेच दिये थे जिसके वो कतई काम नहीं आये। कापीराइट कब्जाने पर उसने खर्चा ही किया, एक भी उपन्यास कभी अपने प्रकाशन में रीप्रिंट न किया।

प्रेम बाजपेई चला हुआ लेखक था लेकिन उसने कापीराइट से चिपकने की कोशिश कभी की ही नहीं थी। प्रकाशक उससे नावल लेता था तो ये अन्डरस्टुड था कि कापीराइट होल्डर प्रकाशक था इसलिये इस सिलसिले में कोई झगड़ा ही नहीं था, कोई बखेड़ा ही नहीं था।

वेद प्रकाश शर्मा मेरठ के कई प्रकाशकों के लिये कई उपन्यास लिख चुकने के बाद 'मनोज' से जुड़ा था जहां से कि उसके करियर के ग्राफ ने ऊपर, और ऊपर चढ़ना शुरू किया था लेकिन वहां भी कापीराइट होल्डर प्रकाशक था। खुद कापीराइट होल्डर तो वो तभी बन सका था जब कि वो लेखक से प्रकाशक बना था।

जब 'मनोज' में वेद प्रकाश शर्मा का सेल का ग्राफ आसमान छूने लगा था तो राज पॉकेट बुक्स के प्रकाशक राजकुमार गुप्ता ने दूरदर्शिता दिखाई और एक बड़ा गेम खेला। इस से पहले कि मेरठ के प्रकाशकों को वेद प्रकाश शर्मा के रीप्रिंट्स की अहमियत का अहसास हो पाता, उसने तमाम प्रकाशकों के पास उपलब्ध उसके तमाम उपन्यासों के कापीराइट खुद खरीद लिये।

सैंकडों में।

किसी को भी हजार रुपये से ऊपर न देने पड़े।

प्रकाशकों ने तो वो उपन्यास सौ सौ रुपये में लिये थे, लिहाजा खुद छाप चुकने के बाद कापीराइट बेच कर—जो उन की समझ में किसी काम भी नहीं आने वाले थे—लागत से नौ-दस गुणा रकम कमाई।

ये वो कदम था जो अच्छी हैसियत बन चुकी होने के बाद लेखक को खुद उठाना चाहिये था। अब पता नहीं उसने इस मद पर पल्ले का पैसा खर्चना जरूरी न समझा या उसे ऐसा करना सूझा ही नहीं।

ओमप्रकाश शर्मा भी अपने उपन्यासों के कापीराइट होल्डर तभी बने जब कि खुद प्रकाशक बने। उसके बाद जो नावल उन्होंने अपने प्रकाशन से बाहर लिखे वो सशर्त लिखे कि सर्वाधिकार लेखकाधीन होगा।

अलबत्ता अपने खुद के प्रकाशन से पहले के उपन्यासों के साथ उन्होंने कोई घिचपिच की जिस की बाबत डिटेल से मुझे कुछ नहीं मालूम। इतना मालूम है कि अपना एक उपन्यास उन्होंने रीप्रिंट के लिये किसी को दिया था तो इलाहाबाद के एक प्रकाशक का उन के पास नोटिस आ गया था कि उस का कापीराइट होल्डर वो था। शर्मा जी ने नोटिस की परवाह नहीं की थी तो उस प्रकाशक ने इलाहाबाद में उन पर मुकद्दमा कर दिया था जिसकी वजह से कई बार उन्हें इलाहाबाद जा कर कोर्ट की हाजिरी भरनी पड़ी थी। नहीं जाते थे तो कोर्ट से वारन्ट आ जाता था। एक बार तो गिरफ्तारी के लिये इलाहाबाद से पुलिस ही आ गयी थी जो कि भरपूर 'खातिर' कराके बिना गिरफ्तारी शर्मा जी के घर से टली थी।

तब शर्मा जी ने अपने एक नये उपन्यास के साथ एक लेख छपवाया था जिसका शीर्षक था 'मेरी हत्या के प्रयत्न' और उस में जोर इस बात पर दिया गया था कि लेखक को कोर्ट कचहरी के पचड़ों में घसीट कर उसके साथ साजिश की जा रही थी कि वो उन नामुराद बातों में इतना उलझ जाये कि उपन्यास लिखने के काबिल ही न रहे, बुरे हाल में आखिर जान से जाये। उस लेख का मन्तव्य पाठकों से हमदर्दी बटोरना था इसलिये उसमें उन्हीं बातों का जिक्र था जिन से ये बात पुख्ता होती कि सरमायादार श्रमजीवी के साथ ज्यादती कर रहा था, उसका शोषण कर रहा था।

वो पैंतरा शर्मा जी के उस वक्त की यादगार था जब कि वो मिल मजदूर थे और स्वाभाविक तौर पर उन की विचारधारा साम्यवादी थी। असल में ज्यादती उन की थी, उन्होंने ही अपना उपन्यास दो प्रकाशकों को प्रकाशन हेतु दिया था और दोनों से उजरत खड़ी की थी।

वो केस आखिर कैसे निपटा था, मुझे नहीं मालूम लेकिन न निपटता तो उस सिलसिले में शर्मा जी का अंजाम बुरा होता।

तब के बाकी जेनुइन लेखक ऐसे थे जिन के नावल कभी रीप्रिंट नहीं होते थे इसलिये उन के लिये कापीराइट उन के पास होना, न होना एक बराबर था।

सारे प्रकाशक भूत लेखन को भी इसीलिये प्रोत्साहन देते थे कि लेखक उनका साबुन, टुथपेस्ट जैसा मार्का होता था इसलिये कापीराइट तो उन के पास होना ही होना था। भूत लेखक को प्रमोट करने के हक में दो दलील देते थे कि जेनुइन लेखकों के मुंह फटे हुए थे, नावल को रिप्रिंट करने का वक्त आता था तो उजरत के मामले में बड़ी बड़ी नाजायज मांगें खड़ी करने लगते थे और प्रकाशक

के लिये दुश्वारियों पैदा करते थे। भूत लेखक उनका अपना होता था इसलिये ऐसी दुश्वारियां पेश नहीं आती थीं।

अव्वल तो ये दलील ही गलत थी; दूसरे, कोई प्रकाशक अपनी इस करतूत का जिक्र नहीं करता था कि वो चोरी से, लेखक की जानकारी में न आने दे कर उस का कापीराइट नावल कई कई बार छाप लेते थे और टोके जाने पर भोली सूरत बना कर कह देते थी, कहीं से वापिसी आ गयी थी, कुछ बंडल किन्हीं और किताबों में मिक्स हो गये थे जो कि अब मिले थे, पहले का ही अनसोल्ड बचा हुआ था वगैरह।

गनीमत थी कि अपने राइटर प्रोमोट करने वाला उन का दांव चला नहीं, वर्ना वो मेरे जैसे लेखकों को बर्बाद कर देते।

बहरहाल मेरा जोर इस बात पर था कि संयोग से या चातुरी से, अपने तमाम उपन्यासों का कापीराइट होल्डर मैं था और ये करतब इस कारोबार का छोटा बड़ा कोई भी लेखक कभी न कर सका। इसी वजह से मेरे उपन्यासों की बाजार में कभी भी बाढ़ न आ गयी। लेखक के खुद कापीराइट होने का ये भी फायदा है कि वो अपने पुराने उपन्यासों के रिप्रिंट्स के शिड्यूल को अपने कन्ट्रोल में रख सकता है।

वेद प्रकाश शर्मा को ये सुविधा प्राप्त नहीं थी, उसका एक नया उपन्यास मार्केट में आता था तो साथ ही कापीराइट होल्डर दूसरा प्रकाशक उसके दस पुराने उपन्यास मार्केट में धकेल देता था जो कि नये उपन्यास की सेल पर असर डालते थे। यानी नया उपन्यास छाप कर, पब्लिसिटी पर अतिरिक्त खर्चा करके लेखक के उस उपन्यास की हवा तो एक प्रकाशक बनाता था और उसका मुफ्त फायदा वो दूसरा प्रकाशक उठाता था जो साथ में लेखक के दस रिप्रिंट्स मार्केट में उतार देता था।

यूं राज पॉकेट बुक्स ने, जिन के पास वेद प्रकाश शर्मा के सौ कापीराइट थे, एक एक उपन्यास के पचास पचास एडीशन किये और हर बार कीमत बढ़ाई। यानी जो उपन्यास बाजार से कापीराइट खरीदते वक्त दस से बीस रुपये तक का था, वो आज रीप्रिंट होता है—होता है बराबर, भले ही गिनती में कम हो—तो उसकी कीमत सौ सवा सौ रुपये होती है।

लेकिन प्रकाशक की दूरदर्शिता एक ही बार काम आयी।

उसने वही दांव अनिल मोहन के उपन्यासों के साथ खेला तो रीप्रिंट्स के मामले में वो वेद प्रकाश शर्मा के नावलों की परछाईं भी न निकले, ये हाल हुआ कि प्रकाशक लेखक से ही सौदेबाजी करने लगा कि कैसे वो अपने पुराने नावलों के कापीराइट्स वापिस हासिल कर सकता था।

लेखक ने उस पेशकश में कोई रुचि न ली।

कैसे लेता?

जो नावल प्रकाशक के काम के नहीं थे, वो लेखक के काम के कैसे बन जाते!

राज पॉकेट बुक्स से प्रेरणा पा कर वही दांव पवन पॉकेट बुक्स के प्रकाशक ने परशुराम शर्मा के साथ खेला और मुंह की खायी। उसके पास लेखक के नये उपन्यास ही न चले, पुराने कैसे चलते!

इसीलिये कहा गया है कि दूसरे का मुंह लाल देख कर अपना मुंह थप्पड़ मार के लाल कर लेना गलत है।

एक और अहम बात का जिक्र मैं यहीं करना चाहता हूं।

साठ और सत्तर के दशक में जब पॉकेट बुक्स ट्रेड में प्रकाशकों की भीड़ लग गयी थी तो उसमें आधे से ज्यादा ऐसे थे जो इस ट्रेड को लम्बे करियर के तौर पर नहीं देखते थे, बस बहती गंगा में हाथ धोने की तलब रखते थे जो कि पूरी भी नहीं होती थी। तब उन्हें खुराफाती, बल्कि गैरकानूनी, हरकतें सूझती थीं, वो जिस लेखक को हैसियत वाला बन गया पाते थे, उस की नकली किताब छाप लेते थे।

गौरतलब है कि वो नकली किताब आज के पाईरेटिड बुक्स के ट्रेड से जुदा होती थी। आजकल की पाईरेटिड एडीशन की परिभाषा ये है कि जिस लेखक की किताब बैस्टसैलर बन जाये, फोटो ऑफसेट प्रणाली से पाईरेट उसका नकली एडीशन तैयार कर लेते हैं, जिसमें कागज, छपाई और बाईडिंग के अलावा उन का कोई खर्चा नहीं आता—लेखक को रायलटी नहीं, टाइपसैटिंग पर खर्चा नहीं, टाइटल, डिजाइन पर खर्चा नहीं, वगैरह। कागज की क्वालिटी भी कमजोर होती है इसलिये पाईरेट उस को मूल संस्करण की कीमत से एक चौथाई कीमत पर भी बेच कर मुनाफा कमा सकता है। भारत में पहले ये हरकत सिर्फ विदेशी लेखकों की बैस्टसैलर पुस्तकों के साथ होती थी लेकिन अब पाईरेट्स के हौसले बढ़ गये हैं, वो देसी लेखकों और प्रकाशकों की पुस्तकों को अपना निशाना बनाने लगे हैं।

ऐसा पाईरेटिड एडीशन भारत में सबसे पहले एलिस्टेयर मैक्लीन के उपन्यास 'पपेट आन दि चेन' (PUPPET ON THE CHAIN) का छपा था। तब कनॉट प्लेस के भीतरी बरामदों में किताब बेचने वाले आम बैठते थे। मैंने एक के पास अपने प्रिय लेखक के नये उपन्यास का ढेर लगा देखा तो तत्काल एक प्रति खरीद ली। घर ला कर उसे पढ़ने के लिये खोला तो अहसास हुआ कि

छपाई तो बहुत ही खराब थी। मैंने यही समझा कि मेरे ही हाथ एक खराब छपी कापी लग गयी थी और जैसे तैसे उसे पढ़ लिया।

बहुत बाद में जाकर मुझे मालूम हुआ कि वो नकली—पाईरेटिड— एडीशन था।

पहले ऐसा नहीं होता था।

पहले चले हुए लेखक का नाम चोरी किया जाता था और काले चोर से उपन्यास लिखवा कर उसके नाम से छाप दिया जाता था। उन दिनों किताब की पुश्त पर लेखक की तसवीर छापने का रिवाज नहीं था इसलिये जब वो किताब मार्केट में आती थी तो पाठक को इमकान भी नहीं होता था कि नावल उसके प्रिय लेखक का लिखा हुआ नहीं था, उसके नाम से छपा नकली नावल था।

इस बेजा हरकत के शिकार उन दिनों वेदप्रकाश काम्बोज, ओम प्रकाश शर्मा और गुलशन नन्दा हुए।

काम्बोज का नावल नकली छापने वाला प्रकाशक तो इतना दिलेर था, इतना कम्बख्त था कि जब उसे उसकी उस नापाक हरकत के लिये ओम प्रकाश शर्मा ने टोका तो उसने ढिठाईभरा जवाब दिया—"तुम्हारे वेद प्रकाश काम्बोज को कोई सरकारी ईनाम मिला हुआ है जो हमारे वेद प्रकाश काम्बोज को नहीं मिला हुआ? तुम्हारा वेद प्रकाश काम्बोज अगर बड़ा लेखक है तो क्या हमारा वेद प्रकाश काम्बोज उसकी खातिर अपना नाम बदल ले?"

यानी उसने ये जाहिर किया कि संयोग से जासूसी उपन्यास लिखने वाले दो लेखकों का नाम एक था।

ऐसा सच में तो नहीं था, वो सिर्फ उस भ्रष्ट प्रकाशक की कथा थी लेकिन उसका तोड़ शर्मा जी ने काम्बोज के प्रकाशक को ये समझाया कि आइन्दा वो उसके नये उपन्यास की पुश्त पर काम्बोज की फोटो छापा करे और साथ में ये विज्ञप्ति छापा करे कि वेद प्रकाश काम्बोज के उसी उपन्यास को असली माना जाये जिस पर कि उसकी तसवीर छपी हो।

दूसरे, काम्बोज को कोई आन डिमांड सरकारी ईनाम तो नहीं दिलाया जा सकता था लेकिन उस को प्रसिद्ध लेखक स्थापित करने के लिये कुछ किया जा सकता था।

शर्मा जी ने ही उसके प्रकाशक को समझाया कि मेरठ में वेद प्रकाश काम्बोज का अभिनन्दन समारोह आयोजित किया जाये जिस का सारा खर्च खुद काम्बोज वहन करेगा।

फिर प्रकाशक को क्या ऐतराज होता !

उसने आपसी सलाह से समारोह की एक तारीख मुकर्रर की और एक लोकल अखबार में उसका विज्ञापन भी दे दिया।

समारोह की तारीख पर काम्बोज ने अपने दिल्ली के दोस्तों को समारोह में शामिल होने के लिये इनवाइट किया और सबको मेरठ ले जाने और वापिस लौटाने के लिये टैक्सियों का इन्तजाम किया।

समारोह में काम्बोज का प्रशस्तिगान करने के लिये भूपेन्द्र कुमार स्नेही को चुना गया जिस को मेरठ समारोह स्थल पर पहुंचाने का जिम्मा मेरे को सौंपा गया और इस काम के लिये एक प्रीपेड टैक्सी मेरे हवाले की गयी।

समारोह में जो करिश्माई नजारा पेश आया वो ये था कि दिल्ली से तो सीमित लोग गये थे लेकिन मेरठ की इतनी खलकत समारोह स्थल पर इकट्ठी हो गयी थी कि यकीन नहीं आता था कि वेद प्रकाश काम्बोज नाम का जासूसी उपन्यासकार इस हद तक लोकप्रियता अर्जित कर चुका था।

खुद ओम प्रकाश शर्मा उस विपुल उपस्थिति से हैरान थे।

वेद प्रकाश काम्बोज अभिनन्दन समारोह बहुत बढ़िया चला, स्टेज पर से विभिन्न वक्ताओं ने उसका भरपूर प्रशस्तिगान किया और जिस समारोह का आधा घन्टा चलना संदिग्ध जान पड़ता था, वो दो घन्टे चला।

आखिर के करीब काम्बोज के प्रकाशक ने मेरठ के तमाम प्रकाशकों का प्रतिनिधित्व करते हुए घोषणा की कि मेरठ प्रकाशक संघ की ओर से आइन्दा हर साल एक लेखक को ऐसे ही सम्मानित किया जायेगा।

वो नौबत कभी न आयी।

आइन्दा कभी किसी लेखक के लिये—ओम प्रकाश शर्मा के लिये भी नहीं जो कि मेरठ के ही वासी थे और पहले समारोह के ओरिजिनेटर थे—वैसा समारोह मेरठ में आयोजित न किया गया।

काम्बोज उस इज्जतअफजाई से बेताहाशा खुश था, इतना कि जज्बाती होकर गिला करता था कि अगर उसे पता होता कि वो समारोह ऐसी विलक्षण सफलता प्राप्त करने वाला था तो वो अपने माता-पिता, भाई-बहनों को भी साथ ले आता।

नकली किताबों के प्रकाशन को उस समारोह ने तो क्या अंकुश लगाना था, वैसे ही वो भ्रष्ट धन्धा थोड़ी देर ही चला और अपने आप बन्द हो गया क्योंकि कथावस्तु के लिहाज से नकली उपन्यास असली के सामने कहीं नहीं ठहरते थे।

शर्मा जी का नकली उपन्यास छपा तो मालूम हुआ कि दूसरा ओमप्रकाश शर्मा फर्जी नाम नहीं था, लेखक का नाम वास्तव में ही ओम प्रकाश शर्मा था। तब उन्होंने डिप्लोमेसी से काम लिया, काम्बोज के और साधना प्रतापी के और मेरे साथ वो लेखक से मिले और उसे शर्मा जी ने समझाया कि ये स्थापित न करने से, कि वो जुदा ओम प्रकाश शर्मा था, खुद उसे नुकसान हो सकता था।

कल को वो बड़ा और प्रसिद्ध लेखक बन जाता तो वाहवाही मेरठ वाले ओम प्रकाश शर्मा को ही हासिल होती।

बड़ा और प्रसिद्ध लेखक !

मैं !

वो शर्मा जी की बातों में आ गया और उन की इस राय पर अमल करने को तैयार हो गया कि वो अपने उपन्यास पर अपनी फोटो छापा करे ताकि पाठकों को भ्रम न हो कि वो मेरठ वाला ओम प्रकाश शर्मा था।

उस ओम प्रकाश शर्मा के आइन्दा दो ही उपन्यास और छपे और फिर लेखक गुमनामी के गर्त्त में खो गया और प्रकाशन बन्द हो गया।

और भी कुछ छिटपुट प्रकाशनों ने ये वाहियात हरकत दोहरा कर मुंह काला किया लेकिन कोई भी कोई करतब करके न दिखा पाया और उस की नापाक हरकत को अपने आप ही अंकुश लग गया।

यहां मैं जिस बात पर जोर देना चाहता हूं, वो ये है कि दोनों ही लेखकों ने नकली किताब के लेखक और प्रकाशक के खिलाफ कोर्ट में जाना न चाहा। दोनों की उस धन्धे में हैसियत थी, उसमें खूब चान्दी काट रहे थे, वो कोर्ट में जाना अफोर्ड कर सकते थे लेकिन शहीदी अंदाज से अपने खिलाफ होती ज्यादती, बल्कि खुल्ले जुल्म, के खिलाफ हाय हाय ही करते रहे, हमदर्दी के तालिब बन कर ही दिखाते रहे, कोर्ट न गये।

गुलशन नन्दा की नकली किताब छपी थी तो उसने कम से कम पुलिस में तो रिपोर्ट दर्ज कराई थी, जिस पर कि एक्शन भी हुआ था, शर्मा और काम्बोज

बायें से : लेखक, ओमप्रकाश शर्मा, वेद प्रकाश काम्बोज, जय प्रकाश शर्मा, जगदीश विद्राही

तो उस समस्या से यूं पेश आये थे जैसे जुकाम हुआ था, दवा न भी खायेंगे तो दो तीन दिन में अपने आप ठीक हो जायेगा।

मेरी उस दौर में कमाई तब उन दोनों लेखकों से आधी भी नहीं थी जब कि मेरे साथ ऐसी ज्यादती हुई थी और मैंने फौरन हाई कोर्ट का रुख किया था और अपने मिलते जुलते नाम से—सुनील मोहन पाठक—छपने वाले उपन्यास को बन्द करवाया था। एक दूसरे प्रकाशक ने कापीराइट के उल्लंघन का ही न मन बनाया, मेरे टोकने पर रेहड़े तांगे वालों से बद्तर जुबान बोल कर, मेरी नाक के आगे मसल्स हिला कर कहा—"हम तो छापेंगे, तेरे से जो होता है, वो कर ले।"

मैंने कर लिया।

लेकिन वो किस्सा अभी आगे।

कापीराइट्स से मैंने बहुत सुख पाया, बहुत चान्दी काटी और इसी वजह से उन प्रकाशकों की आंख का कांटा भी बना जिन्होंने अनमने भाव से, मेरे पर अहसान करते, जब मेरा नावल छापा था तब कभी सपने में नहीं सोचा था कि आइन्दा कभी मेरी, मेरे नावलों की कोई औकात बन जाने वाली थी। ऐसा हुआ तो सब कलपे, सब तड़पे, बेइमानी पर उतर आये और जब तक मजबूर न हो गये, जिच न हो गये, बाज न आये। जब मुंह की खानी पड़ी तो ये कह के भड़ास निकाली—"आया बड़ा लेखक।"

वेद प्रकाश शर्मा का ट्रेड में अपनी हैसियत के हिसाब से अपने आप को कुतुबमीनार से दस हाथ ऊंचा साबित करने का अपना स्टाइल था। जो बात कहता था, हमेशा अतिश्योक्ति अलंकार के साथ कहता था, भले ही वो शक्ल से ही नामुमकिन जान पड़ती हो।

मसलन :

- मेरे नावल का टाइटल लंदन में छप रहा है।
- कुछ राजनेताओं के एतराज करने पर टाइटल को काला करवा दिया है।
- नये नावल के प्रति पाठकों की राय सम्बन्धी अभी तक मुझे ग्यारह हजार चिट्ठियां आ चुकी हैं। (इन्टरनैट के जमाने में) और अभी और आ रही हैं परनाले से बहते बरसाती पानी की तेजी से।
- मेरे हर उपन्यास का पहला एडीशन डेढ़ लाख प्रतियों का होता है।
- मेरा 'वर्दी वाला गुण्डा' अब तक आठ करोड़ बिक चुका है।
- मैंने केशव पंडित लिखने के लिये एलएलबी की डिग्री हासिल की।
- मुझे हिन्दी के अलावा कोई भाषा नहीं आती।

☐ मैं अभी सिर्फ पचास साल का हूं। (सन् 2014 में)।

वगैरह।

तब न कभी किसी ने पूछा, न कभी लेखक ने बताया कि अगर आठ करोड़ बिक चुका उपन्यास 'वर्दी वाला गुण्डा' था तो लेखक के लिखे पौने दो सौ के करीब उपन्यासों में पौने आठ करोड़ बिकने वाला कौन सा था, साढ़े सात करोड़, सात करोड़ बिकने वाला उपन्यास कौन सा था ?

क्या लेखक ने तमाम जिन्दगी एक ही ऐसा उपन्यास लिखा था जो सेल की इस काबिलेरश्क बुलन्दी तक पहुंचा था? कोई रनर अप वो नहीं लिख पाया था ?

ऐसा करिश्माई उपन्यास बाजार में कहीं दिखाई क्यों नहीं देता था ?

क्या लेखक ने आठ करोड़ बिके उपन्यास से हासिल रायल्टी पर टैक्स भरा था ?

कालेज के ड्रामे में लेखक बिल्कुल दायें

लेखक का ऐसा निरन्तर आत्मप्रचार हर किसी पर इस कदर हावी था कि हर कोई सोचता था कि उस जैसा महान लेखन न हुआ था, न हो सकता था। क्या पाठक, क्या प्रकाशक, क्या फीचर राइटर्स, जो कोई भी मेरा मूल्यांकन करता था, वेद प्रकाश शर्मा को गज मान के करता था जिस के मुकाबले में मैं बारह गिरह भी नहीं था।

इसी सैल्फसैलिंग के इंफ्लूएंस में आये 'कोठागोई' के लेखक प्रभात रंजन ने 'पाखी' में छपे एक लेख में देखिये, कैसे मुझे और मेरे पाठकों को मेरी औकात जताई :

आज भले ही हार्पर कालिंस द्वारा छपने के बाद, अंग्रेजी अनुवादों के बाद सुरेन्द्र मोहन पाठक का लेखकीय कद बड़ा लगने लगा हो लेकिन अखिल भारतीय लोकप्रियता में वह वेद प्रकाश शर्मा से बौने ही रहे।

काश ऐसा मुसाहिबी लेखन करने वाले लेखक की सेवायें मुझे भी उपलब्ध होतीं। काश खुद को बेचने की कला में मैं भी पारंगत होता।

मैं अपने लिखे जेम्स बांड के पहले उपन्यास पर लौटता हूं जिस पर कि लेखक का—मेरा—नाम नहीं छपा था। आवरण पर लेखक के नाम की जगह अंकित था :

सीक्रेट एजेन्ट जेम्सबांड
का
हंगरी में हंगामा

ये तहरीर टाइटल पर दर्ज करने का ढंग ऐसा था जैसे 'सीक्रेट एजेन्ट जेम्स बांड' उपन्यास लेखक का नाम हो।

तब तक प्रकाशक को कुछ उसके शुभचिन्तकों ने जताया और कुछ उसको उसकी खुद की अक्ल ने चेताया कि जो कुछ वो कर रहा था, वो नाजायज था और उसके लिये कोई बड़ा बखेड़ा खड़ा कर सकता था। वो चेता तो जरूर लेकिन इतना नहीं कि अपना वो इरादा तर्क कर देता। उसके खुराफाती दिमाग ने उसे ये नया पैंतरा सुझाया कि उसने टाइटल की उपरोक्त तीन लाइनों में 'का' को 'सा' कर दिया—यानी 'हंगरी में हंगामा' जेम्स बांड 'का' नहीं जेम्स बांड 'सा' था—लेकिन 'सा' को आर्टिस्ट से यूं लिखवाया कि वो 'का' भी पढ़ा जाता था। यानी एक निगाह में पाठक को वो 'का' ही लगता लेकिन कोई बखेड़ा खड़ा होता तो वो दावा कर पाता कि वो तो 'सा' था।

65008297

और सारी स्क्रिप्ट में से बांड शब्द काट दिया। यानी उपन्यास का हीरो जेम्स बांड न रहा, जेम्स बन गया और उपन्यास सीक्रेट एजेन्ट जेम्स बांड का नहीं, सीक्रेट एजेन्ट जेम्स बांड सा हो गया।

बहरहाल उपन्यास प्रकाशित हुआ तो दो बातें सामने आयीं—एक तो ये कि जेम्स बांड के नाम पर थोपे गये उस उपन्यास ने कोई बखेड़ा खड़ा न किया— बखेड़ा क्या जिस दिशा से बखेड़ा सम्भव था, उधर किसी ने उस का नोटिस तक न लिया—दूसरे, उपन्यास खूब, खूब पसन्द किया गया।

उसी प्रकार के लेखन ने मेरे आइन्दा करियर पर क्या असर डाला, इस बाबत मैं बाद में लिखूंगा, पहले मैं ये दाखिलदफ्तर करना चाहता हूँ कि आखिर मैं बादाखोरों की जमात में कैसे शामिल हुआ।

―――――――

लेखक आप का आभारी है कि आपने ये विस्तृत आलेख पढ़ा। कहने को अभी बहुत कुछ बाकी है जो 'न बैरी न कोई बेगाना' सरीखे ही अगले खण्ड में अतिशीघ्र प्रकाशित होगा। यहां पाठकों को जानकारी में इस तथ्य को लाना जरूरी है कि पॉकेट बुक फारमैट में पुस्तक में सीमित पृष्ठ ही प्रकाशित किये जा सकते हैं इसलिये जब कथ्य का कलेवर बहुत विस्तृत हो जाता है तो प्रकाशक को मजबूरन—मजबूरन, इरादतन नहीं—उपलब्ध कलेवर को दो या अधिक भागों में प्रकाशित करना पड़ता है। मुझे आशा ही नहीं, यकीन है कि पाठकगण इस प्रकाशकीय मजबूरी को समझेंगे और इस सिलसिले में लेखक और प्रकाशक को सहयोग देंगे।

सुरेन्द्र मोहन पाठक